dt

Klar und übersichtlich strukturiert beschreibt Jürgen Weber die Geschichte Deutschlands seit dem Ende des Zweiten Weltkrieges 1945, von den Anfängen unter alliierter Besatzung über die unterschiedlichen Entwicklungen in Ost- und Westdeutschland bis zur heutigen Bundesrepublik nach der „unerwarteten Einheit". Knapp und anschaulich werden die wichtigsten Ereignisse, historischen Entwicklungslinien und Weichenstellungen der vergangenen Jahrzehnte dargestellt, interpretiert und insbesondere in den Zusammenhang mit der internationalen Politik gestellt. Jedem Kapitel ist eine Zeittafel mit den wesentlichen Daten und Fakten beigegeben, eine Auswahl weiterführender Literatur rundet diesen informativen Leitfaden zur neuesten deutschen Geschichte ab.

Jürgen Weber, geboren 1944, studierte Geschichte, Politikwissenschaft und Romanistik an den Universitäten Mainz und Straßburg. Er ist Dozent an der Akademie für politische Bildung, Tutzing. Zahlreiche Veröffentlichungen zur jüngsten deutschen Geschichte.

Jürgen Weber

Kleine Geschichte Deutschlands
seit 1945

Deutscher Taschenbuch Verlag

Dieses Buch erschien zuerst 2001 unter dem Titel
„Deutsche Geschichte 1945-1990"
in der Reihe „Grundinformation Geschichte"
der Bayerischen Landeszentrale für politische Bildungsarbeit,
München.
Für die vorliegende Taschenbuchausgabe hat der Autor
den Text um ein Kapitel über die neunziger Jahre ergänzt
und die Literaturhinweise aktualisiert.
Diese Ausgabe wurde ins Englische und ins Arabische übersetzt.

Januar 2002
3., erweiterte Auflage Januar 2006
Deutscher Taschenbuch Verlag GmbH & Co. KG, München
www.dtv.de
© 2001 Bayerische Landeszentrale für politische Bildungsarbeit, München
Das Werk ist urheberrechtlich geschützt. Sämtliche, auch auszugsweise
Verwertungen bleiben vorbehalten.
Umschlagkonzept: Balk & Brumshagen
Umschlagfoto: © Barbara Klemm
Satz: Druckerei Neubert GmbH, Bayreuth
Druck und Bindung: Druckerei C. H. Beck, Nördlingen
Gedruckt auf säurefreiem, chlorfrei gebleichtem Papier
Printed in Germany
ISBN-13: 978-3-423-30830-4
ISBN-10: 3-423-30830-3

INHALT

Ein Wehrmachtsoldat vor dem Berliner Reichstag. – „Wenn nicht ein Wunder geschieht, geht das deutsche Volk zugrunde" (Konrad Adenauer, 1945). *Foto: ullstein bild*

1. Absturz ins Nichts – Deutschland unter alliierter Besatzung 1945/46

Der „totale Krieg", zu dem Hitlers Propagandaminister Goebbels im Februar 1943 die deutsche Bevölkerung aufgerufen hatte, führte zu einer in der deutschen Geschichte einmaligen militärischen, politischen und moralischen Katastrophe und endete im Mai 1945 in der totalen Niederlage des Deutschen Reiches. Als Staat, als Nation, als Volk und als Volkswirtschaft schien Deutschland am Ende zu sein.

In einer ungeheueren Kraftanstrengung hatten die Vereinigten Staaten von Amerika, die Sowjetunion und Großbritannien das totalitäre Gewaltregime Hitlers bezwungen, dem am Schluss weltweit 51 Staaten den Krieg erklärt hatten. Sechs Jahre lang stand die Welt in Flammen, wurden Grausamkeiten im Mantel der Pflichterfüllung begangen, war die Vernichtung des Feindes der oberste Staatszweck, entfaltete die moderne Kriegstechnik eine Zerstörungskraft sondergleichen, die die Zivilbevölkerung noch stärker traf als das Militär, zählte ein einzelnes Menschenleben wenig.

Schreckliche Bilanz

Weite Teile Europas waren verwüstet, Deutschland lag in Trümmern. Die Verluste an Menschenleben überstiegen jede Vorstellungskraft. Realistische Schätzungen der Opferbilanz des von Hitler entfesselten Zweiten Weltkrieges gehen heute von über 55 Millionen Toten in der ganzen Welt aus. Mehr als die Hälfte davon hatte die Sowjetunion zu beklagen.

Sechs Millionen Menschen wurden unter deutscher Herrschaft wegen ihrer jüdischen Abstammung ermordet. Diese Ungeheuerlichkeit eines von Einsatzkommandos und in großen Vernichtungslagern fabrikmäßig betriebenen Völkermords der Juden Europas schockierte die Welt. Der Name Deutschlands wurde nur noch mit Verachtung ausgesprochen.

Während des Krieges kamen nahezu sechs Millionen Polen ums Leben und etwa sieben Millionen Deutsche – darunter über eine halbe Million Luftkriegsopfer, eine Million Soldaten, die in sowjetischer

Gefangenschaft verstarben, und schätzungsweise zwei Millionen Tote durch Flucht und Vertreibung. Jeweils hundertausende Amerikaner, Franzosen, Briten zählten ebenfalls zu den Weltkriegstoten. Hinzu kamen rund 35 Millionen Kriegsversehrte in aller Welt. Allein in Deutschland wurden 2,5 Millionen Schwerversehrte gezählt. Schließlich gehörten die Millionen von Witwen und Waisen, Vermissten und Verschollenen, Flüchtlingen und Vertriebenen zu den beklagenswerten Opfern des Krieges.

Nicht zuletzt wurde die Gefangenschaft zur bedrückenden Erfahrung von Millionen von Menschen – 35 Millionen weltweit, davon etwa 11 Millionen auf deutscher Seite. Die wichtigsten unter den 20 Gewahrsamsländern für deutsche Gefangene waren die Hauptsiegermächte: 3,2 Millionen Soldaten gerieten in sowjetische, 3,8 Millionen in amerikanische, 3,7 Millionen in britische, 245 000 in französische Gefangenschaft. Von den Engländern und Amerikanern wurden an Frankreich 700 000 Gefangene übergeben „für Arbeitsleistungen beim Wiederaufbau". 1948 kamen die letzten Kriegsgefangenen aus den westlichen Ländern zurück, aus der Sowjetunion erst 1956. Zu den schlimmen Folgen des Zweiten Weltkrieges zählte für etwa 20 Millionen Menschen in Europa der Verlust ihrer Heimat. Er traf unter anderem Polen, Tschechen, Ukrainer und vor allem Deutsche. Für etwa 12 Millionen von ihnen wurden Flucht und Vertreibung zum bitteren Schicksal. In den letzten Monaten des Krieges flohen über fünf Millionen Menschen aus den deutschen Ostgebieten vor der anrückenden Roten Armee. Kurz danach begann die Phase der brutalen Vertreibung aus den Ostgebieten und der Tschechoslowakei.

Besiegter Feindstaat

Die bedingungslose Kapitulation der deutschen Wehrmacht vom 8. Mai 1945 beendete den Krieg in Europa. Die Deutschen, die so wenig wie die übrigen Völker den Krieg gewollt, aber mehrheitlich Hitler zugejubelt, die Naziherrschaft mitgetragen und sich dieses Regimes nicht aus eigener Kraft entledigt hatten, sahen sich nunmehr dem Willen der Sieger ausgeliefert. Sie hatten sich selbst aus der Gemeinschaft der zivilisierten Staaten herauskatapultiert. Ihre Zukunft lag in den Händen der Siegermächte.

Der deutsche „Griff nach der Weltmacht" sowie die nationalsozialistische Unterdrückungs- und Ausrottungspolitik im eigenen Land und in den besetzten Ländern hatten den deutschen Namen diskreditiert und bei den Siegermächten das Verlangen nach Bestrafung der Schuldigen, nach Wiedergutmachung für die angerichteten Schäden sowie nach extremen Sicherheitsvorkehrungen für die Zukunft geweckt. Unberechenbarkeit und Aggressivität galten als die Wesensmerkmale deutscher Politik. Deshalb beanspruchten die Staaten der Antihitlerkoalition die vollständige politische Verfügungsgewalt über Deutschland und die Deutschen, im Kern eine zeitlich zunächst befristete militärische Besetzung des eroberten Landes sowie dessen dauerhafte politische und wirtschaftliche Kontrolle.

Nicht zum Zwecke seiner Befreiung, sondern als besiegter Feindstaat wurde Deutschland besetzt, wie die Alliierten die Deutschen wissen ließen. So wie bereits Monate zuvor vereinbart, errichteten sie im Sommer 1945 ihr Besatzungsregime in Deutschland, das sich gemäß der „Berliner Erklärung" der Siegermächte vom 5. Juni 1945 „allen Forderungen, die ihm jetzt oder später auferlegt werden" zu unterwerfen hatte. Die Alliierten übten jetzt die „oberste Regierungsgewalt" einschließlich aller sonstigen staatlichen Befugnisse bis ins kleinste Dorf hinein aus.

Besatzungszonen

Der Führerstaat, mit dem sich die Deutschen so bereitwillig identifiziert hatten, war führungslos. Regiert wurden sie jetzt in vier Besatzungszonen von Militärgouverneuren und deren militärischen und zivilen Mitarbeitern: von 12 000 Amerikanern unter General Eisenhower, der sein Hauptquartier in Frankfurt am Main hatte; von 25 000 Briten unter Feldmarschall Montgomery, der in Bad Oeynhausen residierte; von 11 000 Franzosen unter General Lattre de Tassigny in Baden-Baden; und von 60 000 Sowjets unter Marschall Schukow, der in Berlin-Karlshorst die Sowjetische Militärverwaltung befehligte. In Berlin trat an die Stelle der Reichsregierung der von den Vier Mächten geschaffene Alliierte Kontrollrat zur Regelung aller Angelegenheiten, die „Deutschland als Ganzes" betrafen. Als Vertreter ihrer Regierungen sollten die vier Oberbefehlshaber alle wichtigen Entscheidungen einstimmig treffen und in ihren jeweiligen Besatzungszonen nach eigenem Ermessen umsetzen. Das gelang jedoch nur in wenigen Angelegenheiten. Wachsende Interessengegensätze zwischen den Alliierten verhinderten eine einheitliche Besatzungspolitik. Jede Siegermacht regierte und verwaltete ihre Zone, wie sie es für richtig hielt. Diese Abkapselungspolitik behinderte den wirtschaftlichen Austausch in Deutschland und zerschnitt willkürlich die traditionellen Wirtschaftsräume. Die ehemalige Reichshauptstadt selbst wurde zu einem Sondergebiet erklärt, in vier Sektoren geteilt und von den Alliierten gemeinsam verwaltet.

Not und Befreiung

Ob es Deutschland überhaupt noch gab, war offen, doch der Normalbürger hatte andere Sorgen. Ihm ging es ums tägliche Überleben. Millionen von Wohnungen waren zerbombt und völlig zerstört, vor allem in den Städten. Viele hausten in Ruinen, Kellern oder Wellblechhütten. Familien waren zerrissen, Millionen von Menschen entwurzelt. Die Masse der Bevölkerung hungerte. Doch der Zusammenbruch des staatlichen und gesellschaftlichen Lebens war zugleich für nicht wenige auch die Stunde der Befreiung. Für hundertausende Häftlinge aus Konzentrationslagern und Zuchthäusern, für Widerstandskämpfer und Oppositionelle, die überlebt hatten, für ausländische Kriegsgefangene und Zwangsarbeiter, aber auch für jene Deutschen, die als bloße Mitläufer ein Ende des staatlichen Terrors und des Krieges herbeigesehnt hatten. „Erlöst und vernichtet in einem" (Theodor Heuss) – viele teilten dieses widersprüchliche Gefühl. Ein kollektives Aufatmen – „wir sind noch einmal davongekommen" – von Angst durchsetzt – „was wird mit uns werden?" – ging durch das Land. Die wenigsten konnten sich vorstellen, dass die neuen Herren in Militäruniform sich so bald mit den Deutschen an einen Tisch setzen würden, zumal die Bilder und die Berichte von den Massenmorden in den Vernichtungslagern die Weltöffentlichkeit schockierte. Wie würden die Sieger reagieren?

Doch die Koalition der Sieger ruhte auf einem brüchigen Fundament. Als der deutsche Aggressor niedergerungen war, zeigte es sich, dass man allenfalls in den großen, reichlich abstrakten Zielen über die Zukunft Deutschlands – die Vernichtung des deutschen Militarismus und Nazismus als Voraussetzung für eine „würdige Existenz und auf einen Platz in der Gemeinschaft der Nationen" – einig war, nicht jedoch über die zu ergreifenden konkreten Maßnahmen.

Bestrafung der NS-Elite und NS-Kriegsverbrecher durch alliierte Gerichte

Eine Ausnahme bildete noch der von allen vier Siegermächten gemeinsam verantwortete Internationale Militärgerichtshof in Nürnberg zur Aburteilung der Hauptkriegsverbrecher. Gegen 22 Angeklagte, unter ihnen führende NS-Größen wie Göring, Heß, von Ribbentrop, Speer, Streicher, Dönitz und Keitel, wurde seit dem 20. November 1945 verhandelt, aus symbolischen Gründen in der Stadt der NS-Reichsparteitage. Die Alliierten legten ihnen die Vorbereitung und Führung eines Angriffskrieges, Kriegsverbrechen und Völkermord zur Last. Anfang Oktober 1946 verkündeten die alliierten Richter 12 Todesurteile, sieben langjährige Freiheitsstrafen, darunter drei Mal lebenslänglich, und drei Freisprüche. NSDAP, SS, Gestapo und der Geheimdienst der SS (SD) wurden zu verbrecherischen Organisationen erklärt, die Strafverfolgung ihrer Mitglieder ohne nachweisliche persönliche Schuld jedoch verworfen.

Erstmals kam in Nürnberg das ganze Ausmaß der verbrecherischen Politik der NS-Führung an den Tag. Presse und Rundfunk berichteten ausführlich darüber, auch über die Ausflüchte und Rechtfertigungsversuche der Angeklagten. Zu ihrer Verantwortung für die vom NS-System verursachten Katastrophe standen die einst mächtigen NS-Spitzenfunktionäre nicht. Sie versuchten, Hitler, Himmler und Goebbels (alle drei hatten Selbstmord begangen) die alleinige Schuld für die deutsche Kriegs- und Vernichtungspolitik zu zu schieben. Die übergroße Mehrheit der Bevölkerung hielt daher ihre harte Bestrafung durch das alliierte Gericht für angemessen. Allerdings fühlten sich zugleich allzu viele Deutsche durch diesen Prozess entlastet. Sie zeigten auf die vor Gericht stehenden ehedem führenden Nationalsozialisten, von denen sie sich betrogen und hintergangen glaubten, und sahen sich selbst nur als harmlose Mitläufer. Die Frage nach der Mitverantwortung weiter Bevölkerungskreise für das, was zwischen 1933 und 1945 im deutschen Namen geschehen konnte, trat daher schnell in den Hintergrund.

Nachfolgeprozesse

Mit der Gemeinsamkeit der vier Siegermächte bei der Bestrafung der NS-Führungsgruppen war es nach dem Urteilsspruch von Nürnberg allerdings bereits vorbei. In allen vier Besatzungszonen fand zwar eine große Zahl weiterer Prozesse gegen NS-Täter statt, jedoch in jeweils eigener Zuständigkeit. Von besonderer Bedeutung waren die bis 1949 durchgeführten zwölf Nürnberger Nachfolgeprozesse vor US-Militärgerichten gegen weitere 184 handverlesene hohe Funktionsträger des NS-Staates. Das waren Generäle, Wirtschaftsführer, Juristen, hohe Beamte, SS-Kommandeure von Einsatzgruppen, Ärzte, KZ-Verantwortliche. Vier Fünftel der Angeklagten wurden verurteilt, die Hälfte der 24 Todesurteile vollstreckt. Neben der Bestrafung der Angeklagten entsprechend ihrer individuellen Schuld ging es auch bei diesen Verfahren um die Aufklärung der deutschen Öffentlichkeit über die Verbrechen des untergegangenen Regimes. Frühzeitig befassten sich US-Militärgerichte auch mit den Wachmannschaften der SS in Konzentrationslagern wie zum Beispiel Dachau.

Insgesamt verurteilten die drei Westmächte in Militärgerichtsprozessen bis 1950 über 5000 Personen, darunter 806 zum Tode. Mindestens ein Drittel dieser Urteile wurde vollstreckt. Der aufbrechende Kalte Krieg zwischen Ost und West ließ das Straf- und Sühneverlangen allerdings bald in den Hintergrund treten. Eine Schlussstrichmentalität machte sich breit, der sich auch die Westalliierten nicht widersetzten. Die meisten verurteilten NS-Täter konnten daher das Gefängnis bereits in den frühen fünfziger Jahren wieder verlassen, die letzten im Jahre 1958. Sowjetische Militärtribunale verurteilten über 50 000 Personen, darunter 756 zum Tode. Ein Drittel der in Zwangsarbeitslager nach Sibirien Deportierten überlebte die Haft nicht. Als „Faschisten" bestraften die sowjetischen Militärtribunale aber nicht nur wirkliche oder vermeintliche NS-Täter, sondern auch viele Gegner der Kommunisten,darunter zahlreiche Demokraten sowie Jugendliche, wegen, wie es hieß, Verbrechen gegen die Besatzungsmacht und die Behörden der sowjetischen Besatzungszone.

Politische Säuberung – Entnazifizierung und die Ergebnisse

Neben der Aburteilung der Kriegsverbrecher gehörte zum Entnazifizierungskonzept der Alliierten auch eine umfassende politische Säuberung im besetzten Deutschland. Sie begann mit der zeitweiligen Internierung von mehreren Hunderttausend belasteten NS-Funktionären in Sammellagern, der Entlassung von ehemaligen NS-Mitgliedern aus Schulen, staatlichen Verwaltungen und Wirtschaftsunternehmen und mündete in die Durchleuchtung der beruflichen und politischen Vergangenheit von Millionen Deutschen mittels eines Fragebogens.

Westzonen

Ab 1946 stuften in den Westzonen Spruchkammern unter deutscher Leitung in einem prozessähnlichen Verfahren die erfassten Personen in fünf Kategorien ein – Hauptschuldige, Belastete, Minderbelastete, Mitläufer und Entlastete – und verhängten die vorgesehenen Strafen. Diese reichten von Haft über Vermögenseinzug und Geldstrafen bis zum zeitweiligen Entzug des Wahlrechts.

Der Aufwand, den die Westalliierten – insbesondere die Amerikaner – trieben, war gewaltig, das Ergebnis eher zwiespältig. Allein in der US-Besatzungszone mussten 13 Millionen Personen einen Fragebogen ausfüllen; 3,6 Millionen von ihnen fielen unter die Entnazifizierung, aber nur ein knappes Prozent wurde wirklich bestraft. In Nordrhein-Westfalen, dem bevölkerungsreichsten Land der britischen Zone, wurden nur 90 Personen als hauptschuldig oder belastet eingestuft. „Mitläuferfabrik" (Lutz Niethammer) nannten daher manche Kritiker später die westliche Entnazifizierungspolitik. Säuberung und faktische Rehabilitierung verschmolzen in diesen sich bis 1948 hinziehenden Verfahren. Viele sahen sich ungerechtfertigterweise an den Pranger gestellt, weil die kleinen Nazis zuerst und mit Strenge, die großen und ehemals mächtigen aber erst später und dann meistens milde behandelt wurden. Außerdem gelang es vielen ehemals überzeugten Nazis in herausgehobenen Positionen, sich zu tarnen und durch geschickte Anpassung an die neuen Verhältnisse durch die Maschen des Gesetzes zu schlüpfen – eine Hypothek, die später noch schwer auf der jungen Bundesrepublik lasten sollte.

Ostzone

In der SBZ vollzog sich der Prozess der Entnazifizierung unter dem Motto der „antifaschistisch-demokratischen Umwälzung". Strukturelle Eingriffe in Wirtschaft und Gesellschaft – Enteignung der Großgrundbesitzer und Großbauern, Verstaatlichung der großen Industriebetriebe und Banken – standen dabei gleichberechtigt neben der personellen Säuberung des Staats- und Verwaltungsapparates. Letztere betraf rund eine halbe Million ehemaliger NS-Mitglieder in staatlichen Ämtern. Vor allem Lehrer, Richter, Staatsanwälte und Polizeibeamte wurden zu einem hohen Prozentsatz aus dem Dienst entfernt. In den übrigen Bereichen hatten ehemalige NSDAP-Mitglieder weniger zu befürchten. Nur jedes achte Mitglied der NSDAP wurde von den SED-geführten Entnazifizierungskommissionen entlassen. Vor allem bei den kleinen Parteigenossen verzichtete die SED frühzeitig auf Bestrafung, um sie möglichst rasch in die neuen Verhältnisse einzugliedern. Kolportiert wurde daher der ironische Satz: „Es lebe die SED, der große Freund der kleinen Nazis" (Wolfgang Leonhard). Wer sich gar offen auf die Seite der jetzt Ton angebenden KPD/SED schlug, konnte trotz brauner Vergangenheit Karriere machen. Zahlreiche wirklich belastete ehemalige NS-Funktionäre flüchteten in den Westen. Im Februar 1948 erklärte die sowjetische Militärregierung die Entnazifizierung für beendet. Strafrechtliche Verfahren gegen wirkliche oder vermeintliche NS-Täter wurden allerdings weitergeführt.

Die Entnazifizierung in den Westzonen war keine Erfolgsstory. Weil sich aber Millionen ehemaliger Mitglieder der NSDAP und ihrer Unterorganisationen noch einmal mit ihrer ganz persönlichen politischen Vergangenheit konfrontiert sahen, bedeutete sie dennoch einen nicht zu unterschätzenden Fortschritt auf dem Weg der individuellen Abwendung vom Nationalsozialismus, den die meisten längst schon eingeschlagen hatten. In der Ostzone wurden die Entnazifizierungsbemühungen der Besatzungsmacht überschattet von häufig willkürlichen Verhaftungen von Menschen, die früher gar keine NS-Aktivisten waren, jetzt aber zum Beispiel gegen Anordnungen der SED opponierten und die neue Rechtlosigkeit unter der Herrschaft der Kommunisten beklagten.

Was wollen die Besatzungsmächte?

Das gemeinsame Interesse der vier Siegermächte an einer politischen Säuberung in Deutschland hielt sie nicht davon ab, nach eigenem Gutdünken zu verfahren. Darin zeigte sich nur besonders deutlich, wie unterschiedlich ihre deutschlandpolitischen Vorstellungen und Prioritäten waren, die natürlich auch ihre jeweilige Besatzungspolitik beeinflussten.

Mit der Entnazifizierung durch Fragebögen und Spruchkammern wollten die Amerikaner die Schuldigen unter den Deutschen herausfiltern, klassifizieren und bestrafen und mit Maßnahmen zur Umerziehung „das Denken des deutschen Volkes" in demokratische Bahnen lenken. Die Briten, nur noch Juniorpartner der mächtigen USA, dachten ähnlich, handelten aber pragmatischer und beschäftigten sich schon bald nach Kriegsende, früher als die US-Regierung in Washington, mit Überlegungen zur Stabilisierung Westeuropas einschließlich der westlichen Besatzungszonen gegenüber vermuteten Hegemonialbestrebungen Stalins. Für die Franzosen waren die staatliche Zerstückelung Deutschlands und die Kontrolle und Nutzung seines Wirtschaftspotenzials vorrangig. Die Sowjets wollten Reparationen für den Wiederaufbau ihres von den Deutschen verwüsteten Landes, die Sicherung ihrer Westgrenze, möglichst viel Einfluss auf ganz Deutschland und mittelfristig die politisch-gesellschaftliche Umgestaltung wenigstens des eigenen Besatzungsgebietes – falls erreichbar auch des ganzen Landes – zu einem sozialistischen Deutschland gemäß einer später bekannt gewordenen Bemerkung Stalins von Anfang 1945: „Wer immer ein Gebiet besetzt, legt ihm auch sein eigenes gesellschaftliches System auf. Jeder führt sein eigenes System ein, so weit seine Armee vordringen kann. Es kann gar nicht anders sein".

Demokratisierung des politischen Lebens – Zulassung von Parteien

Eines der wichtigsten Ziele der Alliierten war die Schaffung demokratischer Strukturen in Deutschland. Darin trafen sie sich mit den Absichten jener Deutschen, die die Naziherrschaft in der Illegalität, im Widerstand, in der inneren oder äußeren Emigration, in Konzentrationslagern überlebt hatten. Getragen von ihren sozialdemokratischen, christlichen, konservativen, kommunistischen oder liberalen Überzeugungen wollten sie ihren Beitrag zum Aufbau demokratischer Verhältnisse in Deutschland leisten, so weit die Besatzungsmächte dies zuließen. Dazu zählte wesentlich die Notwendigkeit, wieder politische Parteien ins Leben zu rufen. Die Politiker der ersten Stunde knüpften dabei zum Teil an den Traditionen der Weimarer Republik an. Das galt vor allem für die Sozialdemokraten und Kommunisten. Zum Teil kam es aber auch zu Neugründungen, die sich wesentlich von ihren Weimarer Vorläufern unterschieden – CDU, CSU, FDP.

Früher als die Westalliierten erlaubte die sowjetische Besatzungs-macht den Deutschen ihrer Zone, sich wieder in Parteien zusammen-zuschließen. Ein entsprechender Befehl erging bereits am 10. Juni 1945, während Amerikaner und Briten noch bis August/September, die Franzosen sogar bis Dezember 1945 mit der Zulassung von Partei-en warteten. In jedem Fall behielten die Besatzungsmächte die Neu-gründungen und ihre Funktionäre unter strenger Kontrolle. Die Westmächte, besonders die Amerikaner, legten großen Wert darauf, dass die von ihnen zugelassenen politischen Parteien von unten nach oben aufgebaut, also von den Mitgliedern getragen und nicht zentra-listisch gelenkt wurden. Die Sowjets hatten solche Bedenken nicht; sie förderten zentrale Organisationen mit gesamtdeutschem Anspruch. Als erstes wurde die KPD zugelassen, die sich in ihrem ersten Aufruf als demokratische Bewegung ohne sozialistische bzw. kommunisti-sche Forderungen darstellte. Wenige Tage später trat in Berlin der Zentralausschuss der SPD unter dem Vorsitz des ehemaligen Braun-schweiger Reichstagsabgeordneten Otto Grotewohl mit weitgehen-den Sozialisierungsvorstellungen hervor und setzte sich für die Verei-nigung der beiden „antifaschistischen" Arbeiterparteien ein. Als Wortführer der in Hannover neuformierten SPD im Westen Deutsch-lands wies der frühere Reichstagsabgeordnete Kurt Schumacher den Führungsanspruch der Berliner SPD, insbesondere deren Forderung nach einem Zusammenschluss mit den Kommunisten entschieden zu-rück. Im Oktober 1945 einigten sich beide Parteiführungen auf ge-trennte Zuständigkeiten für die Ostzone und die Westzonen.

Als überkonfessionelle christlich-bürgerliche Sammlungsbewegung wurde in Berlin, Köln und Frankfurt am Main die CDU bzw. in Bay-ern die CSU gegründet. Katholische Zentrumspolitiker, christliche Gewerkschafter, nationalkonservative Protestanten fanden sich auf der Basis christlich-humanitärer Überzeugungen zusammen, um eine gemeinsame Volkspartei ins Leben zu rufen. Die bayerische Christ-lich-Soziale Union (CSU), konservativer und föderalistischer als ihre Schwesterorganisation, blieb eine eigenständige Partei. Ideen eines „christlichen Sozialismus" (Jakob Kaiser) bestimmten die Unionspro-grammatik der ersten Jahre. Sie wurden ab 1948 allerdings vom Kon-zept einer privatwirtschaftlich verfassten sozialen Marktwirtschaft überlagert. Zum dominierenden Repräsentanten der CDU wurde seit 1946 Konrad Adenauer, ein ehemals prominenter Zentrumspolitiker, der von 1917 bis 1933 als Kölner Oberbürgermeister amtiert hatte.

Die liberalen Parteigründer in Berlin (Wilhelm Külz), Württemberg und Baden (Theodor Heuss und Reinhold Maier) bemühten sich, die alten Spaltungen zwischen rechts- und linksliberalen Organisationen der Weimarer Zeit zu überwinden. Dennoch blieb die Spannweite zwischen nationalliberalen und linksliberalen Ideen auch in den Neugründungen erhalten. Ihre Gemeinsamkeit bestand in der Ablehnung des kirchlichen Einflusses auf den Staat und im Eintreten für eine privatwirtschaftliche Ordnung. 1948 schlossen sich die verschiedenen liberalen Parteien der Westzonen erstmals zur Freien Demokratischen Partei (FDP) unter Theodor Heuss zusammen.

In der sowjetischen Besatzungszone verloren die Christdemokraten und Liberalen alsbald jede Eigenständigkeit. Als Teil der „antifaschistischen Blockparteien" gerieten sie in den Sog des kommunistischen Herrschaftsanspruchs, dem sich 1946 auch die Führung der Ost-SPD beugte. Sie wurde im April 1946 mit der KPD zur SED zwangsvereint.

Die Teilung Deutschlands zeichnet sich ab

Auf der Potsdamer Konferenz im Juli/August 1945 konnten sich die Regierungschefs der USA, Großbritanniens und der Sowjetunion nur noch auf Formelkompromisse über die Behandlung Deutschlands (Entmilitarisierung, Entnazifizierung, Demokratisierung, Dezentralisierung) einigen. Dagegen gab es keine Verständigungsmöglichkeit zwischen den gigantischen Reparationsansprüchen der Sowjetunion und dem Beharren der Westmächte auf Erhaltung der wirtschaftlichen Lebensfähigkeit Deutschlands. Stalins rücksichtslose Unterdrückung aller nichtkommunistischen Kräfte in Ost- und Südosteuropa – insbesondere seine Politik der Sowjetisierung Polens – förderte noch zusätzlich die Uneinigkeit zwischen den noch wenige Monate zuvor als Partner agierenden Mächte.

Mit einem amerikanischen Kompromissvorschlag wurden die Risse in der bisherigen Kriegsallianz notdürftig verdeckt. Sein wesentliches Ergebnis bestand darin, dass Deutschland in zwei Reparationsgebiete – ein östliches und ein westliches – geteilt wurde, aus dem sich die Sowjetunion einerseits und die Westmächte andererseits bedienen sollten. Praktisch hieß dies, dass die sowjetische Besatzungszone der Sowjetunion allein zur ökonomischen Ausbeutung überlassen wurde, um die westlichen Zonen für eine Reparations- und Wirtschaftspolitik nach anglo-amerikanischen Vorstellungen zu retten. Das stand jedoch im Widerspruch zu der ebenfalls vereinbarten Behandlung Deutschlands als wirtschaftliche Einheit. Die spätere politische Teilung des besiegten Landes zeichnete sich mit dieser Entscheidung frühzeitig ab. Die beiden Westmächte vermochten mit diesem Kompromiss zwar den unmittelbaren Zugriff Stalins auf das Ruhrgebiet zu verhindern. Doch für dessen Einverständnis mussten sie sich im Gegenzug mit der schon während des Krieges zwischen Churchill, Roosevelt und Stalin im Prinzip vereinbarten, jetzt aber faktischen Abtrennung der deutschen Ostgebiete zugunsten Polens, also der Westverschiebung Polens bis zur Oder und Lausitzer Neiße, abfinden. Sie nahmen auch die Vertreibung unter oft barbarischen Umständen von Millionen von Menschen aus Polen, der Tschechoslowakei und Ungarn hin, obwohl eine „Ausweisung" in „humaner und ordnungsgemäßer" Weise festgelegt worden war.

Ungeachtet dieser Übereinkommen fand man bereits wenig später in einer Reihe wichtiger besatzungspolitischer Fragen (Höhe der Reparationen, deutsches Industrieniveau, Kontrolle des Ruhrgebietes etc.) zu keiner einheitlichen Linie mehr. So waren die Alliierten, kaum hatten sie auf die Zerstückelungspläne der Kriegsjahre verzichtet, unversehens auf den Weg einer Zweiteilung Deutschlands geraten.

Ost-West-Konflikt

Hinzu kamen Konflikte in anderen Regionen Europas und der Welt. In Ostmitteleuropa nutzte Stalin seine beherrschende militärische Position, um dort kommunistisch gelenkte Satellitenstaaten zu errichten, was im Westen als Hinweis auf eine grundsätzlich expansionistische Zielsetzung Moskaus gewertet wurde. Im Iran, der Türkei und Griechenland kam es zum direkten Konflikt zwischen britisch-amerikanischen und sowjetischen Interessen.

Misstrauen und Uneinigkeit bestimmten zusehends die Beziehungen zwischen den ehemaligen Verbündeten in Ost und West und mündeten schließlich spätestens ab 1947 in den so genannten Kalten Krieg. Sein wichtigster Schauplatz wurde das besetzte Deutschland, dessen Spaltung in eine westliche und eine östliche Einflusssphäre unaufhaltsam schien. Der Alliierte Kontrollrat war gelähmt – zunächst durch die französische Obstruktionspolitik hinsichtlich der Schaffung zentraler deutscher Verwaltungsinstanzen; vor allem aber weil Stalin keinen Augenblick zögerte, seine speziellen deutschlandpolitischen Ziele durchzusetzen: ohne sich mit den westlichen Regierungen abzustimmen, leitete er in der Ostzone eine tief greifende gesellschaftlichpolitische Umwälzung nach sowjetischem Vorbild ein und verankerte dort alsbald mit den Mitteln des Terrors, der Verführung und nicht eingehaltener Versprechungen das Machtmonopol der Kommunisten. Großbritannien und die USA reagierten mit dem Zusammenschluss ihrer beiden Zonen. Bereits zuvor hatten sie den demokratischen Wiederaufbau, von der lokalen Ebene angefangen, durch die Zulassung politischer Parteien und die Gründung von Ländern in Gang gesetzt.

An die Stelle einer gemeinsamen Kontrolle Gesamtdeutschlands trat die Anpassung der vier Besatzungszonen an ihre Gewahrsmächte. Die Deutschen im Osten mussten sich in eine neu geschaffene sozialistische Gesellschaftsordnung sowjetischer Prägung einfügen. Die meisten wollten das nicht, mussten aber bald erkennen, dass die versprochene demokratische Erneuerung ihrer Zone in eine verordnete Diktatur mündete. Die Deutschen im Westen erhielten die unverhoffte Chance ihrer Einbeziehung in die von Amerika geführten demokratischen Staatenwelt, die Sicherheit und Wirtschaftshilfe versprach. In den Westzonen entwickelte sich unter der Aufsicht der Sieger eine Demokratie von den „Graswurzeln" her, mit Parteien, Gewerkschaften und demokratisch gewählten Parlamenten. Für die überzeugten Demokraten unter den Deutschen war das eine Erlösung nach den Jahren der Unterdrückung durch den Nationalsozialismus, für die ernüchterten Mitläufer des untergegangen Regimes ein Angebot zum Umdenken.

ZEITTAFEL

1944/1945

12. September 1944	Londoner Protokoll der von den USA, Großbritannien und der Sowjetunion eingesetzten European Advisory Commission (EAC) über die Einteilung Deutschlands und Berlins in Besatzungszonen bzw. Sektoren nach dem Sieg der Anti-Hitler-Koalition.
25. September 1944	Als letztes Aufgebot werden alle waffenfähigen Männer zwischen 16 und 60 Jahren zum „Deutschen Volkssturm" aufgerufen, der dem Oberbefehl Himmlers unterstellt ist.
16. Oktober 1944	Sowjetische Truppen erobern Ostpreußen.
21. Oktober 1944	Die US-Armee erobert als erste deutsche Großstadt Aachen.
30. Januar 1945	Die Rote Armee erreicht die Oder.
4./11. Februar 1945	Konferenz von Jalta (Krim): Roosevelt, Stalin und Churchill beschließen die Aufteilung Deutschlands in vier Besatzungszonen, dessen vollständige Entwaffnung und Entmilitarisierung, die Auferlegung hoher Reparationen (allerdings keine Einigung über Stalins Forderung nach 20 Mrd. Dollar insgesamt und davon die Hälfte für die Sowjetunion).
7. März 1945	Zusammenbruch der deutschen Westfront, Übergang der Amerikaner über den Rhein bei Remagen.
19. März 1945	Hitler befiehlt, alle für den Feind nutzbaren Industrie- und Versorgungsanlagen beim Rückzug der Truppen zu zerstören; durch das Eingreifen von Rüstungsminister Speer Anfang April wird dieser „Nero-Befehl"

nicht ausgeführt. Am fanatischen Abwehr-
kampf hält die NS-Führung jedoch bis
zuletzt fest.

12. April 1945	US-Präsident Roosevelt stirbt, sein Nach-folger wird Harry S. Truman.
19. April 1945	Wiedergründung der SPD in Hannover auf Initiative des früheren Reichstagsabgeord-neten Kurt Schumacher, der zehn Jahre lang in Konzentrationslagern inhaftiert war.
25. April 1945	Amerikanische und sowjetische Truppen treffen bei Torgau an der Elbe zusammen.
30. April 1945	Selbstmord Hitlers im Führerbunker in Berlin. Sein Nachfolger als Reichspräsi-dent und Oberbefehlshaber der Wehr-macht wird Großadmiral Karl Dönitz.
	Sowjetische Soldaten hissen die rote Fahne auf dem Berliner Reichstag.
	Aus Moskau werden deutsche Exil-Kom-munisten nach Berlin geflogen, um den Neuanfang des staatlichen Lebens auf Weisung der sowjetischen Besatzungsbe-hörden zu organisieren. Für Berlin ist die „Gruppe Ulbricht" zuständig. Ulbricht: „Es muss demokratisch aussehen, aber wir müssen alles in der Hand haben".
2. Mai 1945	Kapitulation der Reichshauptstadt Berlin.
4. Mai 1945	Der amerikanische Stadtkommandant von Köln setzt den von den Nazis 1933 entlas-senen früheren Oberbürgermeister Kon-rad Adenauer wieder in sein Amt ein. An-fang Oktober wird er von den britischen Militärbehörden wieder entlassen.
7./9. Mai 1945	Bedingungslose Kapitulation der deut-schen Wehrmacht im US-Hauptquartier in Reims und im sowjetischen Hauptquar-

tier in Berlin-Karlshorst. Die Einstellung aller Kampfhandlungen wird auf den 8. Mai 1945 festgelegt.

12. Mai 1945	Der britische Premierminister Churchill warnt US-Präsident Truman vor Stalins Machtstreben in Europa: „Längs der russischen Front ist ein Eiserner Vorhang nieder gegangen."
14. Mai 1945	Die von US- Präsident Truman gebilligte Direktive JCS 1067 des US-Generalstabs für die US-Militärregierung (Chef: General Eisenhower; sein Stellvertreter: General Lucius D. Clay) tritt in Kraft: sie legt eine strenge Besatzungspolitik fest, gilt bis Mitte 1947, wird jedoch schon bald in der Praxis locker gehandhabt.
23. Mai 1945	Ende und Verhaftung der Regierung Dönitz in Flensburg. Es gibt keine deutsche Zentralgewalt mehr.
	Selbstmord des ehemaligen „Reichsführer SS" Heinrich Himmler.
28. Mai 1945	Die US-Besatzungsmacht setzt in Bayern eine vorläufige Regierung unter Ministerpräsident Fritz Schäffer (ehemals Vorsitzender der Bayerischen Volkspartei) ein. Am 20. September wird er entlassen und Wilhelm Hoegner (SPD) zum neuen Ministerpräsidenten ernannt.
5. Juni 1945	Berliner Erklärung über die Niederlage Deutschlands und die Übernahme der obersten Regierungsgewalt durch die Vier Mächte (USA, Sowjetunion, Großbritannien und Frankreich): „Deutschland unterwirft sich allen Forderungen, die ihm jetzt oder später auferlegt werden."

	Aufteilung Deutschlands in seinen Grenzen von 1937 in vier Besatzungszonen; gemeinsame Besetzung und Verwaltung Groß-Berlins; die Oberbefehlshaber der vier Besatzungszonen bilden gemeinsam den Alliierten Kontrollrat, der nur einstimmig alle „Deutschland als Ganzes" betreffenden Fragen entscheiden kann.
9. Juni 1945	Errichtung der Sowjetischen Militäradministration Deutschlands (SMAD) in Berlin-Karlshorst.
10. Juni 1945	Die SMAD erlaubt – früher als die Westmächte – die Gründung politischer Parteien und Gewerkschaften in der sowjetischen Besatzungszone (SBZ).
11. Juni 1945	Gründungsaufruf der KPD entsprechend einer Absprache Ulbrichts, Piecks und Ackermanns mit Stalin in Moskau Anfang Juni: „Wir sind der Auffassung, dass der Weg, Deutschland das Sowjetsystem aufzuzwingen, falsch wäre". Es folgen im Juni/Juli die Gründung der SPD, CDU, LDPD und des Freien Deutschen Gewerkschaftsbundes (FDGB) in der sowjetischen Besatzungszone.
26. Juni 1945	Unterzeichnung der UN-Charta in San Francisco durch 51 Staaten.
1./4. Juli 1945	Britische und amerikanische Truppen räumen die von ihnen besetzten Teile Sachsens, Thüringens und Mecklenburgs und übergeben sie an die Sowjets; die westlichen Truppen rücken in ihre Besatzungssektoren in Berlin ein.
9. Juli 1945	Auf Befehl der SMAD werden in der SBZ fünf Länder gebildet: Brandenburg, Mecklenburg-Vorpommern, Thüringen, Sachsen, Sachsen-Anhalt.

14. Juli 1945	Die in der SBZ zugelassenen Parteien schließen sich zu einem Block „antifaschistisch-demokratischer Parteien" zusammen (Blockparteien), der bald von der KPD beherrscht wird.
17. Juli/2. Aug. 1945	Potsdamer Konferenz der „Großen Drei". Truman (USA), Stalin (SU), und Churchill bzw. ab 28.7. Clement Attlee (GB) vereinbaren als Ziele der alliierten Besatzungspolitik (Frankreich tritt dem Potsdamer Abkommen Anfang August bei):

- Entmilitarisierung, Entnazifizierung, Demokratisierung, Dezentralisierung Deutschlands, das aber als „wirtschaftliche Einheit" behandelt werden soll;

- Reparationsansprüche werden weitgehend in der jeweils eigenen Besatzungszone durch Demontagen und aus der laufenden Produktion befriedigt; die Sowjets erhalten zusätzliche Lieferungen aus den Westzonen gegen Agrarprodukte; trotz sowjetischen Protests wird eine Gesamtsumme aller Reparationen nicht festgelegt, die sowjetische Forderung beläuft sich auf 10 Mrd. Dollar;

- die Gebiete östlich der Oder und der Görlitzer Neiße kommen bis zu einem späteren Friedensvertrag unter sowjetische (Königsberg) bzw. polnische Verwaltung;

- die „Aussiedlung" der Deutschen aus Polen, der Tschechoslowakei und Ungarn soll in „humaner und ordnungsgemäßer Weise" erfolgen;

- die Außenminister der vier Siegermächte erhalten den Auftrag, mit Deutschland und seinen ehemaligen Verbündeten einen Friedensvertrag auszuarbeiten, die Reparationsfrage und Einzelheiten der Besatzungsmaßnahmen zu klären.

27. Juli 1945	Errichtung von 11 deutschen Zentralverwaltungen für die gesamte SBZ als Hilfsorgane der SMAD.
30. Juli 1945	Erste Sitzung des Alliierten Kontrollrats in Berlin.
6. August 1945	Abwurf der ersten Atombombe auf Hiroshima, drei Tage später auf Nagasaki durch die US-Luftwaffe; Japan kapituliert am 2. September.
8. August 1945	Abkommen der Alliierten über die Bestrafung der Hauptkriegsverbrecher und die Errichtung eines Internationalen Militärgerichtshofs in Nürnberg.
27. August 1945	Zulassung demokratischer Parteien auf Kreisebene in der US-Zone, in der britischen und französischen Zone im September bzw. Dezember.
3. September 1945	Bodenreform in Sachsen; die übrigen Länder der SBZ folgen nach, Widerstand aus den Reihen der CDU und der LDPD.
10. Sept./2. Oktober 1945	Erste Konferenz der vier Außenminister der Siegermächte in London: Frankreich verlangt die Abtrennung des Rhein-Ruhr-Gebietes, die Sowjetunion fordert eine deutsche Zentralregierung und eine Viermächtekontrolle des Ruhrgebietes. Die USA schlagen einen Vertrag über die Entmilitarisierung Deutschlands für 25 Jahre vor (Byrnes-Plan).
19. September 1945	Bildung der Länder Bayern (ohne die Pfalz), Württemberg-Baden und Hessen in der US-Zone (Bremen kommt später dazu).

5./7. Oktober 1945	Konferenz in Wennigsen bei Hannover: Kurt Schumacher wird zum Sprecher der SPD in den Westzonen ernannt.
10. Oktober 1945	Gründung der Christlich-Sozialen Union (CSU) durch Adam Stegerwald in Würzburg.
19. Oktober 1945	Stuttgarter Schuldbekenntnis der Evangelischen Kirche
20. November 1945	Beginn der Verhandlungen des Internationalen Militärgerichtshofs in Nürnberg gegen 22 Hauptkriegsverbrecher (Robert Ley hatte zuvor Selbstmord begangen, Konzernchef Alfred Krupp war wegen Krankheit verhandlungsunfähig) und sechs NS-Organisationen (u.a. Gestapo und SS).
20. Dezember 1945	Kontrollratsgesetz Nr. 10 über die Bestrafung von Kriegsverbrechern.

1946

20. Januar 1946	Erste freie Wahlen in Deutschland seit 1933 in der US-Zone auf Gemeindeebene. In den übrigen drei Besatzungszonen finden Gemeindewahlen im September statt.
22. Januar 1946	Konrad Adenauer wird vorläufiger Vorsitzender der CDU in der britischen Zone (endgültig am 1. März).
9./12. Februar 1946	Gründung des Freien Deutschen Gewerkschaftsbundes (FDGB) in der SBZ.
5. März 1946	Gesetz zur Befreiung von Nationalsozialismus und Militarismus in der US-Zone: jeder Deutsche über 18 Jahre muss einen Fragebogen mit 131 Fragen ausfüllen.
	In Fulton/USA spricht Winston Churchill vom „Eisernen Vorhang" in Europa.

7. März 1946	Gründung der Freien Deutschen Jugend (FDJ) in Berlin; Vorsitzender wird Erich Honecker (KPD).
26. März 1946	Alliierter Kontrollrat beschließt Produktionsbeschränkungen für die deutsche Wirtschaft auf 50 bis 55 % des Standes von 1938.
21./22. April 1946	Zwangsvereinigung von KPD und SPD zur Sozialistischen Einheitspartei Deutschlands (SED) in der SBZ unter der Führung von Wilhelm Pieck (KPD) und Otto Grotewohl (SPD).
25. April/12. Juli 1946	Keine Einigung der in Paris tagenden vier Außenminister in der Deutschlandfrage: der sowjetische Außenminister Molotow lehnt Zusammenschluss der vier Zonen ab, ebenso den Vorschlag von US-Außenminister Byrnes, Deutschland 40 Jahre lang zu entwaffnen und besetzt zu halten; er fordert statt dessen eine Viermächtekontrolle über das Ruhrgebiet und 10 Milliarden Dollar Reparationen für die Sowjetunion.
25. Mai 1946	Der stellvertretende US-Militärgouverneur Lucius D. Clay ordnet die Einstellungen von Reparationslieferungen in die SBZ an, weil von dort keine Gegenleistungen kommen.
30. Juni 1946	Volksentscheid in Sachsen über die Enteignung von Großbetrieben von „Kriegsverbrechern und Naziaktivisten", über 77% stimmen dafür.
	Einführung eines Interzonenpasses für Reisen zwischen der Ost- und den Westzonen durch den Kontrollrat auf Betreiben der Sowjets.

23. August 1946	Auflösung der preußischen Provinzen in der britischen Besatzungszone und Gründung der neuen Länder Nordrhein-Westfalen, Schleswig-Holstein und Niedersachsen (am 1. November).
30. August 1946	Gründung des Landes Rheinland-Pfalz in der französischen Zone.
6. September 1946	US-Außenminister James F. Byrnes signalisiert in einer Grundsatzrede in Stuttgart eine Wende in der amerikanischen Deutschlandpolitik: „Das amerikanische Volk will dem deutschen Volk helfen, seinen Weg zurück zu finden zu einem ehrenvollen Platz unter den freien und friedliebenden Völkern der Welt".
1. Oktober 1946	Verkündung des Urteils im Nürnberger Hauptkriegsverbrecherprozess: Zwölf Todesurteile, sieben Freiheitsstrafen, drei Freisprüche.
15. Oktober 1946	Uraufführung des ersten deutschen Nachkriegsfilms von Wolfgang Staudte „Die Mörder sind unter uns" in Berlin.
20. Oktober 1946	Landtagswahlen in der SBZ: SED stärkste Partei, erreicht aber nirgends die absolute Mehrheit trotz energischer Wahlhilfe durch die sowjetische Besatzungsmacht.
1. Dezember 1946	Volksabstimmung über die Verfassungen in Bayern und Hessen, erste Landtagswahlen, in Württemberg-Baden bereits am 24. November.
2. Dezember 1946	Britisch-amerikanisches Abkommen über die wirtschaftliche Vereinigung der beiden Zonen.
22. Dezember 1946	Eingliederung des Saargebietes in den französischen Zoll- und Wirtschaftsraum.

Währungsreform am 20.6.1948: Die Ersparnisse einer ganzen Generation waren von einem Tag auf den anderen nicht mehr wert als ein Kinderspielzeug. Mit der Einführung der neuen D-Mark verloren die alten Reichsmarkscheine ihre Gültigkeit. Innerhalb einer Generation hatte damit die Bevölkerung alles, was sie sich erspart hatte, verloren. Während die Erwachsenen ihre Kopfquote von 40,– DM (neu) nach Hause trugen, spielten die Kinder am Straßenrand mit den alten Geldscheinen.
Foto: Bilderdienst Süddeutscher Verlag

2. Weichenstellungen und die doppelte Staatsgründung 1947/49

Früher als die US-Regierung durchschauten die britischen Politiker Stalins Doppelstrategie in Deutschland. Einerseits ließen nämlich die Vertreter der Sowjetunion im Alliierten Kontrollrat und bei den Außenministerkonferenzen der Jahre 1945 bis 1947 keine Gelegenheit verstreichen, um sich für die deutsche Einheit stark zu machen, weil sie sich davon Einfluss, politische Mitsprache und wirtschaftliche Vorteile in ganz Deutschland (Ruhrgebiet) erhofften. Gleichzeitig setzten die sowjetische Besatzungsmacht und die deutschen Kommunisten in der eigenen Zone jedoch tief greifende gesellschaftliche Veränderungen durch, die einer Revolution von oben gleichkamen und die Auseinanderentwicklung der Besatzungszonen förderten.

Revolution von oben in der SBZ

Unter dem Deckmantel des Antifaschismus wurden Großgrundbesitzer und Großbauern enteignet, Industrie und Banken verstaatlicht, zuverlässige kommunistische Funktionäre in die Schaltstellen der Verwaltungen beordert, ein zentral gelenkter, den neuen Herren ergebener Polizeiapparat aufgebaut. Wie bereits weiter oben dargelegt betrachteten die Kommunisten die Entnazifizierung auch als ein Mittel, um den Staatsapparat unter ihr Kommando zu bringen. Umfassende personelle Säuberungen des öffentlichen Dienstes trafen deshalb nicht nur ehemalige Nazis, sondern sehr rasch auch alle diejenigen, die sich dem kommunistischen Herrschaftsanspruch widersetzten. In einer Reihe von Sonderlagern, manche von ihnen hatten den Nationalsozialisten bereits als Konzentrationslager gedient, hielt die sowjetische Besatzungsmacht nach im Jahre 1990 vom sowjetischen Innenministerium veröffentlichten Zahlen zwischen 1945 und 1950 122 671 Menschen fest. Darunter befanden sich neben Akteuren und Mitläufern des NS-Regimes viele Gegner der Kommunisten, auch zahlreiche Jugendliche. Nach sowjetischen Angaben starben 42 889 Häftlinge an Hunger und Krankheiten. Schätzungen westlicher Autoren gehen von wesentlich höheren Zahlen aus.

Zu einem weiteren Riss durch Deutschland kam es im April 1946 durch die Zwangsvereinigung der SPD mit der KPD zur Sozialistischen Einheitspartei (SED). Das war ein Schachzug der Sowjets und der deutschen Kommunisten, um den starken sozialdemokratischen Einfluss in ihrer Zone zu beseitigen. Mit Drohungen und Versprechungen gelang es, die Spitzenfunktionäre um Otto Grotewohl zum Zusammengehen mit den Kommunisten zu bewegen, obwohl die meisten Mitglieder der SPD in der SBZ dagegen waren. Vergeblich und weitsichtig zugleich hatte der in Hannover amtierende Vorsitzende der westdeutschen SPD, Kurt Schumacher, die Parteiführung im Osten davor gewarnt, zum „Blutspender" für eine Partei zu werden, die die kommunistische Herrschaft in Deutschland anstrebe. Bald verfügten die kommunistischen Berufsrevolutionäre in der SED über alle Hebel der Macht. Viele Sozialdemokraten wurden verfolgt und mussten fliehen.

Kurswechsel der US-Deutschlandpolitik

In London war man gut über diese Vorgänge in der Ostzone informiert. Die maßgeblichen britischen Politiker zweifelten nicht länger daran, dass im Osten ein kommunistischer Separatstaat im Entstehen begriffen war, von dem aus Druck auf das übrige Deutschland ausgeübt werden sollte. Aus britischer Sicht musste daher gegen die „russische Gefahr" etwas unternommen werden. Noch zögerte die US-Regierung, Potsdam sozusagen über Bord zu werfen, obwohl ihr Botschafter in Moskau vor der „militanten, aggressiven und expansionistischen" Außenpolitik Stalins warnte. Der wirtschaftliche Niedergang ganz Westeuropas schien unaufhaltsam, wenn es nicht gelang, in seinem Zentrum, nämlich Deutschland, die Güterproduktion und Nahrungsmittelversorgung rasch anzukurbeln, das Ruhrgebiet als damals wichtigster Energielieferant und industrielles Zentrum in Europa in den Dienst der westlichen Nachbarländer zu stellen und den wirtschaftlichen Austausch wieder in Gang zu setzen. Stalin, davon waren immer mehr westliche Politiker überzeugt, spekulierte auf ein sich verschärfendes Chaos im Westen des Kontinents.

Die Lage war dramatisch. In Großbritannien musste sogar das Brot rationiert werden. Ein letzter Versuch der USA, das sich abzeichnende wirtschaftliche Chaos gemeinsam mit der und nicht gegen die Sowjetunion zu verhindern, scheiterte im Frühsommer 1946. Der Vorschlag von US-Außenminister Byrnes, das sowjetische Sicherheitsbedürfnis gegenüber Deutschland durch eine auf Jahrzehnte angelegte

Neutralisierung und Entmilitarisierung des besetzten Landes unter strenger Viermächtekontrolle zu gewährleisten, traf auf taube Ohren und entschiedene Ablehnung bei Außenminister Molotow. Die britischen Warnungen sowie gleich lautende Mahnungen des wichtigsten Deutschlandexperten vor Ort, des stellvertretenden Militärgouverneurs Clay, nicht länger auf eine Zusammenarbeit mit Stalin zu setzen, zeigten jetzt Wirkung in Washington. Ein folgenreicher Kurswechsel in der amerikanischen Deutschlandpolitik setzte ein. Anfang September 1946 kündigte Byrnes in Stuttgart den baldigen Zusammenschluss der amerikanischen und britischen Besatzungszone zu einem gemeinsamen Wirtschaftsgebiet (Bizone) an, der Keimzelle eines westdeutschen Staates, wie sich rasch zeigte.

In Westdeutschland nahm man dieses Signal mit großer Erleichterung auf. Zum ersten Mal gab die amerikanische Weltmacht den Deutschen eine Perspektive, zeigte einen Weg aus dem Elend und, damals ganz wichtig, erklärte sich zugleich bereit, anders als nach dem Ersten Weltkrieg, ihre Truppen so lange wie nötig in Deutschland und Europa zu belassen. Denn die Furcht war damals verbreitet, dass die Amerikaner abzögen, die Sowjets aber blieben.

Vereinigtes Wirtschaftsgebiet

Die Gründung des „Vereinigten Wirtschaftsgebietes" Anfang 1947 war eine wichtige Vorentscheidung für die Zukunft Deutschlands. Im Kern entstand damit nach einigen organisatorischen Umbauten eine überzonale, deutsche Regierungs- und Verwaltungsorganisation auf föderaler Basis mit einem parlamentarischen Gremium (Wirtschaftsrat), in dem sich die politischen Kräfteverhältnisse der acht Landtage der britisch-amerikanischen Zone widerspiegelten. Die CDU/CSU und die SPD verfügten über die gleiche Zahl an Abgeordneten. Die FDP bildete das Zünglein an der Waage. Kommunisten, Zentrum, Deutsche Partei und Wirtschaftliche Aufbauvereinigung spielten keine wesentliche Rolle.

In Umrissen war damit bereits das spätere parlamentarische Regierungssystem der Bundesrepublik zu erkennen. Zunächst unterlagen aber noch alle Gesetze und Maßnahmen des Wirtschaftsrates der strikten britisch-amerikanischen Kontrolle. Doch wichtiger war, dass sich nunmehr in den Westzonen die deutschen Wünsche nach Selbstbestimmung in einem staatlichen Rahmen mit den westalliierten Zielen deckten – Ende von Hunger und Not, ökonomisch geordnete Verhältnisse, Schutz vor sowjetkommunistischer Bedrohung, Eingliederung ins westliche Lager. Dass die Ostzone damit endgültig dem Moskauer Herrschaftsbereich überlassen blieb, wurde hingenommen, weil doch nichts daran zu ändern war.

Politik der Eindämmung

Dass die USA nunmehr entschlossen waren, in Europa und weltweit die Ausbreitung des Kommunismus zu stoppen, unterstrich Präsident Truman in einer Rede vor dem Kongress im März 1947. Er erklärte die Eindämmung des sowjetkommunistischen Einflusses in Europa zur Leitlinie der neuen amerikanischen Sicherheitspolitik. Ihre wirtschaftliche Komponente bildete das Europäische Wiederaufbauprogramm, das US-Außenminister Marshall Anfang Juni 1947 öffentlich ankündigte.

Marshallplan – Ziele und Ergebnisse

Um in Europa eine drohende ökonomische Verelendung zu verhindern, die nach Überzeugung der Regierung Truman den Kommunismus begünstigen und die Sowjetunion zur Hegemonialmacht auf dem Kontinent aufsteigen lassen würde, boten die USA allen Ländern Europas großzügige Finanzhilfen und Rohstofflieferungen für den wirtschaftlichen Wiederaufbau an. Nur die westlichen gingen darauf ein, wie das in Washington erwartet worden war

Neben diesen sicherheitspolitischen Überlegungen im Rahmen der neuen Eindämmungspolitik verfolgten die USA mit dem Marshallplan noch ein weiteres Ziel. Wegen der engen Verflechtung der deutschen mit der europäischen Wirtschaft konnte der drohende ökonomische Kollaps Westeuropas nur verhindert werden, wenn es gelang, Westdeutschlands industrielles Potenzial im Interesse des wirtschaftlichen Lebens Westeuropas einschließlich Deutschlands selbst zu entwickeln – und zwar „ohne die Deutschen zu den Herren Europas zu machen" (John F. Dulles). Anderenfalls hätte vor allem Frankreich eine Wiederaufbauhilfe für Deutschland niemals hingenommen. Mit der Zustimmung zum Marshallplan akzeptierten die europäischen Verbündeten der USA somit faktisch auch den längst geplanten politischen Aufbau der deutschen Westzonen. Durch deren Einbeziehung (Integration) in einen gemeinsamen westeuropäisch-atlantischen Wirtschaftsraum war nämlich zugleich auch eine dauerhafte Kontrolle der Deutschen gewährleistet – eine Forderung, in der alle Länder Europas übereinstimmten.

Obwohl noch Monate vergingen, bis der amerikanische Kongress dem Marshallplan endgültig zustimmte, wurde er besonders von den Deutschen sofort begeistert aufgenommen. Die stärkste Macht der Welt bot den Besiegten die Hand! Diese erhielten zwar nur etwa zehn Prozent der bis 1952 über den Atlantik transferierten Gesamthilfe von rund 14 Milliarden Dollar – England und Frankreich waren die Hauptempfängerländer. Doch mindestens so wichtig war das hinter der materiellen Hilfe stehende amerikanische Konzept eines freien Welthandels. Das deckte sich mit den speziellen deutschen Interessen an offenen Märkten und der Wiederbelebung des Außenhandels – den entscheidenden Voraussetzungen dafür, dass man die Dollars verdienen konnte, die für den Wiederaufbau benötigt wurden. So entwickelte sich der Marshallplan für Westdeutschland zu einem Hilfsprogramm mit Langzeitwirkung:

● Er war Antriebsmoment für die Bildung eines westdeutschen Staates mit einer Wirtschafts- und Gesellschaftsordnung nach amerikanischem Vorbild;

● Er beschleunigte die bereits wieder im Aufschwung befindliche Industriegüterproduktion und trug damit erheblich zum wirtschaftlichen Wiederaufstieg bei;

● Psychologisch gesehen förderte er die Hinwendung der Deutschen zu den westlichen Demokratien.

Eine Aufbruchsstimmung machte sich im Westen Deutschlands breit, die sich mit der Wirtschafts- und Währungsreform vom Sommer 1948 noch weiter verstärkte. Diese dreifache ökonomische Weichenstellung stand am Anfang des eigentlichen Staatsgründungsprozesses, der schließlich 1949 zur Schaffung der Bundesrepublik Deutschland führte.

Ende der Zuteilungswirtschaft in Sicht

Die von Frankfurt am Main aus zunächst betriebene Zuteilungswirtschaft für die Bizone war eine Form der Verwaltung des Mangels. Sie führte zu ständigen Reibereien mit den Ländern – zum Beispiel über die Verteilung von Kartoffeln, Kohlen und Rohstoffen –, förderte den Schwarzmarkt und bremste die wirtschaftliche Dynamik. Vieles funktionierte nur auf dem Papier. Die Versorgung der Bevölkerung mit

Nahrungsmitteln, Heizmaterialien und Bekleidung verbesserte sich zunächst nicht. Das änderte sich erst im Laufe des Jahres 1948.

Im Frankfurter Wirtschaftsrat kam es gegen den heftigen Widerstand der sozialdemokratischen Abgeordneten zu einer marktwirtschaftlichen Neuorientierung. Ihr wichtigster Verfechter war der von den Amerikanern ins Gespräch gebrachte und von den beiden Unionsparteien und der FDP gewählte neue Wirtschaftsdirektor, der damals noch parteilose Ludwig Erhard. Im April 1948 kündigte er einen radikalen Kurswechsel in der Wirtschaftspolitik an. Angesichts des überall mit Händen greifbaren Mangels an Gütern aller Art – mit seinen Lebensmittelkarten und Hamsterfahrten zu den Bauern versuchte „Otto Normalverbraucher" über die Runden zu kommen – klangen die Worte Erhards geradezu revolutionär: das System der totalen Bewirtschaftung sollte aufgelockert werden mit dem Ziel, die Menschen von der staatlichen Befehlswirtschaft zu befreien und die Marktkräfte wieder in Gang zu setzen.

Währungsreform

Voraussetzung für die von Erhard angekündigte neue Wirtschaftspolitik und die Einbeziehung der drei Westzonen in die Marshallplanhilfe war jedoch eine radikale Reform des Geldwesens. Es galt den extremen Geldüberhang von etwa 380 Milliarden weitgehend wertloser Reichsmark, dem kein entsprechendes Güterangebot gegenüberstand, zu beseitigen – Folge und späte Rechnung für Hitlers Krieg, der weitgehend über die Geldpresse finanziert worden war. An die Stelle der „Zigaretten-Währung" sollte wieder gutes Geld treten. Dass dies für die Millionen deutschen Sparer den Verlust ihrer Geldvermögen bedeuten würde, war allen Fachleuten klar.

Amerikanische Finanzexperten hatten bereits 1946 einen Plan für eine gesamtdeutsche Währungsreform – „Plan für die Liquidation der Kriegsfinanzierung und die finanzielle Rehabilitierung Deutschlands" – entwickelt, den die Sowjets jedoch ablehnten. Die Finanzhoheit in ihrer Zone war der Moskauer Führung wichtiger als eine Mitsprache in gesamtdeutschen Währungsangelegenheiten. Weitere Verhandlungen im Alliierten Kontrollrat scheiterten im Herbst 1947 definitiv. Die US-Regierung zeigte sich nun entschlossen, die Währungsreform ohne die Sowjetunion durchzuführen. Die Moskauer Regierung ordnete bereits Anfang Dezember 1947 den Druck neuer Geldscheine für die SBZ an, alles unter strengster Geheimhaltung. Zu diesem Zeitpunkt wurden in Washington und New York, nicht weniger geheim, die neuen deutschen Banknoten für die Westzonen – die Deutsche Mark – bereits gedruckt. Die Sowjets wollten zwar warten, bis die Amerikaner auch öffentlich eine Währungsreform für die Westzonen ankündigten, doch intern war die Entscheidung für entsprechende Maßnahmen in der SBZ einschließlich ganz Berlins bereits getroffen.

In 23 000 Kisten verpackt kamen die neuen Geldscheine aus Amerika im April 1948 in Bremerhaven an und wurden von dort nach Frankfurt am Main transportiert, im Keller eines früheren Reichsbankgebäudes verstaut und kurz vor dem Tag X unter militärischer Bewachung zu den Zweigstellen der elf westdeutschen Landeszentralbanken gebracht.

Die Währungsreform war ein Unternehmen der Amerikaner. Briten und Franzosen stimmten zu. Ein kleiner Kreis von deutschen Fachleuten kümmerte sich um technisch-organisatorische Details und konnte auch auf die eine oder andere Bestimmung einen moderaten Einfluss nehmen. Im Grundsatz jedoch verwirklichten die Amerikaner ihre Vorstellungen von einer wirksamen Währungsreform: Die Schulden des Deutschen Reiches wurden gestrichen, ebenso 80 Prozent des privaten Geldvermögens eines jeden Westdeutschen.

Dieser radikale Geldschnitt wurde den Deutschen von der amerikanischen Siegermacht aufgezwungen – zu ihrem Glück, wie sich später herausstellte. Der Tag der Währungsreform wurde auf den 20. Juni 1948, einen Sonntag, festgelegt. Die Reichsmark wurde ungültig. Jeder in den Westzonen erhielt ein Kopfgeld von 40 Deutschen Mark (im August noch einmal 20 DM). Die Sparer wurden weitgehend enteignet, die Sachwertbesitzer geschont; diese mussten im Rahmen eines Lastenausgleichs erst später bestimmte Abgaben entrichten. Auch in der französischen Zone wurde die Währungsreform durchgeführt. Frankreich war finanziell von Amerika abhängig und teilte im übrigen die in ganz Westeuropa grassierende Furcht vor der Sowjetunion. So sah Paris keine andere Möglichkeit, als der amerikanischen Führungsmacht auf dem Weg zur Gründung eines deutschen Weststaates zu folgen.

Wirtschaftsreform

Zeitgleich erfolgte in Westdeutschland, von Erhard bereits Monate zuvor angekündigt, eine Wirtschaftsreform. Zusammen mit der Neuordnung des Geldwesens wurde sie zum Fundament des wirtschaftlichen Erfolges der späteren Bundesrepublik.

Ohne US-Militärgouverneur Clay zu fragen, setzte Ludwig Erhard, der Wirtschaftsdirektor der Bizone, gegen die Stimmen der Sozialdemokraten im Frankfurter Wirtschaftsrat die weitgehende Beendigung der Bewirtschaftung und die Aufhebung der Preisbindung für die meisten Produkte durch. Ausgenommen blieben im Wesentlichen nur die Mieten und die Hauptnahrungsmittel. Auch das war ein epochales Ereignis: die Planwirtschaft, von den Nationalsozialisten eingeführt, von den Kommunisten in der Ostzone in Verruf gebracht und in den Westzonen in der Gestalt einer Verwaltung des Mangels praktiziert, wurde einfach abgeschafft. Das Ende der behördlichen Gängelung war zugleich der Beginn der Sozialen Marktwirtschaft, die freilich zunächst von erheblichen Preissteigerungen vieler Produkte und einer stark anwachsenden Arbeitslosigkeit begleitet war. Doch dies waren Übergangsphänomene. Entscheidend war, dass Millionen konsumhungriger Deutscher mit einem Schlag alle jene Produkte in den Schaufenstern fanden, von denen sie jahrelang geträumt hatten. Über Nacht war der Schwarzmarkt verschwunden. Gehortete und neu hergestellte Waren suchten ihre Käufer, und der Marktmechanismus von Angebot und Nachfrage begann bald Wirkung zu zeigen.

Blockade Berlins

Für die sowjetische Führung kam die Währungsreform im Westen Deutschlands keineswegs überraschend. Seit Monaten war man in Moskau bereits entschlossen, sie zum Anlass für eine Machtprobe mit den Amerikanern zu nehmen und zwar in Berlin, der Nahtstelle zwischen Ost und West. Die Viersektorenstadt lag wie eine Insel in der sowjetischen Besatzungszone, rings umgeben von sowjetischen Truppen. Die Gelegenheit schien günstig, ganz Berlin in den sowjetischen Machtbereich einzubeziehen, nachdem die USA mit der Währungsreform ihre Entschlossenheit zur Gründung eines Weststaates signalisiert hatten. Bereits seit April 1948 verschärfte die Sowjetmacht die Kontrollen des Personen- und Güterverkehrs von und nach Berlin.

Am 24. Juni 1948 schließlich eskalierte die Berlinkrise zu einer gefährlichen Auseinandersetzung zwischen Ost und West. Auch die sowje-
tisch besetzte Zone erhielt am 23. Juni 1948 eine neue Währung (DM-
Ost), die auf sowjetischen Befehl hin auch in ganz Berlin gelten sollte.
Die Westalliierten erklärten diese Anordnung für „null und nichtig"
und führten ab sofort in ihren drei Sektoren – unter Hinnahme der
von den Sowjets in Umlauf gebrachten und noch einige Monate gültigen Ostmark – die neue D-Mark-West ein. Daraufhin gingen gegen
Mitternacht in West-Berlin die Lichter aus. Die Sowjets verhängten eine totale Blockade über den Westteil der Stadt. Alle Eisenbahnlinien,
Straßen und Schifffahrtswege wurden gesperrt, Strom- und Lebens-
mittellieferungen aus dem Ostteil der Stadt und der SBZ unterbro-
chen. Zwei Millionen Westberliner und 8000 alliierte Soldaten nebst
22 000 Angehörigen saßen in der Falle.

Das Ziel Moskaus war, die Westmächte zum Abzug ihrer in Berlin sta-
tionierten Truppen zu zwingen, um dann die Stadt in Besitz zu nehmen.
Das amerikanische Weststaatsprojekt wäre dann wohl auch gescheitert.

Doch zur Überraschung der sowjetischen Führung gaben Amerikaner
und Briten nicht klein bei, sondern reagierten mit einer „Luftbrücke",
dem größten Lufttransportunternehmen, das die Welt bislang gesehen
hatte.

Fast ein Jahr lang transportierten amerikanische und britische Piloten
alles, was über zwei Millionen Menschen in Berlin zum Leben und Arbeiten benötigten, Milchpulver und Kohlen, Trockenkartoffeln und
Benzin, Nähnadeln und Papier, Medikamente und Kleidung und vieles
andere mehr. Alle zwei bis drei Minuten landete eine Maschine, im
Volksmund „Rosinenbomber" genannt, auf einem der drei Westberliner Flughäfen. Das Kunststück gelang, die belagerte „Festung" Westberlin ohne Gewaltanwendung zu halten. Auch die Sowjets respektier-
ten die 1945 geschlossenen Vereinbarungen über die Benutzung der
Luftkorridore von und nach Berlin. Die Spaltung der Stadt allerdings
konnten die Westmächte nicht verhindern. Unter dem Druck der Kommunisten flüchtete im Herbst 1948 der frei gewählte Berliner Magistrat
in den Westen der Stadt und demonstrierte von dort unter der Führung
Ernst Reuters (SPD) den Widerstandswillen der Westberliner. Nur
ganz wenige von ihnen gingen auf das Lockangebot aus dem Osten ein,
sich im sowjetischen Sektor der Stadt registrieren zu lassen, um dort fri-
sches Gemüse, Milch und Kartoffeln zu erhalten.

Am 12. Mai 1949 gaben die Sowjets auf. Ihr Ziel hatten sie nicht erreicht, wohl aber dafür gesorgt, dass die Deutschen jetzt endgültig und voller Dankbarkeit ins Lager der Westmächte rückten. Die Weststaatsgründung wurde nicht verhindert, sondern beschleunigt. Die Siegermacht Amerika war nun die Schutzmacht Westdeutschlands.

Staatsgründung im Westen

Während Amerikaner und Briten die Berliner aus der Luft versorgten und viele Zeitgenossen Angst vor einem neuen Krieg hatten, nahm im Westen Deutschlands die Bundesrepublik Gestalt an. Seit dem Frühjahr 1948 konferierten die drei westlichen Besatzungsmächte, Belgien, die Niederlande und Luxemburg über Einzelheiten der geplanten Gründung der Bundesrepublik. Auch Frankreich stimmte zu, nachdem es genügend Sicherheitsgarantien gegen ein politisch und wirtschaftlich zu starkes Westdeutschland erhalten hatte. Am 1. Juli 1948 bestellten die drei Militärgouverneure Großbritanniens, Frankreichs und der USA die elf westdeutschen Ministerpräsidenten in das US-Hauptquartier in Frankfurt am Main und beauftragten sie, Verfassungsberatungen zur Gründung eines westdeutschen Staates aufzunehmen. Sie sollten dazu eine verfassunggebende Versammlung einberufen. Die westlichen Alliierten forderten, dass der neue Staat demokratisch und föderalistisch (also mit weitgehender Selbständigkeit der Länder) sein und die Freiheitsrechte der Bürger schützen müsse. Ein Besatzungsstatut, das die Beziehungen zwischen den Westalliierten und der zukünftigen deutschen Regierung regeln sollte, wurde angekündigt.

Diesen Befehl zur Staatsgründung betrachteten die westdeutschen Politiker als Chance, um von den Siegern ein Stück politischer Selbstbestimmung zurück zu erhalten. Auch sie wollten eine freiheitliche Demokratie errichten, allerdings in einer Form, die nicht als Zustimmung zu einer endgültigen Teilung Deutschlands gedeutet werden konnte. Daher sollte die neue Verfassung nur vorläufig gelten, so lange bis Deutschland wieder geeint sein würde. Mit dem Begriff „Grundgesetz" wollte man diese Absicht zum Ausdruck bringen. Der zu schaffende westdeutsche Staat sollte den Kern für ein zukünftiges freiheitliches Gesamtdeutschland bilden, er sollte handlungsfähig und insofern mehr als ein bloßes Notdach sein.

Auf Herrenchiemsee entwarf ein von den Ministerpräsidenten ausgewählter Konvent von Experten auf bayerische Einladung hin im August 1948 einen stark föderalistisch geprägten Grundgesetzentwurf. Dieser wurde einem aus 65 Vertretern der Länderparlamente zusammengesetzten Parlamentarischen Rat vorlegten. Ab dem 1. September 1948 begann dieser in Bonn mit der Ausarbeitung des Grundgesetzes. Die beiden großen politischen Lager, CDU/CSU und SPD, waren mit jeweils 27 Abgeordneten gleich stark vertreten; wiederum kam der FDP mit nur fünf Abgeordneten ein besonderes Gewicht zu.

Man wollte aus der Geschichte lernen, die Fehler der Weimarer Verfassung nicht wiederholen, aus der Erfahrung mit der menschenverachtenden nationalsozialistischen Diktatur die richtigen Schlüsse ziehen. Recht geht vor Politik, der Staat ist für den Menschen da, Unantastbarkeit der Menschenwürde und unverfügbarer Eigenwert des Individuums statt staatliche Allmacht – das waren verfassungspolitische Leitlinien, über die man sich rasch einigte.

Man wollte das Grundgesetz möglichst einvernehmlich schaffen. Doch unterhalb dieser Grundüberzeugungen spielte auch die Parteipolitik in die Beratungen der Abgeordneten hinein. Auch die Besatzungsmächte beeinflussten den Gang der Beratungen erheblich. So kam es im Verlauf der neunmonatigen Verfassungsberatungen immer wieder zu heftigen Kontroversen zwischen den beteiligten politischen Kräften auf deutscher und alliierter Seite, insbesondere in der Frage der konkreten Ausgestaltung des machtpolitischen Verhältnisses zwischen dem Bund und den Ländern (Aufteilung der Steuern, Rolle der Länderkammer).

Am 8. Mai 1949, genau vier Jahre nach der bedingungslosen Kapitulation, einigte man sich mit großer Mehrheit auf das Grundgesetz, das von den alliierten Militärgouverneuren und den westdeutschen Landtagen mit Ausnahme Bayerns gebilligt wurde. Der bayerische Landtag mit einer CSU-Mehrheit lehnte die neue Verfassung als zu zentralistisch ab, akzeptierte jedoch gleichzeitig die Entscheidung der übrigen Länder für die Geltung des Grundgesetzes in ganz Westdeutschland als rechtsverbindlich. Am 23. Mai 1949 trat das Grundgesetz in Kraft. Das war die Geburtsstunde der Bundesrepublik Deutschland.

Aus den Wahlen zum Ersten Deutschen Bundestag im August 1949 gingen die Unionsparteien mit 31 Prozent als Gewinner gegenüber der SPD mit 29,2 Prozent der abgegebenen Stimmen hervor. Der knappe Wahlsieg der Union wurde als Votum für die von Adenauer und vor allem Erhard verfochtene marktwirtschaftliche Orientierung der Bundesrepublik verstanden. Zusammen mit der FDP und der Deutschen Partei (DP) bildeten die Unionsparteien die Regierung unter Bundeskanzler Konrad Adenauer, der im September vom Bundestag in Bonn mit einer Stimme Mehrheit gewählt wurde. Erster Bundespräsident wurde der Kandidat der FDP, Theodor Heuss. Die Rolle des Oppositionsführers im Bundestag übernahm der Vorsitzende der Sozialdemokratie, Kurt Schumacher. Damit war aus den westlichen Besatzungszonen ein Staat geworden, freilich stand er nach wie vor unter westalliierter Aufsicht.

Staatsgründung im Osten

Die Antwort der Sowjetunion auf die Gründung der Bundesrepublik war von langer Hand vorbereitet worden, doch hielt Stalin die staatspolitische Situation der SBZ bewusst bis Ende 1948 in der Schwebe. Möglicherweise ließ sich doch noch Einfluss auf Gesamtdeutschland nehmen; vor allem sollten die Westmächte als Verursacher der Teilung Deutschlands angeprangert werden. Die SED-Führung um Wilhelm Pieck, Walter Ulbricht und Otto Grotewohl hingegen setzte frühzeitig auf eine staatliche Verselbstständigung ihres Machtbereichs, in der richtigen Annahme, dass die kommunistische Form einer „neuen demokratischen Ordnung" im Osten nur im Schutz der Roten Armee zu verwirklichen war.

Ohne die Sowjetmacht hätte es keine DDR gegeben. Die ostdeutschen Kommunisten hatten auch unter dem Deckmantel der SED, die sich bis 1948 zu „einem besonderen deutschen Weg zum Sozialismus" bekannte, keine Chance, in freien Wahlen an die Regierung zu kommen. Intern gingen die Sowjets davon aus, dass die Ost-CDU in freien Wahlen über 50 Prozent der Stimmen in der SBZ erhielte. Deshalb durfte es dazu nicht kommen.

Gegen den Führungsanspruch der SED widersetzten sich anfangs die Christdemokraten (CDU) und Liberalen (LDP) in der SBZ nicht ohne Erfolg. Bei den Gemeinderats- und Landtagswahlen von 1946 gewann die SED nur knapp (rund 57 bzw. 47 Prozent), nachdem die sowjetische Militärverwaltung massiv zugunsten der SED in den Wahlkampf eingegriffen und in vielen Fällen auch Anhänger der bürgerlichen Parteien verhaftet hatte. In Gesamt-Berlin erlitt die SED sogar eine schwere Niederlage: dort erhielt sie nur knapp 20 Prozent der

Stimmen. Auch der antikommunistische Widerstand von illegal arbeitenden SPD-Anhängern machte der SED zu schaffen.

Um den Einfluss der beiden bürgerlichen Parteien weiter zu begrenzen, riefen SED und die sowjetische Besatzungsmacht Ende 1947 in Berlin einen „Deutschen Volkskongress für Einheit und gerechten Frieden" ins Leben. Dieser und die nachfolgenden Volkskongresse waren kommunistisch gelenkte Scheinparlamente zur propagandistischen Unterstützung der sowjetischen Deutschlandpolitik, die nach außen für die Erhaltung der Einheit Deutschlands eintrat.

Auch die Gewerkschaften, die Jugendorganisation (FDJ) und alle neu geschaffenen staatlichen Einrichtungen, wie etwa die Polizei, dominierte die SED mit sowjetischer Hilfe. Mit der Gründung einer „Deutschen Wirtschaftskommission" im Sommer 1947 auf sowjetischen Befehl entstand in Berlin die Vorstufe der späteren ersten DDR-Regierung. Diese mit diktatorischen Vollmachten versehene zentrale Wirtschaftsbehörde war fest im Griff der SED. Innerhalb der SED bestimmten zunehmend allein die kommunistischen Funktionäre den Kurs der Partei, die ab 1948 nach stalinistischem Vorbild diktatorisch von einer kleinen Gruppe von Berufsrevolutionären gelenkt wurde.

Ende 1948 erhielten die SED-Führer die Zustimmung Stalins für die Staatsgründung in der SBZ, die im Mantel gesamtdeutscher Propaganda ins Werk gesetzt wurde. Erneut diente die Volkskongressbewegung im Mai 1949 der Verschleierung des eigentlichen Ziels der SED – nämlich ohne freie Wahlen, auf der Basis einer manipulierten Einheitslistenwahl die Macht im Osten Deutschlands auf Dauer auszuüben. Stalin stimmte dem dringenden Wunsch der SED-Führung zu, die Parlamentswahlen – der demokratische Anschein sollte gewahrt bleiben – um ein Jahr zu verschieben. Bis dahin, so die Überlegungen der deutschen Kommunisten, hätte man die bürgerlichen Parteien im Griff, was 1950 dann auch gelang. Aus dem Volkskongress und dem ihn vertretenden „Volksrat" ging schließlich am 7. Oktober 1949 die Provisorische Volkskammer der Deutschen Demokratischen Republik hervor. Eine demokratische Bestätigung durch freie Wahlen hat das SED-Regime nie erhalten. Wenige Tage nach der Gründung der DDR wurden Pieck zum Präsidenten, Grotewohl zum Regierungschef der DDR gewählt. Der starke Mann, der alle wichtigen Fäden in der Hand hielt, blieb freilich Walter Ulbricht, der Erste Sekretär der SED. Damit war die staatliche Spaltung Deutschlands vollzogen.

ZEITTAFEL

1947

1. Januar 1947 — Vereinigung der amerikanischen und britischen Zone zum „Vereinigten Wirtschaftsgebiet" (Bizone).

25. Februar 1947 — Der Alliierte Kontrollrat löst den Staat Preußen auf, der „seit jeher Träger des Militarismus und der Reaktion in Deutschland gewesen" sei.

10. März/24. April 1947 — Außenministerkonferenz in Moskau scheitert an unüberbrückbaren Gegensätzen in der Deutschlandfrage.

12. März 1947 — US-Präsident Truman erklärt vor dem amerikanischen Kongress die Entschlossenheit seiner Regierung, die freien Völker im Kampf gegen die kommunistische Bedrohung zu unterstützen (Truman-Doktrin).

22./25. April. 1947 — Gründung des Deutschen Gewerkschaftsbundes (DGB) in der britischen Zone; Vorsitzender wird Hans Böckler.

29. Mai 1947 — Britisch-amerikanisches Abkommen über die Errichtung eines Wirtschaftsrates (Wirtschaftsparlament) für die Bizone mit Sitz in Frankfurt am Main „bis zur Errichtung von Regierungs- und Verwaltungsstellen für ganz Deutschland".

5. Juni 1947 — US-Außenminister George C. Marshall kündigt ein Hilfs- und Wiederaufbauprogramm für die Länder Europas an, in das auch Deutschland einbezogen werden soll (Marshall-Plan).

6./8. Juni 1947 — Münchener Konferenz aller deutschen Ministerpräsidenten zur Erörterung der wirtschaftlichen Notlage; sie scheitert mit der Abreise der sowjetzonalen Regierungschefs bereits am Vorabend, weil man sich nicht über die Tagesordnung einigen kann: auf Betreiben der SED fordern jene, auch den Punkt der Schaffung einer Zentralregierung für ganz Deutschland zu behandeln.

11. Juni 1947	Errichtung der Deutschen Wirtschaftskommission in der SBZ durch die sowjetische Besatzungsmacht zur Zentralisierung der ostdeutschen Wirtschaft.
25. Juni 1947	Der Wirtschaftsrat der Bizone konstituiert sich in Frankfurt am Main.
12. Juli/22. Sept. 1947	Marshallplan-Konferenz von 14 europäischen Ländern in Paris ohne die Sowjetunion, die auch Polen und die Tschechoslowakei zwingt, auf eine Mitwirkung zu verzichten.
16. September 1947	Junge Schriftsteller gründen die „Gruppe 47".
25. Nov./15. Dez. 1947	Scheitern der Londoner Außenministerkonferenz; eine gemeinsame Deutschlandpolitik der vier Siegermächte kommt nicht zustande.
6./7. Dezember 1947	Erster „Deutscher Volkskongress für Einheit und gerechten Frieden" unter Führung der SED in Berlin gegründet.

1948

9. Februar 1948	Neuordnung des Vereinigten Wirtschaftsgebietes: Verdoppelung der Zahl der Abgeordneten des Wirtschaftsrates auf 104; Einführung eines Länderrates als zweite Kammer mit Vetorecht und Recht zur Gesetzesinitiative; ein Verwaltungsrat mit Verwaltungsdirektoren (für Wirtschaft etc.) und einem Oberdirektor an der Spitze. In den

Grundzügen ist bereits der innere Aufbau der späteren Bundesrepublik vorgezeichnet.

23. Febr./6. März 1948	USA und Großbritannien berufen unter Einbeziehung Frankreichs und der Benelux-Staaten eine Konferenz zur Klärung der Deutschlandfrage nach London ein.
25. Februar 1948	Kommunistische Machtergreifung in der Tschechoslowakei.
1. März 1948	Gründung der Bank deutscher Länder (später: Bundesbank) durch die Militärgouverneure der drei Westzonen in Frankfurt am Main.
2. März 1948	Der Frankfurter Wirtschaftsrat wählt Ludwig Erhard zum Wirtschaftsdirektor.
17. März 1948	Großbritannien, Frankreich und die Benelux-Staaten schließen sich im Brüsseler Vertrag zur Westeuropäischen Union zusammen zum Zwecke der kollektiven Selbstverteidigung.
20. März 1948	Ende der Viermächteverwaltung Deutschlands: der sowjetische Vertreter im Alliierten Kontrollrat in Berlin verlässt dieses Gremium aus Protest gegen die Londoner Sechs-Mächte-Konferenz.
16. April 1948	Gründung der Europäischen Organisation für wirtschaftliche Zusammenarbeit (OEEC) zur Koordination der Marshallplan-Hilfe für den wirtschaftlichen Wiederaufbau Westeuropas. 16 Mitgliedstaaten, Westdeutschland durch die Militärgouverneure vertreten.
20. April./ 2. Juni 1948	Fortsetzung der Londoner Sechs-Mächte-Konferenz. Ergebnis: den drei Westzonen soll im Rahmen der Kontrolle der drei

Westmächte „regierungsartige Verantwortung" übertragen werden. Die westdeutschen Ministerpräsidenten sollen eine Verfassung auf föderativer Grundlage ausarbeiten (Londoner Empfehlungen).

20. April/ 8. Juni 1948   Deutsche Währungsfachleute bereiten in der Nähe von Kassel (Rothwesten) nach Anweisungen der Alliierten den technischen Ablauf der Währungsreform vor.

21. April 1948   Programmatische Erklärung Ludwig Erhards zur marktwirtschaftlichen Neuorientierung der Wirtschaftspolitik in der Bizone.

18. Juni 1948   Entscheidung für die Einführung der Marktwirtschaft: Die Mehrheit von CDU/CSU und FDP verabschiedet im Wirtschaftsrat das von Ludwig Erhard vorgelegte „Leitsätzegesetz" über die Abschaffung der Zuteilungswirtschaft und die Freigabe der (meisten) Preise. Das Gesetz tritt am 24. Juni in Kraft.

20. Juni 1948   Währungsreform in den drei Westzonen und Einführung der D-Mark durch die Westalliierten.

23. Juni 1948   Währungsreform in der SBZ: die neue Ost-Mark soll auch in ganz Berlin gelten, wird von den westlichen Stadtkommandanten zurückgewiesen; sie führen die neue West-DM auch in den Westsektoren ein.

24. Juni 1948   Beginn der Blockade Berlins durch die Sowjetunion. Mit einer zwei Tage später beginnenden „Luftbrücke" sichert die amerikanische und die britische Luftwaffe die Versorgung der Westberliner Bevölkerung.

1. Juli 1948   Mit den drei „Frankfurter Dokumenten" erteilen die Militärgouverneure der West-

zonen den elf Ministerpräsidenten der westdeutschen Länder den Auftrag zur Verfassungsgebung und Staatsgründung im Rahmen eines Besatzungsstatuts.

Wiedereinbürgerung Willy Brandts in Deutschland nach 15-jähriger Emigration in Norwegen und Schweden.

8./10. Juli 1948	Konferenz der Ministerpräsidenten in Koblenz (Hotel Rittersturz) über die Frankfurter Dokumente: die drei Besatzungszonen sollen nur zu einem Provisorium zusammengefasst werden auf der Basis eines Grundgesetzes. In den folgenden Wochen machen die alliierten Militärgouverneure den deutschen Politikern klar, dass die Londoner Empfehlungen zur Staatsgründung für sie verbindlich sind, erklären sich aber bereit, den Provisoriumsgedanken zu akzeptieren: deshalb soll die zukünftige Verfassung „Grundgesetz" heißen und die verfassunggebende Versammlung „Parlamentarischer Rat".
26. Juli 1948	Nach mehreren Konferenzen einigen sich die Ministerpräsidenten mit den Militärgouverneuren in Frankfurt am Main über die Gründung eines westdeutschen Staates.
10./23. August 1948	Auf Anregung des bayerischen Regierungschefs Hans Ehard erstellt ein Sachverständigenausschuss – der Herrenchiemseer Konvent – im Auftrag der Ministerpräsidenten den Entwurf eines Grundgesetzes für den Parlamentarischen Rat in Bonn. Wesentliche Vorschläge finden Eingang in die spätere Verfassung.
18. August 1948	Öffnung der Grenzen zwischen den drei Westzonen; Fortfall von Reisebeschränkungen und Passkontrollen.

1. September 1948	Der Parlamentarische Rat nimmt in Bonn seine Beratungen auf; er besteht aus 65 von den Landtagen gewählten Abgeordneten (und fünf Vertretern Berlins ohne Stimmrecht); Präsident wird Konrad Adenauer (CDU), Vorsitzender des Hauptausschusses Carlo Schmid (SPD).
6. September 1948	Nach kommunistisch gesteuerten Demonstrationen verlegt die Berliner Stadtverordnetenversammlung ihren Sitz nach Westberlin. Auch die verwaltungsmäßige Spaltung Berlins beginnt. Ab Ende November amtiert – ohne Parlamentswahlen – Friedrich Ebert (SED) als Oberbürgermeister von Ostberlin, nach Wahlen in den drei Westsektoren wählt die Stadtverordnetenversammlung Anfang Dezember Ernst Reuter (SPD) zum Oberbürgermeister Westberlins
22. September 1948	Gründung der „Freien Universität Berlin".
12. November 1948	Generalstreik der Gewerkschaften in der Bizone gegen die Wirtschaftspolitik Ludwig Erhards.
28. Dezember 1948	Beschluss zur Einsetzung einer Internationalen Ruhrbehörde (Ruhrstatut) zur Kontrolle über die westdeutsche Kohle- und Stahlindustrie durch die Drei Westmächte und die Benelux-Staaten; Westdeutschland ist zunächst durch die Militärgouverneure vertreten.

1949

Januar 1949	SED bezeichnet sich als „Partei neuen Typus" und „Kampfpartei des Marxismus-Leninismus". Die Sowjetunion Stalins gilt in allen Angelegenheiten als Vorbild.
4. April 1949	Unterzeichnung des Nato-Vertrages in Washington.

10. April 1949	Das Besatzungsstatut wird veröffentlicht und tritt am 21. September in Kraft.
8. Mai 1949	Mit 53 gegen 12 Stimmen verabschiedet der Parlamentarische Rat das Grundgesetz.
12. Mai 1949	Ende der Blockade Berlins. Die drei Militärgouverneure genehmigen das Grundgesetz, das zwischen dem 18. und 21. Mai von zehn Landtagen der westdeutschen Länder ratifiziert wird.
15. Mai 1949	Die Bevölkerung der SBZ wählt mit einer Einheitsliste den Dritten Deutschen Volkskongress, der Ende Mai eine Verfassung verabschiedet, die sich zum Teil an der Weimarer Verfassung orientiert. Die SED dominiert das aus dem Volkskongress hervorgehende Scheinparlament des Deutschen Volksrates. Durch Wahlfälschungen sicherte die SED der Einheitsliste 66% Jastimmen.
20. Mai 1949	Bayern lehnt das Grundgesetz mit 101 gegen 63 Stimmen im Landtag ab, erkennt aber seine Rechtsverbindlichkeit auch für Bayern an.
23. Mai 1949	Verkündung des Grundgesetzes für die Bundesrepublik Deutschland in der Schlusssitzung des Parlamentarischen Rates in Bonn. Es tritt mit Ablauf des Tages in Kraft.
15. Juli 1949	Düsseldorfer Leitsätze der CDU: Bekenntnis zur Sozialen Marktwirtschaft als Wahlkampfprogramm.
23. Juli 1949	Erster Besuch Thomas Manns in Deutschland nach 16jähriger Emigration.
14. August 1949	Wahlen zum Ersten Deutschen Bundestag. CDU/CSU: 31%, SPD: 29,2%, FDP: 11,9%, KPD: 5,7%.

7. September 1949	Bundestag und Bundesrat treten zum ersten Mal zusammen.
8. September 1949	Die Bundesversammlung wählt den Kandidaten der FDP, Theodor Heuss, zum Bundespräsidenten.
15. September 1949	Konrad Adenauer (CDU) wird vom Bundestag mit einer Stimme Mehrheit zum Bundeskanzler gewählt.
18./23. September 1949	Erste Frankfurter Buchmesse
7. Oktober 1949	Gründung der Deutschen Demokratischen Republik (DDR) in Ostberlin. Otto Grotewohl (SED) wird Ministerpräsident, Wilhelm Pieck (SED) Präsident der DDR. Stalin bezeichnet die Gründung der DDR als „einen Wendepunkt in der Geschichte Europas".
8. Oktober 1949	Abschluss eines Abkommens über den innerdeutschen Handel (Interzonenabkommen), das bis zum Ende der DDR (1990) funktioniert.
12. Oktober. 1949	Gründung des Deutschen Gewerkschaftsbundes (DGB) in München. Vorsitzender wird Hans Böckler.
21. Oktober 1949	Bundeskanzler Adenauer: „Die Bundesrepublik Deutschland ist allein befugt, für das deutsche Volk zu sprechen" (Alleinvertretungsanspruch).
22. November 1949	Die drei Hohen Kommissare und Bundeskanzler Adenauer unterzeichnen das Petersberger Abkommen: Beitritt der Bundesrepublik zur Ruhrbehörde und zum Europarat, Aufnahme konsularischer Beziehungen zu westlichen Staaten.
2. Dezember 1949	Gründung der Ständigen Konferenz der Kultusminister in Bonn.

Konrad Adenauer und Charles de Gaulle im offenen Auto auf der Fahrt durch Reims; im
Hintergrund die Kathedrale (8.7.1962). *Foto: ullstein bild*

3. Die Bundesrepublik auf dem Weg in den Westen – Westintegration und Wirtschaftswunder in der Ära Adenauer 1949 bis 1963

Freiheit auf Widerruf

Seit September 1949 besaß die Bundesrepublik zwar eine demokratisch gewählte Regierung, doch sie war nach wie vor fremdbestimmt, ein Protektorat der drei westlichen Alliierten. Die neue Freiheit, die Frankreich, die USA und Großbritannien den Deutschen gewährten, war eine Freiheit auf Widerruf, vom Misstrauen der Völker begleitet, die von ihren Regierungen erwarteten, dass sie die Deutschen auch weiterhin unter Kontrolle hielten. So galt als eigentliche Verfassung im Land das Besatzungsstatut, auf das sich die drei Siegermächte bereits im April 1949 geeinigt hatten und das im September in Kraft trat.

Die Hohen Kommissare

Daran änderte auch die Tatsache nichts, dass an die Stelle der drei alliierten Militärgouverneure nunmehr Hohe Kommissare traten. Unter dieser neuen Bezeichnung amtierte der britische General Lord Brian Robertson, der bisherige britische Militärgouverneur, jetzt in ziviler Funktion. Frankreich vertrat der Berufsdiplomat André François-Poncet, der bereits in den dreißiger Jahren Botschafter seines Landes in Berlin gewesen war. Der profunde Kenner der deutschen Kultur- und Geistesgeschichte machte aus seinem Misstrauen den Deutschen gegenüber kein Hehl und ließ seine deutschen Gesprächspartner spüren, wer nach wie vor die Herren im Land waren. Die US-Regierung entsandte mit John McCloy einen der maßgeblichen Experten für die amerikanischen Kriegs- und Nachkriegsplanungen, auch er ein hervorragender Deutschlandkenner und nicht ohne Sympathie für das Land, das er beaufsichtigen und zugleich für die Demokratie und die Gemeinschaft der westlichen Völker gewinnen sollte. Weil er die stärkste Macht in der Hohen Kommission vertrat, hatte sein Wort besonderes Gewicht. Im Zweifel war ihm die Stärkung Westeuropas unter Einschluss der Bundesrepublik wichtiger als die kleinliche Ausübung seiner Kontrollrechte. Mit Konrad Adenauer, dem neuen Regierungschef in Bonn, verstand er sich nach einiger Zeit sehr gut, so dass sich die deutsch-amerikanischen Beziehungen noch während der Besatzungszeit günstig entwickelten. In den folgenden Jahren wurde er zum Architekten der deutsch-amerikanischen Zusammenarbeit.

Bindungen durch das Besatzungsstatut

Zunächst ging aber alles noch sehr förmlich zu. Die Hohen Kommissare residierten auf dem Petersberg, hoch über dem Rhein, und blickten sozusagen auf die provisorische Bundeshauptstadt herab. Der Kontrollapparat, dem sie vorstanden, war groß und teuer. Anfang der fünfziger Jahre arbeiteten dort immer noch weit über 10 000 alliierte Beamte und einige hundert Offiziere. Die alliierten Besatzungsstreitkräfte umfassten rund 100 000 Mann. Hinzu kamen mehrere hunderttausend Familienangehörige und deutsches Hilfspersonal. Ein gutes Drittel des Bundeshaushaltes musste die Bundesregierung für die Besatzungskosten ausgeben.

Kein Gesetz, das der Deutsche Bundestag verabschiedete, konnte ohne die Zustimmung der Hohen Kommission in Kraft treten. Und in der Handels- und Außenpolitik der Bundesrepublik behielten die Hohen Kommissare fürs erste alle Zuständigkeiten in ihren Händen. Dass sie sich sogar ausdrücklich vorbehielten, „aus Sicherheitsgründen oder zur Aufrechterhaltung der demokratischen Regierungsform in Deutschland" der Bundesregierung und dem Parlament wieder alle Zuständigkeiten zu entziehen, konnte durchaus als Drohung verstanden werden und klang verständlicher Weise nicht gut in den Ohren der deutschen Politiker. Wann und in welchem Umfang die Westalliierten auf ihre originären Besatzungsrechte zu verzichten gedachten, vor allem im Hinblick auf die Außenbeziehungen der Bundesrepublik, ließen sie offen, spätestens nach 18 Monaten allerdings versprachen sie eine erste Überprüfung.

Souveränität und Westorientierung als Ziel

Es verstand sich daher von selbst, dass der mit knapper Mehrheit von einer Stimme ins Amt gewählte erste Bundeskanzler, der 73jährige Konrad Adenauer (CDU), an diesem Punkt ansetzte und nach Wegen suchte, um dem jungen Staat zu politischer Selbstständigkeit zu verhelfen, wie er bereits in seiner ersten Regierungserklärung ankündigte: „Der einzige Weg zur Freiheit ist der, dass wir im Einvernehmen mit der Hohen Kommission unsere Freiheiten und unsere Zuständigkeiten Stück für Stück zu erweitern versuchen." Alle besatzungsrechtlichen Beschränkungen schrittweise abzubauen, die Bundesrepublik vom Objekt der Politik der Westmächte zu ihrem gleichberechtigten Partner zu machen und auf diesem Weg die Deutschen fest an die westliche Welt zu binden – das waren Adenauers politische Leitziele, die er vom ersten Tag seiner Regierung an hartnäckig und gegen alle Widerstände verfolgte.

Wahrscheinlich hätte auch jeder andere Bundeskanzler der Wiedergewinnung staatlicher Souveränität und der Westorientierung höchste Priorität eingeräumt. Aber im Gegensatz zu seinem großen innenpolitischen Gegenspieler von der oppositionellen SPD, Partei- und Fraktionschef Kurt Schumacher, zeigte Adenauer Verständnis für die alliierten Forderungen nach einer wirksamen Kontrolle des deutschen, insbesondere wirtschaftlichen Potenzials an Rhein und Ruhr. Die Fesseln des Besatzungszustandes ließen sich Adenauers Überzeugung zufolge nur schrittweise abstreifen, und dabei musste die deutsche Seite auch zeitlich beschränkte Benachteiligungen hinnehmen. Schumacher dagegen pochte selbstbewusst auf Gleichbehandlung, die zum damaligen Zeitpunkt aber illusorisch war.

Um Vertrauen zu gewinnen, zeigte sich Adenauer zu Vorleistungen und Zugeständnissen bereit, vor allem zugunsten Frankreichs und dessen Interessen im Kohle- und Stahlsektor im Ruhrgebiet und im Saarland. Geschickt verstand er es dabei, auch deutsche Interessen – damals vor allem die sofortige Beendigung der Demontagen von Industriebetrieben – sozusagen in einer Paketlösung durchzusetzen. Ein „Bundeskanzler der Alliierten", wie ihn Schumacher im Bundestag einmal kritisierte, war er dennoch nicht, sondern ein kluger Pragmatiker, der nicht vergaß, dass die Deutschen vom Wohlwollen und den Eigeninteressen der Westalliierten voll und ganz abhingen. Für nationale Parolen und Empfindlichkeiten, die auch innerhalb der Regierungskoalition (CDU/CSU, FDP, DP) ihre Vertreter hatten, fehlte ihm weitgehend das Verständnis. Das Sicherheitsbedürfnis der westlichen Völker Deutschland gegenüber hielt er für begründet. Ein Interessenausgleich zwischen den Siegern im Westen und den Besiegten hielt er am ehesten durch die Einbindung der Bundesrepublik in die westliche Welt für machbar.

Der erste Bundeskanzler – der Machtpolitiker

Der 1876 in Köln geborene Konrad Adenauer war für viele in der chaotischen Nachkriegszeit nach Orientierung suchende Menschen die personifizierte Erinnerung an die „gute alte Zeit" im Kaiserreich. Er blickte auf eine erfolgreiche politische Karriere als Oberbürgermeister von Köln seit 1917 bis zu seiner Amtsenthebung durch die Nationalsozialisten 1933 zurück. Er gehörte zu den bekanntesten Zentrumspolitikern der Weimarer Republik, ohne jedoch als Kommunalpolitiker mit ihr und ihrem Scheitern später identifiziert zu werden. Als Privatmann überlebte er die Nazizeit in seinem Haus in Rhöndorf, in den letzten Kriegsmonaten geriet er ins Visier der Gestapo und wurde mit seiner Frau inhaftiert. Unmittelbar nach Kriegsende setzten ihn die Amerikaner wieder als Kölner Oberbürgermeister ein; fünf Monate später entließen ihn die jetzt zuständigen Briten wieder aus diesem Amt, angeblich wegen Unfähigkeit, in Wirklichkeit aber weil er mit den Absichten der französischen Besatzungsmacht der Schaffung eines Rheinstaates sympathisierte und wegen seiner antisozialistischen Einstellung. Er sollte sich nie mehr politisch betätigen dürfen. Doch wenig später wurde das Verbot aufgehoben, und innerhalb von zwei Jahren besetzte er in einer „Blitzkarriere" (Rudolf Morsey) sämtliche Führungsämter der rheinischen CDU. Als Präsident des Parlamentarischen Rates wurde er 1948/49 zum „Sprecher der werdenden Bundesrepublik gegenüber den westlichen Mächten" (Theodor Heuss). Organisationstalent, Wählerwirksamkeit, Personenkenntnis und ein ausgeprägtes Machtbewusstsein verhalfen ihm schließlich in das schwierige Amt des Bundeskanzlers der Bundesrepublik Deutschland.

Der Patriarch aus Rhöndorf bei Bonn wurde zu einem Glücksfall für die weltweit mit Misstrauen betrachteten Deutschen. Die westlichen Siegermächte, insbesondere die USA, sahen in ihm einen Garanten für die definitive Abkehr Deutschlands von allen Großmachtillusionen. Die Bundesrepublik galt als deutscher Kernstaat, zu dem irgend wann einmal auch die sowjetische Zone, die jetzt DDR hieß, gehören würde.

Bedeutung der Westbindung der Bundesrepublik

Adenauers zentrales Anliegen war die Einbeziehung der Bundesrepublik in ein Bündnis mit den Westmächten. Die politische, wirtschaftliche und schließlich auch militärische Verankerung der Bundesrepublik in die westliche Staatenwelt und in einem vereinigten Europa entwickelte sich daher zum Kennzeichen der Ära Adenauer.

Adenauer war davon überzeugt, dass die Deutschen, deren politischer Reife er zutiefst misstraute, nur auf dem Weg der Westbindung vor sich selbst geschützt werden konnten. Der historisch verhängnisvollen deutschen Tradition, zur Stärkung der eigenen Machtposition zwischen Ost und West zu lavieren, sollte ein für alle Mal ein Riegel vorgeschoben werden. Westbindung bedeutete aber auch Schutz der jungen Demokratie gegenüber der kommunistischen Sowjetunion. Zugleich war sie eine Garantie dafür, dass sich die Sieger von 1945 nicht noch einmal zusammen fanden, um über die Köpfe der Deutschen hinweg über deren zukünftiges Schicksal zu befinden. Dieser Alptraum von Potsdam ließ ihn nie los.

Kein Arrangement mit der Sowjetunion

Schließlich sah Adenauer nur in der Westbindung des dem russischen Zugriff entzogenen größeren Teiles von Deutschland eine realistische Chance für die Wiedervereinigung des geteilten Landes „in Frieden und Freiheit", wie er nicht müde wurde, gegenüber seinen Kritikern im Parlament und in der Öffentlichkeit zu betonen. Vereinbarungen mit der totalitären Sowjetmacht, die auf eine Neutralisierung Gesamtdeutschlands hinausliefen und die von Moskau mehrfach angeboten wurden, lehnte er entschieden ab, weil er darin den Anfang vom Ende des demokratischen Neubeginns in Deutschland sah. Nur von einer Position der Stärke aus, die aus einer engen Verbindung mit dem Westen, insbesondere mit den Vereinigten Staaten von Amerika, erwachsen konnte, sah Adenauer eine Chance, um überhaupt mit Moskau verhandeln und zu einer Verständigung in der deutschen Frage gelangen zu können. Seine Gegner, auch in der eigenen Partei, hielten das für paradox. Doch Adenauer traf, wie seine späteren Wahlerfolge zeigten, mit dieser realpolitischen Haltung den Kern der in der westdeutschen Bevölkerung verbreiteten Hoffnungen und Befürchtungen. Nach der nur wenige Jahre zurück liegenden existentiellen Katastrophe teilten die meisten Deutschen, auch in der sowjetischen Zone, ein elementares Verlangen nach wirtschaftlicher und machtpolitischer Sicherheit, und nur der Westen unter der Führung der neuen Weltmacht USA war ein solcher Rettungsanker.

Sein Konzept, dass der Westen nur von einer Position der Stärke aus Moskau zum Verzicht auf seine deutsche Beute bewegen könne, war in der Bundesrepublik durchaus umstritten, entsprach aber voll und ganz der Politik der Vereinigten Staaten unter den Präsidenten Truman (1945/1952) und Eisenhower (1953/1960) – bei letzterem zumindest in seiner ersten Amtsperiode. Die Wiedervereinigung Deutschlands, zu der sich die amerikanische Führungsmacht stets bekannte, galt auch in Washington als ein Fernziel im Rahmen einer europäischen Neuordnung, nicht als ein politisches Nahziel, das gegen den Willen der sowjetischen Atommacht durchgesetzt werden konnte.

Hinwendung zum Westen

Nach dem Beitritt der Bundesrepublik zur Organisation für europäische wirtschaftliche Zusammenarbeit (OEEC), die die Vergabe der Marshallplanhilfe koordinierte, und zum Europarat in Straßburg (1950), der den deutschen Politikern erstmals wieder ein internationales Forum für den politischen Gedankenaustausch öffnete, wurde mit der Schaffung der Europäischen Gemeinschaft für Kohle und Stahl (1951) der Grundstein für die wirtschaftliche Integration Westeuropas und zugleich für die erfolgreiche Überwindung des deutsch-französischen Gegensatzes gelegt. Die westdeutsche Wiederbewaffnung wurde schließlich zur entscheidenden Weichenstellung in diesem Prozess der Westintegration der Bundesrepublik.

Wiederbewaffnung und Beitritt zur NATO

Über der ersten Amtszeit Adenauers (1949/53) lag der Schatten des Koreakrieges (1950/53). Dieser verschärfte den Ost-West-Konflikt erheblich und beschleunigte den westeuropäisch-amerikanischen Entscheidungsprozess zugunsten der Schaffung eines schlagkräftigen und abwehrfähigen militärischen Bündnisses gegen die Sowjetunion unter Einbeziehung Westdeutschlands. Seitdem die Nordkoreaner im Sommer 1950 über Südkorea hergefallen waren, grassierte in Westdeutschland die Furcht vor einem Angriff der ostdeutschen kasernierten Volkspolizei. Aber auch die übrigen westeuropäischen Länder fühlten sich durch die sowjetische Großmacht bedroht. Deshalb stellten sie schließlich ihre Bedenken gegen die von den USA geforderte Wiederbewaffnung der Bundesrepublik zurück, die Adenauer gegen heftigen innenpolitischen Widerstand insbesondere der SPD und der Gewerkschaften im Bundestag durchsetzte.

Daran konnte auch der sowjetische Diktator Stalin nichts ändern. Er stellte im März 1952 sozusagen in letzter Minute dem Westen, und insbesondere natürlich den Westdeutschen, die Wiedervereinigung des Landes in Aussicht, sofern man sich im Westen auf dessen Neutralität einließe. Mit diesem Angebot sollte das im Entstehen begriffene Westbündnis ausgehebelt werden. Nach heutigen Erkenntnissen war dies jedoch primär ein propagandistischer Schachzug. Zu keinem Zeitpunkt war die sowjetische Seite wirklich bereit, das Ostberliner Regime für ein neutralisiertes nichtkommunistisches Gesamtdeutschland zu opfern. In Moskau glaubte man aber ernsthaft, mit diesem Angebot die „Massen" gegen die Regierung Adenauer aufwiegeln und seinen Sturz bewirken zu können. Dann hätten die Karten neu gemischt werden müssen. Sicher ist, dass die Westmächte daran so wenig Interesse hatten, wie Adenauer und die übergroße Mehrheit der Bevölkerung.

Als Gegenleistung für den westdeutschen Verteidigungsbeitrag erklärten die Westmächte 1952 ihre Bereitschaft, das Besatzungsregime zu beenden (Deutschland-Vertrag). Dennoch lehnte zu diesem Zeitpunkt eine Mehrheit der Bundesbürger die Wiederbewaffnung ab. Der „Ohne-Mich-Standpunkt" war weit verbreitet. Als die ursprünglich geplante Europäische Verteidigungsgemeinschaft (EVG) unter Einschluss der Bundesrepublik am Widerstand Frankreichs im Jahre 1954 scheiterte, wurde die Bundesrepublik auf Betreiben Großbritanniens und der USA in die Nato aufgenommen (1955) und gleichzeitig die Besatzung Westdeutschlands endgültig beendet.

Die Besonderheit der deutschen Nato-Mitgliedschaft bestand darin, dass im Gegensatz zu den anderen Mitgliedern die Deutschen auch schon in Friedenszeiten alle ihre militärischen Verbände der Allianz unterstellen mussten. Außerdem wurde eine Höchstgrenze deutscher Streitkräfte auf 500 000 Mann festgelegt; schließlich verpflichtete sich die Bundesrepublik, auf die Produktion von ABC-Waffen wie auf deren Verfügung zu verzichten. Damit war den Kontrollwünschen vor allem Frankreichs Rechnung getragen.

Saarfrage

In der Saarfrage, die die deutsch-französischen Beziehungen jahrelang schwer belastet hatte, fand man zu einem Kompromiss: das Saargebiet sollte politisch europäisiert (Saarstatut), wirtschaftlich eng mit

Frankreich verflochten werden, sofern die Saarländer in einer Volksabstimmung für diese Lösung stimmten. Im Gegensatz zu den Erwartungen der Pariser Regierung votierte eine deutliche Mehrheit jedoch für die Rückgliederung des Saarlandes in die Bundesrepublik (1957), was die französische Seite dann auch akzeptierte.

Die Bundesrepublik wird souverän

Damit war die Bundesrepublik unerwartet schnell zu einem weitgehend souveränen Staat geworden. Nur für Berlin und Deutschland als Ganzes wie zunächst noch (bis 1968) für den Notstandsfall hielten die Westmächte an ihren ursprünglichen Siegerrechten (Viermächtestatus) fest. Zugleich erklärten sie sich bereit, ein wiedervereinigtes Deutschland auf demokratischer Grundlage im Rahmen der europäischen Gemeinschaft zu akzeptieren – eine 1955 vereinbarte wichtige Zusage, die 1990 eingelöst wurde.

Durch eine kluge Politik der Vorleistungen (Petersberger Abkommen 1949: Beitritt zur Ruhrbehörde gegen die Reduzierung der Demontagen), der Vertrauensbildung (Beitritt zum Europarat 1950, zum Schuman-Plan 1950/51) und durch das Angebot, das ökonomisch-militärische Potenzial Westdeutschlands in den Dienst eines von den USA geführten europäisch-atlantischen Bündnisses zu stellen, war es Adenauer in wenigen Jahren gelungen,

- das Misstrauen der westlichen Welt gegenüber Deutschland abzubauen,
- eine vor allem von den USA gewährte Sicherheitsgarantie für die Bundesrepublik zu erwirken und
- Die junge Bonner Demokratie definitiv in die westliche Staatengemeinschaft, zu der die Deutschen „nach unserer Herkunft und nach unserer Gesinnung" (Adenauer) gehörten, einzubinden.

Die Schatten der Vergangenheit –
Zwischen Verdrängung und Aufarbeitung

Weniger glanzvoll als bei der erfolgreichen Einbindung Westdeutschlands in die Wertegemeinschaft der westlichen Demokratien erwies sich die Ära Adenauer in der Frage der Auseinandersetzung des jungen Staates mit der jüngsten Vergangenheit der Deutschen. Mit zunehmendem zeitlichen Abstand zur selbstverschuldeten Katastrophe von 1945 wollten sich immer weniger der neuen Bundesbürger ernsthaft mit deren Ursachen und dem ganzen Ausmaß der deutschen Verbrechen während der NS-Herrschaft in den Ländern Ost- und Westeuropas und vor allem an den europäischen Juden befassen. Zum Nationalsozialismus bekannte sich zwar öffentlich niemand mehr – eine kurzzeitig aktive Nachfolgepartei der NSDAP, die sich Sozialistische Reichspartei (SRP) nannte, wurde 1952 vom Bundesverfassungsgericht verboten. Aber Umfragen aus den fünfziger Jahren zeigen, dass das braune Gedankengut keinesfalls aus den Köpfen einer beachtlichen Minderheit der Bevölkerung verschwunden war.

Es kann daher nicht verwundern, dass die Auseinandersetzung mit der nationalsozialistischen Vergangenheit in dieser Zeit nur schleppend voran ging. Zunächst hatte die Bilanz der strafrechtlichen Ahndung von NS-Verbrechen noch durchaus positiv ausgesehen: neben den erwähnten Verfahren vor alliierten Militärgerichten stellte in den späten vierziger Jahren bis etwa 1951 auch die westdeutsche Justiz – in eigener Regie, aber nur mit der Zuständigkeit für NS-Verbrechen an Deutschen – viele NS-Täter vor Gericht. Dabei wurden 5487 Personen verurteilt, unter anderem wegen ihrer Beteiligung an Übergriffen gegen Juden in der so genannten Reichskristallnacht von 1938; geahndet wurden auch die „Euthanasie" genannten Morde von geistig behinderten Menschen. Danach glaubten allerdings weite Kreise der Bevölkerung, dass nunmehr alle Verantwortlichen zur Rechenschaft gezogen worden seien. Das Interesse der Öffentlichkeit und vor allem der Politik an einer weiteren Verfolgung von NS-Tätern erlahmte rasch.

In den folgenden Jahren kam die strafrechtliche Verfolgung fast völlig zum Erliegen. Man wollte die Vergangenheit ruhen lassen. Ermittlungsschwierigkeiten der Staatsanwaltschaften für NS-Tatkomplexe außerhalb der Grenzen Deutschlands, insbesondere in Osteuropa, kamen hinzu. Ausschlaggebend für dieses Klima des Vergessens war jedoch die offizielle bundesdeutsche Politik der Integration der vielen ehemaligen Nazis in den demokratischen Staat. Nicht Ausgrenzung und Bestrafung schien das Gebot der Stunde zu sein, sondern Nachsicht mit allen denen, die keine schweren Verbrechen begangen hatten. Darin stimmten fast alle maßgeblichen Politiker im Regierungslager wie in der Opposition überein, weil sie auf dieses Wählerreservoir nicht verzichten konnten. Auch kämpferische Demokraten wie der Parteivorsitzende der SPD Kurt Schumacher und der Berliner Regierende Bürgermeister Ernst Reuter (SPD) verfolgten diesen Kurs, obwohl sie immer wieder in öffentlichen Reden die Verbrechen des Nationalsozialismus anprangerten und vor dessen Verharmlosung warnten.

Die Zeitumstände forderten ihren Tribut und lenkten die Energie und Aufmerksamkeit der übergroßen Mehrheit der neuen Bundesbürger auf den Wiederaufbau und die Bedrohung, die sich vom Osten her aufzubauen schien. Im Bundestag fanden sich parteiübergreifende Koalitionen von Abgeordneten, die einen Schlussstrich unter die jüngste Vergangenheit ziehen wollten. Auf diese Weise beabsichtigte man zur gesellschaftlichen Befriedung beizutragen, im Regierungslager nachdrücklicher als bei der SPD-Opposition. Doch die wichtigsten gesetzgeberischen Initiativen fanden dann doch immer eine große Mehrheit: mehrere Straffreiheitsgesetze, Amnestiersuche bei den Westalliierten zugunsten der verurteilten deutschen Kriegsverbrecher in Landsberg und anderenorts und vor allem die Wiedereinstellung von etwa 150 000 wegen ihrer NSDAP-Zugehörigkeit entlassenen Beamten in den Staatsdienst bzw. die Anerkennung ihres Pensionsanspruchs. Auch prominente Kirchenvertreter hatten sich dafür nachhaltig eingesetzt. Ähnlich großzügig zeigte sich der Gesetzgeber gegenüber manchen Opfergruppen nicht, sondern bestand auf komplizierten bürokratischen Prozeduren für den Nachweis des Verfolgtenstatus.

Der politische Preis dieser Integrationspolitik, die wahrscheinlich angesichts der vielen Millionen Mitglieder und Mitläufer des NS-Regimes alternativlos war, waren immer wieder Skandale wegen der NS-Vergangenheit einzelner Regierungsmitglieder und hoher Beamter wie zum Beispiel von Hans Globke, Adenauers engstem Mitarbeiter und Chef des Bundeskanzleramtes, an dem dieser jedoch ungeachtet aller Kritik bis zum Ende seiner Amtszeit fest hielt. An diesen Skandalen entzündete sich in den sechziger Jahren der Protest der jüngeren Generation, die die Versäumnisse der damaligen Politik schonungslos kritisierte.

Bilanz

Janusköpfig zeigte sich die Aufarbeitung der NS-Vergangenheit. Defizite und Erfolge waren nicht immer von einander zu trennen. Das in den Anfangsjahren im Bundestag grassierende „Gnadenfieber" (Robert W. Kempner) zu Gunsten von NS-Belasteten kontrastierte erheblich mit den leidenschaftlichen Verjährungsdebatten des Parlamentes in den sechziger und siebziger Jahren. Diese hatten zur Folge, dass gegen NS-Mörder weiterhin ermittelt werden konnte und Mord seit 1979 nicht mehr verjährt. Es gab von Anfang an die unzweideutige öffentliche Verurteilung des NS-Regimes und seiner Schandtaten in Politik, Medien, Wissenschaft und Bildung und gleichzeitig die praktizierte Nachsicht gegenüber der braunen Vergangenheit vieler Einzelner in eben diesen Bereichen. Das „Recht auf den politischen Irrtum" (Eugen Kogon) nahmen diese anpassungsbereiten neuen Demokraten für sich in Anspruch, und es wurde ihnen auch großzügig gewährt. Moralisch zweifelhaft und vor allem aus der Sicht der NS-Opfer völlig unbefriedigend wirkte dennoch die Eingliederung derjenigen, die unterhalb der Führungsebene den NS-Staat mitgetragen hatten und die jetzt ihre Loyalität zur Bonner Demokratie erkennen ließen, stabilisierend auf die junge Bundesrepublik. Ein politisch relevantes Potenzial von Ewiggestrigen, das der Demokratie gefährlich werden konnte, bildete sich nämlich nicht heraus.

Zur Bilanz gehört aber nicht nur die halbherzige personelle Vergangenheitsbewältigung der fünfziger Jahre. Daneben steht die zur gleichen Zeit energisch vorangetriebene Wiedergutmachungsgesetzgebung für die jüdischen und nichtjüdischen Opfer des NS-Regimes, die heute auf über 100 Milliarden DM beziffert wird. Allerdings sollte es bis zum Jahre 2000 dauern, bis auch die Millionen osteuropäischen Zwangsarbeiter als Opfer der NS-Kriegsmaschinerie ins Blickfeld kamen. Nicht ganz freiwillig erklärten sich über ein halbes Jahrhundert nach Kriegsende Staat und Wirtschaft bereit, den noch lebenden Betroffenen einige tausend DM Entschädigung zu zahlen, insgesamt rund 10 Milliarden DM.

Späte Ermittlungen und Prozesse

Schließlich begann mit der Gründung der Zentralen Stelle der Landesjustizverwaltungen zur Aufklärung nationalsozialistischer Gewaltverbrechen in Ludwigsburg im Jahre 1958 die systematische Erforschung und Verfolgung von NS-Gewaltverbrechen. Deren Ausmaß wurde einer breiteren Öffentlichkeit durch mehrere Großverfahren gegen SS-Funktionäre von Vernichtungslagern wie etwa im Auschwitz-Prozess vor dem Schwurgericht in Frankfurt am Main (1963-

65

1965) und im Majdanek-Prozess in Düsseldorf (1975-1981) vor Augen geführt. Mit einem Mal schien das Dritte Reich weniger weit zurück zu liegen, als es in den fünfziger Jahren den Anschein hatte. Mit den Mitteln des Strafrechts versuchte man jetzt, die schlimmsten Untaten des NS-Regimes zu ahnden. Häufig waren Jahre lange Ermittlungen notwendig, um die Täter ausfindig zu machen, Zeugen zu vernehmen und Dokumente aufzustöbern und auszuwerten. In einem der letzten großen NS-Prozesse wurde 1992 in Stuttgart ein ehemaliger SS-Lagerkommandant wegen Mordes und Beihilfe zum Mord zu lebenslanger Haft verurteilt. Insgesamt wurden von westdeutschen Gerichten seit dem 8. Mai 1945 bis 1999 6495 Angeklagte rechtskräftig verurteilt, davon etwa 750 seit 1958. Das ist wenig angesichts der 106 496 Ermittlungsverfahren, aber viel angesichts der tatsächlichen Schwierigkeiten, die sich aus den Tatkomplexen ohne Beispiel ergaben. Außerdem profitierten die Handlanger der Diktatur und des Völkermords von den Schutzgarantien des Rechtsstaates, in dem nur verurteilt wird, dessen individuelle Schuld zweifelsfrei nachgewiesen werden kann. Das scheiterte häufig schon am Erinnerungsvermögen der Zeugen. Unbefriedigend bleibt auch die Tatsache, dass mit ganz wenigen Ausnahmen kein NS-Richter wegen Rechtsbeugung zur Rechenschaft gezogen worden ist, auch nicht Freislers blutige Helfer am Volksgerichtshof in Berlin. Auch die meisten Schreibtischtäter des Reichssicherheitshauptamtes in Berlin, der Terrorzentrale des NS-Regimes, kamen straflos davon – mit Ausnahme von Adolf Eichmann, dem ehemaligen Leiter des dortigen Judendezernats, der vom israelischen Geheimdienst 1960 aus Argentinien entführt und von einem Gericht in Jerusalem 1962 zum Tode verurteilt worden ist. Erst seit den siebziger und verstärkt den achtziger Jahren bestimmte die Erinnerung an die Ermordung der europäischen Juden das Geschichtsbewusstsein der Mehrheit der Bundesbürger, die – und das war wohl der ausschlaggebende Grund – selbst nicht mehr in jene dunkle Epoche deutscher Geschichte verstrickt waren, die immer noch ihre Schatten warf. Diese Generation öffnete sich für die Ergebnisse der historischen Forschung, die Angebote der politischen Bildung innerhalb und außerhalb der Schulen sowie vor allem für die wirkungsvollen filmischen Darbietungen der NS-Vergangenheit wie zum Beispiel die amerikanische Fernsehserie „Holocaust" (1979), die in Westdeutschland über 16 Millionen Zuschauer erreichte.

Kontrollierte Partnerschaft – Europäische Integration

Neben dem Beitritt der Bundesrepublik zum Verteidigungsbündnis der Westmächte wurden in der Ära Adenauer auch die Grundlagen für den wirtschaftlichen Zusammenschluss einer wachsenden Zahl europäischer Staaten gelegt. Durch die Europäisierung der vor allem im Verhältnis zu Frankreich schier unüberbrückbar erscheinenden Konflikte und Interessengegensätze (Saarfrage, Ruhrkohle, Wiederbewaffnung) gelang das Kunststück, zwei sich eigentlich widersprechende Ziele miteinander in Einklang zu bringen – den dringenden Wunsch der Bonner Politiker nach Gleichberechtigung und Sicherheit für die Bundesrepublik und die Forderung der europäischen Völker nach Sicherheit vor Deutschland. „Integration" wurde zum Schlüsselwort der Epoche. Die kontrollierte Partnerschaft mit Deutschland trat an die Stelle einseitiger Kontroll- und Zwangsmaßnahmen, die insbesondere das wirtschaftlich schwächere Frankreich lange Zeit bevorzugte.

Was noch Anfang der fünfziger Jahre fast unvorstellbar erschien, war ein Jahrzehnt später Wirklichkeit geworden: die deutsch-französische Aussöhnung im Rahmen der europäischen Einigung. Den Startschuss dazu gab die Gründung der Europäischen Gemeinschaft für Kohle und Stahl (Montan-Union) von 1951, die unter Einbeziehung der Benelux-Staaten und Italiens die Kohle- und Stahlproduktion dieser Länder einem übernationalen westeuropäischen Verbund unterstellte. Mit den Römischen Verträgen von 1957 erweiterten diese Europäer der ersten Stunde das Feld der wirtschaftlichen Integration (Europäische Wirtschaftsgemeinschaft, Euratom) mit dem Ziel der Schaffung eines Gemeinsamen Marktes, dem Vorläufer der heutigen Europäischen Union.

Auf diesem stabilen Fundament konnte die deutsch-französische Aussöhnung gedeihen. Die Bundesrepublik hatte keine Schwierigkeiten, die politische Führungsrolle Frankreichs in Europa zu akzeptieren, das sich seinerseits durch die in wenigen Jahren zur wirtschaftlichen Großmacht herangewachsene Bundesrepublik nicht mehr bedroht fühlte. Mit der Unterzeichnung des deutsch-französischen Freundschaftsvertrages von 1963 durch Bundeskanzler Adenauer und Staatspräsident de Gaulle wurde ein Schlussstrich unter die jahrhundertelange Feindschaft beider Länder gezogen.

Wirtschaftswunder – Wohlstand für alle

Wirtschaftlich lief zu Beginn der Ära Adenauer nicht alles zum Besten. Steigende Lebenshaltungskosten, wachsende Kluft zwischen Durchschnitts- und Spitzeneinkommen, Arbeitslosigkeit ließen die Soziale Marktwirtschaft in zweifelhaftem Licht erscheinen. Im Winter 1951/52 waren rund 12 Prozent der Erwerbstätigen, fast zwei Millionen Menschen, arbeitslos. Mit einem Mal fehlte es an Brotgetreide und Zucker.

In der zweiten Hälfte des Jahres 1952 setzte jedoch im Gefolge des Koreakrieges eine weltweit starke Nachfrage nach deutschen Produkten ein. Wirtschaftsminister Ludwig Erhard konnte auf dirigistische Maßnahmen verzichten und den wirtschaftlichen Austausch weiter liberalisieren. Mit dem wesentlich durch den Außenhandel, die Rückkehr Deutschlands auf den Weltmarkt, bewirkten Aufschwung begann jene lang anhaltende Hochkonjunktur, die das deutsche Wirtschaftswunder einleitete. Der Export stieg jetzt kontinuierlich, die Bauwirtschaft florierte, die Automobilindustrie gewann an Schwung, der Schiffbau erreichte das Produktionsvolumen der Vorkriegszeit, die Bundesbank verfügte jetzt sogar über Devisenreserven von 1,7 Milliarden Dollar, die Arbeitslosigkeit ging um die Hälfte zurück und erreichte 1955 erstmals seit dem Krieg einen Wert von nur noch 5,5 Prozent – und das bei einem starken Anwachsen der Erwerbspersonen insgesamt durch die Flüchtlinge aus der DDR. Bald herrschte Vollbeschäftigung (1960: Arbeitslosenquote von 1,2 Prozent). Ausländische Arbeitnehmer wurden seit 1955 angeworben. Die letzten Devisenbeschränkungen fielen 1958, die D-Mark wurde zu einer begehrten, frei konvertierbaren Währung.

„Wohlstand für alle" war die Botschaft Ludwig Erhards, Optimismus das Kennzeichen der Epoche. Alle profitierten von dem ungewöhnlichen wirtschaftlichen Aufschwung jener Jahre, wenn auch in sehr ungleicher Weise. Die Leistungsfähigkeit der bundesdeutschen Wirtschaft wurde zum Fundament für ein beispielhaftes soziales Sicherungsnetz, das den sozialen Frieden garantierte, der seinerseits zur wirtschaftlichen Produktivität beitrug. Neben vielen wichtigen Maßnahmen – etwa die Einführung der dynamischen Rente 1957 – spielte der 1952 einsetzende Lastenausgleich eine herausragende Rolle für die Eingliederung der mehr als zehn Millionen Vertriebenen und Flüchtlinge sowie anderer durch Kriegseinwirkungen Geschädigter. Er summierte sich bis 1989 auf über 130 Milliarden D-Mark.

Stabilität und Zustimmung

Das Wirtschaftswunder und die erfolgreiche Wiedereingliederung der Bundesrepublik in die westliche Staatengemeinschaft bescherten Adenauer bei den Bundestagswahlen 1953 und vor allem 1957 erdrutschartige Siege (45,2% bzw. 50,2%), die als quasi-plebiszitäre Zustimmung der Mehrheit der Bevölkerung zur Wirtschafts- und Außenpolitik der Bundesregierung verstanden wurden. Die CDU/CSU entwickelte sich zur dominierenden Volkspartei. Die SPD hingegen passte sich erst Ende der fünfziger Jahre dem neuen Trend einer sich allen Wählerschichten öffnenden modernen Partei an, zeitgleich mit ihrem wesentlich von Herbert Wehner und Willy Brandt betriebenen Einschwenken auf die Westpolitik Adenauers.

Verfestigung der Teilung Deutschlands

Erfolglos blieb Adenauer freilich auf dem Feld der Wiedervereinigung Deutschlands. Das atomare Patt zwischen den beiden Weltmächten hatte zur Verfestigung der Teilung Europas und somit auch Deutschlands geführt. Die Politik der Stärke war zunächst gescheitert. Das sah Adenauer selbst wohl auch so, weil er mehrfach – aber streng geheim – Versuche unternahm, um Ulbricht dazu zu bringen, den Menschen in seinem Machtbereich mehr Freiheit und Kontaktmöglichkeiten mit den Westdeutschen einzuräumen. Als Gegenleistung zeigte sich der Bonner Regierungschef bereit, die politischen Verhältnisse der DDR fürs erste faktisch zu akzeptieren. Die SED war daran jedoch nicht interessiert und es spricht viel dafür, dass die Moskauer Vormacht sich auf solche Initiativen auch nicht einlassen wollte.

Mehrfach hatte die Sowjetmacht Aufstände in ihrem Einflussbereich (1953 in der DDR, 1956 in Polen und Ungarn) niedergeschlagen und damit den Herrschaftsanspruch des Kommunismus in diesen Ländern unterstrichen. Zur zweiten Berlin-Krise kam es 1958, als der sowjetische Partei- und Regierungschef Chruschtschow die Herrschaft der SED durch die Einverleibung West-Berlins in die DDR zu stabilisieren versuchte. Die Krise gipfelte am 13. August 1961 im Bau der Berliner Mauer und wurde erst nach der Kuba-Krise vom Oktober 1962 allmählich entschärft.

Die Tatsache, dass Eisenhower seit Ende der fünfziger Jahre und noch deutlicher sein Nachfolger im US-Präsidentenamt John F. Kennedy (1961/63) den Status quo in Europa und damit auch die Teilung Deutschlands akzeptierten, erfüllte Adenauer mit Unzufriedenheit und Misstrauen. Auch der immer wieder angekündigte Abzug von Teilen der amerikanischen Truppen aus Europa beunruhigte den Bundeskanzler. Er hatte große Zweifel daran, dass die Amerikaner Westeuropa und insbesondere die Bundesrepublik mit Nuklearwaffen gegen einen sowjetischen Angriff verteidigen würden. Daher suchte er das Bündnis mit Frankreich. Einzig der französische Staatspräsident Charles de Gaulle erschien ihm unter den westlichen Staats- und Regierungschefs in den deutschen Angelegenheiten vertrauenswürdig. Der deutsch-französische Freundschaftsvertrag von 1963 hatte auch darin seine Ursachen.

Kanzlerdämmerung

Mit den Bundestagswahlen vom September 1961 überschritt Adenauer den Zenit seiner Macht. Die Unionsparteien verloren die absolute Mehrheit (45,3 %), und die SPD, geführt vom Berliner Regierenden Bürgermeister Willy Brandt, erreichte ihr bestes Wahlresultat seit 1919 (36,2 %). Die FDP unter Erich Mende, die sich im Wahlkampf gegen eine vierte Amtszeit Adenauers ausgesprochen und beim Wähler sehr gut abgeschnitten hatte (12,8 %), erklärte sich schließlich aber doch zu einer erneuten Koalition mit der CDU/CSU unter Adenauer bereit, sofern dieser vorzeitig von seinem Amt als Bundeskanzler zurücktreten würde.

Die letzte Amtsperiode Adenauers wurde überschattet von parteiinternen Kämpfen um die Nachfolge des „Alten von Rhöndorf", der von seinem Amt nicht lassen wollte und der alles tat, um seinen langjährigen Wirtschaftsminister Ludwig Erhard als Nachfolger zu verhindern. In der Öffentlichkeit verlor Adenauer darüber hinaus erheblich an Ansehen durch die „Spiegel-Affäre" vom Herbst 1962, als er und sein Verteidigungsminister Franz Josef Strauß in einem Spiegel-Artikel über die Nato einen „Abgrund von Landesverrat" zu erkennen glaubten und die Festnahme mehrerer Redakteure sowie des Spiegel-Herausgebers Augstein veranlassten. In weiten Kreisen der Öffentlichkeit wurde dies als Anschlag auf die Pressefreiheit gewertet. Es

kam zu einer Regierungskrise: Strauß musste auf Druck der FDP zurücktreten, die von Adenauer nunmehr einen verbindlichen Termin
für sein Ausscheiden aus der Regierung erhielt. Im Oktober 1963 trat
der 87jährige Gründungskanzler der Republik zurück und machte
Platz für den „Vater des Wirtschaftswunders" Ludwig Erhard.

Erst viele Jahre später, als sich der Pulverdampf der parteipolitischen
Auseinandersetzungen dieser Zeit verflüchtigt hatte, fanden im Rückblick die Ära Adenauer und vor allem auch ihr Namensgeber eine
deutlich positive Würdigung. Mit seiner zielstrebigen gegen alle Widerstände betriebenen Verankerung der Bundesrepublik im westeuropäisch-atlantischen Bündnis hat Adenauer eine in der neueren deutschen Geschichte geradezu revolutionär anmutende Neuorientierung
der deutschen Außenpolitik begründet. Sie hatte nicht nur eine politische, sondern auch eine nicht minder wichtige kulturelle und wertori-
entierte Option für den Westen zum Inhalt. Ohne die dadurch garantierte Sicherheit wäre die Bundesrepublik nicht zu einer führenden
Wirtschaftsmacht in der Welt aufgestiegen.

ZEITTAFEL

1950

8. Januar 1950	Gründung der rechtsorientierten Partei Block der Heimatvertriebenen und Entrechteten (BHE) in Kiel als Interessenvertretung von Ostflüchtlingen; Vorsitzender wird der frühere SS-Hauptsturmführer Waldemar Kraft, der ein Jahr später auch Vorsitzender der Bundespartei wird.
13. Januar 1950	Die Sowjetunion zieht sich aus dem Sicherheitsrat der UNO zurück (bis 1. August 1950).
8. Februar 1950	Zwei Millionen Arbeitslose in der Bundesrepublik, 13,3% der Erwerbstätigen.
7. März 1950	Adenauer schlägt in einem Interview mit einer amerikanischen Zeitung eine politische Union zwischen Frankreich und Deutschland vor.
8. März 1950	Die Bundesregierung erklärt Westberlin zum wirtschaftlichen Notstandsgebiet: geholfen wird mit Finanzmittel des Marshallplanfonds und durch die Verlegung von 22 Dienststellen des Bundes nach Westberlin (u.a. Bundesverwaltungsgericht).
16. März 1950	Der britische Oppositionsführer Winston Churchill spricht sich im Unterhaus als erster führender Politiker für einen deutschen Verteidigungsbeitrag aus.
28. März 1950	Bundestag beschließt erstes Wohnungsbaugesetz: innerhalb von sechs Jahren sollen 1,8 Millionen Wohnungen mit öffentlicher Förderung gebaut werden.
1. April 1950	Dienststelle für Auswärtige Angelegenheiten im Bundeskanzleramt errichtet.

2. April 1950	Für das laufende Haushaltsjahr werden 4,6 Milliarden DM für Besatzungskosten veranschlagt (23,2% des Steueraufkommens des Bundes).
3. April 1950	US-Präsident Truman billigt das Konzept einer „Politik der Stärke" gegenüber der Sowjetunion.
27. April 1950	Heimkehrergesetz vom Bundestag verabschiedet: Hilfen für ehemalige Kriegsgefangene.
1. Mai 1950	Wegfall der letzten Lebensmittelkarten. Größte politische Kundgebung in Westberlin seit Kriegsende: 600 000 Berliner demonstrieren „Gegen Einheit in Ketten, für Frieden und Freiheit".
4. Mai 1950	Umsiedlung von 600 000 Flüchtlingen, die in Bayern, Schleswig-Holstein und Niedersachsen untergekommen sind, in andere Bundesländer.
9. Mai 1950	Vorschlag des französischen Außenministers Robert Schuman zur Gründung einer Europäischen Gemeinschaft für Kohle und Stahl (Schuman-Plan).
16. Juni 1950	Deutsches Generalkonsulat in London als erste konsularische Auslandsvertretung der Bundesrepublik.
25. Juni 1950	Beginn des Koreakrieges. Der Sicherheitsrat der UNO verurteilt – in Abwesenheit der Sowjetunion – den Angriff Nordkoreas auf Südkorea
17. Juli 1950	In Frankfurt am Main konstituiert sich der Zentralrat der Juden in Deutschland.
28. Juli 1950	Bundestag beschließt die Schaffung eines Bundesamtes für Verfassungsschutz.

6. August 1950	In Stuttgart verkünden die Vertriebenenverbände und ostdeutschen Landsmannschaften eine „Charta der Vertriebenen": Recht auf Heimat, Verzicht auf Rache, Schaffung eines geeinten Europa.
7. August 1950	Beitritt der Bundesrepublik zum Europarat, zunächst noch ohne Stimmrecht. Ab 5. Mai 1951 Vollmitglied.
11. August 1950	Vorschlag Churchills im Europarat zur Schaffung einer europäischen Armee unter Einbeziehung deutscher Kontingente mehrheitlich angenommen.
16. August 1950	Beginn der Begnadigungsaktion des US-Hochkommissars McCloy zugunsten verurteilter deutscher Kriegsverbrecher.
17. August 1950	Bundeskanzler Adenauer erklärt den drei Hohen Kommissaren in einem Memorandum die grundsätzliche Bereitschaft der Bundesrepublik zur deutschen Wiederbewaffnung im Rahmen einer europäischen Armee und fordert zugleich den Abbau der Besatzungskontrollen. Erstmals hat er bereits im Juni und Mitte August gegenüber den Hohen Kommissaren einen entsprechenden Vorschlag formuliert. Im Bundeskabinett war nicht darüber gesprochen worden.
12./18. September 1950	New Yorker Außenministerkonferenz der drei Westmächte gibt militärische Sicherheitsgarantie für die Bundesrepublik.
19. September 1950	Unvereinbarkeitsbeschluss der Bundesregierung hinsichtlich der Mitgliedschaft von Angehörigen des öffentlichen Dienstes in elf kommunistischen und zwei rechtsextremistischen Organisationen.
30. September 1950	Erstmals weniger als 500 000 Arbeitslose in der Bundesrepublik.

5./10. Oktober 1950	Geheimkonferenz von deutschen Militärexperten (u.a. die ehemaligen Wehrmachtsgeneräle Heusinger, Speidel) im Kloster Himmerod in der Eifel über die Voraussetzungen eines deutschen Verteidigungsbeitrages, Erarbeitung der „Himmeroder Denkschrift".
10. Oktober 1950	Rücktritt von Bundesinnenminister Gustav Heinemann (CDU) aus Protest gegen die Wiederaufrüstungspolitik des Bundeskanzlers.
19. Oktober 1950	Bundesversorgungsgesetz vom Bundestag verabschiedet: Hilfeleistungen für Kriegsopfer, 3,2 Milliarden DM jährlich.
20. Oktober 1950	Der französische Ministerpräsident René Pleven legt einen Plan für eine europäische Armee vor als Voraussetzung für einen Beitrag der Bundesrepublik zur Verteidigung Europas. Adenauer begrüßt den Vorschlag, Oppositionsführer Kurt Schumacher lehnt ihn ab. Das Thema der deutschen Wiederbewaffnung beherrscht in der Folgezeit die politische Debatte in der Bundesrepublik und polarisiert die politischen Lager.
4. November 1950	Unterzeichnung der Europäischen Konvention zum Schutz der Menschenrechte und Grundfreiheiten in Straßburg.
26. November 1950	Chinesische Offensive gegen die UN-Truppen in Nordkorea.
30. November 1950	Der Ministerpräsident der DDR Otto Grotewohl schlägt der Bundesregierung einen „Gesamtdeutschen konstituierenden Rat" unter gleichberechtigter Zusammensetzung beider deutscher Staaten zur Vorbereitung einer gesamtdeutschen Regierung vor.
16. Dezember 1950	Wegen des Koreakrieges wird in den USA der nationale Notstand verkündet.

1951

23. Januar 1951	Ehrenerklärung für die deutschen Soldaten durch den Nato-Oberbefehlshaber Dwight. D. Eisenhower.
15. Februar 1951	Beginn der Pleven-Plan-Konferenz in Paris über die Schaffung einer Europaarmee.
6. März 1951	Revision des Besatzungsstatuts: die Bundesrepublik erhält größere außenpolitische Vollmachten und anerkennt die deutschen Auslandsschulden.
15. März 1951	Bundeskanzler Adenauer übernimmt das neu geschaffene Amt des Bundesaußenministers (Auswärtiges Amt).
10. April 1951	131er Gesetz: Wiedereingliederung der meisten öffentlich Bediensteten, die nach 1945 durch Flucht, Vertreibung und Entnazifizierung ihr Amt verloren haben bzw. entlassen worden sind.
18. April 1951	Unterzeichnung des Vertrages für eine Europäische Gemeinschaft für Kohle und Stahl (EGKS) in Paris durch die Außenminister der Bundesrepublik, Frankreichs, Italiens und der Benelux-Staaten. Damit beginnt der Prozess der europäischen Integration. Der Bundestag stimmt dem Vertrag am 11. Januar 1952 zu, der am 25. Juli 1952 in Kraft tritt.
11. Mai 1951	Gesetz zur Wiedergutmachung nationalsozialistischen Unrechts.
21. Mai 1951	Die paritätische Mitbestimmung der Arbeitnehmer in der Montanindustrie wird eingeführt.
9. Juli 1951	Beendigung des Kriegszustandes mit Deutschland durch die drei Westmächte.

30. Juli 1951	Wiederaufnahme der Bayreuther Festspiele unter Wieland und Wolfgang Wagner.
7. September 1951	Das Bundesverfassungsgericht in Karlsruhe wird gegründet.
15. September 1951	Appell der Volkskammer der DDR „Deutsche an einen Tisch".
27. September 1951	Die Bundesregierung erklärt ihre Bereitschaft zur Wiedergutmachung gegenüber Israel.
16. November 1951	Die Bundesregierung beantrag beim Bundesverfassungsgericht das Verbot der Sozialistischen Reichspartei (SRP) und der Kommunistischen Partei Deutschlands (KPD).
21. November 1951	Der frühere Bundesinnenminister Gustav Heinemann (CDU) und die Vorsitzende der Zentrumspartei Helene Wessel gründen in Düsseldorf die „Notgemeinschaft für den Frieden in Europa" zur Verhinderung der Wiederaufrüstung.

1952

8. Februar 1952	Der Bundestag stimmt gegen die Stimmen der SPD grundsätzlich einem deutschen Verteidigungsbeitrag zu.
10. März 1952	Wiedervereinigungsangebot Stalins unter der Voraussetzung der Neutralisierung Deutschlands. Der Notenwechsel zwischen Moskau und den Westmächten, bei dem vor allem über die Modalitäten freier Wahlen gestritten wird, endet im September ohne Ergebnis.
16. März 1952	Adenauer in Siegen: Nur von einer Position der Stärke aus kann der Westen mit der Sowjetregierung erfolgreich verhandeln.
22. April 1952	Oppositionsführer Kurt Schumacher for-

dert sofortige Viermächteverhandlungen über Stalins Angebot.

26. Mai 1952   Unterzeichnung des Deutschlandvertrages in Bonn: Aufhebung des Besatzungsstatuts; Westmächte behalten sich Befugnisse für Deutschland als Ganzes und Berlin vor.

DDR errichtet Sperrzone entlang der Zonengrenze.

27. Mai 1952   Unterzeichnung des EVG-Vertrages in Paris (Europäische Verteidigungsgemeinschaft).

24. Juni 1952   Die Bildzeitung erscheint zum ersten Mal: Startauflage 250 000 Exemplare zu 10 Pfennige pro Stück.

10. Juli 1952   Lastenausgleichsgesetz vom Bundestag verabschiedet; es regelt den Ausgleich von Schäden der Kriegs- und Nachkriegszeit.

19. Juli 1952   Betriebsverfassungsgesetz vom Bundestag verabschiedet.

20. Juli 1952   Der Berliner Regierende Bürgermeister Ernst Reuter legt den Grundstein für die Gedenkstätte 20. Juli 1944 im Innenhof des Bendler Blocks.

2. August 1952   Die Bundesrepublik tritt dem Internationalen Währungsfonds und der Weltbank bei.

20. August 1952   Kurt Schumacher stirbt; sein Nachfolger als Partei- und Fraktionsvorsitzender wird Erich Ollenhauer.

10. September 1952   Wiedergutmachungsabkommen zwischen der Bundesrepublik und Israel.

30. November 1952   Bundespräsident Theodor Heuss weiht das Mahnmal im ehemaligen Konzentrationslager Bergen-Belsen ein.

4. November 1952	Dwight D. Eisenhower wird zum Präsidenten der USA gewählt.
26. Dezember 1952	Viertausend Haushalte empfangen erstmals die „Tagesschau" im Fernsehen.

1953

27. Februar 1953	Londoner Schuldenabkommen der Bundesrepublik mit neunzehn Gläubigerstaaten: Westdeutschland übernimmt die deutschen Vor- und Nachkriegsschulden von insgesamt 15 Milliarden DM, die in den nächsten Jahrzehnten getilgt werden.
5. März 1953	Tod Stalins.
19. Mai 1953	Bundesvertriebenengesetz zur Eingliederung der Vertriebenen und Flüchtlinge.
17. Juni 1953	Volksaufstand in der DDR Per Gesetz vom 4. August 1953 erklärt der Bundestag den 17. Juni zum „Tag der deutschen Einheit".
6. September 1953	Wahlen zum 2. Deutschen Bundestag – erstmals mit 5%-Klausel: CDU/CSU: 45,2%; SPD: 28,8%; FDP: 9,5%; GB/BHE: 5,9%; DP: 3,2%. Konrad Adenauer wieder zum Bundeskanzler gewählt.
18. September 1953	Bundesentschädigungsgesetz regelt die Wiedergutmachung für NS-Opfer.

1954

30. März 1954	Theodor Heuss erneut zum Bundespräsidenten gewählt.
4. Juli 1954	Nach einem 3:2 über Ungarn wird die Bundesrepublik in Bern Fußballweltmeister.
30. August 1954	Die französische Nationalversammlung lehnt den EVG-Vertrag ab.
1. Oktober 1954	Beginn des ARD-Fernsehprogramms.

23. Oktober 1954	Unterzeichnung der Pariser Verträge: Beendigung des Besatzungsregimes, Sicherheitsgarantien der Westmächte für die Bundesrepublik und Berlin, Anerkennung des Alleinvertretungsanspruchs der Bundesrepublik, Beitritt zur Nato und zur Westeuropäischen Union (WEU); deutsch-französisches Abkommen über das Saargebiet.

1955

15. Januar 1955	Sowjetunion bietet Verhandlungen über die Wiedervereinigung an, falls der Bundestag die Pariser Verträge nicht ratifiziert.
29. Januar 1955	Kundgebung in der Frankfurter Paulskirche von Gegnern gegen die Wiederbewaffnung, darunter die Vorsitzenden von DGB und SPD.
5. Mai 1955	Die Pariser Verträge treten in Kraft. Ende der Besatzungszeit. Die Bundesrepublik ist – mit gewissen Einschränkungen – souverän.
9. Mai 1955	Beitritt der Bundesrepublik zur Nato.
14. Mai 1955	Gründung des Warschauer Paktes.
17./23. Juli 1955	Deutschland-Konferenz der Regierungschefs der Vier Mächte in Genf endet ohne Resultate.
24./27. Juli 1955	Chruschtschow und Bulganin erläutern in der DDR erstmals die neue sowjetische Zweistaatendoktrin: Wiedervereinigung sei Sache der Deutschen und nur bei Wahrung der „sozialistischen Errungenschaften" der DDR.
8./14. September 1955	Staatsbesuch Adenauers in Moskau: Aufnahme diplomatischer Beziehungen, Freilassung von rund 10 000 deutschen Kriegsgefangenen und Zivilinternierten.

23. Oktober 1955	Mit 67,7% lehnt die Bevölkerung des Saarlandes in einer Volksabstimmung die Europäisierung des Saargebietes ab; Beitritt zur Bundesrepublik erfolgt am 1. Januar 1957, seine wirtschaftliche Eingliederung 1959.
9. Dezember 1955	Außenminister Heinrich von Brentano erklärt, dass die Aufnahme diplomatischer Beziehungen zur DDR durch Dritte von Bonn gegebenfalls mit dem Abbruch der diplomatischen Beziehungen beantwortet werde (Hallstein-Doktrin).
20. Dezember 1955	Erstes Abkommen der Bundesrepublik zur Anwerbung von Gastarbeitern (mit Italien).

1956

7. Juli 1956	Bundestag billigt mit 270 gegen 166 Stimmen (141 von der SPD) die Einführung der allgemeinen Wehrpflicht einschließlich des Rechts, aus Gewissensgründen den Wehrdienst zu verweigern.
17. August 1956	Verbot der KPD durch das Bundesverfassungsgericht.
16. Oktober 1956	Der CSU-Politiker Franz Josef Strauß wird Bundesverteidigungsminister.
23. Oktober 1956	Volksaufstand in Ungarn.

1957

23. Februar 1957	Rentenreformgesetz („dynamische Rente").
25. März 1957	Gründung der Europäischen Wirtschaftsgemeinschaft (EWG) und der Europäischen Atomgemeinschaft (Euratom) in Rom durch die Bundesrepublik, Frankreich, Italien und die Benelux-Staaten.
1. April 1957	Einberufung des ersten Wehrpflichtigen in der Bundesrepublik.

3. Juli 1957	Gesetz gegen Wettbewerbsbeschränkungen (Kartellgesetz).
4. Juli 1957	Die Deutsche Bundesbank tritt an die Stelle der von den Besatzungsmächten geschaffenen Bank deutscher Länder; sie nimmt am 1. August ihre Tätigkeit in Frankfurt am Main auf. Sie ist per Gesetz von der Regierung unabhängig.
15. September 1957	Wahlen zum 3. Deutschen Bundestag: Mit 50,2% der Stimmen erringt die Union unter der Führung des 81jährigen Konrad Adenauer die absolute Mehrheit, SPD: 31,8%, FDP: 7,7%. Adenauer erneut zum Bundeskanzler gewählt; Regierung aus CDU, CSU und Deutsche Partei (DP).
3. Oktober 1957	Willy Brandt (SPD) wird Regierender Bürgermeister von (West) Berlin.
4. Oktober 1957	Erfolgreicher Start des ersten künstlichen Erdsatelliten (Sputnik) durch die Sowjetunion.

1958

19. April 1958	Massenkundgebungen der Anti-Atomtod-Bewegung in zahlreichen Städten der Bundesrepublik.
1. Juli 1958	Gleichberechtigungsgesetz (1957) von Mann und Frau tritt in Kraft.
27. November 1958	Berlin-Ultimatum Chruschtschows.
1. Dezember 1958	Errichtung der Zentralstelle zur Verfolgung nationalsozialistischer Gewaltverbrechen in Ludwigsburg.

1959

11. Mai/15. August 1959	Letzte Deutschlandkonferenz der vier Siegermächte des Zweiten Weltkrieges in Genf endet ergebnislos; Bundesrepublik und DDR nehmen als Beobachter teil.

1. Juli 1959	Heinrich Lübke (CDU) wird in Berlin zum Bundespräsidenten gewählt.
15. November 1959	Godesberger Programm der SPD.

1960

30. Juni 1960	Grundsatzrede des stellvertretenden Parteivorsitzenden der SPD Herbert Wehner im Bundestag. SPD stellt sich auf den Boden der Adenauerschen Außenpolitik der Westintegration als Voraussetzung der Wiedervereinigung.
8. Juli 1960	IG Metall und die Arbeitgebervereinigung Gesamtmetall vereinbaren die stufenweise Einführung der 40-Stunden-Woche.
8. November 1960	Wahl John F. Kennedys zum Präsidenten der USA.

1961

6. Juni 1961	Gründung des Zweiten Deutschen Fernsehens (ZDF).
25. Juli 1961	US-Präsident Kennedy bekräftigt in einer Fernsehansprache die „drei Grundelemente" der amerikanischen Berlin-Politik, die auf die Freiheit und Lebensfähigkeit Westberlins ausgerichtet sind.
13. August 1961	Bau der Berliner Mauer
17. September 1961	Wahlen zum 4. Deutschen Bundestag: Union verliert die absolute Mehrheit, mit 45,3% aber wieder stärkste Fraktion, SPD: 36,2%; FDP: 12,8%. Konrad Adenauer (85) wird am 7. November erneut zum Bundeskanzler gewählt, erklärt sich bereit, vor der nächsten Bundestagswahl zurückzutreten, CDU/CSU-FDP-Koalition.
27./28. Oktober 1961	Amerikanische und sowjetische Panzer stehen sich am Sektorenübergang Friedrichstraße in Berlin gegenüber.

30. Oktober 1961	Vereinbarung über die Anwerbung von Gastarbeitern aus der Türkei.
15. November 1961	In Salzgitter errichten die Landesjustizverwaltungen eine Erfassungsstelle zur Registrierung von Tötungsdelikten an der innerdeutschen Grenze, von politischen Verurteilungen und Willkürakten an politischen Gefangenen in der DDR.
11. Dezember 1961	Der ehemalige SS-Obersturmbannführer und „Judenreferent" im Berliner Reichssicherheitshauptamt Adolf Eichmann wird in Jerusalem zum Tode verurteilt und Ende Mai 1962 hingerichtet.

1962

4./9. September 1962	Staatsbesuch des französischen Staatspräsidenten Charles de Gaulle in der Bundesrepublik; begeisterter Empfang durch die deutsche Bevölkerung.
14./28. Oktober 1962	Kuba-Krise
7./9. November 1962	Bundestagsdebatte über die Spiegel-Affäre, die zum Rücktritt der FDP-Bundesminister aus der Regierung sowie des Bundesverteidigungsministers Strauß führt.

1963

22. Januar 1963	Unterzeichnung des deutsch-französischen Freundschaftsvertrages in Paris durch Adenauer und de Gaulle.
März 1963	Handelsabkommen mit Polen; in Warschau wird eine deutsche Handelsvertretung eingerichtet.
15. Oktober 1963	Rücktritt Adenauers als Bundeskanzler, Ludwig Erhard wird sein Nachfolger.

Internationale Kundgebung für Frieden, Einheit und Aufbau in Berlin. Zum Abschluß des III. Parteitages der SED fand am 24.7.1950 auf dem Lustgarten in Berlin eine große internationale Kundgebung statt, auf der Wilhelm Pieck und ausländische Delegierte sprachen. V.l.n.r.: Duclos, Togliatti, Pieck, Suslow, Grotewohl, Ulbricht. *Foto: Bilderdienst Süddeutscher Verlag*

4. Herrschaft gegen das Volk – Die DDR 1949 bis 1961

Die Diktatur der SED

Mit der Gründung der DDR begann im östlichen Teil Deutschlands die offene totalitäre Parteidiktatur der SED. Die demokratische Opposition in der CDU und der LDP wurde zerschlagen. Politiker, die sich mutig dem Druck der Kommunisten widersetzten, sahen sich ihrer Ämter enthoben. Viele flohen in die Bundesrepublik. Die Blockparteien wurden gleichgeschaltet und von der SED genehmen Funktionären geführt. Die Gewerkschaften, der Jugendverband (Freie Deutsche Jugend), die Frauenorganisation und sonstige so genannte Massenorganisationen entwickelten sich zum verlängerten Arm der SED.

Durch unablässige Propaganda, Druck auf die Bevölkerung, Terror gegenüber ihren Gegnern, die Einführung einer Einheitsliste, welche eine echte Wahl zwischen den Parteien ausschloss, und durch Wahlfälschungen sicherte sich die SED die Macht bei den ersten Volkskammerwahlen 1950. Dabei blieb es bis 1989. Diese und auch alle späteren Scheinwahlen mit fast hundertprozentiger Zustimmung zu den Einheitslisten feierte die SED-Spitze regelmäßig als überwältigenden Beweis der Zustimmung der Bevölkerung zu ihrer Politik. Doch was die Bürger in der DDR wirklich wollten, kam in diesen Ergebnissen nie zum Ausdruck. Da war die „Abstimmung mit den Füßen" ein wesentlich besserer Indikator für die Stimmung der Bürger. Von 1949 bis 1961 flohen 2,7 Millionen Menschen aus der DDR über die noch offene Grenze in den westlichen Teil Deutschlands, darunter sehr viele Jugendliche.

Vorbild – die Sowjetunion Stalins

Unter der maßgeblichen Führung des Altkommunisten Walter Ulbricht wurde die faktische Einparteienherrschaft der SED am sowjetischen Modell ausgerichtet und bis weit in die fünfziger Jahre hinein das stalinistische System der Sowjetunion in Staat, Wirtschaft und Gesellschaft bis in die Einzelheiten kopiert. Zentral gelenkte Staatswirtschaft und politische Diktatur, marxistisch-leninistische Ideologie als eine Art Staatsreligion und das Meinungsmonopol der SED kennzeichneten dieses System. Seine Vertreter wurden nie müde, die DDR als das bessere Deutschland zu preisen, in dem alles für das Volk geschehe, es keine Ausbeutung der Arbeiter mehr gebe und die unheilvolle faschistische Vergangenheit endgültig überwunden worden sei.

Die Partei hat immer recht

Der umfassende Führungsanspruch der SED in Staat und Gesellschaft spiegelte sich in der zentralen Propagandaformel: „Die Partei hat immer recht." Wer sich gegen die Politik der Machthaber in Ostberlin äußerte, riskierte seinen Arbeitsplatz oder wurde als „Klassenfeind" vor Gericht gestellt, häufig mit konstruierten Anklagen. In den frühen fünfziger Jahren saßen bis zu 50 000 politische Häftlinge in den Gefängnissen. Politische Prozesse hatten auch den Zweck, die Bevölkerung einzuschüchtern. Sogar gegen Schüler, die Flugblätter mit Parolen gegen Ulbricht verbreitet hatten, ging die Staatsmacht vor und ließ eine willfährige Justiz langjährige Haftstrafen verhängen (zum Beispiel 1950 im sächsischen Werdau).

Aber auch Abweichler innerhalb der SED wurden nicht geduldet. Anfang der fünfziger Jahre – auch später immer wieder – ordnete Ulbricht Parteisäuberungen an, die über 150 000 einfache Mitglieder, meistens ehemalige Angehörige der SPD, doch auch Funktionäre in der Führungsebene betrafen. Letztere mussten häufig als Sündenböcke für Fehlentwicklungen und Missstände im wirtschaftlichen Bereich und auf dem Versorgungssektor herhalten. Dennoch gelang es der SED nicht, die zunehmende Missstimmung in der Bevölkerung zu beseitigen, weil sich die Lebensverhältnisse nicht verbesserten und die meisten der 18 Millionen Bewohner der Ostzone das Beispiel der Bundesrepublik vor Augen hatten.

In realistischer Einschätzung der Tatsache, dass auch mit dauernder staatlicher Propaganda allein der Widerstand vieler Bauern, Handwerker, Gewerbetreibender, Unternehmer, aber auch Industriearbeiter gegen die kommunistische Kommandowirtschaft nicht zu brechen war, bediente sich die SED-Spitze um Walter Ulbricht – darin unterstützt von den „Freunden" in der Sowjetischen Kontrollkommission in Berlin-Karlshorst – der Justiz und der politischen Geheimpolizei (Ministerium für Staatssicherheit),um alle wirklichen oder vermeintlichen Gegner der SED auszuschalten.

Waldheimer Prozesse

Auch in der DDR kam es zu keiner wirklichen Aufarbeitung der deutschen Vergangenheit. Die kommunistische Führung interpretierte die Staatsgründung des „ersten Arbeiter- und Bauernstaates" auf deutschem Boden als einen Sieg des Antifaschismus. Ritualisierte Beschwörungen des heroischen Kampfes der Kommunisten gegen die Nazis ersetzten die beunruhigenden Fragen nach der Verstrickung der Ostdeutschen in das untergegangene Regime. Nach den personellen Säuberungen und den sozialen und ökonomischen Umwälzungen während der Besatzungszeit und auch noch in den Folgejahren dienten einige Schauprozesse gegen wirkliche und vermeintliche ehemalige Nazis vor allem der propagandistischen Behauptung, die DDR nehme im Gegensatz zur Bundesrepublik die Beseitigung des Nazismus ernst. So fanden zwischen April und Juni 1950 im sächsischen Waldheim Prozesse statt, die allen rechtsstaatlichen Prinzipien Hohn sprachen. Unter direkter Anleitung der SED-Führung verurteilten linientreue Richter ohne den Nachweis individueller Schuld mehr als 3300 Menschen im Schnellverfahren zu langjährigen Haftstrafen. Verteidiger waren nicht zugelassen, Zeugen wurden nicht gehört. Von den Todesurteilen wurden 24 vollstreckt. Bei den Verurteilten handelte es sich überwiegend um Menschen, die in der Nachkriegszeit allein wegen ihrer Mitgliedschaft bzw. Funktion in der NSDAP verhaftet worden waren. Nur wenige von ihnen hatten sich an NS-Verbrechen beteiligt. Viele waren aufgrund haltloser Denunziationen und einige wegen ihrer Opposition zur sowjetischen Besatzungspolitik verhaftet worden.

Mit Zwang zum Sozialismus

Bereits im Juni 1951 verkündete die SED die Losung „Von der Sowjetunion lernen heißt siegen lernen". Ein Jahr später ordnete Ulbricht ganz in diesem Sinn den „planmäßigen Aufbau des Sozialismus" an, dessen inhaltliche Ausgestaltung in Fünfjahresplänen bis ins Detail vorgegeben wurde. Dies bedeutete vor allem: Förderung der Schwerindustrie zu Lasten der Konsumgüterindustrie, Enteignung des bürgerlichen Mittelstandes durch die Fortsetzung der Verstaatlichung der Betriebe, Kollektivierung der Landwirtschaft. Außerdem wurden die Arbeitnehmer unter Druck gesetzt, mehr zu arbeiten, um die angestrebten Produktionsziele zu erreichen. Weil die allmächtige SED wusste, dass sie damit gegen die Wünsche einer großen Mehrheit der Bevölkerung handelte, verschärfte sie die Kontrollen in den Betrieben und in anderen Bereichen des täglichen Lebens der Bürger. Wer sich den Anordnungen widersetzte, wurde streng bestraft. Das galt insbesondere für die Selbstständigen, die sich bislang noch dem staatlichen Zugriff hatten entziehen können.

Während in der Bundesrepublik mit amerikanischer Hilfe die Weichen in die wirtschaftliche Zukunft gestellt wurden und durch den Abbau staatlicher Hemmnisse bald die Rückkehr der deutschen Exportwirtschaft auf den Weltmarkt erfolgte, der eigentliche Auslöser des „Wirtschaftswunders" der fünfziger Jahre, führte die SED in der DDR die rückständigen Strukturen und Praktiken der stalinistischen Sowjetunion ein. Hinzu kamen die Belastungen durch die hohen Reparationen an die Sowjetunion im Wert von etwa zehn Milliarden Dollar.

Dies alles sowie die systembedingte Gängelei der Planwirtschaft lähmte die Arbeitsfreude und Initiative der meisten Menschen. Durch den überstürzten Aufbau der Schwerindustrie ab 1952 sowie die erheblichen Staatsausgaben für militärische Zwecke verschlechterte sich der Lebensstandard der Bevölkerung noch weiter und blieb immer deutlicher hinter dem der Bundesrepublik zurück. Angesichts dieser desolaten Lage waren die meisten Arbeiter nicht bereit, die propagandistisch als „Errungenschaft der Arbeiterklasse" angekündigte Erhöhung der Arbeitsnormen um zehn Prozent zur Steigerung der Produktivität zusätzlich zu Lohnsenkungen hinzunehmen. Bereits im Mai 1953 kam es in mehreren Betrieben deshalb zu Arbeitsniederlegungen. Immer mehr Menschen flüchteten in den Westen.

Der Volksaufstand am 17. Juni 1953

Nach dem Tod Stalins im März 1953 schwenkte das Politbüro der SED auf Anordnung der neuen Führung in Moskau kurzzeitig auf einen so genannten „Neuen Kurs" um. Ulbricht versprach jetzt der empörten Bevölkerung, ihre Konsumbedürfnisse hinfort zu berücksichtigen, Preiserhöhungen zurückzunehmen, den Druck auf Kirche, Bauern und Bürgertum zu beenden. Die angekündigte Erhöhung der Arbeitsnormen der Industriearbeiter jedoch wurde ausdrücklich bekräftigt. Daraufhin entlud sich die lang aufgestaute Unzufriedenheit der Arbeiter in einem spontanen Streik in Ostberlin, der am 17. Juni 1953 auf alle Industriezentren der DDR übergriff und in einen Volksaufstand in mehreren hundert Orten mündete. Forderungen nach Beseitigung des Ulbricht-Regimes und freien Wahlen folgten bald den Rufen nach wirtschaftlichen Reformen. In Berlin holten Aufständische die Rote Fahne vom Brandenburger Tor. Regierungsgebäude wurden erstürmt, Gefangene befreit, Volkspolizisten festgenommen, SED-Plakate abgerissen. Ohne die Panzer der Sowjetmacht wären die SED und ihre Regierung verloren gewesen. Auf Befehl der Moskauer Führung ging die in der DDR stationierte Rote Armee gegen die Demonstranten mit Waffengewalt vor und erstickte den Aufstand blutig. Über 100 Menschen kamen ums Leben.

In ihrer Propaganda bezeichnete die SED den Aufstand als einen von politischen Kräften des Westens gesteuerten „faschistischen Putsch". Das war eine Lüge, um von der eigenen Verantwortung für die erste Volkserhebung im kommunistischen Herrschaftsbereich abzulenken. Zur Enttäuschung vieler in der DDR hatten sich die Bundesregierung und die Amerikaner sogar bewusst zurückgehalten und nicht in die Geschehnisse eingegriffen, weil das Risiko einer militärischen Eskalation zu groß war. Etwa 16 000 Demonstranten wurden verhaftet, 1500 von der SED-Justiz zu langjährigen Freiheitsstrafen verurteilt. Einen innerparteilichen Machtkampf gegen einige reformwillige Mitglieder des Politbüros konnte Ulbricht wenig später für sich entscheiden. Er verfügte über die Unterstützung der Moskauer Führung, die nach einigem Schwanken in ihm wieder den Garanten ihrer Machtposition im Osten Deutschlands sah.

Mit einigen sozialpolitischen Zugeständnissen für die Bevölkerung (zum Beispiel Preissenkungen), vor allem aber erneuten Parteisäuberungen und dem Ausbau des geheimpolizeilichen Sicherheitsapparates sowie einer Reihe organisatorischer Maßnahmen zur Disziplinierung und Kontrolle der Bevölkerung stabilisierte Ulbricht seine Gewaltherrschaft. Die Bevölkerung musste mit der bitteren Erkenntnis leben, dass Widerstand gegen das auf den Bajonetten der Roten Armee ruhende SED-Regime zwecklos war, solange die Moskauer Regierung in ihm einen Stützpfeiler ihrer Einflusszone in ganz Ostmitteleuropa sah.

Seit 1955 übertrug die Sowjetunion der DDR formal zwar die staatliche Souveränität, doch ihre Abhängigkeit von den Weisungen Moskaus blieb bestehen. Militärisch (Warschauer Pakt), wirtschaftlich (Rat für Gegenseitige Wirtschaftshilfe) und politisch wurde die DDR in den Ostblock eingebunden. Zwei hochgerüstete feindliche Militärblöcke standen sich jetzt auf deutschem Territorium gegenüber.

Ulbricht stabilisiert seine Macht

Die im Jahre 1956 von Parteichef Chruschtschow, dem neuen starken Mann in Moskau, eingeleitete „Entstalinisierung" (Abkehr von den brutalen Herrschaftsmethoden Stalins im staatlichen und wirtschaftlichen Bereich) bewirkte keine wesentliche Verbesserung der Situation in der DDR. Ulbricht beschränkte sich auf eine nur äußerliche Anpassung an Moskau, ließ einige zehntausend politische Häftlinge vorzeitig aus den Gefängnissen frei, entmachtete aber gleichzeitig mehrere reformwillige Mitglieder des Politbüros, die ihm hätten gefährlich werden können und ließ prominente Vertreter einer SED-internen Opposition zu hohen Gefängnisstrafen verurteilen. Die Niederschlagung des ungarischen Volksaufstandes durch die Rote Armee im Herbst 1956 zeigte im Übrigen, dass auch die nachstalinistische Sowjetunion keinesfalls bereit war, die Herrschaft der kommunistischen Parteien in Frage stellen zu lassen. Insofern war aus Moskauer Sicht auf Ulbricht Verlass. Proteste in Universitäten und Betrieben wurden im Keim erstickt.

An die Spitze der erneut personell ausgebauten Staatssicherheit, dem „Schild und Schwert der Partei", trat mit Erich Mielke ein enger Vertrauter Ulbrichts. Seit Ende 1957 verschärfte die SED-Führung das politische Strafrecht, um noch systematischer Andersdenkende verfolgen zu können, die als „Agenten, Spione und Saboteure" diffamiert wurden. Der Versuch und die Beihilfe zum Verlassen der DDR (Republikflucht) wurden jetzt zu einem Verbrechen erklärt.

Wirtschaftlich ging es nun auch der Bevölkerung in der DDR besser. Das Angebot an Konsumgütern nahm zu. Fett, Fleisch und Zucker musste nicht mehr rationiert werden. Die Löhne stiegen maßvoll. Kurzfristig ging auch die Zahl der Flüchtlinge zurück. Das änderte sich bald wieder, als Ulbricht im Schatten der von Chruschtschow entfachten Berlin-Krise die sozialistische Umgestaltung der DDR gegen den Willen der Bevölkerung weiter vorantrieb.

Chruschtschows Berlin-Ultimatum

Knapp zehn Jahre nach der erfolglosen sowjetischen Blockade Berlins unternahm Parteichef Chruschtschow 1958 erneut den Versuch, die Westmächte aus Westberlin hinauszudrängen und unter Drohungen zur Anerkennung des SED-Regimes zu zwingen. In der Weltraumtechnik (Sputnik) und militärisch (Interkontinentalraketen) hatte die

Sowjetunion gegenüber den USA aufgeholt. Die Moskauer Führung sah ihre Chance, mit der Aufkündigung des Viermächtestatus von Berlin die letzte offene Flanke in ihrem Hegemonialbereich zu schließen. In ultimativer Form forderte Chruschtschow im November 1958 von den Westmächten die Umwandlung Westberlins in eine entmilitarisierte „Freie Stadt". Das war eine verklausulierte Forderung nach Rückzug vor allem der Amerikaner aus Berlin. Er drohte mehrfach mit dem Abschluss eines Separatfriedensvertrages mit der DDR, die dann über die Kontrolle aller Zugangswege von und nach Berlin verfügen sollte. Chruschtschow nahm die mit seinem Ultimatum verbundene extreme Verschlechterung der Ost-West-Beziehungen in Kauf. Er wollte den Verteidigungswillen der Westmächte in Berlin testen, ohne jedoch seinen verbalen Kriegsdrohungen Taten folgen zu lassen.

Die Kraftprobe um Berlin zog sich bis 1961 hin. Die kommunistische Seite konnte zwar Ulbrichts, von Chruschtschow unterstütztes Maximalziel, ganz Berlin zu vereinnahmen, nicht durchsetzen. Doch als Erfolg seiner rabiaten Drohpolitik konnte Chruschtschow verbuchen, dass der seit Anfang 1961 amtierende neue US-Präsident John F. Kennedy sich bereit zeigte, mit dem sowjetischen Gegenspieler zu einem Ausgleich in Europa auf der Basis des Status quo, d.h. der Teilung Deutschlands und Berlins zu kommen.

Massenflucht und Mauerbau 1961

Für viele Menschen in der DDR war die von Moskau ausgelöste Berlinkrise insofern eine existentielle Herausforderung, weil sie jetzt entscheiden mussten, ob sie in die Bundesrepublik fliehen sollten, solange dies überhaupt noch möglich war. Vielen erleichterte Ulbrichts gleichzeitig betriebene Sozialisierungspolitik diese schwere Entscheidung. Denn die Parteispitze hielt gegen alle Vernunft an ihrem Ziel der „Vollendung des sozialistischen Aufbaus" in der DDR fest und forcierte 1959/60 die bereits seit Jahren unterschiedlich intensiv betriebene Zwangskollektivierung der Landwirtschaft. Auch Handwerk und Handel wurden unter Druck gesetzt, sich in halbstaatlichen Produktionsgenossenschaften zusammenzuschließen. Selbstständige Handwerker oder Gewerbetreibende, die sich weigerten, mussten mit Repressalien aller Art rechnen oder wurden gar mit dem Vorwurf der Steuerhinterziehung kriminalisiert.

Erneut setzte eine Massenflucht (1960: 200 000 Flüchtlinge) in die Bundesrepublik und nach Westberlin ein. Die Versorgung der Bevölkerung mit Grundnahrungsmitteln war nicht mehr gesichert. Wiederum steuerte die DDR in eine gefährliche Krise. Weil viele Menschen fürchteten, dass ihnen bald der Fluchtweg über Ostberlin in den Westen abgeschnitten würde, verließen in den Monaten bis August 1961 jeweils mehrere Zehntausend ihre Heimat. Fast alle waren im arbeitsfähigen Alter und jeder Zweite war unter 25 Jahren alt.

Um den wirtschaftlichen Kollaps mit den voraussehbaren Folgen für die SED zu verhindern, gab die sowjetische Führung dem schon seit längerer Zeit drängenden Ulbricht grünes Licht für die Abriegelung der DDR und den Bau der Berliner Mauer. Nachdem US-Präsident Kennedy im Juli 1961 indirekt zum Ausdruck gebracht hatte, dass die Westmächte die Schließung der Grenzen der DDR hinnehmen, zugleich aber die Freiheit Westberlins militärisch garantieren würden, errichteten Volkspolizei und die Nationale Volksarmee unter der Leitung von Erich Honecker in der Nacht vom 12. zum 13. August 1961 Stacheldrahtverhaue und Steinwälle entlang der Sektorengrenze in Berlin, die bald durch eine Mauer ersetzt wurden – ein später immer perfekter ausgestaltetes Bauwerk aus Beton, das bis 1989 weltweit zum Symbol von Unfreiheit und Unterdrückung im Kommunismus und für die Teilung Deutschlands und Europas wurde.

ZEITTAFEL

1950

8. Februar 1950   Das Ministerium für Staatssicherheit (MfS) zur Überwachung der Bevölkerung und Bekämpfung der Gegner der SED beginnt seine Tätigkeit.

26. April 1950   Beginn der „Waldheimer Prozesse": im Schnellverfahren werden über 3 300 wirkliche und vermeintliche NS-Belastete durch ein Sondergericht unter Missachtung aller rechtsstaatlichen Normen abgeurteilt und 32 Todesstrafen verhängt, davon 24 vollstreckt.

6. Juli 1950   Im Görlitzer Abkommen mit Polen erkennt die DDR die Oder-Neiße-Linie als „Friedens- und Freundschaftsgrenze" an.

25. Juli 1950   Walter Ulbricht erhält auf dem 3. Parteitag der SED das nach stalinistischem Vorbild geschaffene Amt des „Generalsekretärs"; eine Säuberungswelle innerhalb der SED zur Ausschaltung „sozialdemokratischer Elemente" wird in Gang gesetzt.

15. Oktober 1950   Erste Scheinwahlen zur Volkskammer auf der Grundlage einer von der SED beherrschten Einheitsliste in zumeist offener Abstimmung. Proteste gegen die Einheitsliste gelten als „Boykotthetze" und werden hart bestraft. Ergebnis: 99,7% Jastimmen.

30. November 1950   Die SED beginnt eine Propagandakampagne „Deutsche an einen Tisch".

15. Dezember 1950   Mit dem „Gesetz zum Schutze des Friedens" werden Oppositionelle und Kritiker des SED-Regimes kriminalisiert und strafrechtlich verfolgt.

31. Dezember 1950	Im Jahre 1950 flüchten 197 788 Personen in die Bundesrepublik und nach Westberlin.

1951

1. Februar 1951	Die SED fordert die weltanschauliche Ausrichtung der Schulen und Hochschulen am Marxismus-Leninismus.
1. November 1951	Erster Fünfjahresplan sieht die Verdoppelung der Industrieproduktion und die Erhöhung der Arbeitsproduktivität um 60 % vor; Ausbau der Grundstoff- und Schwerindustrie.
31. Dezember 1951	Im Jahre 1951 flüchten 165 648 Personen in die Bundesrepublik und nach Westberlin.

1952

9. Januar 1952	Ministerpräsident Grotewohl lehnt eine Kontrolle gesamtdeutscher Wahlen durch die UNO ab.
8. Mai 1952	DDR-Regierung kündigt den Aufbau „nationaler Streitkräfte" an.
26. Mai 1952	Als Reaktion auf die Unterzeichnung des Deutschlandvertrages beginnt die DDR damit, die innerdeutsche Grenze abzuriegeln. Entlang der 1382 Kilometer langen Grenze wird eine 5 Kilometer tiefe Sperrzone angelegt, die nur mit Sondergenehmigung betreten werden darf. Beginn der Zwangsumsiedlung von über 12 000 Menschen aus dem Grenzgebiet.
9./12. Juli 1952	Auf der 2. Parteikonferenz der SED proklamiert Ulbricht den „planmäßigen Aufbau des Sozialismus" in der DDR.
23. Juli 1952	Auflösung der fünf Länder der DDR; an ihre Stelle treten 14 Bezirke.

6. November 1952	Anweisung des Innenministeriums: in allen Wohnhäusern sind „Hausbücher" über die An- und Abwesenheit der Mieter und ihrer Besucher zu führen und regelmäßig der Volkspolizei vorzulegen.
31. Dezember 1952	Im Jahre 1952 flüchten 182 393 Personen in die Bundesrepublik und nach Westberlin.

1953

5. März 1953	Tod Stalins – des „größten Menschen unserer Epoche" (Zentralkomitee der SED); Staatstrauer in der DDR.
28. Mai 1953	SED-Führung beschließt Erhöhung der Arbeitsnormen um mindestens zehn Prozent.
1./5. Juni 1953	SED-Führung in Moskau: sowjetische Kritik am Sozialisierungstempo Ulbrichts.
9. Juni 1953	Das Politbüro der SED schwenkt auf den von Moskau geforderten „Neuen Kurs" ein, hält aber an der Erhöhung der Arbeitsnormen fest.
17. Juni 1953	Der Streik der Berliner Bauarbeiter vom Vortag gegen die Erhöhung der Arbeitsnormen weitet sich zu einem Volksaufstand gegen das SED-Regime aus. Panzer der Roten Armee schlagen den Aufstand nieder, den die Machthaber wahrheitswidrig als einen vom Westen gesteuerten „konterrevolutionären faschistischen Putsch" darstellen.
24. Juli 1953	Ulbricht entmachtet seine innerparteilichen Gegner und bleibt als der Mann Moskaus an der Spitze der Parteiführung. Das Zentralkomitee der SED beschließt eine Steigerung der Nahrungs-, Genussmittel- und Konsumgüterproduktion.

| 31. Dezember 1953 | Im Jahre 1953 flüchten 391 390 Personen in die Bundesrepublik und nach Westberlin. |

1954

1. Januar 1954	Die Sowjetunion verzichtet auf weitere Reparationen aus der DDR.
25. März 1954	Die Sowjetunion erklärt die DDR für souverän.
31. Dezember 1954	Im Jahre 1954 flüchten 184 198 Personen in die Bundesrepublik und nach Westberlin.

1955

27. März 1955	Erste Jugendweihen in Ostberlin.
1. Mai 1955	Erstmaliges Auftreten von Betriebskampfgruppen auf den Maidemonstrationen: „Bereit zur Arbeit und zur Verteidigung der Heimat".
14. Mai 1955	Gründung des Warschauer Paktes durch die Ostblockstaaten einschließlich der DDR.
31. Dezember 1955	Im Jahre 1955 flüchten 252 870 Personen in die Bundesrepublik und nach Westberlin.

1956

18. Januar 1956	Die bisher schon 110 000 Mann umfassende Kasernierte Volkspolizei wird in die Nationale Volksarmee (NVA) umgewandelt.
15./16. Februar 1956	FDGB alleiniger Träger des Sozialversicherungssystems der DDR.
14./25. Februar 1956	Auf dem 20. Parteitag der KPdSU rechnet Chruschtschow in einer Geheimrede mit Stalin und seinen Verbrechen ab. Wenig später erklärt Ulbricht: „Stalin ist kein Klassiker des Marxismus".

24. Oktober 1956	Volksaufstand in Ungarn gegen das kommunistische Regime und die sowjetische Besatzungsmacht, nach zwei Wochen von sowjetischen Panzern niedergeschlagen; Proteste von Studenten in der Ostberliner Humboldt-Universität, SED-Kampfgruppen und Polizei marschieren auf.
22. November 1956	Eröffnung der Olympischen Sommerspiele in Melbourne: Teilnahme einer gesamtdeutschen Mannschaft.
31. Dezember 1956	Ulbricht schlägt eine Konföderation beider deutscher Staaten vor. Im Jahre 1956 flüchten 279 189 Personen in die Bundesrepublik und nach Westberlin.

1957

18. Januar 1957	Gesetz über die schrittweise Einführung der 45-Stunden-Woche.
16./19. Oktober 1957	Ulbricht entmachtet innerparteiliche Gegner; neuer Chef des MfS wird ab Anfang November der Altkommunist Erich Mielke; die Kollektivierung der Landwirtschaft soll rasch vorangetrieben werden.
Dezember 1957	Illegales Verlassen der DDR wird als „Republikflucht" bestraft.
31. Dezember 1957	Im Jahre 1957 flüchten 261 622 Personen in die Bundesrepublik und nach Westberlin.

1958

28. Mai 1958	Lebensmittelkarten werden abgeschafft, Rationierungen für Fleisch, Fett und Zucker beendet.
10./16. Juli 1958	5. Parteitag der SED: der Lebensstandard der Bundesrepublik soll bis 1961 in der DDR übertroffen werden.
14. September 1958	Das ehemalige KZ Buchenwald wird als internationale Gedenkstätte eingeweiht.

27. Oktober 1958	Ulbricht: „Ganz Berlin gehört zum Hoheitsgebiet der DDR".
27. November 1958	Die Sowjetunion kündigt Vier-Mächte-Verantwortung für Deutschland und Berlin auf: Westberlin soll „entmilitarisierte Freie Stadt" werden, Androhung eines separaten Friedensvertrages mit der DDR.
31. Dezember 1958	Im Jahre 1958 flüchten 204 092 Personen in die Bundesrepublik und nach Westberlin.

1959

15./17. Januar 1959	Die SED beschließt Einführung der zehnklassigen polytechnischen Einheitsschule.
24. April 1958	Bitterfelder Konferenz: Kunst und Literatur sollen das „Heldentum der Arbeit" feiern, Arbeiter sollen sich schriftstellerisch betätigen: „Greif zur Feder, Kumpel, die sozialistische Nationalliteratur braucht dich".
3. Juni 1959	Gesetz über die Landwirtschaftlichen Produktionsgenossenschaften; mit Terror werden die noch selbständigen Bauern zum „freiwilligen Eintritt" gezwungen.
31. Dezember 1959	Im Jahre 1959 flüchten 143 917 Personen in die Bundesrepublik und nach Westberlin.

1960

10. Februar 1960	Bildung eines „Nationalen Verteidigungsrates" (Vorsitzender: Walter Ulbricht).
8. September 1960	Genehmigungspflicht für Einreise von Bundesbürgern nach Ostberlin.
12. September 1960	Ulbricht wird Vorsitzender des neugebildeten „Staatsrates"; Das Amt des Präsidenten der Republik wird nach Piecks Tod (7. Sept.) abgeschafft.

15./17. Dezember 1960	Änderung des Volkswirtschaftsplans für 1961, da die wirtschaftlichen Ziele nicht zu erreichen sind
31. Dezember 1960	Im Jahre 1960 flüchten 199 188 Personen in die Bundesrepublik und nach Westberlin.

1961

28./29. März 1961	Warschauer-Pakt-Konferenz: Ulbricht plädiert für Abriegelung Ostberlins.
12. April 1961	Juri Gagarin als erster Mensch im Weltraum. Volkskammer verabschiedet „Gesetzbuch der Arbeit": jeder hat das Recht auf einen Arbeitsplatz, kein Streikrecht.
30. Mai 1961	Moskau gewährt der DDR einen Kredit in der Höhe von zwei Milliarden DM sowie Lieferungen von Maschinen und Lebensmitteln.
3./4. Juni 1961	Treffen von Kennedy und Chruschtschow in Wien: Kennedy deutet Nichteinmischung in sowjetischen Einflussbereich an.
15. Juni 1961	Ulbricht auf Pressekonferenz in Ostberlin: „Niemand hat die Absicht, eine Mauer zu bauen."
3./5. August 1961	Konferenz der Parteiführer der Warschauer-Pakt-Staaten in Moskau: Ulbricht erhält grünes Licht für den Mauerbau zur Verhinderung des wirtschaftlichen Zusammenbruchs der DDR.
13. August 1961	Die DDR riegelt die Grenze nach Westberlin ab, Beginn des Mauerbaus

Ludwig Erhard gilt als „Vater des deutschen Wirtschaftswunders", der als erster Bundes-
wirtschafts-Minister der Nachkriegszeit (1949-1963) den Aufstieg der Bundesrepublik
Deutschland zu einer der führenden Wirtschaftsmächte prägte. Als Nachfolger von Konrad
Adenauer, war Erhard von 1963-1966 Bundeskanzler in einer Koalitionsregierung aus
CDU/CSU und FDP (1966/67 war er auch Vorsitzender der CDU). Das Bild zeigt ihn mit
überdimensionaler D-Mark im Jahr 1965.   *Foto: Bilderdienst Süddeutscher Verlag*

5. Zwischen Stagnation und Aufbruch –
Von Ludwig Erhard zur Großen Koalition:
1963 bis 1969

Kanzler des Übergangs

Mit Ludwig Erhard wurde 1963 einer der populärsten deutschen Politiker der Nachkriegszeit zweiter Kanzler der Bundesrepublik. Doch an den Erfolg seiner Zeit als Wirtschaftsminister in allen Kabinetten von Bundeskanzler Adenauer konnte er in diesem Amt nicht anknüpfen. Das lag an seiner Persönlichkeit wie an den Zeitumständen, in die seine kurze Kanzlerschaft fiel.

Erhard war kein Machtpolitiker wie Adenauer. Dieser setzte seine politischen Ziele auch gegen Widerstände in seiner Partei und gegenüber dem Koalitionspartner durch und zeigte sich dabei in seinen Mitteln häufig nicht sonderlich wählerisch. Erhard vertraute auf die Überzeugungskraft seiner Argumente, gab sich volksnah und glaubte, an den Parteien und Interessengruppen vorbei im direkten Kontakt zur Bevölkerung regieren zu können. Doch seine Maßhalteappelle an die Bürger, sie sollten weniger fordern und mehr leisten, blieben wirkungslos, weil sie nicht von einem politischen Konzept begleitet wurden. Seine Kritik an der „Gefälligkeitsdemokratie" und am Gruppenegoismus der Verbände und Gewerkschaften wurde eher belächelt als ernst genommen, weil er sich häufig nur verbal deren Forderungen widersetzte, im politischen Alltag aber vor ihnen kapitulierte. Führungsschwäche warfen ihm seine Kritiker in den Koalitionsparteien aus CDU/CSU und FDP des öfteren vor, und nicht wenige Spitzenpolitiker in der Union hofften, Erhard bald in seinem Amt zu beerben, was ihrer Loyalität dem Kanzler gegenüber nicht förderlich war. Doch solange er als erfolgreiche Wahllokomotive bei den Bundesbürgern gut ankam und seiner Partei die Regierungsmehrheit sicherte wie bei der Bundestagswahl 1965, als die CDU/CSU mit 47,6 Prozent der Stimmen 245 von 496 Sitzen im Parlament errang, hielten die Parteispitzen an ihm fest.

Amerikanisch-sowjetische Entspannungspolitik und die deutsche Frage

Vor allem auf dem Gebiet der Außen- und Deutschlandpolitik wurde die Bundesrepublik unter Kanzler Erhard vor neue Herausforderungen gestellt, die Irritationen im Regierungslager hervorriefen und der sozialdemokratischen Opposition Chancen zur Profilierung eröffneten.

Nach der Kuba-Krise vom Herbst 1962, die die Welt an den Rand eines atomaren Krieges geführt hatte, setzten die USA und die Sowjetunion auf eine Politik der Entspannung und der Eindämmung ihres gefährlichen Wettrüstens. Zur Voraussetzung hatte diese Politik, die sich aus den Zwängen der atomaren Waffengleichheit und der in Ost und West angesammelten Vernichtungskapazitäten ergab, die Anerkennung des Status quo in Europa und damit auch in Deutschland. Die deutsche Frage, lange Zeit im Zentrum der großen Politik, verlor daher für die beiden Supermächte an Bedeutung. Vergeblich versuchte Erhard die Amerikaner dafür zu gewinnen, die Wiedervereinigung Deutschlands erneut auf die internationale Tagesordnung zu setzen. Aus Washington legte ihm stattdessen US-Präsident Johnson nahe, sich den amerikanischen Entspannungsbemühungen in Europa anzuschließen. Von da an war klar, dass es keine Deutschlandpolitik mehr an der DDR vorbei geben würde.

Neue Überlegungen in Bonn

Im Lager der oppositionellen Sozialdemokratie und bei Teilen der Liberalen trafen diese Signale aus Washington auf offene Ohren. Sie forderten die Regierung nachdrücklich zu einer zeitgemäßen Korrektur ihrer Deutschlandpolitik auf. Die menschlichen Probleme, die durch die Teilung entstanden waren, sollten durch Verhandlungen mit den Behörden der DDR gelindert werden, ohne diese jedoch völkerrechtlich anzuerkennen. Dieses als „Wandel durch Annäherung" (Egon Bahr) umschriebene Konzept setzte der sozialdemokratische Parteivorsitzende und Regierende Bürgermeister von Westberlin, Willy Brandt, in der Form von mehreren Passierscheinabkommen (befristete Besuchserlaubnisse der Westberliner für den Ostteil der Stadt) in die Praxis um, die der Westberliner Senat mit der DDR – unter Zustimmung der Bundesregierung – aushandelte. Im Wahlkampf 1965 kündigte Kanzlerkandidat Brandt für den Fall seines Wahlsieges gegenüber den kommunistischen Staaten Osteuropas und der DDR eine „Politik der kleinen Schritte" an, die zu

„menschlichen Erleichterungen" führen sollten. Diese anfänglich durchaus umstrittene Politik sollte sich bald als zukunftsweisend erweisen.

Deutschlandpolitik in der Sackgasse

Bundeskanzler Erhard dagegen beharrte darauf, nichts zu unternehmen, was die DDR aufwerten könnte. Am Alleinvertretungsanspruch der Bundesrepublik für alle Deutschen hielt er fest sowie an der so genannten Hallstein-Doktrin aus dem Jahre 1955. Dieser außenpolitische Grundsatz besagte, dass die Bundesregierung ihre diplomatischen Beziehungen mit Staaten, die die DDR völkerrechtlich anerkannten, abbräche. Das galt nicht im Falle der Sowjetunion, da sie als ehemalige Siegermacht für die Teilung Deutschlands mitverantwortlich war. Dass sich die Bundesrepublik damit vor allem im Hinblick auf Polen und die übrigen Ostblock-Staaten in ein bedenkliches Abseits manövrierte, wollte der außenpolitisch wenig erfahrene Kanzler nicht wahrhaben, obwohl die Amerikaner ihr Missfallen deutlich genug zum Ausdruck brachten. Eine Normalisierung der Beziehungen mit den osteuropäischen Ländern durch die Errichtung von Handelsmissionen 1963/64 sowie durch das Angebot, mit diesen Staaten förmliche Gewaltverzichtserklärungen auszutauschen (1966), gelang nicht, weil Außenminister Schröder die DDR davon ausdrücklich ausnahm.

Somit war die Deutschland- und Ostpolitik der Regierung Erhard erkennbar in eine Sackgasse geraten. Auch auf anderen Feldern der westdeutschen Außenpolitik erwies sich der Versuch, die DDR weiterhin international zu isolieren, als eher abträglich, weil die Bundesregierung von anderen Ländern deshalb leicht wirtschaftlich und politisch unter Druck gesetzt werden konnte. Das zeigte sich zum Beispiel im Nahen Osten. Die Bundesrepublik konnte trotz intensiver wirtschaftlicher Hilfe nicht verhindern, dass dort – insbesondere in Ägypten – die DDR unter Walter Ulbricht allmählich Fuß fasste. Der SED-Chef verstand die besonders schwierige Situation der Bundesrepublik zwischen Israel und den arabischen Staaten für seine Zwecke auszunutzen. Die Aufnahme diplomatischer Beziehungen mit Israel im August 1965 wurde als Strafaktion gegenüber Ägypten beschlossen. Das beschädigte den politischen Einfluss der Bundesregierung in den arabischen Ländern erheblich. Dieses Nahost-Debakel beeinträchtigte das Ansehen Erhards bei den Bündnispartnern wie in der eigenen Partei. Dass er auch die recht hemdsärmelig vorgebrachten finanziellen Forderungen des in den Vietnamkrieg verstrickten US-Präsidenten Johnson (Devisenausgleichszahlungen) für die Stationierungskosten der US-Truppen in Deutschland nicht abzuwenden vermochte, was wahrscheinlich auch einem Kanzler Adenauer nicht gelungen wäre, wurde Erhard ebenfalls in seiner Partei und in der Öffentlichkeit als Führungsschwäche angekreidet.

Zu diesen außenpolitischen Misserfolgen kam noch die erste, aus späterer Sicht harmlose, Wirtschaftskrise der jungen Republik hinzu, die die kurze Kanzlerschaft Erhards abrupt beendete.

Wirtschaftskrise – Signale der Unzufriedenheit

Die jahrelang anhaltende Hochkonjunktur schwächte sich ab, das Wirtschaftswachstum verlangsamte sich, die an ständig steigende Löhne und Vollbeschäftigung gewöhnten Bundesbürger erschraken und dem Kanzler wurde Untätigkeit vorgeworfen. Die Stimmung in der Bevölkerung war eindeutig schlechter als die objektive wirtschaftliche Lage. Noch wenige Wochen vor Erhards Rücktritt im Herbst 1966 zählte man nur 100 000 Arbeitslose bei 600 000 offenen Stellen. Doch unübersehbar hatte die wirtschaftliche Dynamik nachgelassen. Die privaten und öffentlichen Investitionen gingen zurück. Es wurde mehr produziert als verkauft, Arbeiter wurden entlassen, die Inflation trieb Preise und Löhne nach oben. Hinzu kam die echte Krise im Bergbau. Die Zeit der Kohle als wichtigster Energielieferant war vorbei, das billige Erdöl aus den arabischen Ländern auf dem Vormarsch. Im Ruhrgebiet wurden Zechen stillgelegt. Unterstützt von einem bundesweiten Warnstreik gingen die Bergarbeiter auf die Straßen. Vor diesem Hintergrund schnitt die CDU bei den Landtagswahlen in Nordrhein-Westfalen im Sommer 1966 schlecht ab. Die SPD verfehlte nur knapp die absolute Mehrheit. Die Stimmenverluste schoben die maßgeblichen Politiker der Union dem Kanzler in die Schuhe, der die Wahlen ausdrücklich zu Testwahlen erklärt hatte. Die sich ausbreitende wirtschaftliche Verunsicherung in Teilen der Bevölkerung förderte auch den Zulauf zu einer neuen rechtsextremistischen Partei. Die betont nationalistisch auftretende, von früheren Nationalsozialisten geführte NPD sorgte im In- und Ausland für Beunruhigung, als sie nach ihrem Scheitern bei der Bundestagswahl 1965 erstmals im November 1966 in den hessischen und den bayerischen Landtag einzog.

Erhards Sturz – die Chance der SPD

Im Herbst zerbrach schließlich die christlich-liberale Koalition am Streit über den Haushalt für das Jahr 1967, der eine Deckungslücke von rund sieben Milliarden DM aufwies. Die von der CDU/CSU-Fraktion geplanten Steuererhöhungen trafen bei den Liberalen auf Ablehnung, die daraufhin aus der Regierung ausschieden.

Hinter den Kulissen hatten maßgebliche Unionspolitiker wie der CSU-Vorsitzende Strauß und der rheinland-pfälzische CDU-Landesvorsitzende Kohl bereits die Weichen für den Sturz Erhards und ein Zusammengehen mit der SPD gestellt. In deren Reihen setzte sich besonders der Fraktionsvorsitzende im Deutschen Bundestag, Herbert Wehner, für ein politisches Bündnis mit der Union ein. Er beabsichtigte die Regierungsfähigkeit der SPD auf Bundesebene unter Beweis zu stellen. Dringliche innenpolitische Reformen (Notstandsgesetze, Finanzverfassung), die eine verfassungsändernde Mehrheit erforderten, vor allem aber ihr Machterhaltungsinteresse, veranlasste die Union, auf die Sozialdemokratie zu setzen. Deren Basis zeigte zunächst freilich wenig Verständnis für die Koalitionspolitik der sozialdemokratischen Führung.

Unter dem Druck seiner Partei machte Ludwig Erhard Anfang November 1966 Platz für den langjährigen Ministerpräsidenten von Baden-Württemberg Kurt Georg Kiesinger. Ihn bestimmte die Union als Kanzlerkandidat für eine Große Koalition. Am 1. Dezember 1966 wurde er dann auch zum Bundeskanzler gewählt.

Die Große Koalition unter Bundeskanzler Kiesinger: Kabinett der Gegensätze

Die führenden Politiker der Koalitionsparteien – neun Minister der SPD, sieben der CDU, vier der CSU – saßen im Kabinett: unter ihnen Willy Brandt (Außenminister und Vizekanzler), Franz Josef Strauß (Finanzminister), Karl Schiller (Wirtschaftsminister), Gustav Heinemann (Justizminister), Gerhard Schröder (Verteidigungsminister). Auch der Architekt der Großen Koalition, Herbert Wehner, gehörte dem Kabinett als Minister für Gesamtdeutsche Fragen an. Helmut Schmidt (SPD) und Rainer Barzel (CDU) übernahmen als Fraktionsvorsitzende die wichtige Aufgabe der Koordination der Regierungsparteien im Parlament.

Die hochkarätige Politikerriege, die sich zur Bildung einer Großen Koalition zum Zwecke des Krisenmanagements – ein Bündnis auf Zeit, wie es in der Regierungserklärung hieß – zusammengefunden hatte, repräsentierte auch so etwas wie die Versöhnung über die Gräben der deutschen Vergangenheit hinweg. Kiesinger war sehr früh der NSDAP beigetreten, ein typischer Mitläufer, der später ins Auswärtige Amt Ribbentrops dienstverpflichtet wurde und dort als „wissenschaftlicher Hilfsarbeiter" für Rundfunkpropaganda zuständig war. Wehner war in der Weimarer Republik führender Funktionär der Kommunistischen Partei Deutschlands an der Seite Walter Ulbrichts. Er verbrachte Jahre der Emigration in Moskau, wo er den stalinistischen Terror hautnah erlebte sowie die moralisch problematischen Mechanismen, um nicht selbst Opfer zu werden. Er brach schließlich gegen Ende des Krieges in Schweden mit den Kommunisten und wurde Sozialdemokrat und wichtigster Mitarbeiter Kurt Schumachers im Bundestag. Der Sozialdemokrat Willy Brandt floh zwanzigjährig 1933 vor den Nazis nach Norwegen und Schweden, nahm 1948 die deutsche Staatsbürgerschaft wieder an, avancierte bald in die Spitzengruppe der sozialdemokratischen Politiker in Bonn und Berlin und wurde zum Sympathieträger und Kanzlerkandidat seiner Partei. Franz Josef Strauß, dessen Karriere in Bonn seit der Spiegel-Affäre und seinem erzwungenen Rücktritt beendet schien, sah sich durch seine damaligen parteipolitischen Gegner rehabilitiert und bildete zusammen mit dem brillanten SPD- Wirtschaftsminister Karl Schiller ein außerordentlich erfolgreiches Gespann bei der Bewältigung von Wirtschaftsrezession und Strukturfragen.

Als „wandelnder Vermittlungsausschuss", wie Kiesinger scherzhaft bezeichnet wurde, verstand es der eloquente, in seinem Amt die öffentliche Repräsentation liebende Kanzler, die sehr unterschiedlichen Temperamente seiner Minister und die gegensätzlichen politischen Positionen der Regierungsparteien auszugleichen und zu einer gemeinsamen Politik zu bündeln. Wo dies nicht gelang, wie etwa bei der vor allem von der Union gewünschten, aber von der SPD abgelehnten Einführung des Mehrheitswahlrechts, wurden die entsprechenden Fragen ausgeklammert.

Reform der Marktwirtschaft – Überwindung der Wirtschaftskrise

Das wichtigste Ziel, das sich die Regierung Kiesinger/Brandt gesteckt hatte, erreichte sie in überraschend kurzer Zeit – die Überwindung der wirtschaftlichen Krise. Wirtschaftsminister Schiller und Finanzminister Strauß schufen einvernehmlich die gesetzlichen Voraussetzungen dafür, dass der Staat im Rahmen der marktwirtschaftlichen Ordnung auf die gesamtwirtschaftliche Entwicklung Einfluss nehmen konnte, um Preisstabilität, wirtschaftliches Wachstum, Vollbeschäftigung und Gleichgewicht im Außenhandel zu gewährleisten. Dazu zählte auch als ein weiteres Instrument die „Konzertierte Aktion", eine freiwillige Gesprächsrunde von Vertretern des Staates, der Gewerkschaften und der Wirtschaftsverbände. Sie sollte dem Ziel dienen, das Handeln der Tarifparteien mit den konjunkturellen Möglichkeiten in Einklang zu bringen. Das gelang allerdings nur anfangs. Als der wirtschaftliche Aufschwung erneut einsetzte, verfolgten die Tarifparteien dann wieder ihre eigenen Interessen. In kurzer Zeit sanierte die Regierung die Staatsfinanzen, kurbelte mit einer Reihe von Investitionsmaßnahmen die Konjunktur an – machte also Schulden, die später wieder getilgt werden sollten – und holte dadurch die Vollbeschäftigung zurück. Bereits 1968 nahm das Bruttosozialprodukt um 7,1 Prozent zu, die Arbeitslosenquote ging auf 1,5 Prozent zurück, und die Löhne stiegen um 6,2 Prozent. Die Wirtschaftskrise war überstanden. Es ging wieder aufwärts, und die Bundesbürger sahen zufrieden in die Zukunft, zumindest was ihre ökonomische Situation anbetraf.

Modernisierung

Mit einer Reihe weiterer gesetzgeberischen Reformen leitete die Große Koalition eine Phase der gesellschaftlichen Modernisierung ein, die vieles von der Aufbruchstimmung der siebziger Jahre bereits vorweg nahm und in Paragrafen goss. Darauf konnte die nachfolgende Regierung aufbauen. An erster Stelle stand die Liberalisierung des Strafrechts. Der Staat zog sich aus den Schlafzimmern seiner Bürger zurück, Ehebruch und Homosexualität bei Erwachsenen war nicht mehr strafbar. Grundsätzlich konnten jetzt Strafen häufiger zur Bewährung ausgesetzt werden. Die Wiedereingliederung des Täters in die Gesellschaft (Resozialisierung) als Strafzweck trat neben den Sühnegedanken. Auch im politischen Strafrecht kam es zu Änderungen, wodurch Kontakte mit SED-Funktionären dem prüfenden Blick des

Staatsanwaltes entzogen wurden. Die Gründung einer neuen kommunistischen Partei - „Deutsche Kommunistische Partei" (DKP) – erfolgte daraufhin im Jahre 1969. Auch dies war ein Novum seit dem KPD-Verbot von 1956 durch das Bundesverfassungsgericht.

Notstandsgesetze als innenpolitische Herausforderung

Der wirtschaftliche Erfolg der Großen Koalition konnte jedoch nicht verhindern, dass die Bundesrepublik zur gleichen Zeit in eine Phase heftiger innenpolitischer Erschütterungen geriet. Das demokratische Spektrum franste am rechten und linken Rand aus. Der rechtsextremistisch-nationalistischen NPD gelang bei zahlreichen Landtagswahlen der Einzug in die Parlamente. Erst 1969 verpasste sie knapp den Sprung in den Bundestag und verlor dann rasch an Bedeutung und Anziehungskraft. Ein Unbehagen ganz anderer Art artikulierte gleichzeitig ein großer Teil der akademischen Jugend, die sich als außerparlamentarische Opposition (APO) bezeichnete. Sie protestierte gegen das „Machtkartell" der Regierung und die vermeintliche Bedrohung der Demokratie durch die Notstandsgesetzgebung der Großen Koalition, ein weiteres Reformziel des christlich-sozialdemokratischen Parteienbündnisses.

Für den Verteidigungsfall sowie den Fall innerer Unruhen und Katastrophen enthielt das Grundgesetz im Gegensatz zu allen anderen westlichen Staaten keine Vorkehrungen. Im Parlamentarischen Rat wollte man keine Neuauflage des berüchtigten Artikel 48 der Weimarer Verfassung. Er hatte dem Reichspräsidenten unter anderem die Möglichkeit eingeräumt, die Grundrechte der Verfassung zeitweilig außer Kraft zu setzen. Eine entsprechende Gesetzgebung war aber vor allem deshalb längst überfällig – darin stimmten die Parteien überein – , weil die Alliierten sich vetraglich das Recht vorbehalten hatten, in einem solchen Krisenfall wieder die oberste Gewalt in der Bundesrepublik zu übernehmen, solange keine deutsche Regelung bestand. Was die Vorgängerregierungen seit 1960 nicht geschafft hatten, wollte die Große Koalition nunmehr auf der Basis eines Kompromisses verwirklichen, der dem Parlament ausreichende Kontrollmöglichkeiten der Exekutive einräumte und somit die Gefahr des Machtmissbrauchs weitgehend ausschloss. Der Notstand sollte nicht zur Stunde der Exekutive werden.

Die Rebellion der Studenten
und die Außerparlamentarische Opposition

Der Kampf gegen die Notstandsgesetze wurde im Frühjahr 1968 zum einigenden Band zwischen Studentenbewegung, Gewerkschaften, Schriftstellern und Intellektuellen, als die Verabschiedung der entsprechenden Gesetze im Bundestag anstand. Der öffentliche Protest der Notstandsgegner interessierte zwar die breite Bevölkerung nicht besonders, zumal sich ausgewiesene Demokraten wie Willy Brandt ausdrücklich dafür einsetzten, begründete aber in Teilen der jungen Generation eine verbreitete Antihaltung gegenüber den etablierten Parteien und demokratischen Institutionen des politischen Systems der Bundesrepublik.

Die Wurzeln der studentischen Protestbewegung lagen aber tiefer. In ihr kam ein Generationenkonflikt zum Ausdruck, der in allen westlichen Industrienationen zu beobachten war. Der Zeitgeist wirkte grenzüberschreitend. Das Lebensgefühl der jungen Generation in San Francisco, Paris, London, Frankfurt oder Berlin stieß sich an den Konventionen der Eltern. Bürgerliche Werte wie Fleiß, Ordnung, Sauberkeit, Zuverlässigkeit galten als „spießig", über die man sich Haschisch rauchend lustig machte. Lange Haare, nachlässige Kleidung, neue Formen des Zusammenlebens waren die äußeren Kennzeichen des jugendlichen Aufbegehrens gegen die Autoritäten in Familie, Beruf, Hochschule, Staat – kurz das Establishment.

Die Jugendrebellion war von Amerika ausgegangen, als Studenten für die Bürgerrechte der Schwarzen und gegen den Vietnamkrieg demonstrierten. Aus anfänglichen Protesten der Studenten gegen reformunwillige Hochschulen und autoritäre Professoren entwickelte sich in Frankreich wie in Deutschland in den späten sechziger Jahren eine politische Bewegung, die sich als Neue Linke definierte, die dem westlichen Kapitalismus und der Konsumgesellschaft den Kampf ansagte, einen elitären Marxismus zur Welterklärung propagierte und in Revolutionären der Dritten Welt wie Fidel Castro, Mao Zedong und Ho Chi Minh ihre Idole erblickte. Antiamerikanisch zu sein war „in", aber auch der „Betonsozialismus" sowjetischer Prägung galt als Gesellschaftsmodell ohne Zukunft. In der Bundesrepublik kam als Besonderheit die Auseinandersetzung der Jungen mit der oft verdrängten NS-Vergangenheit der Elterngeneration hinzu.

Der führende Kopf der studentischen Bewegung in Berlin, der aus der DDR stammende Rudi Dutschke, propagierte mit revolutionärem Gestus ein idealistisch-marxistisch inspiriertes Konzept einer herrschaftsfreien Gesellschaft, von dem sich viele Studenten angesprochen fühlten. Einwände der von der Heftigkeit der Kritik an den politischen Verhältnissen in der Bundesrepublik überraschten Aufbaugeneration wurden von den rebellierenden Kindern des Wirtschaftswunders mit dem Hinweis auf die nationalsozialistische Vergangenheit der Eltern beantwortet.

Höhepunkt und Ende der Studentenunruhen

In Berlin und anderen Universitätsstädten eskalierte 1967/68 die Auseinandersetzung zwischen Demonstranten und der Polizei. Nach dem Tod eines Studenten und einem Attentat auf Dutschke schlugen im April 1968 die Wogen des Protests hoch. In vielen Städten des Landes lieferten sich Polizei und Demonstranten heftige Straßenschlachten, die in München zwei Todesopfer forderten. Die anfangs gepredigte Unterscheidung zwischen Gewalt gegen Sachen – gemeint waren vor allem die Verlagshäuser des Springer-Konzerns (Bild-Zeitung) – und der abgelehnten Gewalt gegen Personen drohte im Aktivismus auf der Straße unterzugehen. Mit dem Scheitern des Kampfes gegen die Notstandsgesetze verlor die APO in der Bundesrepublik dann aber rasch ihr einigendes Thema. Die revolutionäre Rhetorik ihrer linken Exponenten verlor an Überzeugungskraft, als sowjetische Truppen im August 1968 den Prager „Sozialismus mit menschlichem Antlitz" brutal beseitigten. Es kam zu einem Zerfall dieser Protestbewegung. Eine kleine Minderheit verschrieb sich dem Terrorismus, um aus dem Untergrund den Kampf gegen die verhasste Gesellschaft zu führen. Andere schlossen sich der neu gegründeten Deutschen Kommunistischen Partei sowie diversen anderen K-Gruppen mit kommunistischen Zielen oder der Hausbesetzerszene der Spontibewegung in den siebziger Jahren an. Wieder andere entdeckten die Ökologie als neue soziale Bewegung. Doch die große Mehrheit der „68er" wandte sich von der wirklichkeitsfremden Utopie der vergangenen Jahre ab und wieder der eigenen Karriere zu. Sie erkannte in der Reformpolitik der SPD Willy Brandts ihre politische Heimat, und nicht wenige begannen dort ihren ganz persönlichen Marsch durch die Institutionen. Eine Kulturrevolution hatte die Studentenrevolte nicht bewirkt, wohl aber durchbrach sie erfolgreich die vornehmlich konservativ-traditionalistische Grundierung der westdeutschen Gesellschaft.

Vor einer neuen Ost- und Deutschlandpolitik

Weniger erfolgreich als in der Innenpolitik war die Große Koalition auf dem Feld der Ost- und Deutschlandpolitik. Die Ankündigung, zu einer Verständigung mit den östlichen Nachbarn zu kommen und das Verhältnis zur DDR zu „entkrampfen" (Kiesinger), war die bundesdeutsche Antwort auf die von Amerika intonierte westliche Entspannungspolitik. Der Versuch scheiterte jedoch an der Reaktion Moskaus auf die Bemühungen der neuen Regierung, mit den östlichen Ländern diplomatische Beziehungen aufzunehmen. Dort fürchtete man eine Art Dominoeffekt für das östliche Bündnis. Das Beispiel Rumänien konnte Schule machen, mit dem die Bundesrepublik Anfang 1967 diplomatische Beziehungen aufnahm. Ungarn und Bulgarien wollten sich nämlich anschließen, und Moskau wusste, dass reformkommunistische Kräfte auf ihre Chance warteten. Nur wenige Wochen später dekretierte die sowjetische Führung unter Leonid Breschnew daher, dass eine Normalisierung der Beziehungen der Staaten des Ostblocks mit der wirtschaftlich mächtigen Bundesrepublik erst nach der staatlichen Anerkennung der DDR durch Bonn in Frage käme. Auch die vorbehaltlose Anerkennung der Oder-Neiße-Grenze durch die Bundesrepublik gehörte zu dem von Moskau auf den Tisch gelegten Forderungspaket. Damit hatte die Sowjetunion allen westdeutschen Versuchen einen Riegel vorgeschoben, die DDR bei der Neugestaltung ihrer Ostpolitik zu umgehen. Deshalb kam es auch trotz eines Briefwechsels zwischen Bundeskanzler Kiesinger und DDR-Ministerpräsident Stoph im Sommer 1967 zu keiner Annäherung der beiderseitigen Positionen. Die DDR verlangte die formelle Anerkennung als Staat. Die Bundesregierung wollte aber nur über praktische Fragen im Zusammenleben der Deutschen und über verstärkte wirtschaftliche Zusammenarbeit verhandeln.

Freilich zeigten sich in dieser Frage die ersten Risse innerhalb der Regierungskoalition. Die Führung der SPD war nämlich bereit und entschlossen, in der Ost- und Deutschlandpolitik weiter zu gehen als der Bundeskanzler und sich der Anerkennung der Realitäten in Europa nicht weiter zu verschließen. Der Schlüssel für eine Verbesserung der innerdeutschen Beziehungen, so Brandt und sein wichtigster Berater Egon Bahr, lag in Moskau und nirgendwo sonst. In diesem Punkt trafen sie sich mit Positionen des linksliberalen Flügels der FDP, die ihre Oppositionszeit im Bundestag zu einer umfassenden programmatischen Neubestimmung und politischen Neuorientierung unter dem neuen Parteivorsitzenden

Walter Scheel genutzt hatte. Angesichts des offenkundigen Scheiterns der Wiedervereinigungspolitik aller bisherigen Regierungen, setzten die jetzt tonangebenden Kräfte in der FDP auf eine Politik der Anerkennung der Zweistaatlichkeit in Deutschland, um beide Staaten in ein Verhältnis geregelter Beziehungen zugunsten der in Ost und West lebenden Menschen zu bringen.

Die Liberalen wechseln das Lager

Bei der Wahl des sozialdemokratischen Justizministers Gustav Heinemann zum Bundespräsidenten Anfang März 1969 stimmten die Liberalen geschlossen für den SPD-Kandidaten. Damit zeichnete sich auf Bundesebene eine neue Koalition ab, die von den beiden Parteivorsitzenden Brandt und Scheel bereits seit Mai 1969 angestrebt wurde, sofern es das Ergebnis der bevorstehenden Bundestagswahlen erlauben würde. Die Gemeinsamkeiten der Großen Koalition hatten sich erschöpft.

ZEITTAFEL

1963

16. Oktober 1963	Ludwig Erhard (CDU) wird zum Bundeskanzler gewählt; Fortsetzung der Regierungskoalition aus CDU/CSU und FDP.
22. November 1963	Ermordung des amerikanischen Präsidenten John F. Kennedy in Dallas/Texas; sein Nachfolger wird Vizepräsident Lyndon B. Johnson.
17. Dezember 1963	Erstes Passierscheinabkommen zwischen Westberlin und der DDR: erstmals seit dem Mauerbau können Westberliner ihre Verwandten im Ostteil der Stadt zwischen Weihnachten und Neujahr besuchen; es folgen noch drei weitere Abkommen bis Juni 1966; bis 1972 gibt es keine Besuchsmöglichkeiten mehr (außer in Härtefällen).
20. Dezember 1963	Beginn des größten Massenmordprozesses der deutschen Rechtsgeschichte gegen 22 Funktionäre des KZ Auschwitz in Frankfurt am Main; der Prozess endet mit den Urteilen am 19.8.1965.
31. Dezember 1963	Die Arbeitslosenquote in der Bundesrepublik betrug im Jahresdurchschnitt 0,8 Prozent.

1964

16. Februar 1964	Willy Brandt, Regierender Bürgermeister von Berlin, wird Vorsitzender der SPD.
6. März 1964	Abschluss eines deutsch-bulgarischen Handelsabkommens; entsprechende Vereinbarungen wurden bereits 1963 mit Polen, Rumänien und Ungarn getroffen.
12. Juni 1964	Freundschaftsvertrag zwischen der Sowjetunion und der DDR: Anerkennung der bestehenden Grenzen der DDR.

1. Juli 1964	Heinrich Lübke wird in Berlin erneut zum Bundespräsidenten gewählt.
7. August 1964	US-Kongress billigt umfangreiches Eingreifen der USA in den Vietnam-Krieg.
15. Oktober 1964	Sturz des sowjetischen Partei- und Regierungschefs Chruschtschow in Moskau; neue politische Führung unter Leonid Breschnew (Parteichef) und Alexej Kossygin (Regierungschef).
28. November 1964	Gründung der rechtsextremen Nationaldemokratischen Partei Deutschlands (NPD) in Hannover.
2. November 1964	DDR-Bürger im Rentenalter dürfen jährlich eine Besuchsreise in die Bundesrepublik machen.
1. Dezember 1964	Einführung eines Mindestumtausches von 5 DM für Westbesucher in der DDR.

1965

25. März 1965	Der Bundestag verlängert die Verjährungsfrist für NS-Gewaltverbrechen, die mit lebenslänglicher Haft bestraft werden können, bis 1970.
28. April 1965	Ulbricht fordert von der Bundesrepublik 120 Milliarden Mark Schadenersatz für die von der DDR für ganz Deutschland geleisteten Reparationen und die Ausbildungskosten der Flüchtlinge („abgeworbene Kader").
12. Mai 1965	Die Bundesrepublik und Israel nehmen diplomatische Beziehungen auf; daraufhin brechen neun arabische Staaten die Beziehungen zu Bonn ab.
9. Juli 1965	Im Wahlkampf bezeichnet Bundeskanzler Erhard prominente Schriftsteller als „Banausen und kleine Pinscher".

10. September 1965	Der millionste Gastarbeiter, ein Portugiese, trifft in Köln ein.
19. September 1965	Wahlen zum 5. Deutschen Bundestag: die CDU/CSU gewinnt mit 47,6% (245 Mandate); die SPD erzielt 39,3% (202 Mandate), die FDP 9,5% (49 Mandate); die NPD scheitert mit 2% an der Sperrklausel.
8. Oktober 1965	Aufnahme des Nationalen Olympischen Komitees der DDR in das Internationale Olympische Komitee; Zulassung von zwei deutschen Mannschaften bei den Olympischen Spielen in Mexiko City 1968.
20. Oktober 1965	Ludwig Erhard wird erneut zum Bundeskanzler gewählt; er führt die bürgerlich-liberale Koalition aus CDU, CSU und FDP fort.
10. November 1965	Bundeskanzler Erhard in seiner Regierungserklärung: das deutsche Wirtschaftswunder gerät jetzt „in die natürliche Phase allgemeiner, alltäglicher Bewährung"; „wir müssen unsere Ansprüche zurückstecken oder mehr arbeiten".
15. Oktober 1965	In einer Denkschrift spricht sich die Evangelische Kirche Deutschlands (EKD) indirekt für die Anerkennung der Oder-Neiße-Grenze aus.
5. Dezember 1965	Briefwechsel zwischen den deutschen und polnischen katholischen Bischöfen unterstreicht die beiderseitige Bereitschaft zur Versöhnung.
31. Dezember 1965	Die Arbeitslosenquote in der Bundesrepublik betrug im Jahresdurchschnitt 0,7 Prozent.

1966

5. Februar 1966	Studentenprotest in Westberlin gegen den

	Vietnamkrieg der USA führt zu schweren Auseinandersetzungen mit der Polizei.
7. März 1966	Austritt Frankreichs aus der militärischen NATO-Integration.
11. März 1966	Bundesweiter Warnstreik gegen Zechenstilllegungen und für die weitere Subventionierung des Bergbaus.
23. März 1966	Ludwig Erhard wird zum Vorsitzenden der CDU gewählt.
25. März 1966	Note der Bundesregierung zur deutschen Friedenspolitik an 100 Regierungen einschließlich der osteuropäischen Staaten, ohne die DDR, mit dem Angebot, Gewaltverzichtsabkommen abzuschließen.
14. April 1966	SPD begrüßt den von der SED vorgeschlagenen Redneraustausch, der aber nicht zustande kommt.
13. Mai 1966	Der Bundeskongress des DGB lehnt jede Form einer Notstandsgesetzgebung ab.
19. Juli 1966	Die SPD wird bei den Landtagswahlen in Nordrhein-Westfalen mit 49,5% stärkste Partei; CDU und FDP bilden mit einer Mehrheit von zwei Stimmen die Regierung; der Koalitionswechsel der FDP führt am 1.12. zu einer SPD/FDP-Regierung unter Ministerpräsident Heinz Kühn (SPD).
24. Juli 1966	Errichtung eines gemeinsamen Agrarmarktes ab Mitte 1967 in Brüssel beschlossen.
27. Oktober 1966	Rücktritt der FDP-Minister aus dem Kabinett Erhard.
30. Oktober 1966	Protestkundgebung des Kuratoriums „Notstand der Demokratie" gegen die geplanten Notstandsgesetze in Frankfurt am Main.

6. November 1966	Mit 7,9% der Wählerstimmen bei den hessischen Landtagswahlen zieht die NPD erstmals in ein Landesparlament ein; bei den bayerischen Landtagswahlen am 20.11. erzielt sie 7,4%.
30. November 1966	Rücktritt von Bundeskanzler Erhard.
1. Dezember 1966	Der Ministerpräsident von Baden-Württemberg Kurt Georg Kiesinger wird zum Bundeskanzler gewählt. Er bildet eine Große Koalition aus CDU, CSU und SPD, die zusammen über 447 Mandate im Bundestag verfügt gegenüber 49 Sitzen der oppositionellen FDP. Willy Brandt wird Außenminister und Vizekanzler.
15. Dezember 1966	NATO-Ministerrat beschließt einen Ausschuss für nukleare Verteidigung und eine nukleare Planungsgruppe einzurichten, in denen die Bundesrepublik in nuklearen Fragen ein Mitspracherecht hat.
31. Dezember 1966	300 000 Arbeitslose, Arbeitslosenquote im Jahresdurchschnitt 0,7 Prozent; Bruttosozialprodukt nur noch um 2,8 Prozent gewachsen; Kurzarbeit bei VW.

1967

1. Januar 1967	Beginn der 40-Stunden-Woche in der Metallindustrie
31. Januar 1967	Aufnahme diplomatischer Beziehungen mit Rumänien.
14. Februar 1967	Erste Gesprächsrunde der von Bundeswirtschaftsminister Karl Schiller ins Leben gerufenen „Konzertierten Aktion".
15. Februar 1967	673 000 Arbeitslose (im Jahresdurchschnitt 2,1%, d.h. rund eine halbe Million); Bruttosozialprodukt sinkt um 0,2 Prozent.

9. Mai 1967	Die NATO ersetzt die Doktrin der „massiven Vergeltung" im Falle eines Angriffes durch die Doktrin der „stufenweisen Anwort", wodurch die Bundesrepublik im Ernstfall nicht automatisch nukleares Schlachtfeld würde.
10. Mai 1967	Bundestag verabschiedet das Gesetz zur Förderung der Stabilität des Wachstums in der Wirtschaft (Stabilitätsgesetz).
2. Juni 1967	Der Student Benno Ohnesorg wird in Westberlin bei einer Protestdemonstration von etwa 3 000 Studenten gegen den Besuch des Schahs von Persien von einem Kriminalbeamten erschossen; auch in anderen Universitätsstädten beteiligen sich über 100 000 Demonstranten an Protestaktionen.
13. Juni 1967	Bundeskanzler Kiesinger schlägt der DDR den Austausch von Gewaltverzichtserklärungen vor; eine Anerkennung der DDR wird ausdrücklich abgelehnt.
13. Juli 1967	Bildung eines Konjunkturrates der öffentlichen Hand zur Beratung der Bundesregierung in wirtschaftspolitischen Fragen; auf dieser Grundlage veröffentlicht die Bundesregierung jährlich einen Jahreswirtschaftsbericht über die gesamtwirtschaftliche Lage.
3. August 1967	Abschluss eines Handelsabkommens mit der Tschechoslowakei.

1968

31. Januar 1968	Wiederaufnahme diplomatischer Beziehungen mit Jugoslawien.
3. April 1968	Brandanschläge auf zwei Kaufhäuser in Frankfurt am Main; festgenommen und

verurteilt werden u.a. Andreas Baader und Gudrun Ensslin.

9. April 1968	Die „sozialistische Verfassung" der DDR tritt in Kraft; der Führungsanspruch der SED wird festgeschrieben.
11. April 1968	Attentat auf den Vorsitzenden des Sozialistischen Deutschen Studentenbundes (SDS), Rudi Dutschke, der schwer verletzt wird; in zahlreichen Städten der Bundesrepublik kommt es zu schweren Unruhen.
10. Mai 1968	Beginn amerikanischer-nordvietnamesischer Besprechungen in Paris über eine Beendigung des Vietnamkrieges.
13. Mai 1968	Höhepunkt der studentischen Mai-Unruhen in Paris.
30. Mai 1968	Der Bundestag verabschiedet die Gesetze zur Notstandsverfassung.
1. Juli 1968	Unterzeichnung des Atomwaffensperrvertrages in Washington, Moskau und London; die Bundesrepublik tritt ihm Ende November 1969 bei.
21. August 1968	Gewaltsame Beendigung des „Prager Frühlings" durch die Truppen der Sowjetunion und weiterer Warschauer Paktstaaten; schwerer Rückschlag für die Entspannungspolitik.
26. September 1968	Gründung einer Deutschen Kommunistischen Partei (DKP) als Nachfolgeorganisation der verbotenen KPD.
30. September 1968	Arbeitslosenquote von 0,8 Prozent (174 500); die Bundesrepublik hat ihre erste Wirtschaftsrezession überwunden.
12. November 1968	Verkündung der „Breschnew-Doktrin" über die begrenzte Souveränität der sozia-

listischen Länder des Ostblocks zur Rechtfertigung des sowjetischen Einmarsches in
die Tschechoslowakei.

1969

24. Januar 1969   FDP legt den Entwurf eines Generalver-
                   trages mit der DDR vor, den die Union
                   und die SPD im Bundestag ablehnen.

26. Februar 1969   Staatsbesuch von US-Präsident Nixon in
                   der Bundesrepublik und West-Berlin.

5. März 1969   Die Bundesversammlung wählt in West-
                   Berlin im dritten Wahlgang Justizminister
                   Gustav Heinemann zum ersten sozialde-
                   mokratischen Bundespräsidenten. Heine-
                   mann bezeichnet seine Wahl als „ein Stück
                   Machtwechsel".

28. April 1969   Rücktritt des französischen Staatspräsi-
                   denten Charles de Gaulle.; sein Nachfolger
                   wird Georges Pompidou.

8. Mai 1969   Kambodscha erkennt die DDR als souve-
                   ränen Staat an; eine Reihe weiterer Staaten
                   im Nahen Osten folgen dem Beispiel.

9. Mai 1969   Verabschiedung zweier Strafrechtsreform-
                   gesetze durch den Bundestag: Modernisie-
                   rung und Liberalisierung des Strafrechts;
                   der Gedanke der Resozialisierung tritt in
                   den Vordergrund.

20. Juli 1969 Die US-Astronauten Armstrong und Al-
                   drin landen als erste Menschen auf dem
                   Mond: „Ein kleiner Schritt für einen Men-
                   schen, ein großer Schritt für die Mensch-
                   heit" (Armstrong).

4. August 1969   Verlängerung der Verjährungsfrist für
                   Mord von 20 auf 30 Jahre; NS-Gewaltver-
                   brechen können auch nach 1969 verfolgt
                   werden; Unverjährbarkeit von Völker-
                   mord wird gesetzlich festgelegt.

2. September 1969	Wilde Streiks zur Durchsetzung von Lohnforderungen; in der Bundesrepublik herrscht Hochkonjunktur mit einem Wirtschaftswachstum von fast 12 Prozent.
28. September 1969	Wahl zum 6. Deutschen Bundestag: CDU/CSU 46,1% (242 Mandate), SPD 42,7% (224 Mandate), FDP 5,8% (30 Mandate), NPD 4,3%; SPD und FDP beschließen die Bildung einer sozial-liberalen Koalition unter Bundeskanzler Willy Brandt

Das Bild vom 19.11.1961 zeigt die verstärkte Mauer vor dem Brandenburger Tor. Mit der zusätzlichen Betonbarrikade sollte Flüchtlingen der Durchbruch mit Lastwagen oder anderen Fahrzeugen unmöglich gemacht werden (im Hintergrund das in Westberlin gelegene Reichstagsgebäude). *Foto: Bilderdienst Süddeutscher Verlag*

6. Nach dem Mauerbau – Erzwungene Stabilisierung des SED-Staates unter Ulbricht 1961 bis 1971

Eingemauerte „sozialistische Menschengemeinschaft"

Der drohende wirtschaftliche Kollaps der DDR hatte die kommunistischen Parteiführer im Osten veranlasst, Ulbricht grünes Licht für eine extrem inhumane Notbremsung zu geben, obgleich der Mauerbau einem Offenbarungseid für das Versagen des SED-Regimes gleichkam. Das schien jedoch der Moskauer Führungsmacht und ihren Satelliten das kleinere Übel zu sein angesichts der Gefahr, dass die krisenhafte Entwicklung in der DDR zu einer ernsthaften Gefährdung der kommunistischen Herrschaft in den östlichen Nachbarländern führen könnte. Den weltweiten Ansehensverlust glaubte man durch Propaganda neutralisieren zu können.

Eine Tatsache war allerdings auch, dass die von den westlichen Regierungen jahrelang verkündete Politik der Stärke gegenüber der Sowjetunion die buchstäbliche Zementierung der SED-Diktatur nicht hatte verhindern können. Die USA hatten längst signalisiert, dass sie alles vermeiden würden, was zu einem Aufruhr der Bevölkerung in der DDR und zu einem kriegerischen Konflikt mit der Sowjetmacht führen könnte. Die Deutschen in Ost und West mussten zur Kenntnis nehmen, dass die Teilung ihres Landes in einer atomar hochgerüsteten bipolaren Welt für die beiden Supermächte einen nur noch untergeordneten Stellenwert besaß.

Machthaber und Untertanen

Die internationale Lage bot der kommunistischen Führung in Ostberlin also durchaus eine Chance zur endgültigen Stabilisierung ihrer Herrschaft. Als Erster Sekretär der SED, Staatsratsvorsitzender und Vorsitzender des Nationalen Verteidigungsrates verfügte Walter Ulbricht über eine Machtfülle sondersgleichen, die er rücksichtslos einzusetzen entschlossen war, um jenes Ziel der Absicherung des Sozialismus im östlichen Teil Deutschlands zu erreichen.

Dabei zeigte er sich durchaus flexibel genug, um verschiedene Wege dahin einzuschlagen. Insbesondere auf wirtschaftlichem Gebiet (NÖSPL: Neues Ökonomisches System der Sozialistischen Planung und Lenkung) erwies er sich, anders als die meisten übrigen Mitglieder des Politbüros, erstaunlich experimentierfreudig und wissenschaftsgläubig. Das blieb er freilich nur so lange wie die gewünschte Eigenständigkeit und Eigenverantwortung der Arbeiter und Leiter in den Betrieben und Verwaltungen nicht zur Bedrohung der Stellung der kommunistischen Führung ausarteten. Technokratische Rationalität einerseits und kompromisslose ideologische Starrheit andererseits zeichneten Ulbricht aus. Er verstand sich als Vollstrecker der kommunistischen Revolution von oben und versuchte sich zugleich in der Rolle des um das Wohlergehen der Menschen besorgten Landesvaters. Die Bevölkerung betrachtete er als seine Untertanen, die je nach Bedarf mit Zuckerbrot und Peitsche dazu gebracht werden mussten, den höheren Einsichten der Führung zu folgen. Die gewährten Freiheiten im kulturellen und wirtschaftlichen Bereich waren als Leistungsansporn für alle Gruppen der Bevölkerung, Arbeiter und Intellektuelle, Frauen und Jugendliche, gedacht, damit die von der Partei gesteckten Ziele – der Anschluss an die Entwicklungen der modernen Industriegesellschaften im Westen – möglichst rasch verwirklicht werden konnten. Mit einer Demokratisierung der Verhältnisse in der DDR hatte das nichts zu tun. Alle Neuerungen konnten auch jederzeit wieder rückgängig gemacht werden.

Einschüchterung der Bevölkerung

Unmittelbar nach dem Mauerbau ging die Staatsmacht zunächst demonstrativ hart gegen so genannte Provokateure vor, um die Bevölkerung einzuschüchtern. Mehrere tausend Personen wurden gegen ihren Willen aus den Grenzgebieten ausgesiedelt. Die Zeitungen berichteten von „Hetzern" und „Saboteuren", die die harte Faust angeblicher Arbeiter zu spüren bekommen hätten. Angehörige der FDJ zerstörten Fernsehantennen, die auf Westempfang ausgerichtet waren. An den Universitäten mussten die Studenten eine Erklärung unterschreiben, dass sie freiwillig bereit waren, den Sozialismus mit der Waffe in der Hand zu verteidigen. Wer sich weigerte, wurde exmatrikuliert und in die Produktion geschickt.

Republikflucht als Staatsverbrechen

Bis Anfang September 1961 wurden rund 6 000 Personen verhaftet und die Hälfte von ihnen wegen „staatsfeindlicher Hetze" zu Gefängnisstrafen verurteilt. Bis Ende des Jahres kamen weitere 15 297 Häftlinge hinzu. Diese so genannten „Staatsverbrecher" hatten nichts anderes getan, als die Politik der SED zu kritisieren oder waren bei einem Fluchtversuch gestellt worden. Zur Abschreckung verhängte die DDR-Justiz für „versuchte Republikflucht" langjährige Haftstrafen. Bis 1989 traf rund 60 000 Personen dieses Schicksal. Mit Bestrafung musste auch derjenige rechnen, der von einem Fluchtplan eines anderen wusste, ohne ihn der Polizei zu verraten. So wurde Angst erzeugt. Das berufliche Fortkommen, die eigene und die Zukunft der Kinder standen auf dem Spiel.

Über 50 000 Menschen gelang es in den ersten Monaten nach dem Mauerbau noch, in den Westen zu flüchten. Doch jeder Fluchtversuch war lebensgefährlich, nachdem das Politbüro bereits eine Woche nach dem Mauerbau den Einsatz von Schusswaffen gegen so genannte „Grenzverletzer" angeordnet hatte. In den folgenden Jahren sank die Zahl der Geflüchteten bis auf 1 100 im Jahre 1984 ab, weil die Grenzsicherungsanlagen immer perfekter ausgebaut wurden. Danach gelang es wieder deutlich mehr Personen, die DDR illegal zu verlassen, häufig dadurch, dass sie von einer genehmigten Westreise nicht mehr zurückkehrten. Knapp 1 000 DDR-Bürger kamen bei Fluchtversuchen ums Leben, tausende trugen zum Teil schwerste Verletzungen davon.

Der Zwang zur Anpassung

Die Propaganda der SED feierte den „antifaschistischen Schutzwall", wie die Mauer offiziell bezeichnet wurde, als großen Erfolg des sozialistischen Lagers gegenüber den „Militaristen und Imperialisten" in Bonn und Washington, als einen Sieg der Friedenskräfte, der eine westdeutsche Aggression verhindert habe. Doch nur die treuen Parteisoldaten der SED beteten diese Politparolen nach. Die große Mehrheit der Bevölkerung durchschaute die Lüge. Bittere Witze machten die Runde, wie dieser Kurzdialog: „Du, der Meier hat sich das Leben genommen." Antwort: „Na ja, jeder haut eben ab, so gut er kann." Viele kamen sich wie Leibeigene der Staatsmacht vor und sahen doch keine andere Lösung, als sich den Verhältnissen im „real existierenden Sozialismus" anzupassen, von dem die DDR-Oberen bald schönfärberisch sprachen.

Die meisten Menschen lebten in einer Art angepasster Doppelexistenz. Man versuchte, so gut es ging, sich den ideologischen Zumutungen des Staates zu entziehen, leistete Lippendienste im Sinn der Partei und redete unter Freunden und in der Familie doch ganz anders, sicherte sich einen privaten Bereich, lebte ein möglichst normales Leben in der Nische, die allerdings niemals dem staatlichen Zugriff ganz entzogen war. Man träumte vom Westen, den die meisten hinfort nur noch vom Fernsehen oder in Gestalt von Verwandten auf Besuch kannten. Das totale Westreiseverbot für normale DDR-Bürger wurde erst Jahre später gelockert, zuerst für Rentner, dann auch in „dringenden Familienangelegenheiten", schließlich konnten in den achtziger Jahren Anträge auf „ständige Ausreise" gestellt werden. Davon machten Hunderttausende, häufig erfolglos, Gebrauch, obwohl sie mit Schikanen der Staatsmacht rechnen mussten.

Die Willkür der Funktionäre

Trotz des erzwungenen Arrangements der Bevölkerung mit dem ungeliebten Regime, kam es zu keiner Aussöhnung zwischen Bürger und Staat. Der stalinistisch-bürokratische Herrschaftsapparat der SED und seine täglich erfahrbare Praxis der Überwachung und Unterdrückung blieben allgegenwärtig, die Bürger der Willkür der Funktionäre ausgeliefert. Daran änderten auch Losungen wie die von Ulbricht 1963 propagierte – „Die Republik braucht alle, alle brauchen die Republik"–, mit der man die Bevölkerung für das kommunistische Regime gewinnen wollte, nichts.

Die Unberechenbarkeit der Machthaber war die Konstante des Regimes und wurde zur prägenden Erfahrung zweier Generationen. Um die Bevölkerung politisch ruhig zu stellen, pendelte die Parteiführung zwischen Reformbereitschaft und Härte, häufig entsprechend der aus Moskau kommenden neuen Direktiven.

Nach dem Mauerbau lockerte Ulbricht kurzzeitig die Fesseln auf dem Gebiet von Literatur und Kunst, und die Partei bemühte sich verstärkt um die Jugend. Die FDJ -Funktionäre gaben sich lockerer, mit einem Mal durften die Jugendlichen selbst darüber befinden, wie sie tanzen wollten. Damit zollte die SED auch ihren Tribut gegenüber der von Chruschtschow in der Sowjetunion weiterhin betriebenen Entstalinisierung. Doch bereits Mitte der sechziger Jahre war es wieder vorbei mit den kleinen Freiheiten für Schriftsteller, Filme- und Liedermacher, und den Jugendlichen wurden Beatmusik und Jeans, Twisttanz und Jazz als westlich-dekadent verboten. Mit massiven Polizeieinsätzen ging der Staat gegen die Beatbewegung vor, Musiker und Fans wurden als „Rowdys" kriminalisiert und zu Staatsfeinden gestempelt. Viele Schriftsteller und Intellektuelle verordneten sich Denk- und Schreibverbote aus Loyalität zum sozialistischen Staat oder um Konflikten mit der Partei aus dem Weg zu gehen. Andere wie etwa Wolf Biermann erhielten Auftrittsverbote oder durften keine Bücher mehr publizieren. Überall entdeckten die SED-Oberen in künstlerischen Produktionen „dem Sozialismus fremde, schädliche Tendenzen" (Honecker 1965). Reihenweise wurden neue Filme und Theaterstücke verboten. Die letzten Jahre der Ulbricht-Ära entwickelten sich so zu einer kulturellen Eiszeit.

Wirtschaftsreformen auf Widerruf

Auch die Wirtschaftsreform von 1963, die die Planwirtschaft durch den Einbau von materiellen Leistungsanreizen und die Steigerung der Eigenverantwortlichkeit der Betriebe effizienter machen, die geringe Arbeitsproduktivität erhöhen und ganz allgemein die wirtschaftliche Misere in der DDR beseitigen sollte, wurde wenige Jahre später wieder rückgängig gemacht. Der Parteiapparat fürchtete um seine Macht. Mit den von der Regierung öffentlich angekündigten Wirtschaftsreformen hatte die Bevölkerung auch die Hoffnung auf eine gewisse Liberalisierung der Verhältnisse im Land verbunden. Jetzt waren Enttäuschung und Unzufriedenheit um so größer, als jedermann einsehen musste, dass es der SED-Spitze bei den Reformen nur um Machtsicherung mit anderen Mitteln ging. Statt mit Drohung und Zwang wollte Ulbricht nunmehr den Sozialismus durch wirtschaftliche Erfolge unangreifbar machen.

Weil bis zum Mauerbau so viele Fachkräfte abgewandert waren, erhielten jetzt vor allem die Jüngeren ihre Chancen. Mit den Modernisierungsversuchen der Wirtschaft verband die SED-Führung auch eine Reform des gesamten Bildungswesens. Die Ausbildung in Schule und Beruf verbesserten sich erheblich. Wissenschaft und Forschung wurden gefördert. Deren Erkenntnisse sollten nach dem Willen der Parteiführung rascher in die Praxis umgesetzt und für den wirtschaftlichen Fortschritt genutzt werden.

Bei aller Begeisterung für Innovationen dieser Art ließ Ulbricht keinen Zweifel an der ungeteilten und alleinigen Führungskompetenz der Partei. Somit stießen die Modernisierungsansätze im kommunistisch regierten Obrigkeitsstaat rasch an ihre Grenzen. Wer deshalb im Zuge dieses in der Bevölkerung durchaus positiv aufgenommenen Reformprojektes auf größere individuelle Freiräume gehofft hatte, wurde alsbald eines Besseren belehrt.

Obwohl die neuen „ökonomischen Hebel" unverkennbar zu einer Verbesserung des Lebensstandards geführt hatten, sorgten vor allem die reformfeindlichen Kräfte im Politbüro um Erich Honecker und Willy Stoph ab 1967 dafür, dass das Ruder wieder in Richtung einer strikt zentralen Führung und Lenkung der Wirtschaft herumgeworfen wurde. Das geschah nicht zuletzt auch auf Weisung Moskaus. Hier stand seit dem Sturz Chruschtschows (1964) mit Leonid Breschnew ein Mann an der Spitze der KPdSU, der Ulbrichts Reformexperimente im wirtschaftlichen Bereich nicht schätzte. Er sah in ihnen eine Gefährdung des Sozialismus. Außerdem lehnte er die von Ulbricht angestrebte relative wirtschaftliche Eigenständigkeit der DDR ab, weil sie zu Lasten der sowjetischen wirtschaftlichen Bedürfnisse gingen. Bis zum Ende der DDR hatten jetzt wieder die Verfechter der zentralisierten Kommandowirtschaft, an ihrer Spitze der „Wirtschaftsdiktator" Günter Mittag, das Sagen.

Bescheidener Wohlstand – überzogene Versprechungen

Ulbricht scheiterte mit seinen ehrgeizigen Plänen, die DDR zum Schaufenster des Sozialismus zu machen und die Bundesrepublik wirtschaftlich zu überholen. Was als „wissenschaftlich-technischer Fortschritt" propagiert wurde, nämlich die Förderung moderner Technologien wie die Mikroelektronik, erwies sich als gigantische Fehllenkung von Investitionsmittel, die beim Wohnungsbau und in der Konsumgüterindustrie fehlten. Das angekündigte „Weltniveau" erreichte Ulbrichts Planwirtschaft niemals. Dennoch darf nicht übersehen werden, dass es im Vergleich mit den fünfziger Jahren in der DDR seit Mitte der sechziger Jahre durchaus ökonomisch bergauf ging. Das galt auch im Vergleich mit den Nachbarländern im Ostblock.

Ein bescheidener Wohlstand breitete sich aus. Fernsehapparate, Kühlschränke, Waschmaschinen hielten Einzug in die Haushalte. Immer mehr Familien konnten sich ein Auto leisten, wenn auch nur auf DDR-Niveau. Den arbeitsfreien Samstag gab es seit 1967. Die DDR-Bürger empfanden jene Jahre zweifellos als eine Zeit des Aufbruchs. Um so bedrückender fiel jedoch für die meisten der alles entscheidende Vergleich mit der Bundesrepublik aus. Alles in allem zeigte sich die Planwirtschaft der DDR nach wie vor außer Stande, trotz der erwähnten Verbesserungen den Anschluss an den Lebensstandard der Bundesrepublik zu erreichen und am Weltmarkt konkurrenzfähige Produkte anzubieten. Auch weiterhin gehörten Versorgungsengpässe bei den Dingen des täglichen Lebens zum Alltag in der DDR.

Abgrenzungspolitik und Devisenhunger

Die vorsichtigen Bemühungen der Großen Koalition in Bonn, ihre Deutschland- und Osteuropapolitik den Realitäten anzupassen und vor allem mit den östlichen Ländern die wirtschaftlichen und politischen Kontakte zu vertiefen, veranlassten die SED zu einer deutschlandpolitischen Kehrtwende. Bislang hatte Ulbricht seine gesamtdeutschen Appelle an Bundesregierung und Bundestag im Bewusstsein der ablehnenden Haltung Bonns richten können. Freilich waren alle diese Vorschläge zur Wiedervereinigung Deutschlands immer mit Bedingungen versehen, die auf eine staatssozialistische Ordnung hinausliefen, und insofern für jedermann erkennbar reine Propaganda.

Als Bundeskanzler Kiesinger 1967 erstmals Verhandlungen mit der DDR über eine Gewaltverzichtserklärung und eine Reihe von Sachfragen anbot, antwortete Ulbricht mit Behinderungen im Berlinverkehr und der Einführung einer gebührenpflichtigen Pass- und Visumspflicht für Transitreisende zwischen der Bundesrepublik und Westberlin. Weniger strikt zeigte er sich allerdings dort, wo handfeste wirtschaftliche Interessen der DDR auf dem Spiel standen. So wurden zur gleichen Zeit ältere Vereinbarungen über den Interzonenhandel mit entsprechenden Zusagen für die Lieferung von Investitionsgütern in die DDR und die Erhöhung des der DDR von Bonn gewährten zinslosen Überziehungskredites erneuert.

Seit der Großen Koalition betonte die Ostberliner Regierung das Trennende zwischen beiden Teilen Deutschlands. Ulbricht setzte jetzt verstärkt auf eine Politik der Abgrenzung gegenüber der Bundesrepublik. Die Volkskammer beschloss 1967 ein eigenes DDR-Staatsbür-

gerschaftsrecht, das freilich von der Bundesrepublik niemals anerkannt wurde. Die Landeswährung wurde im gleichen Jahr in „Mark
der DDR" umgetauft, allerdings galten die alten Banknoten und Münzen noch bis weit in die siebziger Jahre hinein.

Die Festigung des eigenen Machtbereichs erforderte die Anerkennung
der DDR als Staat durch die Bundesrepublik und die übrigen westlichen Länder. Das hinderte den autokratisch herrschenden Ulbricht
nicht daran, so genannte „menschliche Erleichterungen" mit der ansonsten stets als „Hort des Imperialismus" diffamierten jeweiligen
Bonner Regierung zu vereinbaren, um an die dringend benötigte D-
Mark zu kommen. Eine fast noch größere Rolle spielten diese innerdeutschen Transferzahlungen von West nach Ost dann in der Ära Honecker. Doch sie begannen bereits zu Ulbrichts Zeiten, in verdeckter
Form, häufig über Mittelsmänner eingefädelt, aber von Anfang an unverzichtbar für den devisenschwachen Staatshaushalt der DDR.

Auf der Basis einer solchen streng geheimen Vereinbarung kaufte die
Bundesrepublik seit Ende 1962 bis 1989 33 755 politische Häftlinge
für 3,4 Milliarden DM frei. Millionen Westberliner konnten seit Ende 1963 bis 1966 Freunde und Verwandte in Ostberlin besuchen (Pas-
sierscheinregelung), freilich gegen eine Gebühr in D-Mark. Westdeutsche konnten ab 1964 wieder in die DDR fahren, sofern sie bereit waren zunächst fünf DM pro Tag (1980 schließlich 25 DM) als
„Eintrittsgeld" zu entrichten. Alles in Allem beliefen sich die staatlichen Leistungen der Bundesrepublik an die DDR bis 1989 auf 21
Milliarden DM. Knapp die Hälfte dieser Summe floss der DDR als
Einnahmen aus dem seit den siebziger Jahren rasant angewachsenen
Berlinverkehr (Transitpauschale, Autobahnbau) zu.

Alles dies änderte jedoch nichts daran, dass die SED-Führung ihr wichtigstes außenpolitisches Ziel in der internationalen staatlichen Anerkennung sah und alle Versuche der Regierung in Bonn, mit den östlichen
Nachbarstaaten in geregelte Beziehungen zu treten, zu verhindern versuchte.

Ende der Ära Ulbricht

Grundsätzlich unterstützte die Sowjetunion die DDR in diesem Ziel,
zumal sie bereits 1964 in einem Freundschaftsvertrag die Unantastbar-

keit der DDR-Grenzen garantiert hatte. Doch Breschnew wollte sich von dem zunehmend auf wirtschaftliche und ideologische Eigenständigkeit pochenden Ulbricht nicht belehren lassen, der die industrielle Entwicklung der DDR den übrigen Ostblockstaaten als Modell empfahl und allzu penetrant auf deren Rückständigkeit hinwies. Außerdem lehnte er starrsinnig die sowjetische Vertragspolitik mit der Regierung der sozial-liberalen Koalition unter Bundeskanzler Brandt ab. Die Sowjets waren jedoch nach der brutalen Niederschlagung des Prager Frühlings und der Beseitigung des tschechischen Reformkommunismus (1968) an einer Verbesserung der Beziehungen mit dem Westen und der Wiederbelebung der für Moskau vor allem in wirtschaftlicher Hinsicht sehr wichtigen Entspannungspolitik mit den USA interessiert. Der treue inzwischen 78jährige Vasall der Sowjetunion, der jahrzehntelang jeden Moskauer Kurswechsel mitgemacht hatte, verlor deshalb die Unterstützung Breschnews und musste 1971 auf Betreiben seines von ihm lange Zeit geförderten Kronprinzen Erich Honecker zurücktreten.

ZEITTAFEL

1961

15. Juni 1961	Ulbricht fordert auf einer internationalen Pressekonferenz die Neutralisierung Westberlins und erklärt: „Niemand hat die Absicht, eine Mauer zu errichten".
25. Juli 1961	Präsident Kennedy verkündet in einer Fernsehrede die Entschlossenheit der USA, die Freiheit und Lebensfähigkeit Westberlins zu verteidigen.
13. August 1961	Abriegelung der Sektorengrenze in Berlin und Beginn des Mauerbaus, Sperrung der Grenzen der DDR zur Bundesrepublik.
16. August 1961	Aufruf des Zentralrats der FDJ: „Das Vaterland ruft! Schützt die sozialistische Republik!" Mehr als 285 000 Jugendliche in Betrieben und Schulen verpflichten sich daraufhin, häufig unter Druck, zum Dienst in den bewaffneten Organen.
24. August 1961	Verordnung des DDR-Ministerrats über Aufenthaltsbeschränkungen für bestimmte Orte der DDR; tausende im fünf Kilometer breiten Grenzgebiet zur Bundesrepublik lebende DDR-Bürger müssen im September Haus und Hof verlassen (Aktion Kornblume).
25. August 1961	Beim Versuch, durch den Humboldt-Hafen nach Westberlin zu schwimmen, wird erstmals ein Flüchtling, der 24jährige Günter Litwin, von Volkspolizisten erschossen.
5. September 1961	FDJ-Aktion zur Beseitigung der nach Westen ausgerichteten Fernsehantennen beginnt.

20. September 1961	Schusswaffengebrauch gegen „Grenzverletzer" von Erich Honecker, ZK-Sekretär für Sicherheit, im Auftrag des Politbüros präzisiert. Volkskammer verabschiedet das „Gesetz zur Verteidigung der DDR", das dem Staatsrat nahezu uneingeschränkte Notstandsrechte gibt.
27. Oktober 1961	Amerikanische und sowjetische Panzer nehmen am Sektorenübergang Friedrichstraße („Checkpoint Charly") Stellung; die Justizminister der Länder beschließen die Errichtung einer Zentralen Erfassungsstelle für Gewaltakte in der DDR mit Sitz in Salzgitter.

1962

24. Januar 1962	Die DDR führt die allgemeine Wehrpflicht ein.
25. März 1962	In einem sog. „Nationalen Dokument" bekennt sich die SED zur Wiederherstellung der deutschen Einheit. Voraussetzung sei der „Sieg des Sozialismus „ in der DDR und später in der Bundesrepublik. Ulbricht spricht von der Möglichkeit einer „deutschen Konföderation" aus der DDR, der Bundesrepublik und „Westberlin, das auf dem Territorium der DDR" liege.
5. Mai 1962	Durch einen 32 Meter langen Tunnel unter der Berliner Mauer flüchten 12 DDR-Bewohner nach West-Berlin.
17. August 1962	Der bei einem Fluchtversuch über die Berliner Mauer angeschossene 18jährige Bauarbeiter Peter Fechter verblutet wegen unterlassener Hilfeleistung.

1963

12. Januar 1963	Kuba und die DDR nehmen diplomati-

sche Beziehungen auf; die Bundesrepublik bricht ihre Beziehungen mit Kuba ab.

24./25. Juni 1963	Die SED beschließt mit dem „Neuen Ökonomischen System der Planung und Leitung der Volkswirtschaft" (NÖSPL) eine Wirtschaftsreform: Stärkung der Eigenverantwortung der einzelnen Unternehmen auf Kosten der zentralen Planung, Leistungslöhne, Kostenbewusstsein, Förderung der „materiellen Interessiertheit" der Arbeiter.
13. August 1963	Bislang wurden 65 Todesopfer an der Mauer bekannt. Politbüromitglied Albert Norden, für Agitation und Propaganda zuständig, rechtfertigt vor Grenzsoldaten die Todesschüsse.
17. Dezember 1963	Erstes Passierscheinabkommen wird von Vertretern des Westberliner Senats und der DDR unterzeichnet und von der DDR als De-facto-Anerkennung gewertet.

1964

2. Januar 1964	Ausgabe neuer Personalausweise mit dem Vermerk „Bürger der Deutschen Demokratischen Republik".
13. März 1964	Robert Havemann, marxistischer Regimekritiker, verliert seinen Lehrstuhl an der Humboldt-Universität.
4. Mai 1964	Jugendgesetz zur Einbindung der Jugend der DDR in den „umfassenden Aufbau des Sozialismus".
12. Juni 1964	Freundschaftsvertrag mit der Sowjetunion: Garantie der Unantastbarkeit der Staatsgrenzen der DDR.
1. August 1964	Neue Banknoten „Mark der deutschen Notenbank"

1. September 1964	Flüchtlingen, die die DDR vor dem Mauerbau verlassen haben und zu Besuchen zurückkehren wollen, wird Straffreiheit zugesichert
7. September 1964	Einführung eines „Dienstes ohne Waffe" als Bausoldaten.
8. September 1964	Rentner erhalten die Möglichkeit zu Besuchsreisen (bis zu vier Wochen) in die Bundesrepublik und nach Westberlin.
24. September 1964	Das Mitglied des Politbüros Willi Stoph neuer Vorsitzender des Ministerrates nach dem Tod von Otto Grotewohl. Neues Passierscheinabkommen für Besuche von Westberlinern in Ostberlin.
10./24. Oktober 1964	Olympische Spiele in Tokio: letztmals (bis 1992) nimmt eine gesamtdeutsche Mannschaft daran teil.
15. Oktober 1964	Sturz Chruschtschows in Moskau; sein Nachfolger als Parteichef wird Leonid Breschnew.
25. November 1964	Einführung des Mindestumtauschs für Besuche in der DDR.
28. Dezember 1964	Volkszählung ergibt 17,0 Mio. Einwohner in der DDR – 1,3 Mio weniger als 1950; 41 866 Personen verlassen 1964 die DDR als Flüchtlinge bzw. Übersiedler; knapp 10 000 kehren in die DDR zurück bzw. übersiedeln von dort in die DDR.
31. Dezember 1964	Ulbricht fordert Regierungsverhandlungen mit der Bundesrepublik.

1965

24. Februar 1965	Erster Staatsbesuch Ulbrichts in einem nichtsozialistischen Land – Ägypten.
25. Februar 1965	Bildungsreform mit dem Ziel der „allseitig

und harmonisch entwickelten sozialistischen Persönlichkeit".

20. März 1965	Der sowjetische Außenminister Andrej Gromyko bei einem Staatsbesuch in Großbritannien: eine Wiedervereinigung Deutschlands ist nicht mehr möglich, weil sich beide Staaten zu unähnlich geworden sind.
5. Mai 1965	Staatsrat, Ministerrat, Nationale Front proklamieren: ein wiedervereinigtes Deutschland kann nur sozialistisch sein.
17./28. September 1965	Besuch der SED-Führung in Moskau: die Bildung einer „Paritätischen Regierungskommission für ökonomische und wissenschaftlich-technische Zusammenarbeit" wird beschlossen.
3. Dezember 1965	Der Vorsitzende der Staatlichen Plankommission und Wirtschaftsreformer, Erich Apel, begeht nach parteiinternen Intrigen Selbstmord; Nachfolger wird Gerhard Schürer (bis 1989),
15./18. Dezember 1965	Die SED macht Teile der Wirtschaftsreformen rückgängig und verstärkt wieder die zentrale Planung. Ende der kulturell-geistigen Tauwetterperiode: Die „kleinen Freiheiten" im kulturellen Bereich werden ebenfalls wieder eingeschränkt, Künstler wie Stefan Heym und Wolf Biermann gemaßregelt, die enge Bindung der Kunst an Partei und Staat wird dekretiert.

1966

28. Februar 1966	Die DDR beantragt die Aufnahme in die Vereinten Nationen.
26. März 1966	SED schlägt der SPD einen Redneraustausch in Karl-Marx-Stadt und Hannover vor, der im Mai auch vereinbart wird, aber

nicht zustande kommt (Juni),nachdem die Moskauer Führung solche Kontakte abgelehnt hat, und die SED das Auftreten prominenter Sozialdemokraten wie Willy Brandt, Fritz Erler und Herbert Wehner in der DDR als riskant einstuft.

6. Juli 1966   Warschauer-Pakt-Staaten verpflichten sich, keine Verhandlungen mit der Bundesrepublik aufzunehmen ohne Anerkennung der europäischen Nachkriegsgrenzen und der DDR; Rumänien hält sich nicht daran und nimmt Anfang 1967 wieder diplomatische Beziehungen mit der Bundesrepublik auf. Am 10. Februar 1967 beschließen die Außenminister des Warschauer-Paktes die sog. Ulbricht Doktrin: keine Normalisierung mit Westdeutschland ohne staatliche Anerkennung der DDR.

1967

20. Februar 1967   Verschärfte Abgrenzungspolitik gegenüber der Bundesrepublik: Das Gesetz über die Staatsbürgerschaft der DDR wird verabschiedet; im Dezember Beschluss zur Ausarbeitung einer „sozialistischen Verfassung" für die DDR und Umbenennung der Landeswährung in „Mark der DDR".

17./22. April 1967   Ulbricht auf dem 7. Parteitag der SED: Eine Vereinigung beider deutscher Staaten wird es erst im Sozialismus geben; zu gleichberechtigten Verhandlungen mit der Bundesregierung erklärt er sich bereit; die SED proklamiert die Entwicklung der „sozialistischen Menschengemeinschaft" in der DDR und korrigiert die Wirtschaftsreformen der vergangen Jahre im Sinne einer erneuten Zentralisierung der wirtschaftspolitischen Planung und Leitung

10. Mai 1967	Mit einem Schreiben des Ministerpräsidenten der DDR, Willi Stoph, an Bundeskanzler Kiesinger beginnt ein erster deutsch-deutscher Briefwechsel auf Regierungsebene; Stoph fordert „ordnungsgemäße Vereinbarungen". Kiesinger erklärt sich zu Verhandlungen über eine „Normalisierung der Beziehungen" durch Beauftrage beider Regierungen bereit. Der Briefwechsel endet im September ergebnislos.
28. August 1967	Einführung der Fünftagewoche.

1968

12. Januar 1968	Zahlreiche neue Strafbestimmungen zur Unterdrückung von Gegnern des SED-Regimes werden erlassen.
9. April 1968	Die neue „sozialistische Verfassung" der DDR tritt in Kraft, nachdem sie wenige Tage zuvor bei einer Wahlbeteiligung von 98 Prozent in einem Volksentscheid mit 94,49 Prozent Ja-Stimmen angenommen worden war; die DDR wird darin als „sozialistischer Staat deutscher Nation" bezeichnet.
10./11. Juni 1968	Die DDR führt Pass- und Visazwang im Reiseverkehr zwischen der Bundesrepublik und Westberlin ein.
20/21. August 1968	Einmarsch von Truppen des Warschauer Paktes in die Tschechoslowakei zur Niederschlagung der Reformen der tschechischen Kommunistischen Partei unter Alexander Dubcek, die als Konterrevolution gebrandmarkt werden; die DDR unterstützt die militärische Aktion mit propagandistischen Mitteln; vereinzelte Proteste in der DDR.
12. November 1968	Breschnew rechtfertigt den Einmarsch in die Tschechoslowakei und betont die be-

schränkte Souveränität der sozialistischen Staaten im Falle einer geplanten Abspaltung vom Sowjetimperium (Breschnew Doktrin).

10. September 1968	Die mitgliederstarke „Gesellschaft für Sport und Technik" erhält die Aufgabe, die Jugendlichen im vorwehrpflichtigen Alter auf den bewaffneten Dienst vorzubereiten.
12./27. Oktober 1968	An der Olympiade in Mexiko City nehmen erstmals zwei deutsche Mannschaften teil, jedoch noch unter gemeinsamer Flagge und Hymne; auf Beschluss des IOC vom 13. Oktober wird die DDR als gleichberechtigtes Mitglied aufgenommen -Folge: ab 1972 nimmt die DDR als Land mit eigener Flagge und Hymne an den Olympischen Spielen teil.
21./28. Oktober 1968	Sieben DDR-Bürger, darunter zwei Söhne Robert Havemanns, die gegen die Invasion der Tschechoslowakei protestiert hatten, werden wegen „staatsfeindlicher Hetze" verurteilt.

1969

1. Januar 1969	Visumspflicht für den Reiseverkehr von der Bundesrepublik in die DDR: die in der DDR wohnenden Gastgeber müssen das Visum für Westdeutsche bei der Volkspolizei beantragen.
22./23. Januar 1969	Angesichts des Scheiterns der Wirtschaftsreformen werden auf einer „Schrittmacherkonferenz" in Halle alte Aktivistentraditionen des „sozialistischen Wettbewerbs" beschworen.
2./20. März 1969	Militärischer Zusammenstoß zwischen der Sowjetunion und China am Grenzfluss Ussuri.

8. Mai 1969	Staatliche Anerkennung der DDR durch das nichtkommunistische Kambodscha; damit beginnt eine „Anerkennungswelle" durch Länder der Dritten Welt.
10. Juni 1969	Die acht evangelischen Landeskirchen auf dem Gebiet der DDR trennen sich, wie von der SED gefordert, von der gesamtdeutschen Evangelischen Kirche in Deutschland (EKD) und bilden den Bund der Evangelischen Kirchen in der DDR.
10. Juli 1969	Die Sowjetunion erklärt sich bereit, auf den Vorschlag der NATO zu Viermächte-Verhandlungen über Berlin einzugehen;
30. Juli 1969	Ein neues Statut legt den Auftrag des Ministeriums für Staatssicherheit (MfS) unter Erich Mielke als ein nach innen und außen gerichteter Geheimdienst fest.
16. September 1969	Erste Verhandlungen zwischen Ministerien der DDR und der Bundesrepublik über Verkehrsfragen.
18. Dezember 1969	Ulbricht übermittelt Bundespräsident Heinemann einen Vertragsentwurf über die Anerkennung der DDR als gleichberechtigter deutscher Staat.

1970

28. Juli 1970	Erich Honecker dringt bei der Moskauer Führung auf die Absetzung Ulbrichts, der als Gegner des sowjetischen Entspannungskurses gilt.
13. August 1970	Die DDR und die Sowjetunion vereinbaren die Koordinierung ihrer Volkswirtschaftspläne bis 1975.
8. September 1970	Heftige Kritik an der Wirtschaftspolitik Ulbrichts im Politbüro, seine ehrgeizigen

	Modernisierungspläne werden als kostspielig und unrealistisch verworfen.
Dezember 1970	Einbau von Selbstschussanlagen (Splitterminen) an der innerdeutschen Grenze.
17. Dezember 1970	Ulbricht bezeichnet die DDR als einen „sozialistischen deutschen Nationalstaat".

1971

| **3. Mai 1971** | Rücktritt Ulbrichts als Erster Sekretär der SED, sein Nachfolger wird Erich Honecker. |

Anlässlich der Unterzeichnung des deutsch-polnischen Vertrages besuchte Bundeskanzler Willy Brandt Warschau. Das Bild vom 7.12.1970 zeigt seinen in die Geschichte eingegangenen Kniefall vor dem Ehrenmal für die jüdischen Opfer im ehemaligen Warschauer Ghetto.   *Foto: Bilderdienst Süddeutscher Verlag*

7. Republik im Wandel – Neue Ostpolitik und Reformanspruch in der Ära Brandt 1969 bis 1974

Bundestagswahl 1969

Aufbruchstimmung kennzeichnete den Bundestagswahlkampf vom Sommer 1969. „Wir schneiden die alten Zöpfe ab" versprachen die Liberalen unter ihrem neuen Vorsitzenden Walter Scheel. Ähnlich lautete auch der Slogan der Sozialdemokraten, die landauf landab verkündeten: „Wir schaffen das moderne Deutschland". Das Ergebnis der Bundestagswahl vom 28. September 1969 veränderte dann auch die politische Landschaft in Westdeutschland erheblich. Rein rechnerisch ließ es allerdings mehrere Koalitionen zu. Stärkste Fraktion blieb nämlich die CDU/CSU mit 46,1 Prozent. Mit 42,7 Prozent gewann die SPD 3,4 Prozent hinzu. Herbe Verluste musste dagegen die FDP hinnehmen. Ein großer Teil ihrer Anhänger aus dem Lager der Unternehmer und des national gesonnenen Bürgertums hatte ihr den Rücken gekehrt, und mit nur noch 5,8 Prozent der Stimmen ging die Partei der linksliberalen Reformer als eindeutige Verliererin aus der Wahl hervor. In der Führungsriege der SPD neigten daher viele zur Fortsetzung der Großen Koalition. Herbert Wehner, der einflussreiche Politstratege der Sozialdemokratie machte aus seiner Antipathie gegenüber der „Umfallerpartei", wie er die Liberalen bezeichnete, kein Hehl, und der bisherige Regierungschef Kiesinger glaubte fest an die Fortsetzung seiner Kanzlerschaft.

„Wir machen es" (Brandt) – Entscheidung für eine sozial-liberale Koalition

Der sonst eher zögerliche sozialdemokratische Parteivorsitzende Willy Brandt zeigte sich jedoch entschlossen, die Chance zur Regierungsbildung unter seiner Führung zu nutzen. Nur im Bündnis mit den Liberalen sah er die Möglichkeit für eine substantielle Korrektur in der Ost- und Deutschlandpolitik, die in den Jahren zuvor an Widerständen innerhalb der Union gescheitert war. Ausgehend von der realen Lage in Europa, wie sie sich ein Vierteljahrhundert nach dem Krieg herausgebildet hatte, und in enger Abstimmung mit den westlichen

Verbündeten, wollte Brandt die Beziehungen zur Sowjetunion und zu den anderen Staaten des Warschauer Paktes normalisieren, um in der Deutschlandfrage wieder handlungsfähig zu werden.

Mit Walter Scheel einigte er sich rasch, das Risiko einer kleinen Koalition mit nur 12 Mandaten Vorsprung gegenüber den Unionsparteien einzugehen. Mehrere FDP-Abgeordneten standen dem neuen Kurs ihrer Parteiführung allerdings von Anfang an skeptisch gegenüber, und bereits bei der Kanzlerwahl im Oktober 1969 stimmten nur 251 der 254 Abgeordneten von SPD und FDP für Brandt (erforderlich waren mindestens 249 Stimmen). Die Handlungsfähigkeit der sozialliberalen Koalition war also keineswegs dauerhaft gesichert. Doch in der Euphorie des Wahlsiegs zählten solche Bedenken wenig.

Die Union in der Opposition

Zum ersten Mal in der Geschichte der Bundesrepublik mussten die Christdemokraten im Deutschen Bundestag mit den harten Bänken der Opposition vorlieb nehmen. Die „geborene" Regierungspartei sah sich plötzlich in der Opposition. Das empfand nicht nur der bisherige Bundeskanzler Kiesinger als ein unverdientes Schicksal, auch die meisten anderen Spitzenpolitiker der Union setzten auf einen vorzeitigen Regierungswechsel. Ihre Empörung wollte kein Ende nehmen, als der neu gewählte Bundeskanzler Brandt in seiner ersten Regierungserklärung Ende Oktober 1969 die Aufbruchstimmung jener Monate in den Satz fasste: „Wir stehen nicht am Ende unserer Demokratie, wir fangen erst an". Entsprechend unversöhnlich standen sich Regierung und Opposition lange Jahre gegenüber. Aber entgegen den Prognosen mancher linker Kritiker des „CDU-Staates" kam es zu keiner Staatskrise. Das Wechselspiel von Regierung und Opposition klappte. Die Bonner Demokratie bestand ihre Bewährungsprobe.

Die Stimmung im Land war positiv und erwartungsvoll. Die neue Ministerriege mit erfahrenen und teils brillanten Politikern wie zum Beispiel Karl Schiller (Wirtschaftsminister), Alex Möller (Finanzminister), Helmut Schmidt (Verteidigungsminister), Hans-Dietrich Genscher (Innenminister) und natürlich Außenminister und Vizekanzler Walter Scheel vermittelte den Eindruck von Kompetenz und Solidität. Als Kanzleramtsminister betätigte sich der Juraprofessor Horst Ehmke als dynamischer und verlässlicher Zuarbeiter Brandts, und Herbert Wehner, kein Freund des lebensfrohen Kanzlers, hielt als Fraktionsvorsitzender der SPD der Regierung den Rücken frei.

Normaler Regierungswechsel

Was im Überschwang der Gefühle im Lager der SPD zu einem „Machtwechsel" stilisiert wurde, war ein normaler Regierungswechsel. Doch eine Zäsur markierte er zweifellos.

Erstmals seit 1930 trat in Deutschland mit dem 55jährigen Willy Brandt ein Sozialdemokrat an die Spitze der Regierung, zudem noch ein Mann des aktiven Widerstandes gegen die Hitler-Diktatur, ein Sachverhalt freilich, der ihm im nationalkonservativen Lager der Republik oft nicht positiv angerechnet wurde und immer wieder zu bösen Verunglimpfungen führte.

Populärer Kanzler

Brandt hatte Charisma und verstand es, die Gefühle vor allem der jüngeren Wählerschaft anzusprechen. Viele sahen in ihm einen deutschen John F. Kennedy, und die Wahlstrategen seiner Partei förderten dieses Image nach Kräften. Seine politischen Lehrjahre hatte er in der Berliner SPD während der Hochzeit des Kalten Krieges zwischen Ost und West absolviert. Als Anhänger des legendären Regierenden Bürgermeisters von Westberlin, Ernst Reuter, gehörte er damals zu den schärfsten Gegnern der kommunistischen Machthaber in Ostberlin. Doch über ein baldiges Ende der Teilung Deutschlands machte er sich keine Illusionen. Als Regierender Bürgermeister von Westberlin (seit 1957) gehörte er bald zu den bekanntesten deutschen Politikern. Im Ausland, vor allem in den USA, schätzte man den weltoffenen und sprachgewandten Brandt als Repräsentanten des „anderen" Deutschland ohne Nazivergangenheit. Für die SPD wurde er bald zum Hoffnungsträger einer sich modernisierenden Partei, die mit ihm an der Spitze (Parteivorsitzender seit 1964) und als Kanzlerkandidat (seit 1961) neue Wählerschichten gewann und sich zur zweiten großen Volkspartei in der Bundesrepublik entwickelte. Die zwei Wahlniederlagen gegen Adenauer (1961) und Erhard (1965) setzten ihm zu. Er wollte seine bundespolitische Karriere beenden. Doch mit der Großen Koalition, mit der er anfangs keineswegs sympathisierte, begann jene erst richtig, und als Bundeskanzler wurde er schließlich – nach Adenauer – zum zweiten außenpolitischen Richtungsgeber der Bundesrepublik.

Reformversprechungen

Die neue Bundesregierung präsentierte sich als Reformregierung. Mit eingängigen Parolen – „Wir wollen mehr Demokratie wagen" – entsprach sie dem Zeitgeist und gewann damit insbesondere die junge Generation und die Schriftsteller und Künstler für sich. Die „Erneuerung" der Gesellschaft wurde zu einem Schlüsselwort der politischen Propaganda. Mit einer Reihe innenpolitischer Reformvorhaben, die zum Teil bereits von der Vorgängerregierung vorbereitet worden waren, sollte den geänderten gesellschaftlichen Wertvorstellungen im Ehe- und Familienrecht, im Strafrecht und Strafvollzug entsprochen, zum anderen originär sozialdemokratische bzw. linksliberalen Ziele verwirklicht werden wie die Reform des Bildungswesens, insbesondere im Bereich der Hochschulen, die Herabsetzung des Wahlalters auf 18 Jahre, die Ausweitung der Mitbestimmung und vor allem der Ausbau der sozialen Sicherheit. Erfolgreicher als mit diesen Reformprojekten, von denen manche erst Jahre später, andere nur ansatzweise, verwirklicht werden konnten, war die Regierung Brandt/Scheel eindeutig mit ihrem außenpolitischen Programm, das einen historisch bedeutsamen Politikwechsel einleitete.

Internationale Entspannungspolitik

Die weltpolitischen Rahmenbedingungen für die von Brandt bereits seit 1963 propagierte Verständigungspolitik mit dem Osten erwiesen sich als günstig. Moskau und Washington führten Gespräche über die Begrenzung der strategischen Rüstung, und die NATO schlug Verhandlungen über beiderseitige ausgewogene Truppenreduzierungen vor. Ende November 1969 trat die Bundesrepublik dem Atomwaffensperrvertrag bei. Beide Supermächte setzten auf eine Politik der Entspannung. Die sowjetische Führung unter Leonid Breschnew hoffte dadurch wirtschaftlich zu profitieren und ihren Einflussbereich in Europa zu stabilisieren. US-Präsident Richard Nixon wollte Amerikas Überengagement in der Welt, vor allem in Vietnam, reduzieren und definierte die nationalen Interessen seines Landes neu im Sinne der Sicherung eines Gleichgewichts der Kräfte zwischen beiden Supermächten.

Wandel durch Annäherung

Der Mauerbau und die damals zurückhaltende bis kühle Reaktion der Westmächte hatten Brandt und seinen engsten Berater Egon Bahr davon überzeugt, dass die Lage der Menschen in der DDR nur verbessert werden konnte, wenn man die bittere Realität der Teilung Deutschlands akzeptierte und mit dem SED-Regime vertragliche Vereinbarungen traf. Voraussetzung dafür war allerdings die staatliche Anerkennung der DDR durch die Bundesregierung. Auf den Sturz des SED – Regimes zu warten, hieße sich selbst zur politischen Untätigkeit zu verurteilen. Davon zeigten sich vor allem die führenden Politiker der Berliner SPD überzeugt.

Die Gegebenheiten im anderen Teil Deutschlands anzuerkennen, um sie zu überwinden, war die paradox anmutende Formel für die neue Deutschlandpolitik, die Bahr und Brandt bereits 1963 umrissen hatten: „Die Zone muss mit Zustimmung der Sowjets transformiert werden. Wenn wir so weit wären, hätten wir einen großen Schritt zur Wiedervereinigung getan." (Egon Bahr) Die neue Bonner Regierung wollte die Grenzen in Europa festschreiben, um sie durchlässiger zu machen, die DDR als zweiten deutschen Staat anerkennen, um die Landsleute „drüben" nicht ihrem Schicksal zu überlassen, mit der SED verhandeln, um menschliche Erleichterungen zu erreichen.

Moskaus Schlüsselrolle

Der Schlüssel dazu lag in Moskau. Und die Chancen für eine deutsch-sowjetische Annäherung waren nicht schlecht. Wie in den späten achtziger Jahren spielte schon damals die prekäre wirtschaftliche Lage der Sowjetunion eine wichtige Rolle bei der vorsichtigen Hinwendung der Moskauer Führung zum Westen. Sicherheitspolitisch wollte Parteichef Leonid Breschnew eine Garantie des Westens für den Status quo in Europa, also eine Festschreibung der bestehenden Grenzen. Westliche Wirtschaftshilfe sollte die Sowjetunion dann vor allem technologisch voran bringen. Dabei setzte die sowjetische Regierung insbesondere auf verbesserte Beziehungen zur Bundesrepublik, um von der westdeutschen Wirtschaftskraft zu profitieren.

Diese Perspektiven waren für Breschnew wichtiger als die starre Verteidigung der außenpolitischen Maximalziele seiner Verbündeten in Warschau und Ostberlin, die von Bonn die Anerkennung der Oder-Neiße-Grenze ohne jeden Vorbehalt bzw. die völkerrechtliche Anerkennung der DDR ohne Wenn und Aber sowie die faktische Abtrennung Westberlins von der Bundesrepublik forderten. Bei aller Bereitschaft zu einem Arrangement mit den östlichen Staaten zur Sicherung des Friedens in Europa hatte Bundeskanzler Brandt jedoch schon in seiner ersten Regierungserklärung klar gemacht, wo die Grenze seines Entgegenkommens lag: er war bereit, die Tatsache, dass „zwei Staaten in Deutschland" existierten, anzuerkennen; allerdings betonte er, dass sie „füreinander nicht Ausland" seien; um die Einheit der Nation zu wahren, käme deshalb auch eine „völkerrechtliche Anerkennung" der DDR nicht in Betracht.

Der neuen Bundesregierung bot sich also vor dem Hintergrund der von den beiden Supermächten anvisierten Entspannungspolitik die Chance, die Kompromissfähigkeit Moskaus zu testen. Es galt, eine Art Interessengemeinschaft mit dem Kreml herzustellen, auf deren Grundlage erst sich die innerdeutschen Beziehungen verbessern ließen. Das erwies sich aber zunächst schwieriger als erwartet, zumindest solange der deutsche Botschafter in Moskau die Vorgespräche führte. Erst als Brandt mit Egon Bahr seinen engsten Berater und Architekten der neuen Ostpolitik mit den Verhandlungen betraute, konnten Fortschritte erzielt werden.

Die von Brandt zur gleichen Zeit angeregten Treffen mit Ministerpräsident Willi Stoph in Erfurt (März 1970) und Kassel (Mai 1970) galten damals zwar als eine Sensation. Erstmals saßen die Regierungschefs beider deutscher Staaten an einem Tisch und in Erfurt konnten die Sicherheitskräfte der DDR nicht verhindern, dass die dort versammelten Menschen dem Bundeskanzler begeistert und hoffnungsfroh zujubelten. Doch diese „Politik der kleinen Schritte" blieb zunächst ergebnislos, weil die SED-Führung unter Ulbricht starr an ihrer bekannten Anerkennungsforderung fest hielt und jeden Hinweis auf die Fortdauer der deutschen Nation entschieden zurückwies.

Schwierige Verhandlungen in Moskau

Die Bundesregierung sah sich in ihrer Einschätzung bestätig, dass der Umweg über Moskau notwendig war, wenn sich in der deutschen Frage etwas zum Positiven verändern sollte. In Bonn machte man sich dennoch keine Illusionen: die Sowjetführung würde den Machthabern in Ostberlin nur so viel Spielraum gewähren, wie das ihren Interessen entsprach.

Als offizieller Unterhändler Brandts sondierte also Egon Bahr, inzwischen Staatssekretär im Bundeskanzleramt, seit Ende Januar 1970 in

Moskau in zahlreichen Gesprächen mit dem sowjetischen Außenminister Andrej Gromyko die Lage. Geheimdiplomatie am Parlament vorbei zu betreiben, warf die Bonner Opposition dem Vertrauten Brandts vor und verdächtigte ihn später, sich in Moskau nicht nachdrücklich genug für die Einheit Deutschlands eingesetzt zu haben. Das stimmte zwar nicht, aber Bahrs Vorliebe für geheime Drähte und informelle Gespräche – auch mit Mitarbeitern des sowjetischen Geheimdienstes –, über die nur Brandt und Scheel Bescheid wussten, nährte allerlei Spekulationen im bundesdeutschen Blätterwald. Vertriebenenverbände warfen der Regierung „Verzichtspolitik" vor, die CDU/CSU – Opposition beklagte die drohende Verewigung der Teilung Deutschlands durch die Politik der Koalition, und die im Bundestag leidenschaftlich geführten Debatten polarisierten die Öffentlichkeit.

Der Moskauer Vertrag als Modell

Doch die beiden Koalitionspartner hielten an dem eingeschlagenen Kurs fest. Im August 1970 einigten sich Bonn und Moskau nach Schlussverhandlungen des deutschen Außenministers auf ein Gewaltverzichtsabkommen. Im Kern bedeutete dieser Vertrag eine de facto Anerkennung der Grenzen und Machtverhältnisse in Europa durch die Bundesrepublik, die jedoch eine spätere Wiedervereinigung der beiden deutschen Staaten ausdrücklich nicht ausschloss. Das wäre schon allein wegen der Bestimmungen des Grundgesetzes nicht möglich gewesen. Die sowjetische Seite wollte davon zunächst nichts wissen. Es bedurfte harter Verhandlungen, um die Position der Bundesregierung gegenüber der sowjetischen Seite durchzusetzen, dass die Grenzen in Europa hinfort zwar „unverletzlich", aber nicht „unverrückbar" sein sollten. Die Option zur Wiedervereinigung wurde außerdem in dem besonders heftig umstrittenen „Brief zur deutschen Einheit" des deutschen Außenministers an Gromyko festgehalten und von der sowjetischen Seite auch hingenommen. Der Moskauer Vertrag war von deutscher wie sowjetischer Seite ausdrücklich als eine Art Rahmen- und Mustervertrag für die nachfolgenden Abkommen mit Polen (1970), die DDR (1972) und die Tschechoslowakei (1973) ausgehandelt worden – Verträge, die zusammen mit dem Berliner Viermächteabkommen (1971) ein kompliziertes Netzwerk von Vereinbarungen schufen, die in einem engen inneren und zeitlichen Zusammenhang standen.

Berliner Vier-Mächte-Verhandlungen

Von besonderer Bedeutung war dabei das Viermächte-Abkommen über Berlin. Die Bonner Regierung hatte der Kreml-Führung klar gemacht, dass die Ostverträge im Bundestag ohne Sicherheitsgarantien für Westberlin keine Mehrheit fänden, weil Berlin als Testfall für die sowjetische Entspannungsbereitschaft galt.

Nach langen Verhandlungen zogen die vier Siegermächte mit dem Berlin-Abkommen vom September 1971 einen Schlussstrich unter die jahrzehntelangen Querelen zwischen Ost und West über die Fragen des Status, der Zugehörigkeit, der Zugangswege und der Freizügigkeit Westberlins. Es ging um nichts weniger als die zukünftige Lebensfähigkeit der Stadt. Die sowjetische Seite stimmte der Stärkung der Bindungen Westberlins an die Bundesrepublik zu; dafür akzeptierten die Westmächte die östliche Lesart, derzufolge die drei Westsektoren Berlins nicht zur Bundesrepublik gehörten. Die Einigung erfüllte zwar bei weitem nicht alle Erwartungen des Westens, machte aber das Leben für die Westberliner erträglicher. Zwar gab es auch später immer wieder Meinungsverschiedenheiten über die Auslegung einzelner Bestimmungen, doch die Sowjetunion hatte beachtliche Zugeständnisse gemacht, die vor allem den Westberlinern zugut kamen – sichere Transitwege nach Westdeutschland, Besuche in Ostberlin und der DDR, und nach 20 Jahren konnte auch wieder zwischen beiden Teilen der Stadt telefoniert werden. Der gefährliche Krisenherd Berlin, der die Welt mehrfach an den Rand eines Krieges geführt hatte, war nun endlich entschärft, und das Viermächteabkommen wirkte als Katalysator für die Verbesserung der Ost-West-Beziehungen innerhalb und außerhalb Deutschlands.

Der Kanzlersturz misslingt

Nachdem das Berliner Viermächteabkommen unter Dach und Fach war, standen im Bundestag die parlamentarischen Beratungen (Ratifizierung) der Ostverträge an. Waren die diplomatischen Verhandlungen über diese Verträge schon kompliziert genug und mehr als einmal vom Scheitern bedroht, so gerieten sie ab Februar 1972 erneut in schwere See. Denn die Regierungskoalition bangte um ihre Mehrheit, nachdem einige Abgeordneten der FDP – darunter ihr früherer Vorsitzende Erich Mende – und der SPD das Lager gewechselt und zu den Unionsparteien übergetreten waren. Der Verlust der Mehrheit im Bundesrat nach dem Sieg der CDU bei den Landtagswahlen in Baden-Württemberg (April 1972, Ende der dortigen Großen Koalition) kam hinzu.

Die beiden Unionsfraktionen, die die Ostverträge in der vorliegenden Form gerne verhindert hätten, sahen ihre Chance, bald wieder an die Regierung zu kommen und brachten das Misstrauensvotum nach Artikel 67 GG gegen den Bundeskanzler ein. Der Sturz Brandts galt bei allen Beobachtern als so gut wie sicher. Rainer Barzel, der Partei- und Fraktionsvorsitzende der CDU sah sich bereits als neuer Kanzler der Bundesrepublik Deutschland. Millionen Bundesbürger verfolgten am 27. April 1972 voller Spannung die Abstimmung im Deutschen Bundestag an den Rundfunk- und Fernsehgeräten. Das Ergebnis der Stimmenauszählung im Parlament traf die Oppositionspolitiker schwer: Barzel erhielt nur 247 Stimmen, zwei weniger als erforderlich. Mindestens zwei Abgeordneten des eigenen Lagers hatten ihm die Gefolgschaft versagt. Jedenfalls einer von ihnen – der aus Baden-Württemberg stammende Hinterbänkler Julius Steiner – hatte, wie erst nach 1989 bekannt wurde, vom Geheimdienst der DDR, dem Ministerium für Staatssicherheit, 50 000 DM erhalten.

Ratifizierung der Ostverträge

Mit ihrem Versuch, Brandt zu stürzen, war die Opposition zwar gescheitert, doch auch die Koalition hatte keine Mehrheit mehr, wie sich einen Tag später bei der Abstimmung über den Haushalt des Bundeskanzlers erwies. Regierung und Opposition einigten sich daher auf vorzeitige Neuwahlen für den 19. November 1972, um das Patt im Bundestag aufzulösen. Um die Ostverträge nicht in letzter Minute scheitern zu lassen, kamen Brandt und Barzel überein, in einer gemeinsamen Entschließung des Bundestages einen Wiedervereinigungsvorbehalt zu den Ostverträgen zu formulieren und sie damit für die Unionsfraktion zustimmungsfähig zu machen. Dafür setzte sich vor allem Fraktionschef Barzel ein, dem jedoch einflussreiche Unionspolitiker wie Franz Josef Strauß nicht folgten. Um die Geschlossenheit der Fraktion nicht aufs Spiel zu setzen, einigte man sich in der Union schließlich auf Stimmenthaltung. Auf dieser Basis billigte der Bundestag am 17. Mai 1972 mit 248 Ja-Stimmen die Verträge mit der Sowjetunion und Polen.

Anerkennung der DDR

Obwohl die Koalitionsregierung in Bonn innenpolitisch fast handlungsunfähig war, gelang den Hauptakteuren der neuen Ostpolitik in relativ kurzer Zeit die von Anfang an beabsichtigte deutschlandpolitische Weichenstellung. Mit dem Verkehrsvertrag vom Mai 1972 hatte die Bundesregierung bereits die von der DDR geforderte politische Gleichberechtigung anerkannt, dafür aber eine Reihe von Reiseerleichterungen in beide Richtungen durchgesetzt – ein, wie sich später erwies, wichtiger Schritt, um bei den Deutschen in Ost und West das Bewusstsein ihrer Zusammengehörigkeit zu fördern. Doch dies waren noch Einzelfragen. Eine umfassende Regelung der deutsch-deutschen Beziehungen erfolgte im so genannten „Grundlagenvertrag", den Egon Bahr mit Michael Kohl, dem Vertreter der DDR-Regierung, seit Juni 1972 aushandelte.

Nachdem sich die Bonner Parteien auf vorgezogene Neuwahlen verständigt hatten, zeigte sich die Bundesregierung entschlossen, den Vertrag mit der DDR noch vor der Bundestagswahl im November unter Dach und Fach zu bringen. Das brachte ihr den Vorwurf der Opposition ein, aus wahltaktischen Gründen der DDR unnötige Zugeständnisse zu machen. Allerdings drängte auch Breschnew bei Honecker auf eine flexible Verhandlungsführung, um die Wahlaussichten der sozial-liberalen Koalition zu verbessern. Beide Seiten waren also bereit, Abstriche von ihren anfänglichen Vorstellungen hinzunehmen. Dennoch wurde um jedes Komma gefeilscht. Im Ergebnis der monatelangen überaus zähen Verhandlungen setzte die Ostberliner Seite die staatliche Anerkennung der DDR („Hoheitsgewalt") durch, während die Bundesregierung die Wiedervereinigungsoption („Selbstbestimmung") in einem begleitenden „Brief zur deutschen Einheit" wie beim Moskauer Vertrag unterbrachte. Um das besondere Verhältnis zwischen beiden deutschen Staaten zu unterstreichen, einigte man sich auf Betreiben der westdeutschen Seite auf die Errichtung von „Ständigen Vertretungen" statt Botschaften. Auch die Fortdauer der Viermächteverantwortung für Deutschland als Ganzes wurde vertraglich fixiert. Der Fortbestand einer deutschen Nation wurde als strittiger Punkt genannt und so zumindest erwähnt.

Die DDR-Regierung hatte ihr Ziel erreicht. Von 132 Staaten, darunter auch die drei Westmächte, wurde sie schließlich anerkannt. Die fehlende innere Legitimation durch demokratische Wahlen der Bevölkerung glaubte sie durch die Anerkennung von außen auf Dauer ersetzen zu können. Die Bundesregierung wiederum hoffte das reichlich unübersichtliche Vertragswerk mit seinen Zusatzerklärungen, Briefen und Vermerken als Hebel zur Verbesserung der humanitären Situation in der DDR und als Bindemittel für die Einheit der Nation nutzen zu können. Ob das auch einträte, wusste zum damaligen Zeitpunkt niemand zu sagen, weshalb die Union auch scharfe Kritik am Grundlagenvertrag übte. Doch Jahre später wurde deutlich, dass das SED-Regime für die so dringend gewünschte Aufnahme der DDR in den Kreis der internationalen Staatenwelt einen hohen Preis gezahlt hatte. Die vertraglichen Verpflichtungen (Erleichterung im Reiseverkehr, Familienzusammenführung, freie Berichterstattung durch Journalisten, wirtschaftliche, technische, wissenschaftliche und kulturelle Zusammenarbeit) legten den Grundstein dafür, dass die Mauer wieder durchlässiger wurde. Zwar perfektionierte die SED-Führung in den folgenden Jahren ihren Kontrollapparat zur Überwachung und Einschüchterung der eigenen Bevölkerung, doch die Politik der Abschottung funktionierte nicht mehr, der Bazillus der Freiheit nistete sich ein.

Zustimmung durch die Wähler

Wenige Tage vor der anstehenden Bundestagswahl einigten sich die beiden Verhandlungsführer auf den endgültigen Vertragstext in Bonn. Dass eine deutliche Mehrheit der Bundesbürger die Ost- und Deutschlandpolitik der Regierung unter Willy Brandt unterstützte, zeigte der fulminante Wahlsieg der sozial-liberalen Koalition am 19. November 1972. Nach einem äußerst emotional geführten Wahlkampf und einer einmalig hohen Wahlbeteiligung von über 91 Prozent erzielte die SPD mit 45,8 Prozent ein Traumergebnis und wurde erstmals zur stärksten Fraktion im Bundestag. Die FDP steigerte sich auf 8,4 Prozent, während die oppositionelle CDU/CSU auf 44,9 Prozent zurückfiel, wobei die Stimmenverluste zu Lasten der CDU gingen.

Willy Brandt, Friedensnobelpreisträger (1971) und international geachteter Staatsmann, hatte den Gipfel der Wählergunst vor allem deshalb erreicht, weil es gelungen war, die Bundestagswahl zu einem Plebiszit über die Ostpolitik zu machen. Jetzt verfügte die Regierung über eine komfortable Mehrheit von 46 Mandaten, so dass die mit großer Erbitterung vorgebrachten Vorbehalte der Opposition gegen den Grundlagenvertrag wirkungslos blieben.

Am 11. Mai 1973 stimmten 268 Abgeordnete für und 217 gegen den Vertrag, dem Ende Juli 1973 das vom Freistaat Bayern angerufene Bundesverfassungsgericht attestierte, dass er im Einklang mit dem Wiedervereinigungsgebot des Grundgesetzes stand. Zugleich stellte das Gericht die Verpflichtung jeder Bundesregierung fest, ihre Deutschlandpolitik am Ziel der Wiedervereinigung auszurichten und alles zu unterlassen, was diesen Verfassungsauftrag unterlaufen könnte. Den Bürgern der DDR garantierte das Bundesverfassungsgericht in seiner Interpretation des Vertrages ausdrücklich die Schutzwirkung des Grundgesetzes: Sobald sie den Fuß auf westdeutschen Boden setzten, waren sie – wenn sie dies wollten – als Bundesbürger zu behandeln – eine für die Flüchtlinge und Übersiedler von 1989/90 wichtige Klärung. Der Erhalt der einen deutschen Staatsbürgerschaft erleichterte zugleich 1990 den Beitritt der DDR zum Geltungsbereich des Grundgesetzes nach Artikel 23 GG (alt).

Die Bayerische Staatsregierung hatte demnach nicht unerheblich dazu beigetragen, die nationalstaatliche Lösung der deutschen Frage festzuschreiben. Auch die Bundesregierung zeigte sich nach außen zufrieden, weil sie sich durch die Karlsruher Richter bestätigt sah: der Grundlagenvertrag war kein Teilungsvertrag, sondern sollte die Voraussetzungen für eine allmähliche Verbesserung in den deutsch-deutschen Beziehungen schaffen.

Die Reformen stocken

Obwohl die sozialliberale Koalition nun im Bundestag über eine stabile Mehrheit verfügte, entwickelte sich die zweite Amtszeit Willy Brandts, die mit seinem Rücktritt im Mai 1974 endete, wenig erfolgreich. Die angekündigten inneren Reformen kamen nur stückweise voran. Manche wie die von den Gewerkschaften geforderte erweiterte Mitbestimmung wurde bereits durch den liberalen Koalitionspartner verwässert. Andere wie etwa die Reform des Abtreibungsparagrafen 218 im Sinne der Einführung einer Fristenregelung scheiterten am Widerstand der Opposition im Bundesrat und dann endgültig am Bundesverfassungsgericht. Wieder andere Reformversprechen – etwa die Weiterentwicklung der im Grundgesetz verankerten Gleichberechtigung von Mann und Frau einschließlich einer Neufassung des Scheidungsrechts (Zerrüttungsprinzip an Stelle des bisher geltenden Schuldprinzips) – konnten erst viele Jahre später verwirklicht werden. Die großen Pläne einer umfassenden Bildungsreform waren schon wegen der primären Zuständigkeit der Länder von den dort vorhandenen parteipolitischen Gegebenheiten abhängig. Die Bundesregierung konnte auf diesem Feld keine Punkte machen.

Expansive Sozialpolitik

Anders sah es beim weiteren Ausbau des Sozialstaates aus, über den sich Regierung und Opposition weitgehend einig waren. In der Renten- und Krankenversicherung wurden kostenintensive Leistungsverbesserungen für Ruheständler, Frauen, Kinderreiche, Kranke, Kriegsopfer, Studenten und Landwirte beschlossen, die zwischen 1970 und 1975 zu einer Verdoppelung der gesamten Sozialausgaben auf 334 Milliarden DM führten. Das entsprach einem Anstieg in dieser Zeit von einem Viertel auf ein Drittel des gesamten Bruttosozialproduktes. Aus heutiger Sicht schwer verständlich: die Sozialpolitiker in Bonn verplanten damals bereits die errechneten zukünftigen Überschüsse der Sozialversicherung für weitere soziale Wohltaten, weil sie eine fortdauernde Hochkonjunktur unterstellten. Doch die 1973/74 einsetzende Wirtschaftskrise (Erdölkrise) beendete abrupt diese Phase einer expansiven Sozialpolitik.

Ende des Wirtschaftswachstums

Gegen die Ausgabefreudigkeit der Regierung hatten bereits zwei Finanzminister im ersten Kabinett Brandt vergeblich gekämpft und dann ihren Rücktritt erklärt – Alex Möller im Mai 1971 und Karl Schiller ein Jahr später. Helmut Schmidt, der neue Wirtschafts- und Finanzminister, musste wenig später einräumen, dass für kostspielige Reformen kein Geld mehr vorhanden war. Denn die wirtschaftliche Lage in der Bundesrepublik verschlechterte sich seit 1973 erheblich. Bis zum Ende der Ära Brandt 1974 stieg die Inflationsrate auf 6,9 Prozent an, das Wirtschaftswachstum fiel von 7,5 Prozent (1969) auf 0,5 Prozent, die Zahl der Arbeitslosen verdreifachte sich (600 000). Die Regierung vermochte diese Entwicklung auch mit einem Stabilitätsprogramm nicht zu stoppen. Wegen des starken Preisanstiegs setzten die Gewerkschaften hohe Lohnerhöhungen durch, die die Inflation weiter anheizten. Die Regierung versuchte vergebens, die Gewerkschaften für eine zurückhaltende Lohnpolitik zu gewinnen. Einen ausgesprochenen Autoritätsverlust musste Brandt hinnehmen, als der sozialdemokratische Chef der Gewerkschaft Öffentliche Dienste, Transport und Verkehr (ÖTV), Klunker, ohne Rücksicht auf die vom Regierungschef angekündigte Sparpolitik für die im öffentlichen Dienst Beschäftigten eine Lohnerhöhung von 11 Prozent durchdrückte.

Der Rücktritt des Bundeskanzlers

Hier wie in anderen Fragen der Tagespolitik wirkte Brandt unentschlossen und uninteressiert, er ließ die Dinge treiben und zeigte wenig Interesse an einer straffen Führung im Kabinett. Brandt – abgehoben, ein Denkmal seiner selbst, so sahen es auch viele in der Parteiführung der SPD. Sein Rücktritt vom Amt des Bundeskanzlers kam deshalb nur für die Öffentlichkeit überraschend. Intern wurde schon länger davon gesprochen, spätestens seit ihm der mächtige Fraktionsvorsitzende der SPD im Bundestag, Herbert Wehner, im Herbst 1973 Führungsschwäche vorgeworfen hatte – unter anderem auch, weil die angekündigten Verbesserungen im deutsch-deutschen Verhältnis auf sich warten ließen.

Zum auslösenden Moment für den Rücktritt Brandts wurde Monate später die so genannte Guillaume-Affäre – die Entdeckung, dass einer seiner persönlichen Referenten im Bundeskanzleramt (seit 1972), Günter Guillaume, Offizier des DDR-Geheimdienstes war. Brandt hatte es zugelassen, dass der verdächtige Guillaume an seinem Platz blieb, während ihn der Verfassungsschutz bereits observierte. Im April 1974 wurden Guillaume und seine Ehefrau wegen Spionage für die DDR verhaftet und später wegen schweren Landesverrates zu 13 bzw. 8 Jahren Haft verurteilt. Bis heute ist nicht bekannt, ob Guillaume, der bei Brandt nur in untergeordneter Funktion tätig war, wirklich wichtige Informationen nach Ostberlin übermitteln konnte. Markus Wolf, der Chef des Auslandsspionagedienstes der DDR bestritt dies später entschieden.

Als Brandt seitens der Behörden Anfang Mai 1974 bedeutet wurde, Guillaume könnte vor Gericht wirkliche oder vermeintliche Frauengeschichten ausbreiten, entschloss er sich am 6. Mai 1974 zum Rücktritt, weil er sein Privatleben nicht in die Öffentlichkeit zerren lassen wollte.

Die meisten Parteifreunde, die Brandt persönlich gut kannten, hielten dies jedoch eher für einen vorgeschobenen Grund. In Wirklichkeit war er schon längere Zeit amtsmüde. Die Auseinandersetzungen mit Wehner und Schmidt über den Kurs der Regierung und die innerparteilichen Querelen zwischen linken Reformern und konservativen Pragmatikern spielten dabei ebenso eine Rolle wie die Einsicht, dass er zur Lösung der anstehenden schwierigen wirtschaftlichen Probleme wenig beitragen konnte. Als seinen Nachfolger schlug er daher Bundesfinanzminister Helmut Schmidt vor.

ZEITTAFEL

1969

21. Oktober 1969	Der Bundestag wählt mit den Stimmen der SPD und der FDP den SPD-Vorsitzenden Willy Brandt zum Bundeskanzler. Der FDP-Vorsitzende Walter Scheel wird Vizekanzler und Außenminister der sozialliberalen Koalition.
28. Oktober 1969	In seiner Regierungserklärung formuliert Bundeskanzler Brandt die Bereitschaft, die DDR als zweiten Staat in Deutschland anzuerkennen.
29. November 1969	Die Bundesrepublik unterzeichnet den Atomwaffensperrvertrag.

1970

13. Februar 1970	Der Deutsche Bildungsrat legt einen Strukturplan für das Bildungswesen vor, der mehr Chancengleichheit eröffnen soll.
14. März 1970	Bundeskanzler Brandt und Ministerpräsident Stoph treffen in Erfurt zusammen.
14. Mai 1970	Die gewaltsame Befreiung von Andreas Baader aus dem Justizgewahrsam gilt als Geburtsstunde der „Rote Armee Fraktion" (RAF).

21. Mai 1970	Auch das zweite Treffen von Brandt und Stoph in Kassel bleibt ohne greifbare Ergebnisse.
23. Juni 1970	Abkommen mit Polen über wirtschaftliche Zusammenarbeit.
25. Juni 1970	Bund-Länder-Kommission für Bildungsplanung eingerichtet.
31. Juli 1970	Aktives Wahlalter auf 18 Jahre, das passive auf 21 Jahre herabgesetzt.
12. August 1970	Unterzeichnung des deutsch-sowjetischen Gewaltverzichtsabkommens in Moskau (Moskauer Vertrag).
8. Dezember 1970	Über 2 Millionen ausländische Arbeitnehmer in der Bundesrepublik.
13. Dezember 1970	Deutsch-polnischer Vertrag in Warschau unterzeichnet (Warschauer Vertrag).

1971

19. Juli 1971	Städtebauförderungsgesetz.
1. September 1971	Bundesausbildungsförderungsgesetz (Bafög).
3. September 1971	Viermächte-Abkommen über Berlin von den Botschaftern der USA, Großbritanniens, Frankreichs und der Sowjetunion unterzeichnet.
20. Oktober 1971	Willy Brandt erhält den Friedensnobelpreis.
17. Dezember 1971	Transitabkommen zwischen der Bundesrepublik und der DDR unterzeichnet.

1972

28. Januar 1972	„Radikalenerlass": Brandt und die Ministerpräsidenten bekräftigen, dass jeder Bewerber für den öffentlichen Dienst die Gewähr bieten muss, für die freiheitlich demokratische Grundordnung einzutreten.

27. April 1972	Das von der CDU/CSU beantragte konstruktive Misstrauensvotum gegen Bundeskanzler Brandt scheitert knapp. Dem Unionskandidaten Rainer Barzel fehlen zwei Stimmen zur erforderlichen absoluten Mehrheit bei der geheimen Abstimmung.
11. Mai 1972	Terroranschlag gegen das Hauptquartier der US-Armee in Frankfurt am Main, weitere Mord- und Bombenanschläge gegen einen Bundesrichter, das Springer-Hochhaus in Hamburg, US-Armee in Heidelberg durch die RAF folgen.
17. Mai 1972	Moskauer- und Warschauer Vertrag vom Bundestag bei Stimmenthaltung der CDU/CSU verabschiedet.
26. Mai 1972	Verkehrsvertrag zwischen Bundesrepublik und DDR unterzeichnet.
1. Juni 1972	Verhaftung mehrerer Terroristen, darunter Andreas Baader.
5./6. September 1972	Während der Olympischen Spiele in München überfallen Mitglieder der palästinensischen Terrororganisation „Schwarzer September" das Quartier der israelischen Mannschaft, ermorden zwei Sportler und nehmen neun Geiseln. Der Befreiungsversuch der bayerischen Polizei auf dem Flughafen Fürstenfeldbruck scheitert: alle israelische Geiseln werden ermordet, fünf der acht Terroristen und ein Polizist getötet.
14. September 1972	Bundesrepublik und Polen nehmen diplomatische Beziehungen auf.
19. November 1972	Vorgezogene Wahlen zum 7. Deutschen Bundestag: SPD: 45,8%, CDU/CSU: 44,9%, FDP: 8,4%. Willy Brandt erneut zum Bundeskanzler gewählt.

21. Dezember 1972	Grundlagenvertrag zwischen Bundesrepublik und DDR unterzeichnet.

1973

1. Januar 1973	Dänemark, Großbritannien und Irland werden Mitglieder der Europäischen Gemeinschaft.
27. Januar 1973	Abkommen zwischen den USA und Nordvietnam in Paris über die Beendigung des Krieges in Vietnam.
11. Mai 1973	Der Bundestag verabschiedet den Grundlagenvertrag mit der DDR gegen die Stimmen der Unionsparteien.
21. Juni 1973	Grundlagenvertrag tritt in Kraft.
3./8. Juli 1973	Beginn der Konferenz über Sicherheit und Zusammenarbeit in Europa (KSZE) in Helsinki.
31. Juli 1973	Das Bundesverfassungsgericht erklärt den Grundlagenvertrag für mit dem Grundgesetz vereinbar und betont das für jede Bundesregierung verbindliche Wiedervereinigungsgebot der Verfassung.
18. September 1973	Bundesrepublik und DDR werden Mitglieder der UNO.
1. Oktober 1973	Erdgaslieferungen aus der Sowjetunion beginnen.
17. Oktober 1973	Auf dem Höhepunkt des israelisch-arabischen Krieges (Jom-Kippur-Krieg, 6./25. Oktober) beginnen die Erdöl produzierenden arabischen Länder die Preise für Erdöl zu erhöhen und die Liefermengen zu verringern. Die erste schwere Wirtschaftskrise in der Bundesrepublik seit 1949 ist die Folge. Es beginnt eine breite Diskussion über die „Grenzen des Wachstums".

9. November 1973	Gesetz zur Sicherung der Energieversorgung.
19. November 1973	Fahrverbote an mehreren Sonntagen und Geschwindigkeitsbegrenzungen angeordnet.
23. November 1973	Bundesregierung beschließt Anwerbestopp für Gastarbeiter.
11. Dezember 1973	Prager Vertrag zwischen der Bundesrepublik und der Tschechoslowakei unterzeichnet.
19. Dezember 1973	Zahl der Arbeitslosen übersteigt die Millionengrenze.

1974

22. März 1974	Herabsetzung des Volljährigkeitsalters auf 18 Jahre.
25. April 1974	Günter Guillaume, persönlicher Referent Bundeskanzler Brandts, wird als DDR-Spion enttarnt und festgenommen.
2. Mai 1974	Die Ständigen Vertretungen der Bundesrepublik und der DDR in Ostberlin und Bonn nehmen ihre Arbeit auf.
6. Mai 1974	Rücktritt Willy Brandts als Bundeskanzler.

Die Aufnahme vom 27.7.1978 zeigt Bundeskanzler Helmut Schmidt (li) und Frankreichs Staatspräsident Valéry Giscard d'Estaing. *Foto: Bilderdienst Süddeutscher Verlag*

8. Jahre der Krisen – politische Belastungsproben und ihre Bewältigung während der Regierung Schmidt/Genscher 1974 bis 1982

Die neue Regierung

Der Rücktritt Brandts vom Amt des Bundeskanzlers schwächte die sozialliberale Koalition nicht. Die Sozialdemokraten und die Liberalen setzten ihr politisches Bündnis mit der Wahl von Helmut Schmidt zum Regierungschef am 16. Mai 1974 fort. Ein Tag zuvor war der bisherige Außenminister Walter Scheel (FDP) als Nachfolger Gustav Heinemanns (SPD) von der Bundesversammlung zum Staatsoberhaupt gewählt worden, und neuer Außenminister und Vizekanzler wurde der starke Mann der FDP, der bisherige Innenminister Hans-Dietrich Genscher, der Scheel bald auch im Amt des Parteivorsitzenden nachfolgte. Im Übrigen unterschied sich die neue Regierung personell und programmatisch erheblich von ihrer Vorgängerin. Den Ton gaben jetzt gestandene Sozialdemokraten mit unverkennbar konservativem Habitus an, die sich als Praktiker der Politik verstanden – wie etwa Hans Apel (Finanzminister), Hans-Jochen Vogel (Justizminister) oder Egon Franke (Minister für innerdeutsche Beziehungen). Auffällig viele Minister stammten aus dem Gewerkschaftslager – Walter Arendt (Arbeitsminister), Georg Leber (Verteidigungsminister), Kurt Gscheidle (Verkehrs- und Postminister), Hans Matthöver (Forschungsminister); und nicht ohne Grund schied ein intellektueller Querdenker wie Erhard Eppler (Minister für wirtschaftliche Zusammenarbeit) nach zwei Monaten bereits wieder aus dem Kabinett aus; an seine Stelle trat Egon Bahr.

Ende der Reformeuphorie

Zwar betonte der neue Steuermann im Bundeskanzleramt die Kontinuität zu seinem Vorgänger, aber das bezog sich im Wesentlichen auf die Ostpolitik und war eher eine Höflichkeitsfloskel. Im Kern seiner ersten Regierungserklärung stand die Absage an kostspielige Reformprojekte aller Art und an wolkige politische Zukunftsziele: „In einer

Zeit weltweit wachsender Probleme konzentrieren wir uns in Realismus und Nüchternheit auf das Wesentliche, auf das, was jetzt notwendig ist, und lassen Anderes beiseite."

Pragmatiker und Krisenmanager

Schmidt hätte es vorgezogen, zu einem späteren Zeitpunkt und auf weniger Aufsehen erregende Weise die Nachfolge Brandts anzutreten. Nach eigenem Bekunden fürchtete er sich damals vor dem schwierigen Amt. Doch verantwortungsscheu war er nicht und schon bald mussten auch die politischen Gegner einräumen, dass nunmehr ein ausgesprochen führungswilliger und führungsstarker Kanzler das Staatsschiff lenkte. Umsicht, Urteilskraft und Entscheidungsfreude zeichneten ihn aus – Fähigkeiten, die der 56-Jährige in seiner langen Politikkarriere entwickelt hatte als Bundestagsabgeordneter (seit 1953), Hamburger Innensenator (1961 bis 1965), Fraktionsvorsitzender der SPD im Bundestag (1967 bis 1969), stellvertretender Parteivorsitzender (ab 1968), und seit 1969 nacheinander als Verteidigungsminister, Wirtschafts- und Finanzminister in der Ära Brandt.

Der neue Kanzler verstand sich als Realist und Pragmatiker, als „leitender Angestellter der Bundesrepublik Deutschland", wie er sich gerne titulierte, wenn ihm daran lag, sein verantwortungsethisch begründetes Amtsverständnis allgemein verständlich darzulegen. Politische Visionen waren seine Sache nicht. Er fühlte sich zum konkreten Handeln und zum Lösen drängender aktueller Probleme im Rahmen des politisch Möglichen berufen, nicht zur geistig-moralischen Führung der Gesellschaft, die seinem Politikverständnis gemäß viel eher den Kirchen, der Wissenschaft, den gesellschaftlichen Eliten oblag. Der ungeduldige „Macher" und überzeugte Marktwirtschaftler hatte wenig Sinn für theoretisch-ideologische Debatten und Planspiele etwa über die Belastbarkeit der Wirtschaft, wie sie von Teilen seiner Partei auf dem linken Flügel betrieben wurden. Da standen ihm die Gewerkschaften wesentlich näher. Zum Idol seiner Partei, dem Vorsitzenden Willy Brandt vergleichbar, stieg er deshalb auch nicht auf, und den Parteivorsitz strebte er auch nie an – ein machtpolitischer Fehler, wie er später einräumte. Dafür erreichte er während seiner gesamten Kanzlerschaft Zustimmungswerte in der Bevölkerung, die weit über denen zu seiner Partei lagen.

Kaum ein anderer Politiker verfügte über eine vergleichbare politische Erfahrung in Fragen der Sicherheits- und Verteidigungspolitik, der Wirtschafts- und Finanzpolitik wie Helmut Schmidt, und genau auf diesen Feldern stand die Bundesrepublik vor neuen Herausforderungen. Die Ära der Reformen war vorbei. In der Öffentlichkeit wich die Aufbruchstimmung der vergangenen Jahre einem verbreiteten Krisenbewusstsein und dem Verlangen nach Sicherheit und stabilen Verhältnissen.

Erdölschock und die wirtschaftlichen Folgen

Kaum im Amt musste Bundeskanzler Schmidt bereits seine Befähigung zum Krisenmangement unter Beweis stellen. Die wirtschaftlichen Rahmenbedingungen hatten sich seit 1973 stark verschlechtert. Die erste Erdölkrise vom Herbst des Jahres führte wenige Monate später zu einem Konjunktureinbruch und einer scharfen Rezession. Die von der Regierung angeordneten Sonntagsfahrverbote Ende 1973 symbolisierten den Epochenwechsel. Die Zeit der billigen Energie war zu Ende gegangen, und die „Grenzen des Wachstums" – so der Titel eines zur gleichen Zeit erschienenen und weltweit diskutierten Bestsellers des Club of Rome – schienen erreicht zu sein.

Erstmals im vierten Nahostkrieg gegen Israel hatten die arabischen Staaten das Erdöl als Waffe eingesetzt, um Amerika und Westeuropa auf ihre Seite zu ziehen. Sie verringerten die Erdölförderung, wodurch sich der Preis des für die westlichen Industriestaaten wichtigsten Energieträgers in Kürze vervierfachte. In der Folge kam es zu einem drastischen Rückgang im Export der teurer gewordenen deutschen Produkte und zu einem Anstieg der Arbeitslosigkeit. Die zweite Ölkrise 1979/80 traf die Bundesrepublik wie ihre Partnerländer noch härter. Im Gefolge der Revolution im Iran, die den Schah – ein verlässlicher Verbündeter der Amerikaner- außer Landes trieb, kam es zu Panikkäufen an den internationalen Ölmärkten. Die in der OPEC zusammengeschlossenen Erdölproduzenten nutzen diese Situation und drehten erneut an der Preisspirale. Zwischen 1978 und 1981 verteuerte sich das Rohöl um 250 Prozent. Diese Preisexplosion löste in der Bundesrepublik wie überall sonst wiederum eine Kettenreaktion von negativen wirtschaftlichen Folgen aus – Inflation, Lohnsteigerungen, Rückgang von Produktion und Export, Arbeitslosigkeit. Die weltweite Rezession forderte ihren Tribut.

167

Wirtschaftskrise und Arbeitslosigkeit

Die seit 1959 anhaltende Phase der relativen Vollbeschäftigung war 1973 definitiv zu Ende gegangen. Die deutsche Volkswirtschaft wuchs im Durchschnitt der folgenden Jahren nur noch geringfügig, die Inflation nahm zu und gleichzeitig wurden immer mehr Menschen arbeitslos: 1974 etwas über eine halbe Million, ein Jahr später bereits über eine Million, und am Ende der Ära Schmidt im Jahre 1982 belief sich ihre Zahl auf 1,8 Millionen Menschen. Dennoch war die wirtschaftliche Lage in der Bundesrepublik verglichen mit den anderen Industriestaaten noch relativ günstig und dies schrieben die meisten Bundesbürger ihrem Kanzler zu. Mit mehreren staatlichen Konjunkturprogrammen gelang es der Regierung, die wirtschaftlichen Wachstumskräfte zeitweilig wieder zu beleben, allerdings unter Inkaufnahme einer zunehmenden Verschuldung der öffentlichen Hand. Die Regierung reagierte rasch und entschlossen mit einer Reihe von staatlichen Fördermaßnahmen zur Energieeinsparung, und steuerte insgesamt einen energiepolitischen Kurs, der eine größere Unabhängigkeit vom Öl (durch Kernenergie, Erdgas, Kohle) und von den arabischen Lieferländern (mehr Importe aus Großbritannien, Sowjetunion) vorsah.

Zum Ärger nicht weniger Sozialdemokraten wurde der Chefökonom im Bundeskanzleramt nicht müde, zu betonen, dass die Staatsausgaben zugunsten der Förderung der Investitionsbereitschaft der Unternehmer zurückgefahren werden müssten. Aber der Kampf gegen die Arbeitslosigkeit – das unlösbare Dauerproblem der späten siebziger Jahre – kostete viele Milliarden DM, so dass an Steuersenkungen oder gar an eine Sparpolitik in dieser Situation nicht zu denken war. Im Gegenteil, die Verschuldung des Staates nahm weiter stark zu – von 47 Milliarden DM (1970) auf 309 Milliarden DM (1982). Im Streit über die Sanierung des Haushaltes durch von den Liberalen geforderte tiefe Einschnitte im Sozialbereich lag dann auch der Spaltpilz, der das Ende der sozialliberalen Koalition beförderte.

Internationale Wirtschaftspolitik

International errang Bundeskanzler Schmidt großes Ansehen als anerkannter Wirtschaftsexperte. Er brillierte auf den auf seine Initiative zurückgehenden, seit 1975 jährlich stattfindenden Weltwirtschaftsgipfeln der sieben führenden Industrienationen – USA, Frankreich, England,

Italien, Bundesrepublik, Japan, Kanada – und konnte auch Erfolge für ein international abgestimmtes Handeln in der Energie- und Währungspolitik zur Verhinderung noch schlimmerer Folgen der weltweiten Rezession verzeichnen. Die deutsch-amerikanischen Beziehungen litten allerdings unter dem persönlich sehr schlechten Verhältnis zwischen Schmidt und US-Präsident Jimmy Carter (1977/80), dem der Bundeskanzler völlige Unkenntnis in weltwirtschaftlichen Zusammenhängen vorwarf. Die „Chemie" zwischen dem vernunftgeleiteten deutschen Realpolitiker und dem Moralisten im US-Präsidentenamt stimmte nicht und es erwies sich für die Europäer als sehr schwer, die amerikanische Regierung für eine Korrektur ihrer in Energiefragen laxen Einstellung zu gewinnen.

Waren in diesen Jahren die wirtschaftlichen Interessengegensätze zwischen den europäischen Ländern und den USA der Ära Carter nur mühsam auszugleichen, so entwickelten sich die deutsch-französischen Beziehungen um so besser mit günstigen Auswirkungen auf den europäischen Einigungsprozess. Der seit 1974 amtierende französische Staatspräsident Valéry Giscard d'Estaing, ebenfalls ehemaliger Wirtschafts- und Finanzminister, und der deutsche Bundeskanzler verstanden sich bestens und zogen als kongeniale Realpolitiker mit scharfem analytischem Verstand an einem Strang.

Ihren wirtschaftspolitischen Weitblick demonstrierten beide Staatsmänner 1978 mit ihrer Initiative für einen Wechselkursverbund der westeuropäischen Länder. Mit dem Europäischen Währungssystem (EWS) wurden die Währungen der Mitgliedstaaten sozusagen aneinander gekettet – eine Schwankungsbreite von bis zu 2,25 Prozent nach oben und unten war gestattet –, um gefährliche wirtschaftliche Turbulenzen durch starke Veränderungen im Verhältnis der Währungen zueinander (Währungsparitäten) dauerhaft zu verhindern. Dies war eine wichtige Weichenstellung und Erprobungsphase für die in den neunziger Jahren getroffene Entscheidung zur Einführung einer einheitlichen europäischen Währung (Euro) innerhalb der Europäischen Union.

Deutschlandpolitische Kontinuität

Auf dem Feld der deutsch-deutschen Beziehungen setzte Schmidt auf Kontinuität. Der Grundlagenvertrag mit der DDR wurde durch eine Reihe von verkehrstechnischen Abkommen (Autobahnbau von Berlin nach Hamburg, zweigleisiger Eisenbahnverkehr zwischen Berlin und Helmstedt, Verbreiterung eines Abschnitts des Mittellandkanals), durch Vereinbarungen über Transit-, Straßenbenutzungs- und Postpauschalen sowie durch die Fortschreibung von Handelsabkommen einschließlich des für die DDR-Wirtschaft wichtigen zinslosen Überziehungskredites bis auf 850 Millionen DM pro Jahr mit Leben erfüllt.

Diese Vereinbarungen waren allesamt für die Bundesrepublik sehr kostspielig und schlugen mit jährlich mehreren hundert Millionen DM zu Buche. Doch mit ihrem wenig Aufsehen erregenden, nüchternen Kalkül nach dem Motto „Geld gegen menschliche Erleichterungen" lag die Bundesregierung, wie sich später zeigen sollte, durchaus richtig.

Der innerdeutsche Reiseverkehr von Westdeutschland und Westberlin in die DDR und aus der DDR in die Bundesrepublik boomte, und auch die periodisch wiederkehrenden Versuche der SED-Führung, durch schikanöse Grenzkontrollen und Erhöhung des Zwangsumtausches den Besucherverkehr abzubremsen, hatten keinen durchschlagenden Erfolg. Weil die SED-Führung unter Honecker zum Zwecke der inneren Stabilisierung ein dringendes Interesse an Westhandel, Westdevisen, Westkredite und wirtschaftlicher Kooperation mit der Bundesrepublik hatte, konnte die Regierung Schmidt/Genscher an diesem Punkt ansetzen, um Reiseerleichterungen, Übersiedlungen, Familienzusammenführung, Freikauf von politischen Häftlingen u.a. durchzusetzen. Dabei nutzte Schmidt, unterstützt von Fraktionschef Wehner und unter Zuhilfenahme der diskreten Vermittlerdienste des Honecker-Vertrauten und Rechtsanwalts Wolfgang Vogel, vor allem den direkten Draht zu Honecker, wenn es zu Stockungen in den beiderseitigen Beziehungen kam.

Der Ostblock und die westdeutsche Wirtschaftskraft

Das war zwar hilfreich, um im Windschatten der öffentlichen Aufmerksamkeit Zehntausenden von Menschen zu helfen, die sich im Räderwerk der Systemkonfrontation auf deutschem Boden verfangen hatten. Doch die Schmidtsche Telefondiplomatie und die Maklerdienste des Honecker-Vertrauten Vogel konnten nur funktionieren, solange die Kontakte Bonns mit der Hegemonialmacht im Osten keinen Schaden nahmen. Deshalb blieben für die Regierung Schmidt/Genscher die Beziehungen zur Sowjetunion vorrangig. In ihrem Mittelpunkt standen

Handel und Wirtschaft. Die Bundesrepublik war der wichtigste westliche Handelspartner der Sowjetunion. Eine Reihe langfristiger Wirtschaftsabkommen – zum Beispiel die 1978 vereinbarte Lieferung von sowjetischem Erdgas bis zum Jahr 2000 – festigte die bilateralen Beziehungen zwischen beiden Ländern auch in Zeiten einer wieder zunehmenden Konfrontation zwischen den beiden Supermächten.

Die westdeutsche Wirtschaftskraft wirkte auch gegenüber Polen als Türöffner und trug zu einer Verbesserung der Beziehungen bei. So einigten sich der Bundeskanzler und der polnische Staats- und Parteichef Gierek 1975 auf ein für die damalige Zeit typisches Koppelgeschäft. Die polnische Seite erhielt einen Milliardenkredit zu günstigen Konditionen und erklärte sich im Gegenzug bereit, in den kommenden Jahren über 100 000 Deutsche aus Polen ausreisen zu lassen; für diese Aussiedler wurde dann noch ein „Kopfgeld" von 10 000 DM fällig.

Politik der Schadensbegrenzung im Verhältnis zur DDR

Schmidt und Honecker hatten sich erstmals auf der KSZE-Schlusskonferenz in Helsinki 1975 getroffen und die Gelegenheit für persönliche Gespräche genützt. Brieflich und telefonisch hielten beide miteinander Kontakt, auch Ende der siebziger Jahre als eine neue Eiszeit zwischen Ost und West auszubrechen drohte. Zwar pochte der Bundeskanzler auf die Notwendigkeit einer Nachrüstung der Natostaaten zur Vermeidung von Sicherheitslücken gegenüber der Sowjetunion, bemühte sich aber gleichzeitig im deutsch-deutschen Verhältnis um eine möglichst wirkungsvolle Schadensbegrenzung.

Allein die Tatsache, dass man auf informellen Kanälen miteinander im Gespräch blieb und ein offizielles Treffen beider Politiker in Ostberlin plante, galt damals bereits als ein politischer Erfolg. Auf Weisung Moskaus musste Honecker jedoch zunächst ein solches Treffen absagen.

Deutsch-deutsches Gipfeltreffen im Zwielicht

Erst im Dezember 1981 gaben die sowjetischen „Freunde" grünes Licht und der Bundeskanzler reiste in die DDR. Eine substantielle Änderung der Deutschlandpolitik der Ostberliner Kommunisten bewirkten die deutsch-deutschen Gespräche jedoch nicht. Sie standen ganz im Schatten der zeitgleichen Verhängung des Kriegsrechts in Polen. Die Protestaktionen der polnischen Gewerkschaftsbewegung Solidarnosc beunruhigten die SED-Führung aufs Äußerste. Die in Polen immer lauter werdenden Forderungen nach Wirtschaftsreformen, persönlicher Freiheit und Abrüstung waren für die ostdeutschen Machthaber nichts Anderes als Aufrufe zur „Konterrevolution" gegen die kommunistische Parteiherrschaft. Im Warschauer Pakt gehörte Honecker zu den Scharfmachern, die ein militärisches Eingreifen, auch mit Kräften der DDR, in Polen befürworteten, wozu es dann aber nicht kam. Der neue Parteichef, General Jaruzelski, blieb zunächst noch Herr der Lage, indem er die führenden Köpfe der Protestbewegung, unter anderem Lech Walesa, den späteren ersten Staatspräsidenten des demokratischen Polen, ins Gefängnis werfen ließ.

Polnische Verhältnisse durften also nach dem Willen des Ostberliner Politbüros in der DDR nicht einreißen. Deshalb blieb Honecker bei seinem starren Abgrenzungskurs gegenüber der Bundesrepublik, der vor allem in der Forderung nach Anerkennung einer eigenen DDR-Staatsbürgerschaft durch die Bundesregierung zum Ausdruck kam. Die stetige Fortführung der „gutnachbarschaftlichen Beziehungen" beider deutscher Staaten, zu der sich Schmidt und Honecker beim deutsch-deutschen Gipfeltreffen im Dezember 1981 bekannten, waren daher nur formelhafte Bekenntnisse, ein Muster ohne Wert. Dass die SED-Spitze die eigene Bevölkerung am liebsten unter dauerhafte Quarantäne gestellt hätte, zeigte sich beim Besuch Schmidts in der mecklenburgischen Kleinstadt Güstrow. Der Bundeskanzler wollte dort die Wirkungsstätte des berühmten Bildhauers Ernst Barlach besichtigen. Nichts fürchtete die DDR-Führung zu diesem Zeitpunkt aber so sehr, wie unkontrollierte Sympathiebekundungen der Güstrower gegenüber dem auch in der DDR hochgeschätzten Helmut Schmidt. Ein zweites Erfurt sollte es nicht geben. Erich Mielkes Staatssicherheitsdienst hatte daher seine große Stunde. Alle „feindlich-negativen" Personen wurden unter Kontrolle gehalten. Die Bewohner Güstrows durften nicht auf die Straßen. An ihrer Stelle bevölkerten Sicherheitskräfte der Polizei und des Geheimdienstes die Stadt.

Wenn sich die DDR auch noch so erfolgreich bemühte, die Verpflichtungen in der Praxis zu unterlaufen, die sie, wie die übrigen Ostblockstaaten, im Helsinki-Abkommen von 1975 eingegangen war – nämlich für die Anerkennung ihres Herrschaftsbereiches durch die westlichen Unterzeichnerstaaten die Menschenrechte und Grundfreiheiten ihrer

Bürger zu respektieren –, so geriet sie doch unmerklich in eine faktische wirtschaftliche Abhängigkeit von der Bundesrepublik. Die von den Zeitgenossen dem Honecker-Regime zugeschriebene politische Stabilität ruhte in Wirklichkeit auf tönernen wirtschaftlichen Füßen. Nicht die damalige Bonner Deutschlandpolitik des Dialogs und der wirtschaftlichen Kooperation mit Ostberlin stabilisierte das SED-Regime, sondern seine militärische Garantie durch die Sowjetunion. Daran hätte auch eine auf größere Distanz zur SED-Führung zielende Deutschlandpolitik der Bonner Regierung nichts ändern können.

Herausforderung des Staates durch den Terrorismus

Wenige politische Ereignisse während der Regierungszeit von Bundeskanzler Schmidt bewegten und erregten die Zeitgenossen damals so sehr wie die Gewaltakte von durchwegs sehr jungen Terroristen gegen Vertreter der staatlichen und gesellschaftlichen Elite in der Bundesrepublik. Deshalb sollen diese Ereignisse hier etwas ausführlicher dargestellt werden.

Bereits seit Anfang der siebziger Jahre beherrschten der Terrorismus und seine Bekämpfung die deutsche Innenpolitik. Wie nie zuvor schien die innere Ordnung der jungen Bonner Demokratie gefährdet zu sein. Die Renaissance marxistischer und anarchistischer Ideen bildete den geistigen Hintergrund für die studentische Protestbewegung (APO) der späten sechziger Jahre, aus der eine kleine Gruppe linksrevolutionärer Aktivisten hervorgegangen war, die den bewaffneten Kampf gegen den Staat proklamierte. Aus der damals verbreiteten Kritik an der bestehenden kapitalistischen Gesellschaftsordnung und der Forderung nach ihrer Überwindung entwickelten radikale Aktivisten ein Feindbild, mit dem sie die Anwendung brutaler Gewalt rechtfertigten.

Die Rote Armee Fraktion

Mit Brandanschlägen auf zwei Frankfurter Kaufhäuser 1968 begann der Terrorismus in der Bundesrepublik. Später folgten Bombenanschläge gegen Einrichtungen der Polizei und der US-Armee. Unter den festgenommenen Brandstiftern in Frankfurt befanden sich die späteren Hauptakteure der bundesdeutschen Terrorszene Andreas Baader und die Pastorentochter und Studentin Gudrun Ensslin. Ihre Verteidigung übernahm der Berliner Rechtsanwalt Horst Mahler, publizistisch unterstützte sie die Journalistin Ulrike Meinhof, die verständnisvolle Worte für die Brandstiftung als angebliche Demonstration gegen den „Konsumterror" fand. Mahler und Meinhof schlossen sich wenig später der Gruppe um Andreas Baader an. Dieser und Ensslin wurden zu drei Jahren Zuchthaus verurteilt. Sie nutzten die vorläufige Haftverschonung bis zur Berufung, um in den Untergrund abzutauchen. Baader konnte im April 1970 wieder verhaftet werden. Bei seiner gewaltsamen Befreiung wenige Wochen später durch Gesinnungsgenossen kam ein Unbeteiligter zu Tode. Im Untergrund begann die Baader-Meinhof-Gruppe daraufhin mit dem Aufbau einer terroristischen Organisation, der sie den programmatischen Namen „Rote Armee Fraktion" (RAF) gab. Nach dem Vorbild lateinamerikanischer Revolutionäre („Stadtguerilla") sollten hochgestellte Repräsentanten des staatlichen Machtapparates ermordet und prominente Persönlichkeiten entführt werden, um den Staat zu erschüttern und die „Massen" zum bewaffneten Kampf gegen ihre „Unterdrücker" zu mobilisieren. Diese wirren Ideen hatten nichts mit den Verhältnissen in der Bundesrepublik zu tun. Das änderte aber nichts daran, dass die selbst ernannten Revolutionäre nach einer paramilitärischen Ausbildung im Nahen Osten Vorbereitungen für ihren bewaffneten Kampf in der Bundesrepublik trafen. Durch Banküberfälle und Einbrüche, bei denen es mehrere Tote und zahlreiche Verletzte gab, beschafften sie sich Geld, Waffen und falsche Pässe. Im Sommer 1972 konnte der harte Kern der RAF in Frankfurt verhaftet werden.

Sympathisanten und Aktivisten

Der Terrorismus war damit aber noch lange nicht gebändigt. Aus den Gefängnissen heraus führten die Terroristen der ersten Generation ihren Kampf gegen die westdeutsche Gesellschaft fort. Mit Hilfe ihrer Anwälte organisierten sie Hungerstreiks in den Haftanstalten und knüpften Kontakte zur „Bewegung 2. Juni", einer weiteren Untergrundorganisation. Hinzu kam eine größere Anzahl von Sympathisanten („Gefangenen – Hilfskomitees"), zumeist bürgerlicher Herkunft, die Wohnungen und Autos anmieteten, Unterschlupf gewährten, öffentliche Proteste organisierten, und aus deren Reihen sich die zweite Terroristen-Generation rekrutierte. So stießen zum Beispiel von den 69 der Polizei bekannten Mitgliedern des „Heidelberger Sozialistischen Patientenkollektivs" 32 Personen zur Terrorszene der RAF.

Befreiungsversuche inhaftierter Terroristen

Mit spektakulären Entführungen und Überfällen versuchte die neue RAF die Freilassung von inhaftierten Gesinnungsgenossen zu erpressen. Nach dem Tod eines Mitglieds der Baader-Meinhof-Gruppe infolge eines Hungerstreiks kam es im November 1974 in der ganzen Bundesrepublik zu Demonstrationen gegen Justiz und Polizei. Einen Tag später erschossen RAF-Mitglieder den Berliner Kammergerichtspräsidenten Günther von Drenkmann, der sich gegen einen Entführungsversuch gewehrt hatte. Im Februar 1975 entführte ein Terrorkommando der „Bewegung 2. Juni" den Berliner CDU-Vorsitzenden Peter Lorenz und erpresste die Freilassung von fünf inhaftierten Gesinnungsgenossen, die in den Südjemen ausgeflogen wurden. In Bonn und Berlin tagten Krisenstäbe unter der Leitung von Bundeskanzler Schmidt und dem Regierenden Bürgermeister von Berlin Klaus Schütz (SPD); trotz starker Bedenken entschied sich die Regierung, den Terroristen nachzugeben. Lorenz kam frei. Die Entführer wurden später zu langjährigen Haftstrafen verurteilt. Die freigepressten Terroristen reisten später wieder in die Bundesrepublik ein und verübten erneut Gewaltverbrechen.

Zwei Monate nach der Lorenz-Entführung versuchte eine Terroristengruppe durch die Besetzung der deutschen Botschaft in Stockholm die Freilassung der gesamten Führungsspitze der RAF zu erpressen. Als der Bonner Krisenstab sich diesmal den Forderungen der Terroristen verweigerte, kam es zum Mord an zwei Geiseln. Die schwedische Polizei konnte die übrigen Geiseln befreien, zwei Terroristen kamen ums Leben, die übrigen wurden festgenommen.

Gefahr für die innere Sicherheit

So genannte „Revolutionäre Zellen" verstanden es immer wieder, in der Bevölkerung Angst und Schrecken durch Sprengstoffanschläge gegen prominente Personen des öffentlichen Lebens oder stark frequentierte Einrichtungen wie den Hamburger Hauptbahnhof (elf Verletzte), Firmengebäude oder Kasernen der US-Armee zu verbreiten. Erfolgreiche Ausbrüche mehrerer Terroristen aus einer Berliner Haftanstalt erregten die Öffentlichkeit nicht weniger wie der Selbstmord von Ulrike Meinhof in ihrer Gefängniszelle in Stuttgart-Stammheim im Mai 1976, der zu bundesweiten Demonstrationen zahlreicher Sympathisanten gegen die Staatsmacht führte. Verbindungen der deutschen Terroristen zur internationalen Terrorszene wurden bei einem Überfall auf die in Wien tagenden Ölminister der OPEC 1975 (drei Tote) wie bei einer Flugzeugentführung durch palästinensische Gewalttäter nach Uganda 1976 erkennbar. Bei der Befreiungsaktion durch eine israelische Sondereinheit kamen 31 Menschen zu Tode, darunter zwei deutsche Geiselnehmer. Auf der Grundlage von Erkenntnissen des Verfassungsschutzes erklärte die Bundesregierung im Sommer 1976 den internationalen Terrorismus zur größten Gefahr für die innere Sicherheit in Westdeutschland. Mit der Einführung neuer Straftatbestände – u.a. die „Bildung terroristischer Vereinigungen" – versuchte die Regierung dieser Entwicklung entgegen zu treten.

Mordanschläge und Entführungen – der Staat soll erpresst werden

1977 erreichte der Terror der RAF seinen blutigen Höhepunkt. Anfang April erlagen Generalbundesanwalt Siegfried Buback und seine zwei Begleiter einem Mordanschlag auf offener Straße in Karlsruhe. Ende Juli ermordete eine Gruppe von Gewalttätern den Vorstandssprecher der Dresdner Bank Jürgen Ponto. Anfang September schließlich wurden der Spitzenrepräsentant der deutschen Wirtschaft, Arbeitgeberpräsident und BDI-Präsident Hanns Martin Schleyer, in Köln entführt, sein Fahrer und drei Polizeibeamte erschossen. Ein RAF-Kommando forderte die Freilassung von elf bereits verurteilten Terroristen, darunter Baader und Ensslin, und drohten mit der Ermordung Schleyers. Der von Bundeskanzler Schmidt einberufene Krisenstab, in dem auch die Spitzenpolitiker der Opposition vertreten waren, einigte sich darauf, den Forderungen der Terroristen nicht nachzugeben, um den Staat nicht zum Spielball der Erpresser werden zu lassen.

Schmidt setzte auf Zeitgewinn, in der Hoffnung, dass Schleyer durch die verdeckt geführte polizeiliche Fahndung gerettet werden konnte. Mit den Medien vereinbarte die Regierung eine freiwillige Nachrichtensperre, um die wochenlangen Fahndungsmaßnahmen des Bundeskriminalamtes nicht zu gefährden, die allerdings erfolglos blieben. In einem vielfach kritisierten, vom Bundesverfassungsgericht nachträglich aber bestätigten Eilverfahren verfügte Anfang Oktober 1977 der Bundestag mit großer Mehrheit per Gesetz eine „Kontaktsperre" der inhaftierten Terroristen zur Außenwelt, was sich insbesondere auf deren Verteidiger bezog. Mehrere Ultimaten der Entführer verstrichen. Um deren Forderungen zu unterstützen, kaperten vier palästinensische Luftpiraten am 13. Oktober 1977 eine Lufthansamaschine mit 91 Personen an Bord auf dem Flug von Mallorca nach Frankfurt. Nach einem Irrflug mit mehreren Zwischenstationen und der Ermordung des Flugkapitäns landete die Maschine in Mogadischu. Der Bundeskanzler entschied sich für den Versuch einer Rettungsaktion im fernen Somalia, nachdem der dortige Staatspräsident Siad Barre Schmidt persönlich den Einsatz einer deutschen Spezialeinheit des Bundesgrenzschutzes (GSG 9) genehmigt hatte. Am 18. Oktober 1977 kurz nach Mitternacht stürmte das Sonderkommando das Flugzeug und befreite alle Geiseln. Drei Terroristen kamen dabei ums Leben, eine Entführerin wurde schwer verletzt; sie wurde 1994 in Norwegen gefasst und in Deutschland verurteilt. Wenige Stunden später begingen die drei Top-Terroristen Ensslin, Baader und Raspe im Gefängnis Stuttgart-Stammheim Selbstmord durch Pistolenschüsse, nachdem sie trotz der Kontaktsperre von der gescheiterten Aktion ihrer Gesinnungsgenossen erfahren hatten. Tags darauf fand die Polizei durch Hinweise der Gewalttäter den ermordeten Arbeitgeberpräsidenten Schleyer in einem Auto in Mülhausen im Elsass.

Kein Solidarisierungseffekt in der Gesellschaft

In einer sehr schwierigen Situation hatte sich der Staat nicht erpressbar gezeigt. Er hatte auch keine „faschistische Fratze" offenbart, wie es in Flugschriften der RAF immer hieß, sondern seine Machtmittel verantwortungsvoll eingesetzt, die durch die Antiterrorgesetze von 1978 noch erweitert wurden. Bundeskanzler Schmidt stand auf dem Höhepunkt seines Ansehens im In- und Ausland. Während die Mehrheit der Bevölkerung die Entschlossenheit der Regierung zum Handeln unterstützte, musste sich diese mit dem Vorwurf von Teilen der linken Intelligenz, auch aus dem Ausland, auseinander setzen, die Bundesrepublik sei auf dem Weg in einen Polizeistaat. Entscheidend war jedoch, dass die Terroristen keinen Solidarisierungseffekt in der Gesellschaft erzielen konnten. Dazu trugen die Fahndungserfolge von Bundeskriminalamt und Polizei in den Jahren nach 1977 bei. Viele der lange Zeit vergeblich gesuchten RAF-Terroristen konnten gefasst und vor Gericht gestellt werden. Auch die in den achtziger und sogar noch Anfang der neunziger Jahren mit unverminderter Brutalität fortgesetzten blutigen Anschläge auf US-Militärs, Spitzenbeamte und vermehrt auf Wirtschafts-

manager (z.B. den Vorstandssprecher der Deutschen Bank Alfred Herrhausen im November 1989 und den Präsidenten der Treuhandanstalt
Detlev Karsten Rohwedder im April 1991) isolierten die Nachfolger
der RAF in ihrem gesellschaftlichen Umfeld. Erst nach dem Zusammenbruch der DDR 1989 wurde bekannt, dass einige der meistgesuch-
ten RAF-Terroristen in den achtziger Jahren dort Zuflucht und Hilfe-
stellungen (Fluchtwege) gefunden hatten und vom Staatssicherheitsdienst mit einer neuen Identität versehen worden waren. Sie lebten dort
unauffällig bis zu ihrer Festnahme im Jahre 1990.

Vorbildcharakter hatten die Terroristen der RAF auch für die rechtsextremistische Szene in den achtziger Jahren. Die Zahl der Opfer durch
Attentate mit rechtsterroristischem Hintergrund war sogar größer als
die der RAF. Allein der Bombenanschlag eines Einzelgängers mit Kon-
takten zu rechtsextremistischen Gruppierungen beim Münchner Ok-
toberfest 1980 tötete 13 Menschen und verletzte 219 zum Teil lebensgefährlich. Aber ebenso wenig wie die Linksterroristen konnten die
Rechtsterroristen auf ein gesellschaftliches Potential bauen, das die Demokratie in der Bundesrepublik zu gefährden in der Lage war.

Die Bundestagswahlen 1976 und 1980

Obgleich Bundeskanzler Schmidt, wie bereits erwähnt, weit über den
Kreis der SPD-Wähler hinaus Anerkennung genoss, verloren die beiden Koalitionsparteien seit 1974 zusehends an Zustimmung bei den
Wählern. Insbesondere der SPD-Führung gelang es offensichtlich
nicht, die durch die Wirtschaftskrise beunruhigten Bundesbürger von
ihrer Fähigkeit zum Krisenmangement zu überzeugen. Ein Hinweis
dafür waren die durchgängigen Stimmenverluste der SPD zugunsten
der Unionsparteien bei den Landtagswahlen.

Nach einem hart geführten Richtungswahlkampf – „Freiheit statt/oder
Sozialismus" (CDU/CSU), „Der bessere Mann muss Kanzler bleiben"
(SPD) –, bei dem es unter anderem bereits damals um die Sanierung der
Rentenversicherung ging, erzielte im Oktober 1976 der Kanzlerkandidat
der Union Helmut Kohl (seit 1973 Parteivorsitzender der CDU und seit
1969 erfolgreicher Ministerpräsident von Rheinland-Pfalz) mit 48,6 Prozent der Stimmen das beste Wahlergebnis seit 1957. Die SPD war auf 42,6
Prozent gekommen, nur das Ansehen Schmidts hatte sie vor einem weiteren Abrutschen in der Wählergunst bewahrt. Die FDP hatte sich mit 7,9

Prozent knapp gehalten. Da sie schon zuvor die Fortsetzung der Koalition mit der SPD angekündigt hatte, stand die Wiederwahl Helmut Schmidts zum Bundeskanzler fest. Diese war dann aber doch noch gefährdet, weil Schmidt nach der Bundestagswahl eine im Wahlkampf versprochene Rentenerhöhung zurücknehmen wollte. Die allgemeine Erregung in der Öffentlichkeit über diese von der Union sofort als „Rentenbetrug" bezeichnete Absicht zeigte auch in den Reihen der Abgeordneten der Koalition Wirkung. Mit der denkbar knappsten Mehrheit von einer Stimme über der erforderlichen absoluten Mehrheit von 249 Stimmen wurde Schmidt am 15. Dezember 1976 wieder zum Bundeskanzler gewählt. Drei Abgeordnete der Koalition hatten ihm ihre Stimmen versagt.

Seine erneute Wiederwahl vier Jahre später stand unter deutlich günstigeren Rahmenbedingungen. Bei der Bekämpfung des Terrorismus in der Bundesrepublik hatte Schmidt Führungskraft bewiesen. International galt er als eine herausragende Persönlichkeit unter den westlichen Regierungschefs und als europäischer Wortführer in militärstrategischen Fragen. Innenpolitisch sorgten zwar die neuen Protest- und Alternativbewegungen von Atomkraftgegnern, Umweltschützern, Frauenrechtlerinnen und Friedensgruppierungen, die sich Anfang 1980 in Teilen zu einer neuen bundespolitisch agierenden Partei unter dem Namen „Die Grünen" zusammengeschlossen hatten, für Unruhe in der Parteienlandschaft. Doch die Bundestagswahlen wurden wesentlich stärker durch die relative Schwäche der Opposition geprägt. Die jahrelangen internen Auseinandersetzungen zwischen dem CDU-Vorsitzenden Kohl und dem Vorsitzenden der Schwesterpartei in München, Franz Josef Strauß, die 1976 fast zur Auflösung ihrer Fraktionsgemeinschaft geführt hätten, kulminierten in der gegen das Votum Kohls und eines beachtlichen Teils der CDU durchgesetzten Kanzlerkandidatur von Strauß für die Bundestagswahl 1980.

Im Wahlkampf attackierte die Union den Bundeskanzler als „Rentenbetrüger" und „Schuldenkanzler". Schmidt wiederum stellte die „Friedensfähigkeit" seines die Wählerschaft polarisierenden Gegenspielers aus Bayern in Frage. Im Oktober erzielte die Union zwar mit 44,5 Prozent ihr bis dahin schlechtestes Ergebnis seit 1949, lag jedoch anders als 1972 noch vor der SPD. Diese behauptete sich mit 42,9 Prozent und die FDP verbuchte mit 10,6 Prozent einen deutlichen Stimmengewinn. Die erneute Wahl Helmut Schmidts zum Bundeskanzler Anfang November 1980 erfolgte daher mit einer deutlichen Mehrheit von 266 Stimmen. Im Bundestag stand die sozialliberale Koalition unter Helmut Schmidt nunmehr einer geschwächten Opposition gegenüber. Doch das positive Wählervotum konnte nicht verhindern, dass der Wahlsieger schneller als gedacht die Unterstützung der eigenen Partei sowie des liberalen Koalitionspartners verlor.

Entspannungspolitik in der Krise

Zu einer der großen innenpolitischen Streitfragen der Ära Schmidt, die deren vorzeitiges Ende beschleunigte, wurde die Sicherheitspolitik der Nato gegenüber der Sowjetunion. Die energiepolitische Wende und die damit einhergehenden konjunkturellen Probleme seit Mitte der siebziger Jahre hatten die westeuropäischen Gesellschaften in ihren Bann geschlagen. Allgemein setzte man auf die Fortdauer der Entspannungspolitik mit dem Osten, zumal die USA nach dem unehrenhaften Rücktritt von Präsident Nixon (Watergate-Affäre) und dem Trauma des Scheiterns in Vietnam mit sich selbst beschäftigt waren. Erst allmählich erkannten die westlichen Regierungen, dass die sowjetische Führung unter Breschnew die relative Schwäche Amerikas zur Sicherung ihrer Weltmachtstellung in zahlreichen Ländern Afrikas, des Mittleren Ostens und der Karibik genutzt und vor allem ihren militärischen Apparat stark aufgerüstet hatte. Die amerikanisch-sowjetischen Beziehungen verschlechterten sich erheblich, was aber unter dem sprunghaften US-Präsidenten Jimmy Carter nicht sofort zu einem Gleichklang der Interessen zwischen Europäern und Amerikanern führte.

Der Nachrüstungsbeschluss der NATO

Zwar hatten sich die beiden Supermächte im Ergebnis langjähriger Rüstungskontrollverhandlungen (SALT I, 1972; Salt II, 1979) auf die Begrenzung ihrer interkontinentalen Nuklearwaffen geeinigt. Doch das damit vereinbarte nuklearstrategische Gleichgewicht zwischen den beiden Weltmächten bedeutete nicht automatisch auch mehr Sicherheit für die Europäer. Auf dem europäischen Schauplatz blieb nämlich die Überlegenheit der Sowjetunion an konventionellen und nukleartaktischen Waffen bestehen. Vor allem die neuen sowjetischen Mittelstreckenraketen (SS 20) trugen zur wachsenden Bedrohung Westeuropas bei. Bundeskanzler Schmidt wies als einer der ersten westlichen Regierungschefs im Oktober 1977 in London öffentlich auf die mit der sowjetischen Aufrüstungspolitik im Bereich der Mittelstreckenraketen verbundenen Gefahren hin. Er plädierte für eine

Nachrüstung auf westeuropäischer Seite, wenn es nicht gelänge, durch Verhandlungen mit den Sowjets eine wirkliche Rüstungsbeschränkung (Wegfall der SS 20 – Raketen) durchzusetzen.

Beim Besuch des sowjetischen Parteichefs Breschnew in Bonn im Mai 1978 signalisierte dieser zwar seine Verhandlungsbereitschaft über die von Schmidt als schwere Bedrohung bezeichneten Waffensysteme. Doch in der Praxis änderte sich nichts. Die Sowjetunion fuhr mit der Aufstellung der beweglichen SS 20-Raketen fort, weil sich die USA und die Westeuropäer zunächst nicht auf eine einheitliche politische Linie einigen konnten. Erst am 12. Dezember 1979 entschieden sich die Außen- und Verteidigungsminister der Nato für ein zweigleisiges Vorgehen – für eine Nachrüstung mit eigenen Mittelstreckensystemen und für gleichzeitige Verhandlungen mit der Sowjetunion über Abrüstung in diesem Bereich. Bis Ende 1983 sollten im Zuge einer Modernisierung des Abschreckungspotentials in Westeuropa Pershing-II-Mittelstreckenraketen und bodengestützte Marschflugkörper (Cruise Missiles) aufgestellt werden, falls bis dahin Verhandlungen über den Abbau der sowjetischen Mittelstreckenraketen in Europa erfolglos bleiben würden.

Im Rückblick nannte der letzte Regierungs- und Parteichef der Sowjetunion Gorbatschow die Aufstellung der sowjetischen Raketen ein „unverzeihliches Abenteuer". Aber die damalige sowjetische Führung sah eine realistische Chance, im weltpolitischen Poker mit den USA unter Carter Punkte zu machen. Außerdem glaubte Breschnew offensichtlich nicht daran, dass die Nato-Staaten den Doppelbeschluss gegen eine sensibilisierte Öffentlichkeit auch wirklich durchsetzen könnten. Trotz mehrfacher Warnungen aus Washington marschierten daher sowjetische Truppen zwei Wochen nach dem Nato-Doppelbeschluss in Afghanistan ein, um das dortige kommunistische Regime an der Macht zu halten. Außerdem zeigte sich Moskau auch an Verhandlungen mit dem Westen nicht interessiert. Das vorläufige Ende der Phase der Ost-West-Entspannung war damit erreicht.

Die Friedensbewegung in der Bundesrepublik

Ob der maßgeblich von Helmut Schmidt erwirkte Nato-Doppelbeschluss wirklich ein „Kunstfehler" war, wie der Zeithistoriker Hans-Peter Schwarz kritisch vermerkt, weil der Bundeskanzler dem Ostblock Tür und Tor für propagandistische Aktivitäten und, wie wir heute wissen, auch finanzielle Einflussnahmen auf die westdeutsche Friedensbewegung geöffnet hatte, sei dahingestellt. Ohne das den ganzen Vorgang verzögernde Verhandlungsangebot hätte Schmidt in der Bundesrepublik jedenfalls noch weniger Unterstützung für den Aufrüstungsbeschluss gefunden als dies sowieso der Fall war. Denn die Perspektive, dass in absehbarer Zeit neue atomare Mittelstreckenraketen in der Bundesrepublik stationiert würden, führte in der Öffentlichkeit wie in der SPD selbst zu heftiger Kritik am Bundeskanzler. Die psychologische Wirkung des Nato-Doppelbeschlusses, dessen zweiter Teil von den Kritikern stets übergangen wurde, hatte Schmidt zweifellos unterschätzt.

Ab 1980 verbündeten sich sie sicherheitspolitisch argumentierenden Kritiker mit dem ursprünglich ökologisch orientierten Protestpotenzial in der jüngeren Generation zu einer medienwirksamen und massenmobilisierenden Friedensbewegung. Ein Teil der Kritiker bestritt die Notwendigkeit einer westlichen Nachrüstung; andere unterstellten den USA ein Interesse daran, einen auf Europa begrenzten Nuklearkrieg zu führen; wieder andere forderten den einseitigen Abzug aller Atomwaffen aus der Bundesrepublik. Das große Erschrecken über die Möglichkeit zur Auslöschung der Menschheit durch einen Atomkrieg bestimmte das Denken und den Protest der ansonsten sehr heterogenen Gruppen innerhalb der Friedensbewegung. Das deutsche Wort „Angst" fand Eingang ins Englische und Französische.

Emotionen statt Politik

Mit Massendemonstrationen, Menschenketten und zahllosen Diskussionen in Kirchen, Universitäten und öffentlichen Veranstaltungen aller Art verstand es die Friedensbewegung, Teile der verunsicherten Öffentlichkeit in der Bundesrepublik für sich zu gewinnen. Die gigantischen Rüstungsausgaben im Osten wie im Westen und die angehäuften Vernichtungskapazitäten machten es der Regierung schwer, ihrer realpolitischen Überlegungen einer Abschreckungs- und Gleichgewichtspolitik für Europa Gehör zu verschaffen. In manchen Kreisen der Bevölkerung, auch innerhalb der sozialdemokratischen Regierungspartei, galten die geplanten amerikanischen Raketen als gefährlicher als die Bedrohung durch das bereits vorhandene sowjetische

Waffenarsenal. Die sicherheitspolitische Kehrtwende in Washington unter dem neuen republikanischen US-Präsidenten Ronald Reagan seit Anfang 1981 und dessen Ankündigung, die Sowjetunion „totzurüsten", führten der Friedensbewegung immer neue Aktivisten und Sympathisanten aus allen Lagern der Bevölkerung zu, die vor allem die amerikanische Politik kritisierten.

Die antiamerikanisch-pazifistische Zielrichtung der westdeutschen Friedensbewegung war unübersehbar, ebenso ihre Zurückhaltung in der Kritik am sowjetischen Militärapparat. Dass die DDR und ihr Geheimdienst mit einem Netz von Agenten und von Ostberlin finanzierten Organisationen in der westdeutschen Friedensbewegung präsent war, ist heute bekannt. Doch gesteuert wurde sie nicht von ihnen, allenfalls in Teilen (z.B. „Soldaten für den Frieden") beeinflusst. Wichtiger war, dass diese stark an Emotionen appellierende und wesentlich von idealistischen jungen Menschen getragene Massenbewegung innerhalb der Sozialdemokratie wachsende Zustimmung fand, der das technokratisch-rationale Denken eines Helmut Schmidt zunehmend fremder wurde.

Entfremdung innerhalb der SPD/FDP-Koalition

Nachrüstungsgegner auf dem linken Flügel der Partei wie Erhard Eppler und Oskar Lafontaine gewannen mit ihren immer offener vorgetragenen Attacken gegen den eigenen Kanzler an Zulauf. Dass dieser bei Reagan mit Erfolg auf Abrüstungsverhandlungen mit der Sowjetunion pochte, nahmen seine Kritiker nicht zur Kenntnis. So geriet die SPD in eine Zerreißprobe zwischen Anhängern und Gegnern des Regierungskurses, was wiederum die Koalition mit der FDP aufs Schwerste belastete. Dagegen profilierte sich die CDU/CSU-Opposition unter Helmut Kohl als Partei, die den Nato-Doppelbeschluss und die Sicherheitspolitik der USA ohne Wenn und Aber unterstützte. Die wachsende Entfremdung zwischen FDP und SPD beobachtete der christdemokratische Parteichef aufmerksam. Hinter den Kulissen häuften sich die Gespräche unter vier Augen mit Außenminister Genscher, einem Duz-Freund Kohls.

Der Kanzlersturz

Der eigentliche Grund für das Ausscheiden der Liberalen aus der Regierungskoalition mit den Sozialdemokraten war jedoch die Wirtschafts- und Sozialpolitik. Die von der SPD nur halbherzig mitgetragene Sparpolitik der Regierung im sozialen Bereich zur Deckung einer Haushaltslücke von 7,8 Milliarden DM für das Jahr 1982 ging Wirtschaftsminister Otto Graf Lambsdorff und Genscher nicht weit genug. Im August 1981 kritisierte dieser die herrschende „Anspruchsmentalität" und forderte in einem internen Papier eine „Wende" in der Finanzpolitik, um die hohe Staatsverschuldung abzubauen. Das war das Stichwort, auf das die Opposition nur gewartet hatte. Vergeblich versuchte Bundeskanzler Schmidt im Laufe des Jahres 1982 die Koalition auf einen gemeinsamen finanz- und wirtschaftspolitischen Kurs einzuschwören. Die Regierungsfraktionen sprachen ihm zwar im Februar das Vertrauen aus und mit einer Regierungsumbildung zwei Monate später demonstrierte der Kanzler Führungswille. Es gelang ihm auch noch, die eigene Partei von einem nicht finanzierbaren Beschäftigungsprogramm, das die Liberalen nicht mitgetragen hätten, abzubringen. Aber in Wirklichkeit war der Vorrat an politischen Gemeinsamkeiten zwischen beiden Fraktionen, genauer zwischen den Mehrheiten beider Fraktionen, erschöpft.

Lambsdorff und Genscher bereiteten den Absprung zur Union vor, den eine beachtliche Minderheit der Fraktion allerdings nicht wollte. In einem Memorandum forderte Lambsdorff einschneidende Sparmaßnahmen im sozialen Bereich zur Haushaltskonsolidierung – es war in den Worten von Helmut Schmidt der „Scheidungsbrief" der Koalition. Die vier FDP-Minister kamen im September durch Rücktritt ihrer Entlassung zuvor, Schmidt amtierte noch zwei Wochen mit einer Minderheitsregierung. Am 1. Oktober 1982 erfolgte – erstmals in der Geschichte der Bundesrepublik – sein Sturz durch ein konstruktives Misstrauensvotum der Fraktionen der CDU/CSU und der FDP. Zum neuen Bundeskanzler wurde der bisherige Oppositionsführer, Helmut Kohl, gewählt. Ein Kanzler von Format trat ab, dessen Hauptverdienst in den Worten von Hans-Peter Schwarz darin bestanden hatte, „die Bundesrepublik ziemlich unbeschädigt durch eine turbulente Ära gebracht zu haben".

ZEITTAFEL

1974

15. Mai 1974	Walter Scheel (FDP) wird zum Bundespräsidenten gewählt.
16. Mai 1974	Der Bundestag wählt Helmut Schmidt (SPD), bis dahin Finanz- und Wirtschaftsminister, zum Bundeskanzler; mit Hans-Dietrich Genscher als Vizekanzler und Außenminister (ab Oktober auch Parteivorsitzender der FDP) setzt er die sozialliberale Koalition fort.
10. November 1974	Terroristen der „Bewegung 2. Juni" ermorden den Präsidenten des Berliner Kammergerichts.

1975

18. Februar 1975	Besetzung des Baugeländes des geplanten Kernkraftwerkes Wyhl in Südbaden durch Kernkraftgegner; Beginn der Bürgerbewegung gegen die Kernkraft in der Bundesrepublik.
27. Februar 1975	Der Berliner CDU-Vorsitzende Peter Lorenz wird von Terroristen entführt und sechs Tage später nach Erfüllung der Forderungen der Entführer wieder frei gelassen.
21. Mai 1975	Vor dem Oberlandesgericht in Stuttgart-Stammheim beginnt der „Baader-Meinhof-Prozess".
19. Juni 1975	Der CDU-Parteivorsitzende Helmut Kohl wird von den Unionsparteien zum Kanzlerkandidaten nominiert.
1. August 1975	Unterzeichnung der Schlussakte der KSZE-Konferenz in Helsinki – unter anderem auch durch die DDR und die Bundesrepublik.

15./17. November 1975	Erster Weltwirtschaftsgipfel in Rambouillet (Frankreich).
11. Dezember 1975	Neues Ehe- und Familienrecht vom Bundestag verabschiedet: „Zerrüttungsprinzip" ersetzt „Schuldprinzip" bei der Ehescheidung.
31. Dezember 1975	Im Jahre 1975 erfolgten 7,7 Millionen Reisen aus der Bundesrepublik und Westberlin in die DDR und nach Ostberlin (1971: 2,7 Millionen).

1976

31. Januar 1976	1,35 Millionen Arbeitslose (5,9%); dies ist die höchste Zahl seit 1954.
4. Mai 1976	Mitbestimmungsgesetz für Großunternehmen mit über 2000 Arbeitnehmer (paritätische Mitbestimmung).
18. August 1976	Die „Bildung terroristischer Vereinigungen" wird als neuer Straftatbestand eingeführt.
3. Oktober 1976	Wahl zum 8. Deutschen Bundestag: CDU/CSU: 48,6%; SPD: 42,2%; FDP: 7,9%. Helmut Schmidt wird am 15. Dezember erneut zum Bundeskanzler gewählt; er führt die sozial-liberale Koalition fort.
13. November 1976	Schwere Zusammenstöße zwischen Demonstranten und Polizei wegen des geplanten Atomkraftwerkes in Brokdorf.

1977

27. Januar 1977	Bundesdatenschutzgesetz in Kraft.
7. April 1977	Generalbundesanwalt Buback und sein Fahrer von RAF-Terroristen in Karlsruhe ermordet.
28. April 1977	Lebenslange Freiheitsstrafen für die Terroristen Andreas Baader, Gudrun Enslin und Jan-Carl Raspe.

30. Juli 1977	Der Vorstandsvorsitzende der Dresdner Bank, Jürgen Ponto, wird von Terroristen ermordet.
5. September 1977	Arbeitgeberpräsident Hanns-Martin Schleyer wird in Köln von Terroristen entführt, seine Begleiter ermordet.
29. September 1977	Kontaktsperregesetz vom Bundestag im Eilverfahren beschlossen.
18. Oktober 1977	In Mogadischu (Somalia) befreit die Sondereinheit GSG 9 des Bundesgrenzschutzes die Geiseln in der Lufthansa-Maschine „Landshut", die fünf Tage zuvor auf dem Rückflug von Mallorca von palästinensischen Terroristen entführt worden war, um die Freilassung der in der Bundesrepublik inhaftierten RAF-Mitglieder zu erpressen. Selbstmord der in Stammheim einsitzenden Terroristen Baader, Enslin, Raspe. Am Tag darauf wird Schleyer in Mühlhausen (Frankreich) ermordet aufgefunden.

1978

4./6. Mai 1978	Staatsbesuch des sowjetischen Staats- und Parteichefs Breschnew in der Bundesrepublik: Abkommen über eine langfristige wirtschaftliche Zusammenarbeit.
6. November 1978	Der CSU-Vorsitzende Franz Josef Strauß wird bayerischer Ministerpräsident.
16. November 1978	Innerdeutsche Vereinbarung über den Bau einer Autobahn Berlin-Hamburg.

1979

22./27. Januar 1979	Die ARD strahlt in den dritten Programmen die amerikanische Fernsehserie „Holocaust" über die nationalsozialistischen Verbrechen an den Juden aus.

13. März 1979	Das Europäische Währungssystem tritt in Kraft.
25. Mai 1979	Die Bundesversammlung wählt Karl Carstens (CDU) zum Bundespräsidenten.
2. Juli 1979	Franz Josef Strauß wird Kanzlerkandidat der Unionsparteien.
3. Juli 1979	Bundestag beschließt Unverjährbarkeit von Mord und Völkermord.
7. Oktober 1979	Erste Direktwahl des Europäischen Parlaments. Die „Grünen" ziehen bei den Bremer Bürgerschaftswahlen erstmals in ein Landesparlament.
12. Dezember 1979	Die Nato-Staaten einigen sich in Brüssel auf den „Nato-Doppelbeschluss".

1980

13. Januar 1980	Gründungskongress der „Grünen" in Karlsruhe.
5. Oktober 1980	Wahlen zum 9. Bundestag: CDU/CSU: 44,5%; SPD: 42,9%; FDP: 10,6%; Helmut Schmidt wird erneut Bundeskanzler einer sozial-liberalen Koalition.
4. November 1980	Der Republikaner Ronald Reagan wird zum Präsidenten der USA gewählt.

1981

11. Mai 1981	Der hessische Wirtschaftsminister Hans Herbert Karry (FDP) wird von Terroristen erschossen.
10. Oktober 1981	300 000 Anhänger der Friedensbewegung demonstrieren im Bonner Hofgarten gegen den Nato-Nachrüstungsbeschluss.
11./13. Dezember 1981	Besuch Bundeskanzler Schmidts in der DDR; „konstruktive Gespräche" mit Ho-

necker am Werbellinsee; zur gleichen Zeit wird in Polen das Kriegsrecht verhängt.

1982

24. Februar 1982
Ermittlungen gegen Bonner Spitzenpolitiker in der „Flick"-Parteispendenaffäre.

10. Juni 1982
Während der Nato-Gipfelkonferenz in Bonn demonstrieren 350 000 Anhänger der Friedensbewegung für „Frieden und Abrüstung".

1. Oktober 1982
Durch ein konstruktives Misstrauensvotum stürzt der Bundestag Helmut Schmidt und wählt den CDU-Vorsitzenden Helmut Kohl mit den Stimmen von Union und FDP zum neuen Bundeskanzler.

Typische Plattenbau-Siedlung im Wohngebiet am Herrenberg in Erfurt: Aufeinander getürmte Wohnwaben, aus Standard-Platten zusammen gesetzt.

Foto: Bilderdienst Süddeutscher Verlag

9. Die trügerische Normalität der Diktatur – Die DDR unter Honecker seit den siebziger Jahren

Der Sturz Ulbrichts

Seit Mai 1971 stand mit dem 58jährigen Erich Honecker wieder ein absolut zuverlässiger Parteigänger der Moskauer Führung an der Spitze der DDR. Das war zwar Walter Ulbricht auch immer gewesen. Doch seit Ende der sechziger Jahre neigte der autokratisch regierende SED-Chef dazu, Eigenständigkeit in ideologischen und wirtschaftlichen Fragen gegenüber der Sowjetunion zu demonstrieren, indem er etwa die DDR als Modell und Vorbild für die übrigen kommunistischen Staaten des Ostblocks pries und sich selbst in der Rolle eines Lehrmeisters gefiel. Anstoß erregte er in Moskau auch deshalb, weil er auf dem Feld der Deutschlandpolitik das eigene Interesse an wirtschaftlicher Zusammenarbeit mit der Bundesrepublik und der definitiven völkerrechtliche Anerkennung der DDR durch Bonn gegenüber Breschnew zu stark betonte, dem an einem raschen Abkommen mit der Regierung Brandt/Scheel viel lag.

Auch die meisten Politbüromitglieder in Ostberlin empfanden den starrsinnigen Ulbricht als Belastung und warfen ihm vor, die wirtschaftlichen Möglichkeiten der DDR nicht mehr richtig einschätzen zu können. Er lasse sich – so schwärzten sie ihn bei Breschnew an – „von dem Gefühl seiner Unfehlbarkeit" leiten. Honecker hielt den Kontakt zum sowjetischen Parteichef und brachte sich als Nachfolger in Stellung.

Anfang 1971 gab Breschnew grünes Licht zur Ablösung des selbstherrlichen Ulbricht, der am 3. Mai formal seinen „Rücktritt" erklärte. Seine Entmachtung war total. Daran änderten auch die beiden Funktionen (Vorsitzender des Staatsrats und der SED), die man ihm beließ bzw. gab, nichts. Der 78jährige Gründervater der DDR wurde zur Unperson, und nach seinem Tod 1973 verschwand er sogar aus manchen offiziellen Geschichtsbüchern. Damit war die Führungsrolle Moskaus wieder gesichert. Eineinhalb Jahrzehnte lang hielt sich Honecker an die Order, die ihm Breschnew bereits im Sommer 1970 mit auf den Weg gegeben hatte: „Erich, ich sage dir offen, vergesse das nie: die DDR kann ohne uns, ohne die SU, ihre Macht und Stärke – nicht existieren. Ohne uns gibt es keine DDR." Erst als die Moskauer „Freunde" unter Michael Gorbatschow in den späten achtziger Jahren auf innere Reformen drängten, versagte er sich dem neuen sowjetischen Kurs und erlitt prompt das gleiche politische Schicksal wie Ulbricht.

Neue Ära bei gleichen Zielen

Zunächst jedoch begann mit dem Machtantritt Honeckers eine neue Ära in der Geschichte der DDR, die von vielen Zeitgenossen in Ost und mehr noch in West lange Jahre als eine Periode des wirtschaftlichen Aufstiegs, der politischen Stabilität und der Normalisierung in den Beziehungen zwischen beiden deutschen Staaten erlebt wurde. Das war jedoch nur ein Teil der Wirklichkeit, der vornehmlich die westliche Perspektive beherrschte. In der DDR selbst sahen das nur die Funktionäre und eine kleine Minderheit regimekonformer Bürger so. Die Mehrheit der Ostdeutschen registrierte bald, dass der Generationswechsel an der Spitze der SED kein Systemwechsel bedeutete. Die Diktatur änderte ihre Methoden, aber nicht ihre Ziele.

Ulbricht war in der Bevölkerung verhasst. Mit Honecker konnte es nur besser werden, hofften die meisten DDR-Bürger. Obwohl er von Anfang an im inneren Kreis der Macht des SED-Regimes gestanden hatte, galt dieser weithin als unbeschriebens Blatt.

Honecker – eine deutsche Karriere

Der im saarländischen Neunkirchen geborene Bergarbeitersohn war seit seinem 18. Lebensjahr hauptamtlicher Funktionär der KPD. Seine Dachdeckerlehre hatte er nicht beendet, was er später stets verschwieg. Wegen illegaler Tätigkeit für die kommunistische Partei während des Dritten Reichs wurde er 1937 zu zehn Jahren Zuchthaus verurteilt. Unter seinen Mitgefangenen galt er als ein wenig kameradschaftlicher Einzelgänger, dem im März 1945 eine Aufseherin zur Flucht aus einem Arbeitskommando verhalf. Nach dem Krieg begann er seine steile Karriere in der sowjetischen Besatzungszone als enger Mitarbeiter Ulbrichts, dessen Wohlwollen er sich durch absolute Loyalität erwarb. Als Vorsitzender der Freien Deutschen Jugend seit 1946 verwandelte er diese Jugendorganisation in eine kommunistisch gelenkte Massenorganisation, die er als Sprungbrett für seinen weiteren Aufstieg nutzte. Autoritär, parteiergeben und linientreu führte er diese „Kampfreserve der Partei" bis Mitte der fünfziger Jahre. Dem zuverlässigen Apparatschik übertrug Ulbricht später nacheinander mehrere wichtige Parteifunktionen für Sicherheitsfragen und Personalangelegenheiten. Als Sekretär der Sicherheitskommission des Zentralkomitees der SED war er verantwortlich für Streitkräfte, Polizei, Grenzpolizei und Staatssicherheitsdienst und damit einer der mächtigsten Männer in der DDR.

Auf Honecker war Verlass, wenn es darum ging, in den späten fünfziger Jahren prominente parteiinterne Kritiker des Altstalinisten Ulbricht kalt zu stellen und dessen Macht zu sichern. Vollmitglied im Politbüro, der Machtzentrale der SED, wurde Honecker 1958, und seit 1960 amtierte er darüberhinaus noch als Sekretär des Nationalen Verteidigungsrates. In dieser Funktion betätigte er sich zur vollen Zufriedenheit seines Mentors als Organisator des Mauerbaus am 13. August 1961, den er bis zum Zusammenbruch der DDR rechtfertigte. Später verschlechterte sich das Verhältnis Honeckers zu Ulbricht, der den intellektuell bescheidenen Parteisoldaten mit seinen wirtschaftspolitischen Kursänderungen und technologischen Zukunftsvisionen immer wieder irritierte. Doch Honecker war inzwischen aus dem Schatten seines langjährigen Gönners herausgetreten. Ohne jede persönliche Ausstrahlung, aber taktisch versiert hatte er sich durch geschickte Personalpolitik eine beachtliche Hausmacht im Parteiapparat geschaffen und – noch wichtiger – galt in Moskau als zuverlässiger und ergebener Partner der Sowjetunion, dem der Machterhalt der kommunistischen Partei über alles ging. Im Sommer 1971 übernahm der neue Parteichef – seit 1976 mit dem Titel „Generalsekretär" – auch den Vorsitz im Nationalen Verteidigungsrat, der über den Einsatz von Waffengewalt zur Sicherung der Diktatur im Innern und nach außen zu entscheiden hatte. 1976 wählte ihn die Volkskammer noch zum Staatsratsvorsitzenden. Damit hatte Honecker alle wichtigen Ämter in seiner Hand.

Konsumsozialismus und innenpolitische Lockerungen

Nach dem Willen des neuen starken Mannes der SED sollte in der DDR eine sozialistische Wohlstandsgesellschaft entstehen. Die Bevölkerung wollte Honecker durch soziale Wohltaten für sich und die Partei gewinnen. Die hochfliegenden Pläne und Ankündigungen der

Ulbricht-Ära verschwanden in den Schubladen. Die neue Parteiführung ging jetzt pragmatischer vor, sorgte sich um die Verbesserung der Versorgungslage und Lebensverhältnisse des Normalbürgers, zeigte sich im kulturellen Bereich großzügiger und den Wünschen der jungen Generation gegenüber offener. Typisch für eine Diktatur: mit der Gewährung kleiner Freiheiten versuchte das Regime seine Untertanen von der Fortdauer der grundsätzlichen Unfreiheit abzulenken. Und doch empfanden nicht wenige Menschen in der DDR die ersten Jahre unter Honecker als positiv und hoffnungsvoll. Viele Künstler und Schriftsteller sahen das so und vor allem die Jugendlichen. Westliche Beat-Musik durfte jetzt gespielt werden, die begehrten „Blue-Jeans" wurden importiert und endlich in volkseigener Produktion angeboten. Die SED stellte auch ihren Kampf gegen lange Haare und kurze Röcke ein und kümmerte sich überhaupt weniger um die Privatangelegenheiten der Menschen. Westfernsehen wurde hingenommen.

Zwischen Offenheit und Repression

Doch diese Liberalität war nur Fassade. Honecker, der sich in der Rolle des milden Landesvaters gefiel, wollte nach außen hin Weltoffenheit demonstrieren, zugleich aber im Innern alles unter Kontrolle halten. Ein erstes Beispiel dafür lieferten die „X. Weltfestspiele der Jugend und Studenten", die im Sommer 1973 Zehntausende junger Menschen aus allen Ländern in Ost und West, auch aus der Bundesrepublik, und aus allen Winkeln der DDR nach Ostberlin führten. Die DDR-Oberen gaben sich großzügig und tolerant, ließen die Jugendlichen musizieren, tanzen, diskutieren wie sie wollten. Was der internationalen Öffentlichkeit und den Teilnehmern wie eine Demonstration des Reformwillens des SED-Regimes erschien, war in Wirklichkeit inszeniert und bis ins Letzte kontrolliert. Monatelang hatte die Staatssicherheit unter dem Decknamen „Aktion Banner" alle erdenklichen Vorkehrungen getroffen, um Ordnung und Sicherheit zu gewährleisten. Tausende DDR-Bürger durften gar nicht erst zu dem Festival anreisen. Die anderen erfreuten sich einer umfassenden „Betreuung". Fast 20 000 Volkspolizisten, mehrere tausend Geheimdienstmitarbeiter in blauen FDJ-Blusen, zahllose Funktionäre der FDJ und anderer Massenorganisationen befanden sich im Dauereinsatz, um Ost-Bürger vom Klassenfeind fernzuhalten. Alles klappte dann auch vorzüglich. Die Doppelstrategie von Offenheit und verdeckter Repression hatte sich bewährt und blieb hinfort ein probates Mittel der Machthaber, um dem Westen und der eigenen Bevölkerung eine stabile DDR vorzutäuschen.

Ausbau des Überwachungsstaates

Die SED hielt an ihrem absoluten Herrschaftsanspruch in Politik, Wirtschaft und Gesellschaft fest. Die Machthaber gaben sich moderner, lockerer, bürgernäher als man dies von ihnen gewohnt war, doch gleichzeitig trieben sie den Ausbau des schrankenlosen Überwachungsstaates voran. Das war vor allem das Werk des zeitgleich mit Honecker ins Politbüro aufgestiegenen Ministers für Staatssicherheit Erich Mielke. Beide kommunistischen Spitzenfunktionäre setzten aus Überzeugung und rücksichtslos mittels eines gigantischen Kontrollapparates jenen leisen Terror ins Werk, der die späten Jahre der DDR kennzeichnete.

Die um internationale Reputation bemühte Staatsführung setzte alles daran, um unter Verzicht auf offene Gewaltmaßnahmen die Bevölkerung in umfassender Weise zu überwachen. Regimegegner sollten gar nicht erst die Möglichkeit erhalten, öffentlichen Protest zu äußern beziehungsweise Straftaten nach DDR-Gesetzen zu begehen – also etwa die Meinungsfreiheit einzufordern, Vorbereitungen zur Republikflucht zu treffen, öffentlich die Ausreise aus der DDR zu fordern oder auch einen entsprechenden Antrag zu stellen, was lange Zeit als Straftat galt.

Um die überall vermuteten „feindlichen" Einflüsse durch Westkontakte von DDR-Bürgern zu neutralisieren, wurde ihre geheime Überwachung flächendeckend ausgebaut und mit verfeinerten Methoden betrieben. Alle „feindlich-negativen" Gruppierungen, Kräfte und Personen, wie die Regimekritiker aller Spielarten pauschal bezeichnet wurden, sollten „zersetzt", verunsichert und zur Aufgabe ihrer Pläne gebracht werden. Insbesondere wer sich in kirchlichen Einrichtungen engagierte, machte sich verdächtig. Das Misstrauen der Obrigkeit zogen aber auch alle jene auf sich, die regelmäßig Verwandte aus Westdeutschland zu Besuch hatten, vor allem aber die Mitglieder von Umweltschutzgruppen und Friedenskreise und ganz allgemein jeder, der sich kritisch über die Verhältnisse in der DDR äußerte – als Schriftsteller, Künstler oder ganz normaler Bürger. Sie alle gerieten schnell ins Visier der Stasi. Es wurden sogar Listen geführt mit den Namen von DDR-Bürgern, die als Staatsfeinde galten und die im Falle innerer Unruhen oder äußerer Spannungen in Isolierungslager verbracht werden sollten. Entsprechende Planungen für die vorgesehenen Lager wurden bis 1989 fortgeschrieben, die Listen aktualisiert. Realisiert wurden diese Pläne allerdings nicht.

Staatssicherheitsdienst – Schild und Schwert der Partei

Unter Honecker verdoppelte sich der Personalbestand des hauptamtlichen Apparates des Staatssicherheitsdienstes auf 91 000 Mitarbeiter, die über Dienstwaffe und militärischen Rang verfügten. Die Stasi wurde immer mehr zum Allheilmittel für die vorbeugende Bekämpfung „konterrevolutionärer" Umtriebe und aller Arten von „feindlichen" Einflüssen, denen sich die Machthaber ausgesetzt sahen oder die sie vermuteten. Sogar schon in den Schulen wurde nach geeignetem personellem Nachwuchs gesucht.

Ein ebenfalls in der Ära Honecker immer dichter geknüpftes Netz von Spitzeln und Zuträgern, so genannten Inoffiziellen Mitarbeitern (IM), entwickelte sich zum wichtigsten Instrument des Ministeriums für Staatssicherheit (MfS),um Mielkes Devise, „Wir müssen alles erfahren", entsprechen zu können. Seit Mitte der siebziger Jahre standen zwischen 170 000 und 180 000 Personen, bei einer jährlichen Fluktuation von etwa 10 Prozent, im Dienst der Staatssicherheit Das heißt etwa jeder hundertste DDR-Bürger war bereit, bei der „Feindbekämpfung" mitzuwirken. In aller Heimlichkeit trafen sie sich mit ihren Führungsoffizieren von der Staatssicherheit und berichteten mündlich und schriftlich über ihre Freunde, Nachbarn, Arbeitskollegen und sogar Familienangehörigen. Sie übten Verrat und fühlten sich doch als wertvolle Stützen des sozialistischen Staates. Zumeist handelten sie aus politischer Überzeugung, seltener nur aus materiellen Interessen Durch das MfS erpresst wurden die Wenigsten. Sogar Minderjährige, etwa ein Prozent aller IMs, warben Mielkes Geheimdienstoffiziere an, um den Informationsdurst der Diktatur zu stillen.

Die totale Kontrolle der Bevölkerung jederzeit zu gewährleisten, war das Ziel des Überwachungsorgans, das sich als „Schild und Schwert der Partei" verstand und von der Zentrale in Ostberlin über die Bezirke und Kreise einer riesigen Krake gleich überall im Land gegenwärtig war. Einen zweiten 17. Juni, so Erich Mielke, sollte es nicht noch einmal geben. Die insgesamt rund 600 000 Inoffiziellen Mitarbeiter, die sich seit Beginn der DDR als Schattenarmee des MfS betätigten und von denen seit 1990 etwa ein Sechstel enttarnt werden konnte, hatten ihren Anteil daran, dass Angst, Verstellung und Anpassung das Verhalten vieler Menschen in Ostdeutschland lange Zeit bestimmten.

Einheit von Wirtschafts- und Sozialpolitik

Zunächst funktionierte Honeckers Doppelstrategie scheinbar durchaus zufrieden stellend. Gegenüber dem „Klassenfeind" im Westen und in den eigenen Reihen legten die Sicherheitskräfte in der geschilderten Weise erhöhte Wachsamkeit an den Tag. Gleichzeitig suchte die SED-Führung die Bevölkerung durch soziale Zugeständnisse und die Verbesserung des Lebensstandards positiv zu stimmen. Die Löhne und Renten wurden erhöht, der lange Zeit vernachlässigte Wohnungsbau energisch vorangetrieben – freilich extrem standardisiert in der Gestalt von industriell vorgefertigten Plattenbauten, zugleich ging der Verfall der Altbausubstanz in den Innenstädten weiter. Das Babyjahr und weitere Vergünstigungen für berufstätige Mütter wurden eingeführt, Kindergärten und Kinderkrippen stark ausgebaut. Arbeitszeitverkürzungen erfreuten die Werktätigen. Die Ausstattung der Haushalte mit hochwertigen Gebrauchsgütern wie Kühlschränke, Fernsehgeräte, Waschmaschinen und Autos verbesserte sich in den siebziger Jahren erheblich. Zwar mussten die meisten DDR-Bürger immer noch mindestens 12 Jahre auf die Lieferung eines „Trabis" warten, doch die Anzahl der Haushalte mit einem eigenen Auto nahm zwischen 1970 und 1980 von 15 auf 38 Prozent zu.

Wechsel auf die Zukunft

Unter den Ostblockstaaten verzeichnete die DDR den höchsten Lebensstandard. Die propagierte „Einheit von Wirtschafts- und Sozialpolitik" wurde geradezu zum Markenzeichen des Honeckerschen Konsumsozialismus. Doch sie war ein ungedeckter Wechsel auf die Zukunft, wie sich bald zeigen sollte. Die Erwartung der SED-Führung erfüllte sich nämlich nicht, dass das verbesserte und reichhaltigere Konsumangebot und die erwähnten kostenlosen sozialen Leistungen die Bürger zur verstärkten Arbeitsleistung anspornen würden. Die wirtschaftliche Produktivität erhöhte sich nicht und die Kosten aller dieser Wohltaten konnten nicht durch den vermehrten Export von weltmarktfähigen Produkten ins westliche Ausland wieder erwirtschaftet werden.

Fehlentwicklungen

Das funktionierte nicht, weil das planwirtschaftliche, unter Honecker wieder strikt zentralistisch gesteuerte Wirtschaftssystem nach wie vor alle Anreize zur Verbesserung der Produktivität vermissen ließ. Sie verharrte ziemlich unverändert bei 33 Prozent des westdeutschen Niveaus. Leistungslöhne wurden zwar Ende der siebziger Jahre eingeführt, doch in einem auf Egalität ausgerichteten Klima in der Praxis dann wieder relativiert. Die Betriebe gingen verschwenderisch mit Energie und Rohstoffen um, die zunächst noch billig von der Sowjetunion geliefert wurden und versäumten die Modernisierung ihrer Anlagen, die oft noch aus der Vorkriegszeit stammten. Schließlich wurden 1972 auch noch rund 11 000 private Klein- und Mittelbetriebe verstaatlicht, die gerade im Konsumgüterbereich von Bedeutung waren. Bei dieser Aktion konnte die Führung auf den Sozialneid der breiten Masse setzen, da die enteigneten Betriebsinhaber im Durchschnitt über das vierfache Nettoeinkommen der Arbeiter und Angestellten verfügt hatten. Damit war der private Mittelstand endgültig beseitigt, übrig blieb ein kleiner Rest von rund 2000 selbständigen Handwerkern, Gastronomen und Einzelhändlern. Der Ideologie von den sozialistischen Produktionsverhältnissen ohne kapitalistische Einsprengsel war jetzt Genüge getan, aber es fehlte hinfort das volkswirtschaftlich wichtige dynamische Element des mittelständischen Unternehmers.

Honeckers neue Wirtschafts- und Sozialpolitik war auch deshalb auf Sand gebaut, weil die DDR-Bürger keinen Anlass sahen, sozusagen aus Dankbarkeit für die staatlich gewährten Wohltaten die schwerfällige und jede individuelle Initiative erstickende Planwirtschaft produktiver zu machen. Sie verglichen nämlich ihre Situation nicht mit den Verhältnissen in den östlichen „Bruderländern", sondern stets nur mit denen in der Bundesrepublik, was ihre Zufriedenheit nicht förderte.

Gefährliche Verschuldung

Die Rechnung der SED-Führung ging vor allem deshalb nicht auf, weil mehr Geld für den Konsum, die Sozialleistungen und die Preissubventionen für billige Mieten, Grundnahrungsmittel, Fahrpreise etc. ausgegeben wurde, als die DDR erwirtschaftete.

Zwischen 1970 und 1988 wuchsen die dafür bereit gestellten Subventionen von 11,4 Milliarden auf 61,6 Milliarden Mark an – das entsprach am

Schluss einem Viertel des gesamten Staatshaushaltes. Die Folge war eine zunehmende Verschuldung der DDR im westlichen Ausland, insbesondere in der Bundesrepublik. Zwischen 1970 und 1975 stieg die Auslandsverschuldung von 2 Milliarden DM auf 13 Milliarden DM; wieder fünf Jahre später (1980) war der Schuldenberg bereits auf 28 Milliarden DM angewachsen, und 1989 betrug die Auslandsverschuldung der DDR schließlich 49 Milliarden DM. Durch die starke Subventionierung der Verbraucherpreise, die nach dem Willen der SED-Führung stabil gehalten werden mussten, nahm auch die Binnenverschuldung des DDR-Staatshaushalts im gleichen Zeitraum dramatisch zu – von 12 Milliarden Mark auf schließlich 123 Milliarden Mark. Ende 1978 war der Schuldenberg schon so hoch, dass immer neue Kredite aufgenommen werden mussten, um die Zinsen für die alten Kredite bezahlen zu können.

Dieser verhängnisvolle Schuldenkreislauf brachte den SED-Staat bereits Anfang der achtziger Jahre an den Rand der Zahlungsunfähigkeit. Der real – existierende Sozialismus lebte über seine wirtschaftlichen Verhältnisse. Das war dem kleinen Kreis der Wirtschaftsfachleute im Finanzministerium, der Staatsbank und der Staatlichen Plankommission durchaus bewusst. Doch wie etwa der langjährige Chef der Plankommission Gerhard Schürer später berichtete, trafen ihre – freilich nur sehr vorsichtig vorgebrachten – Warnungen bei Honecker und weiteren Spitzenfunktionären wie Günter Mittag auf völliges Unverständnis. Kürzungen im Sozialbereich, die der Wirtschaftslage angemessen gewesen wären, kamen für Honecker aus Gründen des Machterhalts nicht in Frage. Es blieb auch bei der „Politik stabiler Verbraucherpreise für die Waren des Grundbedarfs sowie für Mieten, Tarife und Dienstleistungen", wie Honecker auf dem X. Parteitag der SED 1981 dekretierte. Dass diese Dauersubventionen den Staatshaushalt in den Ruin treiben mussten, kam dem ersten Mann im SED-Staat nicht in den Sinn. Stattdessen wies er kritische Berichte westlicher Medien zu diesem Kernstück sozialistischer Wirtschafts- und Sozialpolitik selbstbewusst und von keinem Sachverstand getrübt zurück: „Dabei tun sie so, als könne nur das ‚freie Spiel von Angebot und Nachfrage' zu richtigen Preisen und einer gesunden Wirtschaft führen. Das ist natürlich ein Märchen." Von einer soliden Finanzplanung konnte hinfort keine Rede mehr sein. Wirtschaftlich gesehen lebte man von der Substanz. Die ostdeutsche Volkswirtschaft geriet auf eine immer abschüssiger werdende Bahn und zugleich in eine wachsende Abhängigkeit von der Bundesrepublik.

Entspannungspolitik und innere Abgrenzung

Die internationale Aufwertung des SED-Regimes im Zuge der neuen Ostpolitik der Bundesrepublik erreichte ihren Höhepunkt mit der Aufnahme beider deutscher Staaten in die Vereinten Nationen 1973. Im Jahr darauf nahmen die USA und die DDR diplomatische Beziehungen auf, 1978 schließlich hatten 123 Staaten in aller Welt den kommunistischen Teil Deutschlands völkerrechtlich anerkannt. Damit hatte die SED-Führung erreicht, wofür sie seit 1949 gekämpft hatte. Ihre Herrschaft ohne Mandat wurde international nicht mehr in Frage gestellt, ihr Ansehen war erheblich gewachsen. Die komplizierten Vorbehalte aus Bonn waren nur für Eingeweihte verständlich und verloren zunehmend an Gewicht. Die DDR galt als fast normaler Staat.

Doch die Machthaber in Ost-Berlin waren sich durchaus bewusst, dass diese Entwicklung auch Gefahren für das Regime barg. Immer mehr DDR-Bürger beriefen sich jetzt auf internationale Menschenrechtskonventionen und stellten Anträge auf Ausreise in die Bundesrepublik. Vor allem die von der DDR mitunterzeichnete KSZE-Schlussakte von Helsinki vom August 1975 hatte für das Regime zwei Seiten. Die Anerkennung der Unverletzlichkeit der Grenzen in Europa entsprach zwar den außenpolitischen Zielen der DDR. Die gleichzeitig getroffenen humanitären Vereinbarungen über den „freien Austausch von Menschen, Informationen und Meinungen" zwischen Ost und West und die Besuchs- und Reiseerleichterungen verstanden die kommunistischen Führer jedoch als Bedrohung ihrer Machtbasis, auf die sie mit einer verschärften Politik der Abgrenzung gegenüber Westdeutschland reagierten.

Die Erhöhung des Zwangsumtausches für Westbesucher war ein solches Mittel, um den Besucherstrom zu kanalisieren. Eine Folge der Abgrenzungspolitik der Machthaber waren 1978 die Einführung der „Wehrerziehung" als obligatorisches Unterrichtsfach in der neunten und zehnten Klasse und die vielen anderen Maßnahmen des Staates, die allesamt auf eine Militarisierung der DDR-Gesellschaft abzielten, deren Feindbild die Bundesrepublik sein sollte. Wachsamkeit gegenüber dem „Klassenfeind" im Westen und die Bereitschaft zur Verteidigung der „sozialistischen Errungenschaften" mit der Waffe in der Hand forderte die offizielle Propaganda von jedem Bürger. Das begann im Kindergarten und endete nicht am Arbeitsplatz.

Ideologisch vertiefte Honecker die Abgrenzung gegenüber West-deutschland auch dadurch, dass die führende Rolle der Sowjetunion bei jeder Gelegenheit propagiert und ausdrücklich durch einen 1975 bis zum Jahre 2000 abgeschlossenen Freundschafts- und Beistands-vertrag mit der Sowjetunion bekräftigt wurde. Die mit der neuen Ver-fassung von 1974 vorgenommene definitive Absage an den Fortbe-stand einer gemeinsamen deutschen Nation, zu der sich die DDR in den ersten beiden Jahrzehnten ihrer Existenz noch bekannt hatte, war als scharfer Trennungsschnitt gegenüber der Bundesrepublik gedacht und sollte der eigenen Bevölkerung klar machen, dass die Verbesse-rung der deutsch-deutschen Beziehungen nach dem Willen der SED niemals in eine Politik der Wiedervereinigung münden würde. Daran ließ Honecker keinen Zweifel, auch nicht als die Kontakte zwischen Bonn und Ost-Berlin zur Zeit der Kanzlerschaft von Helmut Schmidt und Helmut Kohl sachlich und von beiderseitigem Nutzenkalkül ge-leitet waren. Mit seinen 1980 in Gera erhobenen Forderungen an die Bundesrepublik nach Anerkennung der DDR-Staatsbürgerschaft, der Umwandlung der beiden Ständigen Vertretungen in richtige Bot-schaften und nach Schließung der Zentralen Erfassungsstelle in Salz-gitter, die Unrechtstaten der politischen Justiz in der DDR registrier-te, unterstrich Honecker diesen Kurs ziemlich spektakulär. Sogar der Text der DDR-Nationalhymne von Johannes R. Becher – „... Deutschland einig Vaterland" – durfte nicht mehr gesungen werden.

Grenzsicherung

Schließlich wurde die territoriale Abgrenzung im wahren Sinne des Wortes gegenüber der Bundesrepublik und Westberlin im Laufe der siebziger Jahre immer perfekter ausgestaltet. Die Grenzsicherung be-stand längst nicht mehr nur aus Mauer und Stacheldraht, sondern aus zusätzlich zehntausenden Selbstschussanlagen und Bodenminen so-wie einem tiefgestaffelten, kilometerbreiten System von Kontrollen und Sicherungen. 50 000 Mann Grenztruppen bewachten die Staats-grenze der DDR Tag und Nacht. Die Parteiführung hielt die Soldaten zum „rücksichtslosen Gebrauch der Schusswaffe" (so Honecker 1974) an und belobigte sie im Erfolgsfall. Alle Ein- und Ausreisenden wurden an den Grenzübergangsstellen ausschließlich von Mitarbei-tern des Staatssicherheitsdienstes kontrolliert, die sich aber nicht als solche zu erkennen gaben.

Härte gegen Regimekritiker

Die Folgen dieser physischen und ideologischen Abgrenzungspolitik bekam nachgerade jeder zu spüren, der sich nicht dem Diktat der kommunistischen Propaganda unterwarf, der die parteioffiziellen Lügen durchschaute und auf die Geltung der Menschenrechte pochte. DDR-Bürger, die unter Hinweis auf die Vereinbarungen von Helsinki Anträge auf Ausreise stellten, wurden mit Strafen bedroht und als Staatsfeinde kriminalisiert. Schikanen am Arbeitsplatz waren an der Tagesordnung. Erst später änderte man die Taktik und versuchte, sich dieses Problems zu entledigen, indem „kritische" Antragsteller vermehrt ausgebürgert wurden.

Hart gingen die Behörden gegen Westjournalisten vor, die durch kritische Berichte über die Verhältnisse in der DDR auffielen. Immer wieder kam es wegen angeblicher „Diffamierungen des Volkes und der Regierung" zu Ausweisungen. DDR-Schriftsteller, -Künstler und -Intellektuelle, die es sich erlaubten, Kritik an der Politik der Staatsführung zu üben, sahen sich Repressionen ausgesetzt, auch wenn sie selbst Mitglied der SED waren. So erging es dem im Westen bekanntesten marxistischen Regimekritiker, dem früheren Chemieprofessor Robert Havemann, der mit Methoden des Psychoterrors kriminalisiert und unter Hausarrest gestellt wurde, um ihn daran zu hindern, seine Ideen von einer sozialistischen Demokratie, in deren Mittelpunkt die politischen Menschenrechte standen, in der DDR zu propagieren. Havemann verstarb 1982, wirkte aber als Symbolfigur des intellektuellen Protests gegen die ostdeutsche Parteidiktatur weit über seinen Tod hinaus.

Zu einer regelrechten Machtprobe kam es 1976 zwischen der Partei und zahlreichen prominenten Künstlern, als der schon lange in Ungnade gefallene kritische Liedermacher und – damals noch – überzeugte Kommunist Wolf Biermann bei einer genehmigten Konzertreise in die Bundesrepublik gegen seinen Willen ausgebürgert wurde. Unnachsichtig ging die Staatsführung gegen rund 100 prominente wie weniger bekannte Schriftsteller und Künstler vor, die dagegen protestiert hatten. Sie entzog ihnen bestimmte Privilegien, bedrohte sie mit Gefängnis, versuchte sie politisch und gesellschaftlich zu isolieren oder verbannte sie ebenfalls aus dem von der Propaganda unablässig gepriesenen Arbeiter- und Bauernparadies wie etwa den Schriftsteller Reiner Kunze. Wieder andere erhielten die Genehmigung zur Ausreise in die Bundesrepublik, zum Beispiel Manfred Krug, einer der bekanntesten Schauspieler der DDR, in der, wie sich zeigen sollte, irrigen Annahme, durch Abschiebung dieses „Unruhepotenzials" die übrigen „Kulturschaffenden" wieder in den Dienst der Partei stellen zu können.

Kirche im Sozialismus

Mit der evangelischen Kirche, dem einzig verbliebenen größeren staatsfreien Raum in der SED-Diktatur, einigte sich Honecker 1978 auf eine Art modus vivendi. Die Kirche erhielt mehr Spielraum für ihre gesellschaftlichen Aktivitäten zum Beispiel auf dem Feld der Friedensinitiativen, die damals noch von der offiziellen Partei-Propaganda als nützlich eingeschätzt wurden. Dafür hielten sich die Kirchenleitungen mit demonstrativer Kritik am SED-Staat zurück, den sie als „Kirche im Sozialismus" mittragen, aber zugleich auch verbessern wollten. Dass sich gerade hier ein Protestpotenzial aufbauen würde, das das Ende der DDR beschleunigen half, ahnten damals weder die Parteiführung noch die Kirchenleitungen. Doch schon zu diesem Zeitpunkt gab es Hinweise genug dafür, dass die von der SED erhoffte Ruhe im kirchlichen Bereich nicht eintrat. An der Basis entwickelten sich viele Kirchengemeinden zunehmend zu einem Sammelbecken für Oppositionelle und Kritiker der Menschenrechtsverletzungen des Regimes. Zahlreiche Gruppierungen der ostdeutschen Umwelt- und Friedensbewegung fanden dort Schutz und Gelegenheit zur quasi öffentlichen Demonstration ihrer Anliegen. Friedensgebete, die zum Beispiel seit 1981 jeden Montag in der Leipziger Nikolaikirche, aber auch anderenorts abgehalten wurden, hatten im repressiven innenpolitischen Klima der DDR eine Signalwirkung für viele Andersdenkende, die Gleichgesinnte suchten, und versetzten zugleich die Sicherheitsbehörden in Alarmstimmung.

Friedens- und Umweltgruppen und die Staatsmacht

Nach dem Scheitern ihrer Kampagne gegen die Nato-Nachrüstung 1983 begann die SED-Führung sofort, die Friedensbewegung im eigenen Land zu bekämpfen, weil sie deren Slogan „Schwerter zu Pflugscharen" nunmehr vor allem als Kritik an der östlichen Aufrüstungspolitik verstand und erkannte, dass diese Gruppen neben Frieden auch Freiheit und Demokratie in der DDR forderten.

Unter dem Dach der Kirche, meistens von mutigen jüngeren Pfarrern unterstützt, aber nicht immer mit Zustimmung der Bischöfe und der

Kirchenverwaltungen, entfalteten diese Gruppen ihre Aktivitäten, die sie in den Augen der Machthaber zu Staatsfeinden werden ließen. Obwohl die Diktatur mit dem geschilderten brutalen Instrumentarium ihrer Überwachungsmöglichkeiten gegen diese Gruppen vorging, indem sie einzelne Protagonisten zur Abschreckung inhaftierte – so etwa 1983 Bärbel Bohley und Ulrike Poppe, die im Jahr zuvor die Initiative „Frauen für den Frieden" gegründet hatten –, andere bis in ihr Privatleben hinein bespitzelte und in vielen Fällen diese Gesprächs- und Aktionskreise geheimdienstlich unterwanderte, konnten diese ab 1983 immer häufiger Kontakte miteinander knüpfen. So bildete sich allmählich eine Oppositionsbewegung, mit der das Regime nicht fertig werden sollte.

Fehleinschätzungen

Wie für die Bundesrepublik überwogen letztlich auch für die DDR zunächst die Vorteile ihrer Vertrags- und Kooperationspolitik mit Bonn und den übrigen westlichen Staaten deren Nachteile. Ohne die westdeutschen Wirtschafts- und Finanzhilfen wäre es nicht zu der geschilderten Verbesserung der Lebensverhältnisse für die DDR-Bürger und damit auch zu einer relativen Stabilisierung der Position Honeckers gekommen. Die für das Regime möglicherweise gefährlichen Folgen der intensivierten Ost-Westkontakte glaubte man durch die Verhaftung und Ausweisung einzelner Regimekritiker neutralisieren zu können, aber auch dadurch, dass Anträge auf Ausreise großzügiger genehmigt wurden – 1984 erstmals über 30 000 Personen –, in der wie sich bald erwies völlig falschen Erwartung, dass dann wieder Ruhe in der Bevölkerung einkehren würde. In Wirklichkeit wirkte diese Aktion wie eine Initialzündung. Bald beantragten jährlich zwischen 40 000 und 50 000 DDR-Bürger ihre Ausreise, 1987 bereits über 100 000, gegen die die Sicherheitsbehörden scharf vorgingen. Letztlich glaubten SED und MfS bis zuletzt, die Bürger mit Repressalien und Gnadenakte ruhig stellen zu können.

Das war ein verhängnisvoller Fehlschluss. Nicht nur Teile der jüngeren Generation und Regimegegner der intellektuellen Szene kritisierten die Erstarrung des DDR-Staates immer lauter und forderten die Menschenrechte ein. Auch Millionen normaler DDR-Bürger zeigten sich mit Beginn der achtziger Jahre zusehends missmutiger und unzufriedener mit dem „realexistierenden Sozialismus", wie sie ihn tagtäglich erlebten. Enttäuschung über die vielen vollmundigen Versprechungen der Parteioberen, die dann doch nicht eingehalten wurden, machte sich breit. Natürlich spielte dabei auch das Westfernsehen eine Rolle. Es lieferte den meisten Ostdeutschen eine virtuelle Konsumwelt ins Wohnzimmer, die den grauen DDR-Alltag noch trister erscheinen ließ als er es in Wirklichkeit schon war. Doch die um sich greifende Unzufriedenheit hatte reale Ursachen.

Die Unzufriedenheit wächst

Es gab zwar soziale Sicherheit und Vollbeschäftigung in der DDR. Doch die Kehrseite dieser von der Altherrenriege im Politbüro unablässig gepriesenen „sozialistischen Errungenschaften" des ersten „Arbeiter- und Bauernstaates auf deutschem Boden" blieb nur den wenigsten verborgen. In den Betrieben der sozialistischen Konzerne (Kombinate), fehlten die Investitionsmittel zur Erneuerung der häufig überalterten Anlagen. Es gab daher viel Leerlauf. Nicht wenige Werktätige waren mit nichts Anderem beschäftigt als mit Reparaturarbeiten. Der technologische Rückstand gegenüber dem Westen war überall mit Händen zu greifen. Der Umweltschutz wurde klein geschrieben, und entsprechend groß war der Raubbau an der Natur. Als ärgerlich empfanden es viele auch, dass die Konsumgüter der gehobenen Qualität aus der volkseigenen Produktion (Kameras, Stereoanlagen etc.) ausschließlich in den Westen verkauft wurden, um Devisen zu erwirtschaften, während der DDR-Bürger sich mit einfacheren Produkten zufrieden geben mussten. Schließlich kam es in den achtziger Jahren immer häufiger wieder zu Versorgungsmängeln sogar bei Grundnahrungsmitteln. Die Menschenschlangen vor den Geschäften – als „sozialistische Wartegemeinschaften" ironisiert – gehörten daher zum Alltag der Bürger. Vor allem aber die fehlende Reisefreiheit schürte die Unzufriedenheit der Bevölkerung mit den gesellschaftlichen Verhältnissen in der DDR. Immer mehr DDR-Bürger zogen sich in ihren privaten Bereich, ihre Nische, zurück, resignierten mehr oder weniger offen angesichts der für unveränderbar gehaltenen Machtverhältnisse, zollten den Forderungen der Parteipropaganda ihren verbalen Tribut, dachten aber und redeten im Freundeskreis ganz anders und versuchten, unter den gegebenen Bedingungen ein möglichst normales Leben zu leben.

Wirtschaftlicher Niedergang auf Raten

Noch war die Parteidiktatur der SED unangefochten. Das Politbüro und dort wieder der engere Kreis um Honecker, zu dem Erich Mielke, Willi Stoph, Egon Krenz und Günter Mittag zählten, befehligten ein diszipliniertes Heer von etwa 100 000 Parteisekretären, 44 000 sonstigen Parteifunktionären und etwa 100 000 Führungskräften der Militär- und Sicherheitsorgane. Die Blockparteien huldigten den Spitzen der SED und akzeptierten deren Führungsrolle, die Massenorganisationen wie etwa der Freie Deutsche Gewerkschaftsbund sorgten dafür, dass auch die Millionen parteiungebundenen „Werktätigen" nicht aus dem Ruder liefen. Nicht zuletzt konnte die Parteispitze auf den großen Bruder in Moskau und dessen 380 000 Mann starkes Kontingent der Roten Armee in der DDR setzen. Doch das änderte sich seit 1981/82. Die Rote Armee blieb zwar weiterhin der wichtigste Garant für die Herrschaft der Kommunisten in der DDR. Aber in wirtschaftlicher Hinsicht verlor die DDR einen Teil der bisher von Moskau gewährten Unterstützung. Die Sowjetunion kürzte nämlich ziemlich unvermittelt ihre Erdöllieferungen an die DDR um zwei Millionen Tonnen (etwa zehn Prozent der bisherigen Lieferungen), die sie selbst dringend zur Devisenerwirtschaftung am Weltmarkt zur Finanzierung ihres Militärapparates benötigte. Honeckers Appell an Breschnew, diese Entscheidung wieder rückgängig zu machen, da ansonsten die Destabilisierung der DDR drohe, nützte nichts. In der Folgezeit stagnierte die DDR-Wirtschaft auf niederem Niveau. Die bereits geschilderte hohe Verschuldung der DDR im Westen verschärfte die wirtschaftliche Krise erheblich, in die die Partei das Land manövriert hatte. Die DDR benötigte dringend weitere Kredite für ihre teuren Importe, denen keine ausreichenden Exporte gegenüber standen. Doch ihre Kreditwürdigkeit zog die internationale Bankenwelt auch deshalb in Zweifel, weil Polen und Rumänien gerade ihre Zahlungsunfähigkeit erklärt hatten.

Überlebenshilfe aus Bonn

In dieser katastrophalen Lage, die alle Anzeichen des beginnenden Niedergangs der DDR erkennen ließ, kamen der Parteiführung zwei 1983 und 1984 vom bayerischen Ministerpräsidenten Strauß mit eingefädelte und von der Bundesregierung genehmigte Bankkredite über jeweils eine Milliarde DM zugute. Mit diesen Sicherheiten im Rücken erhielt die DDR am internationalen Geldmarkt wieder die Devisen, die sie so dringend benötigte. Auch die sozialdemokratische Opposition im Bundestag befürwortete diese Initiative, da eine kollabierende DDR zum damaligen Zeitpunkt die (anders als in der Ära Gorbatschow) Gefahr eines Eingreifens der Sowjetunion heraufbeschworen hätte – zumindest sahen das alle maßgeblichen westdeutschen Politiker so. Die Gegenleistung der SED-Führung waren wiederum humanitäre Erleichterungen: die Selbstschussanlagen an der Grenze wurden ab Ende 1983 abgebaut, die Bundesregierung konnte mehr politische Gefangene freikaufen, und die DDR-Behörden genehmigten mehr Ausreisen.

Geheime Devisenerwirtschaftung

Bei diesem innerdeutschen „Deal", der von der sowjetischen Führung heftig kritisiert wurde, spielte auf der Seite der DDR Alexander Schalck-Golodkowski eine wichtige Rolle. In seiner Doppelfunktion als Stasioffizier im besonderen Einsatz (OibE) und Wirtschaftsmanager sorgte er mit dem von ihm geführten Unternehmensbereich „Kommerzielle Koordinierung" bereits seit Jahren dafür, den maroden Staatshaushalt mit Milliarden DM zu versorgen. Tarnfirmen in der Bundesrepublik, Waffengeschäfte, der Verkauf von Blutplasma und ihren Besitzern entzogenen Antiquitäten bildeten die wichtigsten Einnahmequellen für dieses schillernde Projekt, mit kapitalistischen Methoden den Sozialismus zu stabilisieren.

Das Feindbild bleibt – Unterwanderung und Abhöraktionen

Die von der Bundesrepublik damals gewährte wirtschaftliche Hilfe veranlasste die Verantwortlichen des SED-Regimes allerdings keinesfalls, ihren seit Jahrzehnten betriebenen ideologischen Kampf gegen die Demokratie im Westen einzustellen und ihre Unterwanderungsversuche zu beenden. Die etwa 500 bis 1000 Agenten, die das Ministerium für Staatssicherheit, vor allem der Auslandsspionagedienst (Hauptverwaltung Aufklärung), im Bundesgebiet führte, arbeiteten wie bisher als „Kundschafter des Friedens" für ihre Auftraggeber in Ostberlin. Dabei spielte vor allem die Wirtschaftsspionage eine zunehmend größere Rolle.

Auch die vielen tausend Westdeutsche – Schätzungen gehen von mindestens 20 000 in der Zeit von 1950 bis 1989 aus –, die in Verwaltungen, Unternehmen, Universitäten, Forschungseinrichtungen, Parteien und sonstigen staatlichen Einrichtungen der Bundesrepublik als Inoffizielle Mitarbeiter für die Staatssicherheit spionierten, setzten ihre Arbeit fort.

Natürlich erhielten auch die 500 hauptamtlichen Stasi-Mitarbeiter der Hauptabteilung III des Mielke-Ministeriums keinen Befehl, ihre Lauschaktionen gegenüber westlichen Politikern einzustellen. Im Gegenteil – unermüdlich werteten sie die abgehörten Telefongespräche westlicher Behörden und Politiker aller Parteien aus und lieferten besonders brisante Informationen gleich an die Parteispitze. Ausführlich informierte die Stasi beispielsweise 1984 Honecker und acht weitere Politbüromitglieder über die internen Diskussionen der SPD-Führung zur so genannten „Flick-Spendenaffäre" (siehe nächstes Kapitel). Dem Bericht zufolge ging es dabei vor allem um die Frage, wie viel die CDU von Verstrickungen führender Sozialdemokraten wisse und ob man unter diesen Umständen eine Verständigung mit den Konservativen versuchen solle. Genau so detailliert wusste die Stasi über die Telefonate Bescheid, die CDU-Funktionäre über Transaktionen von Spendengeldern in die Schweiz führten. Seit Anfang der siebziger Jahre war die Stasi fast immer dabei, wenn bundesdeutsche Politiker zum Telefonhörer griffen. Etwa 100 000 Anschlüsse standen unter ständiger „Zielkontrolle", das heißt wurden abgehört, darunter das Autotelefon des Bundespräsidenten, sowie sämtlicher Mitglieder der Bundesregierung, an ihrer Spitze natürlich der Bundeskanzler. Die Stasi notierte alles fein säuberlich in Abhörprotokollen – 740 Meter dieser Akten lagern heute in der Gauck-Behörde –, und sie vergaß auch nicht, wichtige Abhörergebnisse dem sowjetischen Geheimdienst (KGB) zu übermitteln.

Alles in allem war es Honecker bis Mitte der achtziger Jahre zwar gelungen, den wirtschaftlichen Kollaps der DDR noch einmal abzuwenden und die innerdeutschen Beziehungen auch mit der Regierung Kohl/Genscher im Sinne einer „Koalition der Vernunft" (Honecker) voranzubringen. Doch innerhalb der DDR verschärften sich die Spannungen zwischen Führung und Bevölkerung, weil die kommunistische Partei ihre hegemoniale Stellung in allen Lebensbereichen beibehielt und mit allen ihr zur Verfügung stehenden Machtmitteln verteidigte.

ZEITTAFEL

1971

3. Mai 1971 Erich Honecker wird Erster Sekretär der SED, Ulbricht bleibt Staatsratsvorsitzender.

15./19. Juni 1971 8. Parteitag der SED: Einheit von Wirtschafts- und Sozialpolitik soll die Bedürfnisse der Menschen stärker berücksichtigen. Erste Maßnahmen: Förderung des privaten Wohnungsbaus, Preisstopp für Konsumgüter und Dienstleistungen.

24. Juni 1971 Honecker auch Vorsitzender des Nationalen Verteidigungsrates.

30. September 1971 Post- und Fernmeldeabkommen zwischen beiden deutschen Staaten.

16./17. Dezember 1971 Honecker kündigt vor dem Zentralkomitee eine Liberalisierung des kulturellen Lebens: „Wenn man von der festen Position des Sozialismus ausgeht, kann es meines Erachtens auf dem Gebiet von Kunst und Literatur keine Tabus geben."

17. Dezember 1971 Die Staatssekretär Bahr (BRD) und Kohl (DDR) unterzeichnen als ersten deutsch-deutschen Vertrag das Transitabkommen für den Verkehr zwischen beiden Staaten.

20. Dezember 1971 Die DDR und der Senat von Westberlin vereinbaren Erleichterungen des Reise- und Besucherverkehrs.

1972

27./28. April 1972 Erhöhung der Mindestrenten, Mietpreissenkungen, sozialpolitische Maßnahmen für berufstätige Mütter und kinderreiche Familien, zinsloses Ehestandsdarlehen für junge Eheleute.

18. Mai 1972	Beendigung der letzten Verstaatlichungswelle kleiner Privatbetriebe.
7. November 1972	SED-Politbüro beschließt eine Verschärfung der Überwachung von Westkontakten.
8. November 1972	Beitritt der DDR zur UNESCO.
21. Dezember 1972	Egon Bahr und Michael Kohl unterzeichnen den Grundlagenvertrag in Ostberlin.
31. Dezember 1972	Im Jahre 1972 verlassen 17 164 Personen als Flüchtlinge oder Übersiedler die DDR. Bis Jahresende nehmen 20 Staaten diplomatische Beziehungen mit der DDR auf (u.a. Österreich, Schweiz, Schweden, Belgien). Bereits im Januar und Februar 1973 folgen 15 weitere, darunter Italien, Großbritannien und Frankreich.

1973

1. März 1973	Korrespondenten von ARD und ZDF und zahlreichen westdeutschen Zeitungen werden in der DDR akkreditiert.
8. März 1973	Die DDR lehnt Wiedergutmachungszahlungen an Israel in jeder Form ab.
11. Mai 1973	Bundestag verabschiedet den Grundlagenvertrag gegen die Stimmen von CDU/CSU.
1. August 1973	Walter Ulbricht stirbt im Alter von 80 Jahren.
18. September 1973	Die Bundesrepublik und die DDR werden Mitglieder der UNO.
2. Oktober 1973	SED beschließt ein Wohnungsbauprogramm, das bis 1990 die Wohnungsfrage lösen soll.
5. November 1973	Verdoppelung des Mindestumtauschsatzes für die in die DDR einreisenden West-

bürger (20 DM zum Kurs 1:1 in DDR-Mark pro Person).

19. Dezember 1973	DDR-Bürger dürfen mit Devisen in Intershops einkaufen.
31. Dezember 1973	Im Jahre 1973 verlassen 16 189 Personen als Flüchtlinge oder Übersiedler die DDR.

1974

1. Januar 1974	Die DDR führt das Autokennzeichen „DDR" anstelle des bisherigen „D" ein.
9. Januar 1974	Egon Krenz wird Vorsitzender der FDJ.
2. Mai 1974	Eröffnung der Ständigen Vertretungen in Bonn und Ostberlin.
3. Mai 1974	Der Nationale Verteidigungsrat bestätigt den „Schusswaffeneinsatz gegen Grenzverletzer".
4. September 1974	Aufnahme diplomatischer Beziehungen zwischen der DDR und den USA.
7. Oktober 1974	In der DDR-Verfassung von 1968 werden alle Bezüge auf die deutsche Nation gestrichen. Das „unwiderrufliche" Bündnis mit der Sowjetunion erhält Verfassungsrang.
26. Oktober 1974	Senkung der Mindestumtauschsätze.
31. Dezember 1974	Im Jahre 1974 verlassen 13 252 Personen als Flüchtlinge oder Übersiedler die DDR.

1975

1. August 1975	Erich Honecker unterzeichnet für die DDR die KSZE-Schlussakte von Helsinki; Zusammentreffen mit Helmut Schmidt.
7. Oktober 1975	Zweiter Freundschaftsvertrag mit der Sowjetunion. Die Breschnew-Doktrin von der begrenzten Souveränität der sozialistischen Staaten ist Bestandteil des Vertrages.

| 31. Dezember 1975 | Im Jahre 1975 verlassen 16 285 Personen als Flüchtlinge oder Übersiedler die DDR. |

1976

| 23. April 1976 | Palast der Republik in Ostberlin eröffnet. Der im Volksmund „Erichs Lampenladen" und „Ballast der Republik" genannte Bau kostet über eine Milliarde Mark. |

| 18./22. Mai 1976 | Honecker erhält – nach sowjetischem Vorbild – den Titel „Generalsekretär" |

| 27. Mai 1976 | Weitere sozialpolitische Maßnahmen der Regierung: höhere Grundlöhne und Renten, mehr Urlaub, schrittweise Einführung der Vierzigstundenwoche |

| 18. August 1976 | Der evangelische Pfarrer Oskar Brüsewitz verbrennt sich öffentlich in Zeitz aus Protest gegen die Unterdrückung der Kirchen in der DDR. |

| **16. November 1976** | Ausbürgerung des Liedermachers Wolf Biermann während einer Tournee in der Bundesrepublik. Breite Solidarisierung von DDR-Künstlern und Intellektuellen gegen diese Aktion der Staatsmacht. |

| 31. Dezember 1976 | Im Jahre 1976 verlassen 15 188 Personen als Flüchtlinge oder Übersiedler die DDR. |

1977

| 17. Februar 1977 | Honecker in der „Saarbrücker Zeitung": Ohne Anerkennung der DDR-Staatsbürgerschaft keine Reisefreiheit für Deutsche aus der DDR ins westliche Ausland. |

| 7. Oktober 1977 | Jugendkrawalle auf dem Ostberliner Alexanderplatz fordern drei Tote und zahlreiche Verletzte. |

| 26. August 1977 | Die DDR schiebt mehrere Regimekritiker nach Haftstrafen in die Bundesrepub- |

lik ab – ein Verfahren, das immer häufiger angewendet wird, um Dissidenten mundtot zu machen.

31. Dezember 1977	Im Jahre 1977 verlassen 12 078 Personen als Flüchtlinge oder Übersiedler die DDR.

1978

6. März 1978	Zusammentreffen Honeckers mit Bischof Schönherr, dem Vorsitzenden der evangelischen Kirchenleitungen: Beginn eines entspannteren Verhältnisses zwischen Staat und Kirche.
26. August 1978	Als erster Deutscher startet Sigmund Jähn an Bord der sowjetischen Raumkapsel „Sojus 31" in den Weltraum.
27. September 1978	Einführung des neuen Unterrichtsfaches in den Klassen 9 und 10 „Vormilitärische Ausbildung und Erziehung" (Wehrunterricht), für alle Jungen und Mädchen verpflichtend.
31. Dezember 1978	Im Jahre 1978 verlassen 12 177 Personen als Flüchtlinge oder Übersiedler die DDR.

1979

18. Januar 1979	Übertritt des MfS-Offiziers Werner Stiller in die Bundesrepublik: Enttarnung eines Netzes von DDR-Spionen in Westdeutschland.
14. April 1979	Bürokratische Maßnahmen zur Behinderung der freien Berichterstattung aus der DDR.
25. Mai 1979	Verurteilung Robert Havemanns wegen Verstoßes gegen das Devisengesetz zu einer Geldstrafe von 10 000 Mark. Prozessverlauf und Urteil wurden von der Staatssicherheit und der Justiz drehbuchartig vorbereitet.

7. Juni 1979	Schriftstellerverband schließt neun Autoren aus, die die DDR-Kulturpolitik kritisiert hatten. Die meisten können die DDR verlassen.
28. Juni 1979	Verschärfung des politischen Strafrechts zur Bekämpfung von Regimekritikern.
27. Dezember 1979	Einmarsch sowjetischer Truppen in Afghanistan.
31. Dezember 1979	Im Jahre 1979 verlassen 12 555 Personen als Flüchtlinge oder Übersiedler die DDR.

1980

31. August 1980	Nach Massenstreiks in ganz Polen gesteht die Staatsführung die Bildung freier Gewerkschaften und das Streikrecht zu.
13. Oktober 1980	Honecker macht in einer Grundsatzrede in Gera den Ausbau der innerdeutschen Beziehungen von der Anerkennung der DDR-Staatsbürgerschaft, der Umwandlung der Ständigen Vertretungen in Botschaften, der Festschreibung des Elbe-Grenzverlaufs in der Strommitte und der Schließung der Zentralen Erfassungsstelle in Salzgitter abhängig (Geraer Forderungen).
	Drastische Erhöhung des Zwangsumtausches für Westdeutsche.
30. Oktober 1980	Erschwerung der Privatreisen von DDR-Bürgern nach Polen.
31. Dezember 1980	Verschuldung der DDR erreicht die Grenze von 10 Milliarden Dollar.
	Im Jahre 1980 verlassen 12 763 Personen als Flüchtlinge oder Übersiedler die DDR.

1981

26./31. Mai 1981	Staatsbesuch Honeckers in Japan.

1. September 1981	Auch in der Erweiterten Oberschule (EOS) wird vormilitärische Erziehung Pflichtfach.
11./ 13. Dezember 1981	Bundeskanzler Helmut Schmidt trifft mit Honecker am Werbellinsee zusammen.
13. Dezember 1981	Verhängung des Kriegsrechts in Polen durch Ministerpräsident Jaruzelski. Der Führer der Gewerkschaft Solidarität, Lech Walesa, wird verhaftet.
31. Dezember 1981	Im Jahre 1981 verlassen 15 433 Personen als Flüchtlinge oder Übersiedler die DDR.

1982

25. Januar 1982	„Berliner Appell – Frieden schaffen ohne Waffen" von Pfarrer Rainer Eppelmann und Robert Havemann verfasst: erstmals erreicht die Friedensbewegung der DDR eine breite Resonanz.
9. Februar 1982	Honecker übergibt die zweimillionste Wohnung. Später stellte sich heraus, dass die Erfolgszahlen geschönt waren.
14. Februar 1982	Friedensforum in der Kreuzkirche in Dresden mit etwa 5 000 meist jugendlichen Teilnehmern.
18. Juni 1982	DDR erklärt sich zu Reiseerleichterungen bereit.
20. November 1982	Eröffnung der Transitautobahn Hamburg-Berlin.
31. Dezember 1982	Im Jahre 1982 verlassen 13 203 Personen als Flüchtlinge oder Übersiedler die DDR.

1983

29. Juni 1983	Ein von Franz Josef Strauß in Absprache mit der Bundesregierung vermittelter Milliarden-Kredit westdeutscher Banken unterstützt die finanzielle Lage wie Position der DDR auf den Finanzmärkten.

27. September 1983	DDR beginnt mit dem Abbau der Selbstschussanlagen an der innerdeutschen Grenze.
24./25. November 1983	Egon Krenz wird Mitglied des Politbüros und ZK-Sekretär für Sicherheit.
12. Dezember 1983	Bärbel Bohley und Ulrike Poppe von der Initiative „Frauen für den Frieden" werden verhaftet und erst fünf Wochen später wieder frei gelassen.
31. Dezember 1983	Im Jahre 1983 verlassen 11 343 Personen als Flüchtlinge oder Übersiedler die DDR.

1984

14. März 1984	Eine SPD-Delegation trifft die SED-Spitze in Ostberlin.
6. April 1984	Politbüromitglied Günter Mittag (Wirtschaft) trifft in Bonn Kohl und Strauß.
25. Juni 1984	Vorübergehende Schließung der Ständigen Vertretung der Bundesrepublik in Ostberlin, in der sich 55 DDR-Bürger aufhalten, um ihre Ausreise zu erzwingen.
25. Juli 1984	DDR erhält einen weiteren Milliardenkredit von der Bundesregierung.
2. August 1984	Die sowjetische Parteizeitung „Prawda" kritisiert die innerdeutschen Beziehungen: Bonn mische sich mit seinen ökonomischen Mitteln in die inneren Angelegenheiten der DDR ein.
3. Oktober 1984	Honecker im „Neuen Deutschland": „Die Vereinigung von Sozialismus und Kapitalismus ist ebenso unmöglich wie die von Feuer und Wasser."
31. Dezember 1984	Im Jahre 1984 verlassen 40 974 Personen als Flüchtlinge oder Übersiedler die DDR.

1985

13. Februar 1985	Wiedereröffnung der 1945 zerstörten Semper-Oper in Dresden.
23./24. April 1985	Staatsbesuch Honeckers in Italien; Gespräch mit Papst Johannes Paul II.
26. April 1985	Der Warschauer Vertrag, das östliche Militärbündnis, wird um 20 Jahre verlängert.
27. November 1985	An der innerdeutschen Grenze ist die Entfernung der Bodenminen durch die DDR beendet.
31. Dezember 1985	Im Jahre 1985 verlassen 24 912 Personen als Flüchtlinge oder Übersiedler die DDR.

1986

9. Februar 1986	DDR erweitert Reisemöglichkeiten in dringenden Familienangelegenheiten.
1. März 1986	Erweiterung des Telefonselbstwählverkehrs zwischen BRD und DDR.
26. April 1986	Im Atomkraftwerk Tschernobyl bei Kiew kommt es zur bisher größten Reaktorkatastrophe in der Geschichte der friedlichen Nutzung der Kernenergie.
26. Juni 1986	Die Unabhängige Friedens- und Ökologiebewegung der DDR richtet an die Volkskammer einen Appell, die Energie-, Wirtschafts- und Informationspolitik zu ändern
18. September 1986	Die DDR dämmt auf Drängen der Bundesregierung den Zustrom von Asylsuchenden ein, die über Ostberlin einreisen.
31. Dezember 1986	Im Jahre 1986 verlassen 26 178 Personen als Flüchtlinge oder Übersiedler die DDR.

1987

17. Juli 1987	Abschaffung der Todesstrafe in der DDR.
27. August 1987	SPD und SED veröffentlichen ihr gemein-

	sames Papier „Der Streit der Ideologien und die gemeinsame Sicherheit".
7./11. September 1987	Offizieller Besuch Honeckers in der Bundesrepublik.
24./25. November 1987	Durchsuchung der Umweltbibliothek der evangelischen Zionsgemeinde in Ostberlin durch den Staatssicherheitsdienst; Mitglieder kirchlicher Friedens- und Umweltgruppen werden inhaftiert; weitere Aktionen gegen oppositionelle Gruppen in mehreren Städten; es finden Mahnwachen und Solidaritätsveranstaltungen in der ganzen DDR statt. Die Verhafteten werden wieder freigelassen.
31. Dezember 1987	Im Jahre 1987 verlassen 16 958 Personen als Flüchtlinge oder Übersiedler die DDR.

Anlässlich des Besuches von SED-Generalsekretär Erich Honecker in der Bundesrepublik Deutschland schritt Bundeskanzler Helmut Kohl mit ihm am 8.9.1987 eine
Ehrenformation der Bundeswehr ab.   *Foto: Bilderdienst Süddeutscher Verlag*

10. Regierungswechsel in Bonn – Die christlich-liberale Koalition unter Bundeskanzler Helmut Kohl ab 1982

Kohl wird Kanzler

Mit einem Paukenschlag endete am 1. Oktober 1982 die dreizehnjährige sozialdemokratische Kanzlerschaft. Dass ausgerechnet der international hochangesehene und auch im Lager nicht weniger Unionswähler geschätzte Helmut Schmidt als erster und bisher einziger Bundeskanzler durch ein konstruktives Misstrauensvotum des Oppositionsführers Helmut Kohl gestürzt wurde, entbehrte nicht der Ironie. Hatte Schmidt doch den als provinziell geltenden CDU-Vorsitzenden und Fraktionschef der Union mit der ihm eigenen Arroganz bei jeder Gelegenheit spüren lassen, dass er ihn für unfähig hielt, das Amt des Bundeskanzlers auszufüllen. Dieses Urteil teilte er mit Kohls Parteifreund und langjährigem politischen Rivalen, dem bayerischen Ministerpräsidenten Franz Josef Strauß. Auch in den Medien sahen das viele so und sie korrigierten ihre Meinung erst als Kohl mit der Wiedervereinigung Deutschlands im wahren Sinne des Wortes Geschichte machte. Doch so weit war es noch lange nicht.

Das gelungene Misstrauensvotum im Herbst 1982 erlebte die Öffentlichkeit zwar als einen spannenden Vorgang. Der erste Versuch der Union eines Kanzlersturzes im Jahre 1972 war bekanntlich gescheitert. Doch am Ende stand ein normaler Regierungswechsel, der erneut bewies, dass das vom Grundgesetz geschaffene parlamentarische System funktionierte. Dass der eben gestürzte vormalige Kanzler Helmut Schmidt sein Arbeitszimmer nebst Vorzimmer im Bundeskanzleramt hatte völlig leer räumen lassen als Kohl am Tag nach seiner Wahl zum Bundeskanzler zu einer „technischen Vorbesichtigung" dort eintraf, gehörte zu den Signalen der Missachtung, die Schmidt seinem Nachfolger bis zuletzt zuteil werden ließ. Doch der „Ententeichbesitzer", wie Schmidt ihn abschätzig nannte, zog noch am selben Tag an der Spitze einer Möbelkarawane dort ein. Die offizielle Übergabe durch Schmidt erfolgte erst Tage später.

Die Liberalen in der Zerreißprobe

Ohne den Koalitionswechsel der Liberalen wäre es freilich nicht dazu gekommen. Den Absprung von der SPD, den Parteichef und Außenminister Hans – Dietrich Genscher anfangs zögerlich, dann entschlossen, vor allem auf Drängen von Wirtschaftsminister Otto Graf Lambsdorff seit Mitte 1981 betrieb – „Eine Wende ist notwendig" (Genscher, August 1981) –, empfanden viele Anhänger der sozialliberalen Koalition als Verrat. Doch die Koalition war unbestritten in wichtigen politischen Fragen nicht mehr handlungsfähig, wie spätestens seit 1982 zu erkennen war. Die Parteispitze der FDP fürchtete den baldigen Machtverlust an der Seite einer in sicherheits- und wirtschaftspolitischen Fragen tief zerstrittenen Sozialdemokratie, die ihrem Kanzler in der Frage des Nato-Doppelbeschlusses die Gefolgschaft versagte. In Meinungsumfragen lag die Union weit vor der SPD und im Bundesrat hatte sie mit 30 zu 15 Stimmen die Mehrheit.

Der Koalitionswechsel, den Genscher für unverzichtbar hielt, obwohl er damit die Sympathie vieler seiner Anhänger verlieren musste, wurde zu einer Zerreißprobe für die Liberalen. Im Bundesvorstand stimmten 18 Mitglieder dafür, 15 dagegen, und in der Fraktion votierten 40 Prozent der Abgeordneten dagegen. Langfristig erwies sich diese heftig umstrittene Operation aber als eine Art Überlebensgarantie für die FDP, in der hinfort der wirtschaftsliberale Flügel den Ton angab.

Kohl setzt sich durch –
Stabilisierung der Koalition durch Neuwahlen

In Helmut Kohl hatten die Liberalen einen machtpolitisch versierten und in den meisten Sachfragen übereinstimmenden Partner, der nicht vergaß, wem er sein Amt verdankte. Seine Position wollte der neue Bundeskanzler von Anfang an durch ein nachfolgendes Wählervotum stabilisieren, aber nicht so, wie sich das Strauß vorstellte, der seine bundespolitischen Ambitionen immer noch nicht aufgegeben hatte. Dieser drängte auf sofortige Neuwahlen, weil er sich davon eine absolute Mehrheit der Union versprach, was Kohl der Möglichkeit beraubt hätte, unter Verweis auf die FDP Strauß und die CSU personell (Besetzung des Außenministeriums) und inhaltlich zu übergehen. Genau dies lag nicht im Interesse Kohls, der statt dessen einen Wahltermin im Frühjahr 1983 durchsetzte. Die Monate davor sollten zur Profilierung der neuen Regierung genutzt werden, um sich dann dem Wählervotum zu stellen. Das war eine strategische Entscheidung von weit reichender Bedeutung, die den Machtinstinkt Kohls erkennen ließ. Die Rettung der FDP bildete den ersten Grundstein für seine 16jährige Kanzlerschaft, seine dominierende Stellung in der CDU war deren Voraussetzung.

Kohls Rechnung ging auf. Die vorgezogene Bundestagswahl am 6. März 1983 – wegen der dazu notwendigen Auflösung des Bundestages durch Bundespräsident Karl Carstens (CDU) verfassungsrechtlich umstritten, aber vom Bundesverfassungsgericht nachträglich gebilligt – brachte der Koalition einen klaren Sieg und Bundeskanzler Kohl die gewünschte Zustimmung der Wähler.

Bundestagswahl 1983

Bei einer Wahlbeteiligung von gut 89 Prozent gewannen die Unionsparteien 4,3 Prozent hinzu und erzielten mit 48,8 Prozent der Stimmen und 244 von 498 Mandaten ein hervorragendes Ergebnis. Die FDP büßte zwar 3,6 Prozent der Stimmen gegenüber 1980 ein, schnitt aber mit 7 Prozent und 34 Mandaten immer noch besser ab, als das angesichts der anhaltend schweren innerparteilichen Auseinandersetzungen zu erwarten war. Helmut Schmidt hatte eine erneute Spitzenkandidatur abgelehnt. An seiner Stelle kandidierte der hochangesehene ehemalige Bundesjustizminister und Oberbürgermeister von München, Hans-Jochen Vogel, der jedoch nicht verhindern konnte, dass die SPD erstmals seit 1965 wieder unter die 40-Prozent-Marke abrutschte: sie verlor 4,7 Prozent und kam nur auf 38,2 Prozent der Stimmen bzw. 193 Mandate. Erstmals zogen die Grünen mit 5,6 Prozent der Stimmen und 27 Abgeordneten in den Deutschen Bundestag. Ihr Wahlerfolg, der sich später auch in den Ländern fortsetzte, löste in der Bundesrepublik einen starken Impuls zugunsten der Umweltpolitik aus. Auch die großen Parteien erklärten sich in den folgenden Jahren publikumswirksam zu Anwälten des Umweltschutzes.

Regierungspolitik zwischen Kontinuität und Wandel

Die Wende- und Erneuerungsrhetorik, mit der sich der Regierungschef der christlich-liberalen Koalition 1982 und 1983 der Öffentlichkeit präsentierte, war keineswegs von einem politischen Kurswechsel auf breiter Front begleitet. Dieser beschränkte sich auf den Bereich der Wirtschafts- und Sozialpolitik. In der Außen- und Sicherheitspolitik wurde Kontinuität groß geschrieben, wofür allein schon die Person des neuen und alten Außenministers Genscher stand, der die Fortführung einer für Ost und West berechenbaren deutschen Außenpolitik als seine Lebensaufgabe betrachtete.

Auch in der Deutschlandpolitik änderte sich zur Überraschung vieler Beobachter wenig. Sie erklärte der neue Kanzler von Anfang an zur Chefsache, wobei er seine Durchsetzungsfähigkeit gegenüber dem konservativen Flügel der Union eindrucksvoll unter Beweis stellte, der einen härteren Kurs gegenüber Honecker forderte.

Reformen in der Wirtschafts- und Sozialpolitik

Finanzkrise, Massenarbeitslosigkeit, Staatsverschuldung, Inflation, Wachstumsschwäche – das waren die Stichworte für die akuten wirtschaftlichen Probleme, denen sich die Regierung Kohl/Genscher gegenübergestellt sah. Die neue Regierung war sich bewusst, dass sie die Unterstützung der Wählermehrheit nur behielte, wenn sie sich auf diesen Feldern der Innenpolitik bewährte.

Mit reformerischem Elan gelang es der christlich-liberalen Koalition in den folgenden Jahren, die Rahmenbedingungen für einen wieder einsetzenden wirtschaftlichen Aufschwung zu schaffen. Um die „Erblast" der Vorgängerregierung abzutragen, setzten Union und Liberale auf die Stärkung der Marktkräfte. Eigeninitiative und Wettbewerb, Steuerentlastung für die Unternehmen und weniger staatliche Eingriffe in die Wirtschaft hieß das neue wirtschaftspolitische Credo.

Finanzminister Gerhard Stoltenberg, neben Genscher der wichtigste Politiker im Kabinett, betätigte sich als erfolgreicher Sparkommissar. Der „kühle Klare aus dem Norden", seit Adenauers Zeiten in zahlreichen Ministerämtern bewährt, zuletzt Ministerpräsident in Schleswig-Holstein, zählte zum konservativen Flügel der CDU und stand für eine solide Finanzpolitik. Gegen heftige politische Widerstände der SPD, aber auch des Arbeitnehmerflügels der Union und vor allem hunderter Interessengruppen aus allen Lagern der Gesellschaft setzte er 1988 eine Steuerreform durch, die den Wegfall zahlreicher Steuervergünstigungen und Sonderregelungen sowie eine allgemeine

Tarifsenkung mit einer Entlastungswirkung von 30 Milliarden DM für die Steuerzahler mit mittlerem und höherem Einkommen brachte. Durch eine Politik der Ausgabenbegrenzung und Leistungseinschränkungen vor allem im sozialen Bereich gelang es ihm, den Haushalt zu sanieren und die jährliche Nettoneuverschuldung zu vermindern (1982: 72,1 Mrd. DM; 1986: 38,4 Mrd. DM, 1987: 52,0 Mrd. DM). Der Schuldenberg der öffentlichen Hände insgesamt wuchs allerdings weiter, wenngleich wesentlich langsamer als in den siebziger Jahren. Neue Sozialleistungen wie die Einführung des Erziehungsgeldes (1986) und die Anrechnung von Kindererziehungsjahren bei der Altersrente von Frauen (1986) konnten die Sozialpolitiker der CDU – an ihrer Spitze Arbeits- und Sozialminister Norbert Blüm – gegen den Widerstand des Finanzministers durchsetzen.

Massenarbeitslosigkeit im wirtschaftlichen Aufschwung

Insgesamt verbesserten sich die materiellen Lebensumstände für die Mehrheit der Bevölkerung in den achtziger Jahren. Die Konjunktur entwickelte sich wieder positiv, nicht zuletzt durch den Preisverfall des Erdöls seit Mitte der achtziger Jahre. Der Export boomte. Und das Bruttosozialprodukt, das 1982 um 0,9 Prozent abgenommen hatte, wuchs wieder an – pro Jahr um 1,5 Prozent oder mehr, 1984 und 1988 sogar über 3 Prozent. Auch die Inflation ging stark zurück (1982: 5,3%, 1988: 1,3%).

Erfolglos blieb die Regierung jedoch im Kampf gegen die Arbeitslosigkeit. Obwohl zwischen 1982 und 1990 hunderttausende neue Arbeitsplätze geschaffen wurden, blieben bis 1989 jährlich über zwei Millionen Menschen arbeitslos. Die geburtenstarken Jahrgänge, die hohen Zuwanderungszahlen und vor allem die rasant voranschreitende Rationalisierung im Industriesektor waren ursächlich dafür. Mit Vorruhestandsregelungen (Frühverrentung) und Arbeitszeitverkürzung wurde der Versuch unternommen, einen noch rascheren Anstieg der Zahl der Arbeitslosen zu verhindern. Erst im Zuge der deutschen Wiedervereinigung sank deren Zahl bis 1992 vorübergehend unter zwei Millionen, um dann wieder dramatisch anzusteigen.

Kohl als Parteiführer

Der wirtschaftliche Aufschwung jener Jahre stabilisierte die Bonner Koalitionsregierung in der Wählergunst. Der Bundeskanzler selbst zählte allerdings bis Ende der achtziger Jahre – ganz im Gegensatz zu allen seinen Vorgängern – nicht zu den populären Politikern in der Bundesrepublik. Ohne rednerische Brillanz und medienwirksame Fähigkeiten konnte er im Zeitalter des Fernsehens in der Öffentlichkeit lange Zeit keine Punkte sammeln. Seine Machtbasis war und blieb die CDU. Sie war ihm politische Heimat und Mittel zur Durchsetzung seiner politischen Vorstellungen. Schon frühzeitig verstand er es, sie auf seine Person auszurichten – durch unmittelbare Kommunikation und Förderung, die bis in die letzten Parteigliederungen reichten, durch die Verteilung von Geldspenden auf offiziellen und inoffiziellen Wegen und die erfolgreiche Entmachtung innerparteilicher Rivalen. Grundsätzlich gewann der Faktor persönliche Loyalität für die Führungsstruktur in der Partei besondere Bedeutung.

In den ersten Jahren als Parteiführer ab 1973 trat Kohl allerdings als Erneuerer der Union hervor und verlieh der in die Jahre gekommenen Honoratiorenpartei ein modernes Profil sowie neue Siegeszuversicht nach der Bonner Wahlniederlage von 1972. Mit Kurt Biedenkopf als Generalsekretär berief er eine intellektuelle Kapazität an seine Seite, die die Parteizentrale der CDU in Bonn zu einem schlagkräftigen Führungsinstrument ausbaute. Zugleich verstand er es, die CDU wieder als Volkspartei und Partei der Mitte, die sich den aktuellen gesellschaftlichen Strömungen öffnete, erkennbar werden zu lassen und programmatisch zu profilieren. Auch mit Heiner Geißler – Kohls Sozialminister aus Mainzer Zeiten –, der Biedenkopf 1977 als Generalsekretär nachfolgte, kam frischer Wind in die Partei. Die Zahl der Mitglieder verdoppelte sich in wenigen Jahren. Die CDU bestimmte wieder Themen, über die öffentlich diskutiert wurde („Neue soziale Frage", „Gleichstellung von Mann und Frau") und zog das Interesse der Medien auf sich. Davon profitierte Kohl erheblich, der als Oppositionsführer im Bundestag (seit 1976) im Schatten des brillanten und mit ätzender Kritik an ihm nicht geizenden Helmut Schmidt stand, aber als Erneuerer seiner Partei positiv gewürdigt wurde. Spätestens seit Beginn seiner Kanzlerschaft wurde aber deutlich, dass er hinfort seine Partei vor allem als schlagkräftige Wahlkampforganisation zur Erhaltung seiner Macht zu nutzen gedachte. Als politisches Diskussionsforum für neue gesellschaftliche Probleme war ihm seine Partei nicht mehr so wichtig. Nach dem Ende seiner Kanzlerschaft im Jahre 1998 warfen ihm dies ehemals getreue politische Mitstreiter vor, die allerdings in den erfolgreichen Zeiten Kohls seine straffe, auf Machterhalt der Union gerichtete Parteiführung durchaus zu schätzen gewusst hatten. Nur wenige christdemokratische Spitzenpolitiker, wie etwa der bis 1989 amtierende CDU-Generalsekretär Heiner Geißler, kritisierten auch schon damals diesen Führungsstil des Parteichefs und sein geringes Interesse für die programmatische Lebendigkeit der CDU. Das Zerwürfnis zwischen beiden Politikern war damit vorprogrammiert.

Regierung im Zwielicht – die Parteispendenaffäre

Als Parteiführer sicherte Kohl seine Kanzlerschaft ab, die in den Anfangsjahren allerdings mehrfach durch diplomatische Ungeschicklichkeiten und politische Affären ins Zwielicht geriet. Kohls Ansehen in der bundesdeutschen Öffentlichkeit schadete insbesondere sein zusammen mit Genscher und Strauß geplanter Versuch im Jahre 1984, ein Amnestiegesetz im Bundestag durchzubringen, das rechtswidrige Parteispenden aus den sechziger und siebziger Jahren rückwirkend von der Strafverfolgung ausnehmen sollte. Dabei spielten vor allem die Spendengelder des Flick-Konzerns eine Rolle, die dessen Generalbevollmächtigter Eberhard von Brauchitsch nach seinen eigenen Worten zur „Pflege der politischen Landschaft" in Bonn zugunsten von CDU, CSU und der FDP eingesetzt hatte.

Der Flick- Konzern hatte 1975 mit Zustimmung des damaligen Bundeswirtschaftsministers Fridrichs (FDP) Aktien im Wert von 1,9 Mrd. DM steuerfrei verkaufen und wieder anlegen können. Im Zusammenhang damit wurden umfangreiche Zuwendungen an Politiker und Parteien bekannt. Bestechung konnte allerdings nicht nachgewiesen werden. Diese lange Zeit in einer rechtlichen Grauzone betriebenen steuersparenden Spendengeschäfte führten zu 1700 Ermittlungsverfahren, die zumeist mit Geldstrafen endeten. Auch Kohl selbst hatte Spendengelder der Industrie erhalten und rechtswidrige Praktiken der Parteienfinanzierung über so genannten „Staatsbürgerliche Vereinigungen" gedeckt. Seine engen Kontakte zu Flick wurden zur gleichen Zeit bekannt, als sein alter Rivale, der damalige Bundestagspräsident Rainer Barzel, einräumen musste, dass er seit 1973, nach dem Verlust seiner Ämter in Partei (Nachfolger wurde Kohl) und Fraktion auf der Gehaltsliste des Flick-Konzerns stand – allerdings über den Umweg einer Anwaltstätigkeit in einer Frankfurter Sozietät. Sein Gehalt von jährlich einer Viertelmillion DM hatte Flick als Betriebsausgaben steuerlich abgesetzt. Barzel musste von seinem Amt zurücktreten.

Am tiefsten war Wirtschaftsminister Graf Lambsdorff als langjähriger Schatzmeister der FDP in Nordrhein-Westfalen in die Parteispendenaffäre verstrickt. Mit Briefkastenfirmen, Umwegfinanzierungen und als Vereinen getarnten Geldwaschanlagen hatte er der mitgliedsschwachen FDP Spendengelder der Industrie, insbesondere von Flick, zugeführt, die rechtswidrig bei der Steuer abgesetzt wurden und im Übrigen anonym blieben. Bereits Ende 1981 hatte Bundeskanzler Schmidt einen ersten Versuch, aller im Bundestag vertretenen Fraktionen gestoppt, ein Amnestiegesetz zu erlassen. Kohls erneuter Versuch im Sommer 1984, die Spender und Organisatoren dieser dubiosen Spendenpraktiken per Gesetz straffrei zu stellen, scheiterte angesichts der öffentlichen Empörung, aber auch weil die FDP-Basis nicht mitmachte, ebenfalls. Vor Prozessbeginn trat Lambsdorff im Juni 1984 zurück. Er wurde drei Jahre später wegen Steuerhinterziehung zu einer hohen Geldstrafe verurteilt.

Nichts gelernt

Die Parteispendenaffäre ließ in der Öffentlichkeit den Eindruck entstehen, Politiker seien käuflich. Politikerverdrossenheit machte sich breit. Der Bundestag beeilte sich zwar, die Parteienfinanzierung gesetzlich schärfer zu fassen und die Umgehungsmöglichkeiten der Transparenzpflicht für Parteispenden zu beschneiden. Wie sich jedoch Ende 1999/Anfang 2000 bei der erneuten Parteispendenaffäre der CDU erwies, hatten die maßgeblichen Verantwortlichen nichts aus dem damaligen Skandal gelernt. Insbesondere Kohl selbst betätigte sich weiterhin als erfolgreicher Spendensammler für seine Partei mit viel Verständnis für alle Spender, die gerne anonym bleiben wollten, wenn auch das Parteiengesetz etwas anderes vorschrieb.

Bundestagswahl 1987 – Einbußen der Union in der Wählergunst

Bei der Wahl zum 11. Deutschen Bundestag im Januar 1987 büßten die Unionsparteien 4,5 Prozent ein und erzielten mit 44,3 Prozent ihr damals schlechtestes Ergebnis seit 1953. Da aber auch die SPD mit ihrem Kanzlerkandidaten Johannes Rau auf 37 Prozent absackte, blieb die Union trotz des wenig populären Kanzlers die bei weitem stärkste Partei.

Die höchsten Stimmengewinne bei der Bundestagswahl 1987 erzielten die Grünen mit 8,3 Prozent. Unverkennbar erwuchs den Gründerparteien der Bundesrepublik, insbesondere der SPD, mit denen sich zunächst noch als „Antipartei" verstehenden Grünen auf dem linken Flügel des Parteienspektrums ein ernsthafter Konkurrent. Viele junge und jede Menge parteienverdrossene Wähler fühlten sich von deren basisdemokratischem Selbstverständnis, ihren ökologischen Zielen und ihrem Protest gegen die Nutzung von Kernenergie nachhaltig angesprochen.

Insgesamt konnte sich die Regierung bestätig sehen, da sich die FDP um 2,1 Prozent auf 9,1 Prozent der Stimmen verbesserte. Dennoch zogen sich die Koalitionsverhandlungen wochenlang hin, bis sich die Unionsparteien und die FDP geeinigt hatten und Helmut Kohl am 11. März 1987 mit nur 4 Stimmen über der erforderlichen absoluten Mehrheit erneut zum Bundeskanzler wählten.

Innerparteilicher Machtkampf – Kohl setzt sich durch

Trotz seiner auch weiterhin nur mäßigen Popularitätswerte und mehrerer Wahlniederlagen der CDU auf Länderebene und bei den Europawahlen im Juni 1989 verstand es Kohl, seine Stellung als Regierungschef zu festigen. Dazu trug die gute Zusammenarbeit mit dem liberalen Koalitionspartner bei. Im Kabinett war er unangefochten, weil eine wachsende Zahl von Ministern ausschließlich ihm ihre Ämter verdankten. Vor allem aber blieb er gegenüber seinen innerparteilichen Gegnern – CDU-Generalsekretär Heiner Geißler, Ministerpräsident von Baden-Württemberg Lothar Späth, Bundestagspräsidentin Rita Süssmuth und einer ganzen Reihe weiterer CDU-Politiker – erfolgreich, die 1988/89 seinen Sturz planten. Diese und andere Christdemokraten warfen Kohl autoritären Führungsstil, politische Konzeptionslosigkeit und fehlende visionäre Kraft vor. Aber es ging auch um inhaltliche Differenzen in tagespolitischen Fragen wie etwa der Ausländerpolitik. Der wachsenden Kritik an seiner Amtsführung begegnete Kohl mit einer Kabinettsumbildung im April 1989. Mit der Berufung des seit 1988 amtierenden CSU-Parteivorsitzenden Theo Waigel zum Bundesfinanzminister und seines bisherigen Kanzleramtsministers Wolfgang Schäuble zum Innenminister machte er zwei wichtige Politiker der CDU/CSU-Fraktion zu Stützen seiner Regierung. Entscheidend war aber, dass Kohl die Mehrheit der Delegierten auf dem Bundesparteitag der CDU in Bremen im September 1989 auf seiner Seite hatte. Diese wollten in der seit Sommer 1989 im östlichen Europa immer dramatischer werdenden und auch in der DDR spürbaren politischen Umbruchssituation keinen neuen Parteivorsitzenden. Mit Volker Rühe installierte Kohl einen neuen CDU-Generalsekretär. Der monatelang als Gegenkandidat gehandelte Lothar Späth trat gar nicht erst zur Wahl um den Parteivorsitz an. Die innerparteilichen Verschwörer gaben sich schließlich geschlagen. Kohl blieb Parteivorsitzender der CDU bis 1998.

Umstrittene Nachrüstung in der Bundesrepublik

Was die Außenpolitik anging, legte die Regierung Kohl/Genscher von Anfang an Wert darauf, an der Priorität der Westbindung der Bundesrepublik keinen Zweifel aufkommen zu lassen. Obwohl Kohl wie Genscher die ideologische Konfrontationspolitik von US-Präsident Ronald Reagan gegenüber der Sowjetunion keineswegs in allen Punkten guthießen und sich in die deutsch-sowjetischen Handelsbeziehungen nicht hineinreden ließen, demonstrierten sie sogleich den Schulterschluss mit Washington.

Nach dem Scheitern der amerikanisch-sowjetischen Verhandlungen in Genf über den Abbau der Mittelstreckenraketen in Europa – kurz zuvor hatte sich Genscher noch einmal erfolglos in einem elfstündigen Gespräch mit dem sowjetischen Außenminister Gromyko in Wien um sowjetisches Entgegenkommen bemüht –, stimmte die Regierungskoalition im November 1983 gemäß dem Nato-Doppelbeschluss von 1979 der Stationierung neuer amerikanischer Mittelstreckenwaffen in der Bundesrepublik zu – gegen die Stimmen der Grünen und der SPD. Damit setzte Helmut Kohl gegen heftige Proteste in der bundesdeutschen Öffentlichkeit das sicherheitspolitische Konzept seines Vorgängers in die Praxis um, während sich die SPD mit großer Mehrheit dagegen aussprach.

Die Stimmung in Teilen der westdeutschen Öffentlichkeit war aufgeheizt. Die Initiatoren der Friedensbewegung, welche in Teilen aus der DDR instrumentalisiert und auch finanziert wurde, konnten hunderttausende Bundesbürger zu Großdemonstrationen bewegen. Prominente Schriftsteller wie Heinrich Böll und Günter Grass, Intellektuelle, Künstler, Hochschullehrer, aber auch viele einfache Bürger aller Altersgruppen nahmen an Sitzblockaden vor den Stationierungsorten teil. Die Nachrüstungsgegner schienen Recht zu bekommen, als der Kreml sofort die Abrüstungsgespräche mit den Amerikanern in Genf unterbrach und wenige Monate später mit den angedrohten Gegenmaßnahmen begann, nämlich Mittelstreckenraketen kürzerer Reichweite nach Mitteleuropa, auch in die DDR, zu verlagern. Damit hatte die Entspannungspolitik der vergangenen Jahre einen schweren Rückschlag erfahren, und die deutsch-sowjetischen Beziehungen verschlechterten sich erheblich.

Beurteilung im Rückblick

Damals war in der Presse viel vom Ausbruch einer neuen Eiszeit im Ost-West-Verhältnis die Rede. In Wirklichkeit beschleunigte jedoch die Standfestigkeit der Nato-Staaten, und hier vor allem der Bundesregierung und der US-Regierung unter Präsident Reagan, den in der sowjetischen Führungsspitze beginnenden sicherheitspolitischen Umdenkungsprozess, der von Generalsekretär Michael Gorbatschow dann ab 1986 in praktische Politik umgesetzt wurde. Jahre später, als es die Sowjetunion nicht mehr gab, bestätigten ehemals hochrangige sowjetische Politiker und Wissenschaftler, dass die damals in der Bundesrepublik sehr umstrittene und kritisierte Nachrüstungspolitik der Regierung Kohl/Genscher und die konsequente Aufrüstungspolitik der Reagan-Administration ganz erheblich zu dem folgenreichen außenpolitischen Kurswechsel Moskaus beigetragen hatten. Die Einsicht setzte sich im Politbüro langsam durch, dass die Sowjetunion aus wirtschaftlichen Gründen den Rüstungswettlauf mit Amerika nicht gewinnen konnte.

Amerikanische Politik der Stärke

US-Präsident Reagans kompromisslose und vor keinen finanziellen Belastungen zurückschreckende Politik der Stärke gegenüber der Sowjetunion, die er das „Zentrum des Bösen in der modernen Welt" bezeichnete, traf in großen Teilen der westdeutschen Öffentlichkeit auf wenig Sympathie. Seine Überlegungen über die Begrenzbarkeit eines nuklearen Krieges in Europa und die Planungen für ein weltraumgestütztes Verteidigungssystem, um Amerika vor gegnerischen Raketen zu schützen (Strategic Defence Initiative, SDI), waren Wasser auf die Mühle eines verbreiteten Antiamerikanismus und pazifistischer Gruppierungen. Auf der linken wie der rechten Seite des politischen Spektrums grassierte aus unterschiedlichen Gründen die „Angst vor den Freunden". In der DDR nutzten die SED-Propagandisten die neue US-Sicherheitspolitik als Schreckgespenst für die Bevölkerung und wohl auch zur Rechtfertigung des im eigenen Land befindlichen und immer noch anwachsenden sowjetischen Militärapparates.

Dass Reagan seine Politik der Stärke ausdrücklich mit einem Angebot zum Dialog verband, übersahen seine Kritiker in der Bundesrepublik geflissentlich: „Die Abschreckung ist von entscheidender Bedeutung für die Erhaltung des Friedens und den Schutz unserer Lebensform, aber Abschreckung ist nicht Anfang und Ende unserer Politik gegenüber der Sowjetunion. Wir müssen und werden die Sowjets in einen Dialog einbinden, der ... der Förderung des Friedens ... dienen, den Stand der Rüstungen verringern und ein konstruktives Arbeitsverhältnis schaffen wird... Stärke und Dialog gehen Hand in Hand." (US-Präsident Reagan in einer Fernsehansprache, Anfang 1984).

Zuverlässigkeit und Bündnistreue

Für die Bundesrepublik sollte sich wenige Jahre später auszahlen, dass Kohl gegenüber der westlichen Führungsmacht die Bündnistreue und Zuverlässigkeit seiner Regierung eindrucksvoll demonstriert und die deutsch-amerikanische Sicherheitspartnerschaft bekräftigt hatte, ohne sich jedoch zu einem wirtschaftlichen und politischen Kreuzzug gegen Moskau verpflichten zu lassen. Die Fortentwicklung der Europäischen Gemeinschaft im engen Zusammenwirken mit Frankreich unter Staatspräsident François Mitterrand bildete den zweiten außenpolitischen Pfeiler der Regierung Kohl/Genscher, die beide Europäer aus Überzeugung und Einsicht waren. Zugleich signalisierte Bundeskanzler Kohl der Sowjetunion und der DDR seine auf Entspannung abzielende Gesprächsbereitschaft. Die neue Bonner Koalition ließ von Anfang an erkennen, dass sie die von der Vorgängerregierung für erforderlich gehaltene Nachrüstung uneingeschränkt verwirklichen und zugleich deren auf Kooperation und Dialog setzende Deutschlandpolitik fortzusetzen beabsichtigte.

Deutschlandpolitik – Fortsetzung des Normalisierungsprozesses

Bundeskanzler Kohl betonte zwar in öffentlichen Verlautbarungen deutlicher als die Vorgängerregierung den Unrechtscharakter der SED-Herrschaft, kritisierte Mauer, Stacheldraht und Schießbefehl ebenso wie die Ausweisung von Regimegegnern und nannte die Teilung Deutschlands beim Namen. Doch von der Wiedervereinigung sprach er allenfalls in einem sehr abstrakten Sinn, weil niemand sie damals am Horizont der Möglichkeiten erkennen konnte. Die normative Distanz zum System und zur Ideologie des Kommunismus zu unterstreichen (was Kohl deutlicher akzentuierte als sein Vorgänger), war eine Sache. Eine andere war es, praktische Politik auf dem Boden der Tatsachen und mit den Inhabern der Macht zu treiben. Kohls Deutschlandpolitik im Alltag zielte daher nicht anders als die von Helmut Schmidt auf die weitere Normalisierung der deutschdeutschen Beziehungen auf der Grundlage der geltenden Verträge und Abkommen. Die Zusammenarbeit sollte auf möglichst allen Feldern der Politik intensiviert werden. Das war vielleicht für die bundesdeutsche Öffentlichkeit überraschend, die sich noch an die scharfe Ablehnung des Grundlagenvertrages (1972) und auch der Vereinbarungen zwischen Ost und West auf der KSZE-Konferenz in Helsinki (1975) durch die Union erinnerte. Für die SED-Führung war das weit weniger überraschend, hatte doch eine Reihe von prominenten Unionspolitikern mit Rückendeckung Kohls bereits seit vielen Jahren vertrauliche Kontakte mit Ostberlin gepflegt und dort zu erkennen gegeben, dass bei einem Regierungswechsel die bisherige deutschlandpolitische Linie fortgesetzt werden würde.

Kohl und Honecker im Kontakt

Gleich nach seinem Regierungsantritt wiederholte Kohl die noch von Schmidt ausgesprochene Einladung Honeckers nach Bonn, und in zahlreichen Telefonaten und Briefen entwickelten beide Politiker eine gewisse Vertrautheit miteinander.

Zu einem ersten persönlichen Treffen kam es im Februar 1984 in Moskau am Rande der Beisetzungsfeierlichkeiten für den verstorbenen sowjetischen Staats- und Parteichef Juri Andropow. Kohl und Honecker sprachen in gelockerter Atmosphäre vor allem über die besondere Aufgabe, die den beiden deutschen Staaten bei der Verbesserung des Klimas im Verhältnis der beiden Supermächte zukam und stimmten dabei weitgehend überein. Im März 1985 fand diese Beerdigungsdiplomatie in Moskau nach dem Tod von Parteichef Tschernenko und einen Tag nach dem Amtsantritt des neuen Generalsekretärs der KPdSU Gorbatschow ihre Fortsetzung. In einer gemeinsamen Erklärung bestätigte Kohl seinem Gesprächspartner aus Ostberlin auf dessen ausdrücklichen Wunsch hin „die Souveränität aller Staaten in Europa in ihren gegenwärtigen Grenzen" als eine „grundlegende Bedingung für den Frieden". Das war nicht neu, sondern stand bereits im Warschauer Vertrag von 1970 und Kohl hatte diese Formulierung in seinem kurz zuvor im Bundestag vorgetragenen „Bericht zur Lage der Nation im geteilten Deutschland" ebenfalls verwendet. In Moskau kam er aber damit dem Bedürfnis Honeckers nach Gleichrangigkeit und Anerkennung ausdrücklich noch einmal entgegen, was zu einer weiteren Klimaverbesserung zwischen den beiden Regierungen führte.

Koalition der Vernunft

Humanitäre Erleichterungen, vor allem im Reiseverkehr, sollte die DDR gewähren, dafür stellte die Bonner Regierung finanzielle Unterstützung und wirtschaftliche Sonderkonditionen in Aussicht. Darüber hinaus unterstrichen beide Spitzenpolitiker in ihren Telefonaten und Briefen, dass von Deutschland nie wieder Krieg ausgehen dürfe und bestätigten sich wechselseitig ihre diesbezügliche besondere Verantwortung. In einer Zeit der Raketenstationierung und des atomaren Wettrüstens zwischen Ost und West bekannten sich Honecker und Kanzler Kohl ausdrücklich zu einer „Koalition der Vernunft", sprachen von der „Verantwortungsgemeinschaft" der beiden deutschen Staaten und zeigten sich darin einig, durch vermehrte Zusammenarbeit so etwas wie eine Politik der „Schadensbegrenzung" in Europa zu verwirklichen.

Zweifellos spielten die beiden 1983 und 1984 der DDR gewährten Milliardenkredite eine wichtige Rolle bei diesem Prozess der deutsch-deutschen Annäherung. Dass sie das in gefährlichen wirtschaftlichen Turbulenzen geratene SED-Regime damit zugleich stabilisierte, war der Bonner Regierung wohl bewusst. Doch weder in der Opposition noch im Regierungslager sah man damals eine Alternative zu dieser Politik des pragmatischen Umgangs mit den kommunistischen Machthabern in Ostdeutschland. Niemand im Westen konnte sie schließlich dazu zwingen, die gewünschten menschlichen Erleichterungen im Reise- und Besucherverkehr, bei der Familienzusammenführung und ganz allgemein in den innerdeutschen Beziehungen zu gewähren. Was zählte, war die Bilanz dieser Politik durch Finanzhilfen – und die war ausgesprochen positiv: in dringenden Familienangelegenheiten konnten immer mehr

DDR-Bürger unterhalb des Rentenalters in die Bundesrepublik reisen, Ausreiseanträge und Familienzusammenführungen wurden großzügiger gehandhabt, die Grenzkontrollen humanisiert.

Polittourismus nach Ost-Berlin

Die SED-Gewaltigen saßen am längeren Hebel und die westdeutschen Politiker stellten sich darauf ein. Es entwickelte sich in den achtziger Jahren geradezu ein Polittourismus, der alle maßgeblichen Bonner Politiker aus dem Regierungslager wie der Opposition nach Ostberlin oder nach Leipzig zur jährlich Herbstmesse führte, und alle Spitzenpolitiker legten besonderen Wert darauf, mit Honecker persönlich im Gespräch zu bleiben. Manche schienen dabei zu vergessen, dass ihre Gesprächspartner und insbesondere der Staats- und Parteichef selbst eine Diktatur repräsentierten. Andere, wie etwa der Fraktionsvorsitzende der SPD im Bundestag Hans-Jochen Vogel, nutzten ihre Kontakte, um menschliche Härtefälle zu lösen, ohne ihre politischen Überzeugungen über den Gegensatz von Demokratie und Diktatur ins Zwielicht zu rücken. Generell ist jedoch festzustellen, dass die aus der Zeit heraus verständliche, im Nachhinein allerdings zwiespältig wirkende Betonung der „Sicherheitspartnerschaft" beider Länder durch prominente Sozialdemokraten wie Egon Bahr, Erhard Eppler oder Oskar Lafontaine dahin tendierte, die Fragen nach der Verletzung von Freiheit und Menschenrechte in der DDR zu vernachlässigen und somit vor allem der SED nützte. Bundeskanzler Kohl zeigte in dieser Frage größere Weitsicht, zumindest in seinen öffentlichen Aussagen vor dem Bundestag, wenn er die Bedrohung von Menschenrechten durch Gewalt in der DDR kritisierte (1984) oder betonte, dass es „für uns keinen Mittelweg zwischen Demokratie und Diktatur" gebe (1985). Auch sein Chefkoordinator für alle deutschlandpolitischen Angelegenheiten, der seit November 1984 amtierende Kanzleramtsminister Wolfgang Schäuble, nahm kein Blatt vor den Mund, wenn er seinen wichtigsten und häufigsten Verhandlungspartner der SED, Schalk-Golodkowski, in Ostberlin aufsuchte und vertraulich Wege der weiteren Zusammenarbeit erkundete. Mit den Oppositionellen in der DDR allerdings pflegten weder die Politiker der SPD noch des Regierungslagers besondere Kontakte. Nur Abgeordnete der Grünen machten da eine Ausnahme. Die Gesprächsfäden mit den Mächtigen im Politbüro und der Regierung der DDR zu knüpfen, war aber zweifellos eine realpolitische Notwendigkeit, die auch aus der Rückschau heraus betrachtet richtig war.

Moskauer Einspruch gegen Honeckers Besuch in Bonn

Allerdings zählten nicht die Absichten der beiden deutschen Regierungen, sondern die weltpolitische Großwetterlage und die Interessen der jeweiligen Führungsmacht in den beiden Bündnissen. Das erwies sich an den nicht zustande gekommenen Besuchen des SED-Chefs in Bonn im April 1983 und September 1984. Der von Kohls engem Vertrauten, Kanzleramtsminister Jenninger, bereits mit Ost-Berlin in allen Einzelheiten abgesprochene und diskret vorbereitete Besuch im September 1984 scheiterte am Einspruch Moskaus. Honecker und mehrere Spitzengenossen waren kurz zuvor in den Kreml beordert worden und mussten zur Kenntnis nehmen, dass die sowjetische Parteiführung unter dem neuen Generalsekretär Tschernenko die finanziellen Koppelgeschäfte der DDR mit Bonn scharf missbilligte. Die „Freunde" sahen durch zu viele deutsch-deutsche Kontakte und Verflechtungen ihre eigenen Sicherheitsinteressen bedroht. Sie fürchteten, dass das SED-Regime in Abhängigkeit zur Bundesrepublik geraten könnte. Erst mit dem Amtsantritt von Michael Gorbatschow, der auf ein umfassendes Arrangement mit der Weltmacht USA aus war, wurde dieses sowjetische Veto hinfällig, und es kam zu dem von Honecker dringend gewünschten deutsch-deutschen Gipfeltreffen in Bonn im September 1987.

Das deutsch-deutsche Gipfeltreffen

Dieses deutschlandpolitische Großereignis hatten Kohls neuer Kanzleramtsminister Wolfgang Schäuble und für Honecker dessen Chefunterhändler Schalck-Golodkowski monatelang bis in alle Einzelheiten ausgetüftelt. Bundeskanzler Kohl empfing den kommunistischen Staats- und Parteichef aus Ostberlin mit allen protokollarischen Ehren, die dem Staatsoberhaupt eines souveränen Staates zukamen. Honecker sah in diesem Staatsbesuch, den die Bonner Regierung als „Arbeitsbesuch" bezeichnete, die vorbehaltlose Anerkennung seines Regimes durch die Bundesrepublik. Die meisten Bürger in Westdeutschland, die die diversen Auftritte Honeckers in mehreren Ländern und die bei dieser Gelegenheit ihm entgegenbrachten Freundlichkeiten durch die bundesdeutsche Politikerprominenz in Bonn, Düsseldorf, Mainz, Trier, Neunkirchen und München am Fernsehen verfolgen konnten, sahen das ebenso.

Bundeskanzler Kohl nutzte die Gelegenheit einer auch im DDR-Fernsehen live übertragenen Tischrede bei einem Festbankett in

Bad Godesberg am 7. September 1987, um das Recht der Deutschen, in „freier Selbstbestimmung die Einheit und Freiheit Deutschlands zu vollenden" in Erinnerung zu rufen, die Aufhebung des Schieß-befehls an der Grenze („Gerade Gewalt, die den Wehrlosen trifft, schädigt den Frieden") und die Beseitigung der Mauer anzumah-nen. Die Antwort Honeckers darauf war ernüchternd, aber eigent-lich nicht überraschend, wenn er die Realitäten der beiden deut-schen Staaten als unveränderlich hervorhob („Sozialismus und Ka-pitalismus lassen sich ebenso wenig vereinigen wie Feuer und Was-ser") und stattdessen die Verbesserung der beiderseitigen Zusam-menarbeit betonte.

Zufriedenheit auf beiden Seiten

Die deutsch-deutschen Beziehungen schienen nunmehr in ein ruhiges und berechenbares Fahrwasser gekommen zu sein. Business as usual schien angesagt und beide Seiten zeigten sich zufrieden. Die Bundes-regierung konnte Ende des Jahres auf die 1987 gegenüber 1986 zahlen-mäßig stark angestiegenen Besuchsreisen von DDR-Bürgern im Ren-tenalter (von 1,6 Mio. auf 3,8 Mio.) und darunter (von 0,573 Mio. auf 1,2 Mio.) in die Bundesrepublik sowie von Bundesbürgern in die DDR (von 3,8 Mio. auf 4 Mio.) verweisen. Die Machthaber im Ost-berliner Politbüro sahen sich in ihrer Position gefestigt und bewerte-ten das Honecker/Kohl-Treffen in Bonn als großen Erfolg, wie Egon Krenz wenig später in einem Vermerk notierte: „Sie können die DDR nicht mehr negieren".

ZEITTAFEL

1982

1. Oktober 1982   Der Deutsche Bundestag spricht mit den Stimmen von CDU, CSU und FDP Bundeskanzler Helmut Schmidt das Misstrauen aus und wählt mit 256 gegen 235 Stimmen (bei vier Enthaltungen) Helmut Kohl zum Bundeskanzler.

10. November 1982   Tod des Generalsekretärs der KPdSU Leonid Breschnew; sein Nachfolger wird KGB-Chef Juri Antropow. Am Rande der Trauerfeierlichkeiten in Moskau am 14. November treffen sich Bundespräsident Karl Carstens und der Staatsratsvorsitzende der DDR Erich Honecker zu einem Gespräch.

1983

7. Januar 1983   Bundespräsident Karl Carstens löst den Bundestag auf

6. März 1983   Neuwahlen zum 10. Deutschen Bundestag bringen eine deutliche Bestätigung der christlich-liberalen Regierungskoalition. CDU/CSU: 48,8%, SPD: 38,2%, FDP: 7,0%, die Grünen: 5,6% (ziehen erstmals in den Bundestag ein), Wahlbeteiligung: 89,1%.

13. März 1983   Honecker kündigt Besuch in der Bundesrepublik für 1983 an, den er wenig später wegen kritischer Pressekommentare anlässlich eines Todesfalles bei der Kontrolle eines Bundesbürgers an der deutsch-deutschen Grenze wieder absagt.

23. März 1983   US-Präsident Ronald Reagan kündigt umfangreiche Forschungs- und Entwicklungsarbeiten der USA auf dem Gebiet der

Raketenabwehr an (Strategische Verteidigungsinitiative – SDI).

29. März 1983   Wahl Helmut Kohls zum Bundeskanzler.

12. Mai 1983   Sechs Bundestagsabgeordneten der Grünen demonstrieren auf dem Alexanderplatz in Ost-Berlin für Abrüstung in Ost und West; sie werden abgeschoben nach einem Verhör durch DDR-Behörden.

29. Juni 1983   Bundesbürgschaft für einen DDR-Kredit westdeutscher Banken in Höhe von einer Milliarde DM, den der bayerische Ministerpräsident Strauß, gegen Kritik aus den eigenen Reihen, eingefädelt hat

4./7. Juli 1983   Bundeskanzler Kohl und Außenminister Genscher besuchen die Sowjetunion. Eine neue Qualität der deutsch-sowjetischen Beziehungen wird angestrebt.

21. Juli 1983   Aufhebung des Kriegsrechts in Polen.

24. Juli 1983   Der bayerische Ministerpräsident Strauß trifft während eines Privataufenthalts in der DDR mit Generalsekretär Honecker zu einem Gespräch zusammen.

1. September 1983   Mahnwachen der DDR-Friedensbewegung werden durch Volkspolizei in Ost-Berlin aufgelöst.

15. September 1983   Der Regierende Bürgermeister von West-Berlin, Richard von Weizsäcker, trifft mit Erich Honecker in Ostberlin zusammen.

28. September 1983   Beginn des Abbaus der Selbstschussanlagen an der innerdeutschen Grenze durch die DDR.

14. November 1983   Beginn der Stationierung amerikanischer Marschflugkörper in Großbritannien.

18. November 1983   Auf ihrem Sonderparteitag in Köln stimmt

die SPD mit großer Mehrheit gegen die Nachrüstung in der Bundesrepublik. Die Grünen fordern in Duisburg zusätzlich den Austritt der Bundesrepublik aus der Nato.

22. November 1983   Der Bundestag beschließt gegen die Stimmen der SPD und der Grünen, am Nato-Doppelbeschluss festzuhalten.

23. November 1983   Die Sowjetunion unterbricht die Genfer Abrüstungsgespräche über nukleare Mittelstreckenraketen (INF).

10. Dezember 1983   Beginn der Aufstellung nuklearer Mittelstreckenwaffen in der Bundesrepublik und in Italien.

1984

20./22. Januar 1984   Sechs DDR-Bürger, die in der US-Botschaft in Ost-Berlin um politisches Asyl ersucht hatten, können nach West-Berlin ausreisen.

9. Februar 1984   KPdSU-Generalsekretär Andropow stirbt. Sein Nachfolger wird Konstantin Tschernenko.

13. Februar 1984   Erstmaliges Treffen von Kohl und Honecker am Rande der Moskauer Trauerfeierlichkeiten für Andropow.

13. März 1984   Die DDR beginnt in unmittelbarer Nähe des Brandenburger Tores mit dem Bau einer zweiten Mauer.

6. April 1984   35 DDR-Bürger, die fünf Wochen in der Botschaft der Bundesrepublik in Prag verbracht hatten, kehren in die DDR zurück; sie erhielten die Genehmigung zur baldigen Ausreise. Im Oktober verlassen auf diesem Weg bereits 168 DDR-Bürger ihr Land.

15. Mai 1984	Die Sowjetunion beginnt mit der Stationierung zusätzlicher Raketen kürzerer Reichweite als Antwort auf die Nato-Nachrüstung.
23. Mai 1984	Richard von Weizsäcker (CDU) wird zum Bundespräsidenten gewählt
5. Juli 1984	55 DDR-Bürger verlassen die Ständige Vertretung der Bundesrepublik in Ost-Berlin, nachdem ihnen ihre Ausreise in Aussicht gestellt wurde.
9. Juli 1984	Die Lufthansa und Interflug (DDR) vereinbaren regelmäßige Flüge zu Messen nach Stuttgart, Düsseldorf, Hamburg und Leipzig.
25. Juli 1984	Zweiter Milliardenkredit an die DDR wird vom Chef des Bundeskanzleramtes Jenninger bekannt gegeben.
1. August 1984	DDR gewährt Reiseerleichterungen für ostdeutsche Rentner. Insgesamt dürfen 1984 40 900 DDR-Bürger in die Bundesrepublik ausreisen.
17. August 1984	Die Moskauer Führung missbilligt den geplanten Besuch Honeckers in der Bundesrepublik.
2o. September 1984	Eine Arbeitsgruppe von SED und SPD beginnt ihre Gespräche über eine chemiewaffenfreie Zone in Europa.
22. September 1984	Bundeskanzler Kohl und Präsident Mitterand besuchen die Schlachtfelder bei Verdun.

1985

20. Januar 1985	Ronald Reagan beginnt seine zweite Amtszeit als Präsident der USA.
11. März 1985	Tod des sowjetischen Staats- und Parteichefs Tschernenko. Neuer Generalsekre-

tär der KPdSU wird Michail Gorbatschow. Bei den Moskauer Begräbnisfeierlichkeiten konferiert Kohl mit Honecker und Gorbatschow.

12. März 1985	Die Sowjetunion und die USA nehmen in Genf Rüstungskontrollverhandlungen auf.
2. April 1985	Die beiden führenden Mitglieder der „Rote Armee Fraktion" Christian Klar und Brigitte Mohnhaupt werden vom Oberlandesgericht Stuttgart wegen ihrer Beteiligung an mehreren Morden und Mordversuchen zu lebenslanger Freiheitsstrafe verurteilt.
26. April 1985	Verlängerung des Warschauer Vertrages um 20 Jahre.
2./4. Mai 1985	11. Weltwirtschaftsgipfel in Bonn.
5. Mai 1985	Besuch des US-Präsidenten Reagan in Begleitung von Bundeskanzler Kohl auf dem Soldatenfriedhof in Bitburg in der Eifel. Da auf dem Friedhof auch Angehörige der Waffen-SS begraben sind, löst der Besuch heftige Kritik aus.
8. Mai 1985	Rede des Bundespräsidenten Richard von Weizsäcker anlässlich des 40. Jahrestages des Kriegsendes in Europa im Bundestag („Der 8. Mai war ein Tag der Befreiung"). Die Rede findet im In- und Ausland große Beachtung.
12. Juni 1985	Spanien und Portugal unterzeichnen nach achtjährigen Verhandlungen die Verträge über den Beitritt ihrer Länder zur Europäischen Gemeinschaft ab 1986.
14. Juni 1985	In Schengen unterzeichnen Frankreich, die Bundesrepublik und die Benelux-Staaten ein Abkommen über die Erleichterung des Grenzverkehrs.

28. Juni 1985	Die Regierungskoalition beschließt gegen die SPD und die Grünen eine Verschärfung des Demonstrationsstrafrechts („Vermummungsverbot").
19. August 1985	Hans-Joachim Tiedge, zuständiger Referent für die DDR im Kölner Bundesamt für Verfassungsschutz – dort zuständig für Spionageabwehr – setzt sich nach Ostberlin ab.
29. August 1985	Vor dem Bonner Landgericht beginnt der Parteispendenprozess gegen die früheren Bundeswirtschaftsminister Otto Graf Lambsdorff (FDP) und Friderichs (FDP) sowie den Flick- Manager Eberhard von Brauchitsch.
10. Oktober 1985	SPD und Grüne bilden Koalitionsregierung in Hessen; Joschka Fischer wird Umweltminister.
19./21. November 1985	Amerikanisch-sowjetisches Gipfeltreffen zwischen Präsident Reagan und Parteichef Gorbatschow in Genf.

1986

19. Februar 1986	Viertägiger Besuch des Volkskammerpräsidenten der DDR, Horst Sindermann, in Bonn.
25. Februar 1986	SPD-Fraktionschef Hans-Jochen Vogel weist die Forderung des linken Parteiflügels der SPD nach einer Streichung des Wiedervereinigungsgebotes des Grundgesetzes zurück.
1. März 1986	Telefonselbstwahlverkehr mit der DDR auf 1 106 Ortsnetze erweitert.
19. März 1986	Deutsch-amerikanische Einigung über eine Beteiligung der Bundesrepublik an der Strategischen Verteidigungsinitiative (SDI) der USA.

5. April 1986	Bombenanschlag einer libyschen Terrororganisation auf eine Berliner Diskothek fordert zwei Menschenleben und 200 Verletzte.
26. April 1986	Die Auswirkungen eines Kernreaktorunfalls in Tschernobyl nördlich von Kiew in der Sowjetunion beunruhigen die Bevölkerung in der Bundesrepublik.
17./19. Mai 1986	Erster einer Reihe schwerer Zusammenstöße zwischen Demonstranten und der Polizei bei der geplanten nuklearen Wiederaufbereitungsanlage in Wackersdorf in der Oberpfalz. Auch in Brokdorf an der Unterelbe und in Gorleben kommt es im Verlauf von Antikernkraft-Demonstrationen immer wieder zu gewaltsamen Zusammenstößen zwischen Polizei und Kernkraftgegnern.
6. Juni 1986	Bildung eines Bundesumweltministeriums in Bonn unter dem bisherigen Frankfurter Oberbürgermeister Walter Wallmann.
9. Juli 1986	Das Siemens-Vorstandsmitglied Karl Heinz Beckurts und dessen Fahrer fallen einem Bombenanschlag der RAF zum Opfer. Drei Monate später wird der Leiter der politischen Abteilung im Auswärtigen Amt, Gerold von Braunmühl, Opfer eines Mordanschlags der RAF.
18. September 1986	Die DDR verschärft auf Betreiben der Bundesregierung die Transitbestimmungen für Asylsuchende, die zuvor in großer Zahl über Ost-Berlin in die Bundesrepublik eingereist waren.
10. Oktober 1986	Saarlouis und Eisenhüttenstadt begründen die erste deutsch-deutsche Städtepartnerschaft.

21. Oktober 1986	Auf einer Pressekonferenz in Bonn stellen SPD-Präsidiumsmitglied Egon Bahr und SED-Politbüromitglied Hermann Axen die gemeinsamen Vorschläge beider Parteien zur Bildung einer atomwaffenfreien Zone in Mitteleuropa vor.
1. November 1986	Verseuchung des Rheins nach einem Großbrand im Baseler Chemieunternehmen Sandoz.

1987

4. Januar 1987	Auf dem Deutschlandtreffen der CDU in Dortmund nennt Bundeskanzler Kohl die DDR ein Regime, das 2000 „politische Gefangene in Gefängnissen und Konzentrationslagern hält". Diese Formulierung ruft den Protest des Ständigen Vertreters der DDR in Bonn hervor.
25. Januar 1987	Die Bundestagswahl bestätigt trotz starker Verluste der Union die christlich-liberale Koalition unter Bundeskanzler Kohl. CDU/CSU: 44,3%; SPD: 37%; FDP: 9,1%; die Grünen: 8,3%.
16. Februar 1987	Der ehemalige Flick-Manager von Brauchitsch und die ehemaligen Bundesminister für Wirtschaft Graf Lambsdorff und Friedrichs werden wegen Steuerhinterziehung im Zusammenhang mit Parteispenden zu hohen Geldstrafen verurteilt.
15. März 1987	Treffen des bayerischen Ministerpräsidenten Franz Josef Strauß (CSU) mit Erich Honecker in Leipzig.
23. März 1987	Willy Brandt tritt von seinem Amt als Parteivorsitzender der SPD zurück. Er wird Ehrenvorsitzender auf Lebenszeit. Neuer Parteivorsitzender wird Hans-Jochen Vogel.

27. März 1987	Gespräch des Bundeskanzleramtschefs Wolfgang Schäuble mit Erich Honecker.
1. April 1987	Gespräch von Bundeskanzler Kohl mit DDR-Wirtschaftsminister und Politbüromitglied Günter Mittag.
1. Mai 1987	Treffen des bayerischen Ministerpräsidenten Franz Josef Strauß mit dem Leiter der Kommerziellen Koordination (KoKo), Stasi-Oberst Alexander Schalck-Golodkowski.
15. Mai 1987	Treffen des Vorsitzenden der SPD-Bundestagsfraktion Hans-Jochen Vogel mit Erich Honecker in Ostberlin.
9. Juni 1987	Rund 3 000 Menschen fordern trotz eines großen Polizeiaufgebotes in Ost-Berlin Unter den Linden in Sprechchören den Abriss der Mauer und Freiheit; auch „Gorbatschow-Rufe" werden laut.
12. Juni 1987	US-Präsident Ronald Reagan besucht Westberlin. Er fordert den sowjetischen Staats- und Parteichef Gorbatschow auf, die Mauer niederzureißen.
17. Juli 1987	Die DDR schafft die Todesstrafe ab.
17. August 1987	Rudolf Heß, der ehemalige Stellvertreter Hitlers und letzte Häftling im Kriegsverbrechergefängnis in Spandau, stirbt im Alter von 93 Jahren im britischen Militärhospital in Berlin.
27. August 1987	Das gemeinsame Papier von SED und SPD „Der Streit der Ideologien und die gemeinsame Sicherheit" wird in Ostberlin und Bonn veröffentlicht. Beide Seiten bestätigen sich die Reformfähigkeit des jeweils anderen Systems und plädieren für einen friedlichen Wettbewerb.

7./11. September 1987	Arbeitsbesuch des DDR-Staatsratsvorsitzenden Erich Honecker in der Bundesrepublik.
23. November 1987	Besprechung zwischen Wolfgang Schäuble und Alexander Schalck-Golodkowski im Bundeskanzleramt.
25. November 1987	Der Staatssicherheitsdienst der DDR durchsucht Räume der evangelischen Zions-Kirche in Ost-Berlin. Mitglieder der Friedens- und Umweltbewegung der DDR werden festgenommen.
8./10. Dezember 1987	US-Präsident Reagan und der sowjetische Parteichef Gorbatschow unterzeichnen in Washington den Vertrag zur Beseitigung der Mittelstreckenwaffen (INF).

Am 9.11.1989 öffnete die DDR die Grenzübergänge zur Bundesrepublik Deutschland für den allgemeinen Reiseverkehr. Tausende versammelten sich noch in der Nacht, um den Tag der Maueröffnung zu feiern. – Hier: Erstürmung der Mauer vor dem Brandenburger Tor in Berlin.   *Foto: Bilderdienst Süddeutscher Verlag*

11. Der Zusammenbruch der SED-Diktatur und der Fall der Mauer 1989

Honeckers Kritik an der sowjetischen Reformpolitik

In mehrfacher Hinsicht wurde das Jahr 1987 zum Schicksalsjahr für die DDR. Mit der symbolischen Anerkennung seines Regimes durch den Staatsbesuch in Bonn glaubte Honecker seine Macht langfristig so stabilisiert zu haben, dass er sich dem aus Moskau in die DDR hinein wirkenden Reformdruck erfolgreich widersetzen konnte. Während er in sicherheitspolitischen Fragen – Abrüstung in Ost und West, Abbau der Atomwaffen – mit Staats- und Parteichef Michail Gorbatschow voll übereinstimmte und sich sogar als Stichwortgeber für dessen Initiativen für eine neue Entspannungspolitik mit den USA verstand, stießen Gorbatschows Absichten, den Sozialismus zu modernisieren, auf strikte Ablehnung. Glasnost (Offenheit) und Perestroika (wirtschaftliche und politische Umgestaltung) – Schlagworte, mit denen der neue erste Mann in Moskau die westliche Welt faszinierte und mit denen er sein Reformziel einer maßvollen Liberalisierung und Demokratisierung von Staat und Gesellschaft in seinem Land auf den Begriff brachte – verstanden Honecker und seine Mitregenten im Ostberliner Politbüro als Anschlag auf die eigene Machtbasis.

Die anfängliche Übereinstimmung zwischen Gorbatschow und Honecker ergab sich daraus, dass jener die „antifaschistische" Vergangenheit des deutschen Politikers hoch achtete und Honecker nicht widersprach, wenn dieser ihm bei ihren ersten Unterredungen die DDR als ein wirtschaftlich effektives und politisch stabiles Land mit beachtlichen Erfolgen darstellte, das auf dem richtigen Weg sei. Doch der Konflikt zwischen den beiden kommunistischen Führern bahnte sich bereits Ende 1986 an. Bei mehreren Vieraugengesprächen bemerkte Honecker, dass er in Gorbatschow keinen Helfer fand, um die deutsche Zweistaatlichkeit ohne Wenn und Aber zu zementieren. Weil der sowjetische Bündnispartner immer deutlicher erkennen ließ, dass ihm gute Beziehungen zur wirtschaftlichen Großmacht Bundesrepublik und zur amerikanischen Supermacht wichtiger waren als die speziellen Wünsche der „Freunde" in Ostberlin, ließ er an dessen Politik des „neuen Denkens" kein gutes Haar mehr. Hinfort sah er sich als Kämpfer „an zwei Fronten" (Honecker), und zwar gegenüber der kapitalistischen Bundesrepublik und der sozialistischen Führungsmacht im Osten, deren Reformpolitik die Existenz der DDR gefährdete. Von dieser Überzeugung ließ Honecker nicht ab. Deshalb kam auch ein Anpassungskurs für ihn nicht in Frage.

Realitätsverlust

Was die innere Situation in der DDR anging, war der Realitätsverlust der dortigen Machthaber beachtlich. Wie sich aus seinen Gesprächen mit bundesdeutschen Politikern, die ihn bis 1989 eifrig hofierten, ergibt, scheint Honecker davon überzeugt gewesen zu sein, dass „die Politik der SED von allen Generationen in der DDR getragen" wurde, wie er dem saarländischen Ministerpräsidenten Lafontaine im September 1987 erklärte. Dessen Realitätsverlust war allerdings nicht weniger ausgeprägt, weil er Honeckers Schönfärberei kommentarlos hinnahm, aber dem ehemaligen Bundeskanzler Schmidt bei dieser Gelegenheit vorwarf, er habe sich zu wenig um die Integration der Jugend in der Bundesrepublik bemüht.

Honecker sah nicht oder wollte nicht sehen, dass seine Staatsbesuche in Bonn (1987) und ein Jahr später in Paris (1988), die er als Krönung seines Lebenswerkes verstand, von den meisten DDR-Bürgern eher gleichgültig aufgenommen wurden, weil sie nicht an symbolischen Gesten und diplomatischen Finessen, sondern an der Verbesserung ihrer Lebenslage interessiert waren. Aber nicht nur Honecker selbst, auch die übrigen Spitzenfunktionäre im Politbüro trugen ihren Teil zur Förderung der Unzufriedenheit im Land bei, indem sie ihren Reformunwillen öffentlich bekundeten. So etwa Honeckers Mann im Politbüro für Kunst und Wissenschaft, der 75jährige Kurt Hager, der die von vielen dringend erhoffte Reform der Verhältnisse in der DDR im April 1987 gegenüber dem „Stern" mit der Bemerkung abtat, wenn der Nachbar die Tapeten wechsele, müsse man sich doch wohl nicht verpflichtet fühlen, die eigene „Wohnung ebenfalls neu zu tapezieren". Jedermann in der DDR konnte im „Neuen Deutschland" dieses Interview nachlesen, das sogar an der Basis der Partei Empörung hervorrief.

Sozialismus in den Farben der DDR statt Reformen

Nach Jahrzehnten der totalen Abhängigkeit von Moskau und der bedingungslosen Unterordnung unter den jeweils von dort bestimmten politischen Kurs widersetzten sich die SED-Machthaber nunmehr erstmals in aller Offenheit einem neuen Signal des Kreml. Den von Gorbatschow den Ostblockstaaten gewährten größeren innenpolitischen Spielraum nutzte Honecker nicht für eine Liberalisierung des SED-Regimes, sondern im Gegenteil zur Verhinderung von inneren Reformen.

Der Bevölkerung glaubte die Parteiführung ihre ablehnende Haltung gegenüber den in Polen, Ungarn und der Sowjetunion eingeleiteten Veränderungen mit dem Slogan vom Sozialismus „in den Farben der DDR" plausibel machen zu können. In Gesprächen mit westdeutschen Politikern gab Honecker immer wieder zu verstehen, dass er keinerlei Notwendigkeit für Reformen in der Wirtschafts- und Sozialpolitik erkennen konnte, weil die DDR auf diesen Feldern den anderen sozialistischen Ländern voraus sei. „In der Wirtschafts- und Sozialpolitik sind wir ganz groß" erklärte er stolz dem nordrhein-westfälischen Ministerpräsidenten Johannes Rau in Leipzig Mitte März 1989. Dass sich Millionen von DDR-Bürgern eingemauert fühlten, schien ihm nicht in den Sinn zu kommen. Stattdessen lobte er die „Großzügigkeit" seiner Regierung bei der Gewährung von Reisen in die Bundesrepublik im Jahr 1988 – 5 Millionen Reisen bei 15 Millionen Einwohnern. Ganz in der Manier absolutistischer Herrscher, die über ihre Untertanen nach Gutdünken verfügen, warnte Honecker – „wir haben bisher die Leinen locker gelassen" –, dass sich dieser Zustand auch wieder ändern könnte, „wenn jeder, der über die grüne Grenze springt, in der Bundesrepublik als Held gefeiert" werde.

Die Sowjetunion ist kein Vorbild mehr

Über eine Demokratisierung seines Regimes ließ Honecker nicht mit sich reden und die westdeutschen Besucher versuchten es auch gar nicht erst, weil es erkennbar nichts genützt hätte. Man konzentrierte sich lieber auf den Ausbau der Städtepartnerschaften. „Einverstanden" konnte der Diktator in solchen Fällen dann leutselig verkünden und die guten Beziehungen loben, die die DDR mit den meisten westdeutschen Ländern unterhalte. Auch seine Zusage an den saarländischen Weinhändler-Verband, „Wein selbstverständlich weiter zu importieren wie bisher", war ihm wichtig. Dass gesellschaftlicher Pluralismus und freie öffentliche Diskussion mit einem Mal von der sowjetischen Führungsmacht propagiert und sozusagen als Produktivkräfte für eine im Niedergang befindliche Wirtschaft entdeckt wurden, verstanden die Ostberliner Machthaber dagegen als eine ernsthafte Bedrohung ihrer Herrschaft. Dass auch die polnischen und ungarischen Kommunisten ihr Heil in der vorsichtigen Übernahme westlich-demokratischer Standards erblickten, war für die ostdeutschen Kommunisten ein weiterer Beweis für die Gefährlichkeit des Moskauer Kurses.

Misstrauisch verfolgte Honecker das wachsende Interesse Gorbatschows an einer Neugestaltung der Beziehungen zur Bundesrepublik. Auch in dessen politischer Vision eines „gemeinsamen Hauses in Europa" konnte Honecker keine Existenzgarantie der sowjetischen Führungsmacht für die DDR erkennen. Der jahrzehntelang in der DDR propagierte Slogan „Von der Sowjetunion lernen, heißt siegen lernen" galt jetzt nicht mehr. Stattdessen spielte die SED-Führung auf Zeit, wohl in der Annahme, dass der reformwillige Kremlchef mit seinen hochfliegenden Plänen scheitern und von orthodoxeren Kräften der sowjetischen Parteispitze abgelöst werden würde. Bis es so weit war, glaubte man mit Verboten von sowjetischen Filmen und Zeitschriften („Sputnik") und mit der nur noch auszugsweisen Berichterstattung über Reden sowjetischer Politiker den Bazillus der Freiheit von den DDR-Bürgern fern halten zu können. In den gelenkten Medien der DDR und durch gezielte Flüsterpropaganda wurde der Gorbatschow-Kurs als eine Methode zur Entleerung von Fleischerläden angeprangert, wie der damalige Berliner Parteichef Günter Schabowski später berichtete. Das wiederum war Wasser auf die Mühle der ostdeutschen Regimekritiker, die sich die staatlich verordneten Denkschablonen nicht länger mehr bieten lassen wollten, aber auch der Kräfte in der SED, die gerne ihren Mantel nach dem aus Moskau wehenden Winde hängen wollten.

Während sich Honecker Ende der achtziger Jahre auf dem Gipfel der Macht wähnte, wurden deren Fundamente in Wirklichkeit immer brüchiger. Der ökonomische Niedergang der DDR und die Reformpolitik Gorbatschows erwiesen sich als die treibenden Kräfte, die das Ende des kommunistischen deutschen Teilstaates beförderten, wenngleich dies keinesfalls Gorbatschows ursprüngliche Absicht war. Ihm ging es um politisch-wirtschaftliche Reformen, nicht um eine Revolution.

Das sowjetische Imperium im Niedergang

Der gigantische sowjetische Militärapparat überforderte bereits seit Jahrzehnten die wirtschaftlichen Möglichkeiten des Landes. In den achtziger Jahren sank der Lebensstandard der Bevölkerung immer stärker ab. Es herrschte Mangel an allem; sogar die Versorgung der Menschen mit Grundnahrungsmitteln war nicht dauerhaft gesichert; das Gesundheitswesen lag darnieder; die Zerstörung der Umwelt war mit Händen zu greifen, und der technologische Rückstand zu den westlichen Industriestaaten nahm immer mehr zu. Es waren also die ökonomischen Probleme der Sowjetunion, die Gorbatschow bei seinem Machtantritt 1985 veranlassten, politische Reformen im eigenen Land und in den Beziehungen zu den kommunistischen Bruderländern im Warschauer-Pakt einzuleiten. Er wollte den Sozialismus im Osten Europas keineswegs überwinden, sondern ihn leistungsfähiger machen, seine jahrzehntelangen Fehlentwicklungen korrigieren, die sowjetische Wirtschaft modernisieren, um den Anschluss an das 21. Jahrhundert nicht zu verpassen. „Alles ist verrottet. Es muss ein Wandel her", soll er 1984 auf der Krim zu seinem langjährigen Freund, dem Parteichef Georgiens, Eduard Schewardnadse, gesagt haben. Doch das Machtmonopol der kommunistischen Partei wollte er nicht abschaffen.

Weil das überforderte Imperium durch seine „hermetische Panzerung" zu ersticken drohte, entledigte sich der neue Parteichef vorab der „außenpolitischen Überlast" (Klaus Hildebrand). Die mit Gorbatschows Namen verbundene Absage an den imperialen Machtanspruch der Sowjetunion hatte ansatzweise schon Jahre zuvor begonnen, wie erst neuerdings bekannt gewordene sowjetische Quellen zeigen. Die Zeitgenossen konnten das freilich nicht erkennen. Für sie begann mit Gorbatschow die Wende in den internationalen Beziehungen – was auch insofern richtig ist, als er Einsichten seiner Vorgänger energisch in praktische Politik umsetzte.

Die Breschnew-Doktrin verliert ihre Verbindlichkeit

Anzeichen für die Erschöpfung der sowjetischen Globalstrategie gab es bereits seit Beginn der achtziger Jahre. Die Supermacht war immer weniger im Stande, die für den Unterhalt ihres Imperiums erforderlichen Mittel aufzubringen. Wirtschaftlich und politisch gesehen wurde das Bündnis der Ostblockstaaten immer mehr zu einer Belastung für das Moskauer Zentrum.

Im Jahre 1968 hatte die sowjetische Führung nicht gezögert, mit militärischer Gewalt den Prager Frühling zu ersticken und die reformkommunistischen Kräfte der Tschechoslowakei zu entmachten. Ausdrücklich wurde damals zur Doktrin erhoben, was die ganze Zeit schon galt: Moskau behielt sich das Recht zur Truppenintervention vor, „wenn innere und äußere, dem Sozialismus feindliche Kräfte die Entwicklung eines sozialistischen Landes umzukehren und auf die Wiederherstellung kapitalistischer Verhältnisse zu drängen versuchen". Die von Leonid Breschnew mit diesen Worten zum Ausdruck gebrachte Beschränkung der Souveränität und des Selbstbestimmungsrechts der sozialistischen Länder war für die SED – wie die übrigen kommunistischen Parteiführungen – eine Garantie ihrer Herrschaft. Doch seit Anfang der achtziger Jahre konnten sie nicht mehr darauf bauen. Als nämlich 1980/81 erneut die Frage einer militärischen Intervention in einem Ostblockland anstand, diesmal zur Niederschlagung der Solidarnosc-Bewegung des polnischen Arbeiterführers Lech Walesa, lehnte die Moskauer Führung noch unter Breschnew die Anwendung von Gewalt ab und beließ es bei Drohungen. Aus Angst vor den Folgen der polnischen Freiheitsbewegung für das eigene Regime drängten Erich Honecker, Gustav Husak (Tschechoslowakei) und Todor Schiwkow (Bulgarien) die Parteiführung in Moskau dazu, Truppen des Warschauer Paktes nach Polen zu entsenden. Während die sowjetischen Generäle marschieren wollten, entschied sich das Moskauer Politbüro Ende 1981 jedoch fast einstimmig gegen ein militärisches Eingreifen, obgleich das Ende des kommunistischen Machtmonopols in Polen erkennbar näher rückte.

Maßgeblichen Anteil an dieser Entscheidung hatte KGB-Chef Juri Andropow, der ein Jahr später Nachfolger Breschnews wurde. Dass der Sozialismus mit militärischen Mitteln nicht mehr zu retten war, hatte die Moskauer Führung erkannt, als deren konzeptioneller Kopf Andropow gesehen werden kann. Seine Feststellung Ende 1981 nahm vorweg, was wenige Jahre später Gorbatschow, der damals bereits Mitglied des Politbüros war, in die Tat umsetzte: „Wir können einen solchen Schritt (Intervention in Polen) nicht riskieren … Ich weiß nicht, wie die Dinge in Polen ausgehen werden, aber selbst wenn Polen unter die Kontrolle von Solidarnosc fällt, dann wird es eben so sein … Wir müssen uns in erster Linie um unser eigenes Land und um die Stärkung der Sowjetunion kümmern."

Damit begann der Abschied von der Breschnew-Doktrin, die Gorbatschow dann im Herbst 1986 erstmals gegenüber den Parteiführern des Rates für Gegenseitige Wirtschaftshilfe (RGW) in Bukarest einschränkte. Er erläuterte ihnen die neue Moskauer Linie, derzufolge sie selbst in ihren Ländern sich um die Zustimmung der Bevölkerung bemühen müssten und machte ihnen klar, dass sie sich nicht mehr darauf verlassen dürften, von der Sowjetunion an der Macht gehalten zu werden.

Ein entscheidender Kurswechsel der sowjetischen Bündnispolitik zeichnete sich ab, als Gorbatschow bei einem Staatsbesuch in Prag im April 1987 die „Gleichberechtigung zwischen den Ländern des Sozialismus" hervorhob und die Unabhängigkeit jeder kommunistischen Partei unterstrich, „über Fragen der Entwicklung des Landes zu entscheiden". Später, im Juli 1989, äußerte sich der sowjetische Reformer auch vor dem Straßburger Europarat in ähnlicher Weise, als er die „Souveränität der Völker" in Europa hervorhob, über ihre inneren Angelegenheiten zu befinden. Jetzt wusste auch die Führungsgruppe um Honecker, dass Moskau als Garant für ihr Machtmonopol definitiv ausfiel. Doch die Altherrenriege im Ostberliner Politbüro zog keine Konsequenzen aus dieser Tatsache.

Kurswechsel in der sowjetischen Außen- und Sicherheitspolitik

Die Beendigung der Blockkonfrontation war die zweite geradezu revolutionäre Weichenstellung, die Gorbatschow seit 1987 vornahm und damit die politische Landschaft in Europa und in der Welt entscheidend veränderte.

Um den bevorstehenden wirtschaftlichen Zusammenbruch seines Landes abzuwenden, benötigte er wirtschaftliche Hilfe des Westens, die Ausweitung der Handelsbeziehungen mit den USA und der Bundesrepublik, und er sah sich genötigt, die exorbitanten Ausgaben für den militärischen Apparat drastisch zurückzufahren. Mit einem neuen Sicherheitskonzept, das erstmals eine wirkliche Abrüstung im atomaren und konventionellen Bereich vorsah, ergriffen Gorbatschow und sein Außenminister Eduard Schewardnadse die Initiative. Im November 1985 einigten sich US-Präsident Reagan und Gorbatschow in Genf bereits auf eine fünfzigprozentige Kürzung der Nuklearwaffen bis Mitte der neunziger Jahre, wobei es der sowjetischen Seite natürlich auch um die Verhinderung der amerikanischen Pläne eines Raketenabwehrsystems im Weltraum (SDI) ging.

Ein entscheidender Durchbruch in den sowjetisch-amerikanischen Abrüstungsverhandlungen gelang schließlich im Laufe des Jahres 1987 – nämlich die Beseitigung aller Mittelstreckenraketen in Europa. Darauf einigten sich der US-Präsident und der Generalsekretär der KPdSU im Dezember 1987 bei ihrem dritten Gipfeltreffen in Washington. Beide Mächte begannen den Einstieg in eine Abkehr vom atomaren Abschreckungssystem insgesamt, das schließlich 1991 Wirklichkeit wurde.

Neue sowjetische Militärdoktrin – Ende der Hochrüstung

Ebenfalls im Laufe des Jahres 1987 erklärte sich die sowjetische Führung bereit, ihr militärisches Übergewicht an konventionellen Waffen in Europa abzubauen. Als sicherheitspolitisch ausreichend galt jetzt ein „defensives Gleichgewicht" zwischen Nato und Warschauer Pakt – eine geradezu revolutionäre Abkehr von der seit Jahrzehnten gültigen Sicherheitsdoktrin Moskaus, derzufolge die Sowjetunion allen denkbaren Gegnern militärisch haushoch überlegen sein musste. Erstmals wurde eingestanden, dass der sowjetische Rüstungsetat etwa ein Viertel des gesamten Bruttosozialproduktes verschlang, drei bis vier Mal so viel wie der amerikanische. Mit dieser Verschwendung wirtschaftlicher Ressourcen sollte es ein Ende haben. Auf einem Gipfeltreffen Ende Mai/Anfang Juni 1988 in Moskau wurden die Warschauer-Pakt-Mitglieder über die Einzelheiten der neuen Militärdoktrin informiert. Ende des Jahres kündigte der Sowjetführer vor dem Forum der Vereinten Nationen in New York sogar eine einseitige Reduzierung der sowjetischen Truppen um eine halbe Million Mann in den nächsten zwei Jahren sowie Abrüstungsmaßnahmen innerhalb des Warschauer Paktes bis 1990 an. Verhandlungen der beiden Supermächte über den Abbau der konventionellen Streitkräfte in Europa begannen im März 1989 in Wien.

Bei seinem Auftritt in New York im Dezember 1988 hatte Gorbatschow auch dem Einsatz von Waffengewalt als Instrument der Außenpolitik eine endgültige Absage erteilt und sogar von der „Freiheit der Wahl" gesprochen, die für kapitalistische wie sozialistische Systeme gelte. Angesichts des zu diesem Zeitpunkt sich in Ungarn und Polen abzeichnenden politischen Umbruchs kam dies einem Versprechen der sowjetischen Seite gleich, auf jeglichen Eingriff zugunsten der dortigen kommunistischen Staatsparteien zu verzichten. Die Breschnew -Doktrin war nun endgültig erledigt.

Amerikanische Strategie: Freiheit für Ostmitteleuropa

Die amerikanische Regierung unter dem seit Januar 1989 amtierenden neuen Präsidenten George Bush registrierte diese Signale Gorbatschows sorgfältig, ohne jedoch das Feuerwerk sowjetischer Abrüstungsvorschläge, Initiativen und Ankündigungen bereits für bare Münze zu nehmen. Ob sich Gorbatschow an der Macht halten konnte, war nicht sicher. Dass einflussreiche Politiker wie der Moskauer Parteichef Boris Jelzin und der aus Georgien stammende Außenminister Schewardnadse auf seiner Seite standen, hieß noch nicht, dass ihm die konservativen Kräfte im Politbüro auch immer folgen würden. Und in der Tat schwand Gorbatschows Rückhalt im eigenen Lande, weil sich die sowjetische Kommandowirtschaft so schnell nicht reformieren ließ und die erstmals seit Jahrzehnten offene Berichterstattung (Glasnost) über Umweltzerstörung, Kriminalität und Korruption die Furcht in der Bevölkerung vor Chaos und Anarchie schürte. Hinzu kam das Aufbegehren der Nationalitäten gegen die russische Vorherrschaft innerhalb der Sowjetunion. Die Krisenstimmung in der Bevölkerung wuchs, auch die Kritik an Gorbatschow. Dagegen genoss dieser im Ausland wegen seiner außenpolitischen Konzessionsbereitschaft zunehmend hohes Ansehen.

Die von US-Präsident Bush initiierte amerikanische Strategie lief daher darauf hinaus, die Ernsthaftigkeit von Gorbatschows „neuem Denken" zu testen. Den Kern dieses Tests bildeten die Länder Ostmitteleuropas. Dort – so die neue US-Regierung – musste die sowjetische Führung ihren Worten Taten folgen lassen, um die USA davon zu überzeugen, dass Moskau tatsächlich eine völlig neue Außenpolitik betreiben wollte. Zu einem Zeitpunkt als in der öffentlichen Meinung der meisten Staaten Westeuropas, besonders der Bundesrepublik, Gorbatschow zu einem der beliebtesten Politiker aufstieg und eine regelrechte „Gorbimanie" viele Zeitgenossen ergriff, pochte Bush gegenüber Moskau auf die Freiheit und Selbstbestimmung der Völker Ostmitteleuropas.

Ein freies, demokratisches Ostmitteleuropa sollte die Voraussetzung neuer Ost-Westbeziehungen sein, nicht erst deren Folgen, wofür manche Politiker in Washington, vor allem aber in Westdeutschland plädierten. In mehreren Grundsatzreden zwischen April und Mai 1989 in den USA und in der Bundesrepublik entfaltete Bush diese amerikanische Position, die – wie wir heute wissen – ganz wesentlich zur Beendigung der Teilung Europas beigetragen hat. Die sowjetische Seite wusste jetzt unzweideutig, dass mit den Amerikanern nur zu reden, dass Wirtschaftshilfe und Abrüstung nur zu erhalten waren, wenn sie sich auf eine demokratische Entwicklung in Europa einlassen würde: „Die Sowjetunion sollte begreifen,...dass ein freies, demokratisches Ostmitteleuropa, so wie wir es verstehen, niemanden und kein Land bedrohen würde. Eine solche Entwicklung würde zu weiteren Verbesserungen der Ost-West-Beziehungen in allen ihren Dimensionen führen – Rüstungsabbau, politische Beziehungen, Handel und sie auf eine Weise stärken, die die Sicherheit und das Wohlergehen im gesamten Europa fördern würde. Es gibt keinen anderen Weg." (US-Präsident Bush am 17. April 1989 in Hamtramck, Michigan). Unter diesen Voraussetzungen würde Amerika die Sowjetunion in die Staatengemeinschaft einbeziehen: „Der Kalte Krieg begann mit der Teilung Europas. Er kann nur enden, wenn Europa ungeteilt ist ... Als Präsident werde ich weiterhin alles in meiner Macht Stehende tun, um zu helfen, die geschlossenen Gesellschaften des Ostens zu öffnen. Wir streben nach der Selbstbestimmung eines ungeteilten Deutschland und des gesamten Ostmitteleuropas." (Bush in Mainz am 31. Mai 1989).

Polen und Ungarn als Vorreiter der Befreiung von der kommunistischen Diktatur

Mitte des Jahres 1989 bestand kein Zweifel mehr daran, dass die Sowjetunion ihren Bündnispartnern im Warschauer-Pakt die versprochene „Freiheit der Wahl" auch wirklich zugestand. Polen und Ungarn spielten die Rolle risikobewusster Vorreiter bei der Beendigung der dortigen kommunistischen Einparteienherrschaft.

In Polen hatte sich der Umbruch seit Ende der siebziger Jahre mit der Gründung der unabhängigen Gewerkschaftsbewegung Solidarnosc (Solidarität) abgezeichnet. Mit Streikaktionen, die von der Danziger Werft ausgingen, schlugen der charismatische Arbeiterführer Lech Walesa und seine Mitstreiter eine erste Bresche in das kommunistische System des Ostblocks, trotz langjähriger Verfolgung und Inhaftierung durch die polnische Staatsmacht. Die Solidarität überdauerte die Zeit des Kriegsrechts in Polen im Untergrund. Anfang 1989 hob Staatschef Jaruselski ihr Verbot auf. Gespräche der kommunistischen Arbeiterpartei mit Vertretern der Solidarität und anderer oppositioneller Gruppierungen sowie der katholischen Kirche über einen friedlichen Wandel in Polen folgten.

Der wachsende Ruf nach Freiheit und Demokratie der Polen mündete schließlich im Juni 1989 in freie Wahlen zum polnischen Parlament, die den Kommunisten eine vernichtende Niederlage bereiteten. In diesem entscheidenden Moment griff Gorbatschow gegen den Willen einiger seiner Amtskollegen im Warschauer Pakt ein, um die zögernden polnischen Kommunisten zu veranlassen, das Wahlergebnis zu akzeptieren. Aus den Wahlen ging eine Koalitionsregierung unter dem Berater Walesas, des katholischen Intellektuellen Tadeusz Mazowiecki, als Ministerpräsident hervor; die Kommunisten stellten nur noch den Innen-, den Verteidigungs- und den Verkehrsminister. General Jaruzelski war mit den Stimmen der Abgeordneten der Solidarität zum Staatspräsidenten gewählt worden, nachdem er sein Amt als kommunistischer Parteichef abgegeben hatte. Nach fast einem halben Jahrhundert kommunistischer Diktatur hatte sich die polnische Bevölkerung für Marktwirtschaft, Rechtsstaatlichkeit und Gewissensfreiheit entschieden.

In Ungarn, dem liberalsten Regime im Ostblock, musste der langjährige Parteichef Janos Kadar im Mai 1988 auf Betreiben reformkommunistischer Kräfte zurücktreten. Die neue ungarische Parteiführung unter Karoly Grosz strebte ebenfalls wirtschaftliche und politische Reformen an und bekannte sich in einer neuen Verfassung zu den Prinzipien des Parteienpluralismus, der Rechtsstaatlichkeit und der Marktwirtschaft. Seit Anfang 1989 akzeptierten die ungarischen Kommunisten die Gründung konkurrierender politischer Parteien. Die Hinwendung Ungarns zum Westen verbanden die Regierenden in Budapest auch mit dem Versprechen, die UN-Menschenrechtskonvention nach Geist und Buchstaben einzuhalten und begannen seit Anfang Mai 1989 mit dem Abbau des Stacheldrahtes und der elektronischen Sicherungsanlagen an der Grenze zu Österreich, ohne vorherige Absprache mit Ostberlin. Dort spielte man den Vorgang herunter, obwohl der eine oder andere im Politbüro ahnte, dass das sozialistische Lager am Zerbrechen war. Das Ende des Eisernen Vorhanges, der seit 1945 den Kontinent geteilt hatte, deutete sich an.

Was wird aus der DDR ?

Weit weniger reformfreudig zeigten sich die übrigen Ostblockstaaten. Vor allem die DDR ignorierte bis in den Herbst 1989 die veränderte weltpolitische Großwetterlage. Das SED-Regime unter Honecker bot das Bild „einer Insel der Orthodoxie in einem Meer politischer, ökonomischer und ideologischer Strukturveränderungen" (Manfred Görtemaker). Dass seine Zeit abgelaufen war, wusste jedoch Mitte 1989 noch niemand, wenn auch später prominente westliche Politiker und Publizisten behaupteten, sie hätten schon damals geahnt, dass die Wiedervereinigung Deutschlands bald auf die Tagesordnung käme. In Wirklichkeit verstanden nur die wenigsten Beobachter die Krisenzeichen im kommunistischen Deutschland richtig zu deuten.

Als symptomatisch dafür mag die Entscheidung der konservativen Tageszeitung „Die Welt" Anfang August 1989 gelten, die DDR, von der sie seit Jahrzehnten nur unter Verwendung von Anführungszeichen („DDR") schrieb, hinfort ohne diese relativierende Kennzeichnung zu drucken. Reformen nach sowjetischem Vorbild in einer weiterhin sozialistischen DDR – weiter reichte die politische Phantasie im Westen nicht. Auch Helmut Kohl, der als Kanzler der Einheit in die Geschichtsbücher eingehen sollte, konnte sich 1988 nach eigenem Bekunden nicht vorstellen, dass es noch zu seinen Lebzeiten zur Wiedervereinigung Deutschlands käme. Erst mit der Einheit Europas, so die allgemeine Erwartung, könnte auch die deutsche Frage gelöst werden. Bis es so weit war galt es daher, Gräben zu überwinden, Grenzen durchlässiger zu machen, Völker zu verbinden und Staaten zur Zusammenarbeit zu bewegen – so der Bundeskanzler im Februar 1989 anlässlich einer Feierlichkeit zum bevorstehenden 40. Jubiläum der Bundesrepublik Deutschland.

Allerdings sollte man sich aus heutiger Sicht und in Kenntnis des glücklichen Ausgangs dieser Umbruchsmonate nicht zur rückwärts gewandten Prophetie verleiten lassen – nach dem Motto, es musste ja so kommen, wie es kam, und wer dies damals nicht sah, war blind oder voreingenommen. In Wirklichkeit konnte zum Beispiel niemand präzise vorhersagen, ob die Sowjetunion – trotz der geschilderten Bekundungen ihres Friedenswillens durch Gorbatschow – wirklich auf das Faustpfand ihres Sieges über Hitler-Deutschland verzichten würde, und vor allem zu welchem Preis. Solche Überlegungen galten damals auch deshalb als hochspekulativ, weil das Honecker-Regime mit Erfolg den Anschein von Stabilität vermittelte. Eine Verjüngung an der Spitze des Politbüros, ein maßvoller personeller Wechsel in wichtigen Ämtern durch so genannte Hoffnungsträger wie Egon Krenz oder Hans Modrow, lang gediente, aber als beweglich geltende Spitzenleute der SED, war das Höchste, was man sich in Bonn und in der bundesdeutschen öffentlichen Meinung bis weit in den Sommer des Jahres 1989 vorstellen konnte. Nicht weniger daneben lag auch die Führung der Staatssicherheit um Erich Mielke als es darum ging, die vorhandenen Erkenntnisse über die wachsende Unruhe in der ostdeutschen Bevölkerung richtig zu beurteilen. Auf die Frage des Geheimdienstchefs Ende August 1989 bei einer Dienstbesprechung mit seinen Generälen und Obersten, „Ist es so, dass morgen der 17. Juni ausbricht?",bekam er die ihn beruhigende Antwort: „Der ist morgen nicht, der wird nicht stattfinden, dafür sind wir ja auch da."

Krisensymptome

Doch in Wirklichkeit war die DDR längst in eine schwere Krise geraten. Mit ihrem starren Kurs der Reformverweigerung verstärkte die SED-Spitze die verbreitete Unzufriedenheit in der Bevölkerung und trieb auch nicht wenige SED-Mitglieder in Resignation. Abweichler in den eigenen Reihen, die es sich erlaubten, kritische Fragen zu stellen, wurden ausgeschlossen, weil sie damit gegen die Generallinie der Partei verstießen und „die Erfolge unseres sozialistischen Staates" anzweifelten – so die Parteikontrollkommission der SED im Januar 1989.

Damit sich niemand in der Bevölkerung mit Blick auf Polen und Ungarn falsche Hoffnungen hinsichtlich der Reisefreiheit machte, erklärte Honecker ebenfalls im Januar 1989,dass die Mauer auch in fünfzig oder hundert Jahren noch bestehen werde, wenn „die dazu vorhandenen Gründe" nicht beseitigt seien. Das sei erforderlich, „um unsere Republik vor Räubern zu schützen."

Mit den Zwangsmitteln der Justiz und mit Drohungen ging die Staatsmacht gegen alle vor, die öffentlich ihren Unmut artikulierten oder gar ihre Ausreise verlangten. Die oppositionellen Systemkritiker im Land versuchte die Parteiführung einzuschüchtern, indem sie zustimmende Worte für die blutige Niederschlagung des Studentenaufstandes in Peking durch die chinesische Führung Anfang Juni 1989 fand. Gleichzeitig bemühte sie sich, wie üblich, die nur in der Propaganda existierende Einheit von Partei und Bevölkerung durch die Fälschung der Ergebnisse der Kommunalwahlen vom Mai 1989 zu demonstrieren. Obgleich sogar parteiintern mit einer größeren Zahl an Gegenstimmen gegen die Kandidaten der Nationalen Front als sonst üblich gerechnet wurde, präsentierte die Führung wieder das seit Jahrzehnten bekannte Ergebnis einer „überwältigenden Zustimmung zur Politik der SED", dieses Mal mit 98,84 Prozent Ja-

Stimmen bei einer angeblichen Wahlbeteiligung von 98,77 Prozent. Das glaubte aber niemand in der Bevölkerung. Wichtiger jedoch, erstmals wagten mutige Bürgerrechtler den Wahlbetrug öffentlich beim Namen zu nennen, nachdem sie die in ihrer Gegenwart in einzelnen Wahllokalen ermittelten Ergebnisse mit den offiziell mitgeteilten verglichen hatten. Mit Anzeigen und Eingaben bei den zuständigen Behörden verunsicherten sie die Staatsmacht erheblich. Der Geheimdienstchef befahl, alle Beschwerden einfach nicht zu bearbeiten. Ruhe und Ordnung sollte wieder einkehren. Doch es war nur die Ruhe vor dem Sturm. Die ostdeutschen Wahlkritiker kamen über das Westfernsehen zu Wort und versammelten sich regelmäßig an jedem 7. der folgenden Monate auf dem Berliner Alexanderplatz, um gegen die Wahlfälschungen zu protestieren. Die Stasi schritt dagegen ein, doch immer neue Gruppen von Menschen sorgten dafür, dass der Staat nicht einfach zur Tagesordnung übergehen konnte.

Vergeblich versuchte die Partei auch den Anschein zu erwecken, als stünde die Jugend auf ihrer Seite – mit einer weiteren „Polit-Fata-Morgana" (Günter Schabowski) in Gestalt eines Pfingsttreffens von 750 000 Mitgliedern der FDJ in Ostberlin. Vor dieser dröhnenden Kulisse ließ sich Honecker feiern. In der Parteizentrale wusste man aber genau, dass die Bevölkerung längst dieser Massenspektakel überdrüssig war, und dass die Jugendlichen das „Abstrampeln vor Hony" in Kauf nahmen, um einmal nach Berlin zu kommen.

Doch von der SED-Führung unter Honecker war keinerlei Einsicht mehr zu erwarten. Während sich Millionen Menschen, frustriert, innerlich von der DDR abwandten, hob der Parteichef gegenüber westdeutschen Politikern hervor, wie eng die SED mit den Menschen in der DDR verbunden sei. Die „Wohnungsfrage" bezeichnete er als „gelöst". Er lobte die DDR als das „zehnt leistungsstärkste Land der Welt", in dem, wie die Kommunalwahlen gezeigt hätten, die sozialistische Demokratie verwirklicht sei, die „Frieden und Geborgenheit für die Menschen" bedeute. Der Parteichef schwärmte noch Ende Juni 1989 von der Stabilität der gesellschaftlichen Verhältnisse in der DDR, obwohl er es eigentlich besser wusste. Denn wenige Wochen zuvor hatte Gerhard Schürer, der Chef der Staatlichen Plankommission, dem engsten Führungskreis der SED die gefährliche Verschuldungskrise offenbart, in der die DDR zu versinken drohte, und drastische Einsparungen im Konsumbereich angemahnt. Doch wenige

Monate vor dem 40. Jahrestag der DDR, der mit großem Pomp gefeiert werden sollte, schreckte das Politbüro davor zurück, den Lebensstandard der Bevölkerung anzutasten. Honecker und seine Mitregenten saßen sozusagen in der Falle, waren sich aber dessen nicht bewusst, weil sie mit finanzieller Hilfe der Bundesrepublik rechneten und auf das Scheitern Gorbatschows setzten.

Annäherung zwischen Bonn und Moskau

Die bundesdeutsche Politik hielt sich in dieser Zeit mit Kritik gegenüber den ostdeutschen Machthabern zurück und zeigte sich an einer Destabilisierung des Honecker-Regimes erkennbar nicht interessiert. Man konnte sich nämlich in Bonn durchaus vorstellen, dass die Parteiführung im Ernstfall vor einer „chinesischen Lösung" nicht zurückschreckte. Ihr Hauptaugenmerk richtete die Bundesregierung daher auf die Neugestaltung der deutsch-sowjetischen Beziehungen, in der richtigen Annahme, dass die innerdeutsche Situation sich nur dann entscheidend verbessern konnte, wenn von dort Zustimmung kam.

Zunächst sah es aber nicht danach aus. Der erste Moskau-Besuch des Bundeskanzlers kam erst im Oktober 1988 zustande, weil Kohl sich durch einen ungeschickten Goebbels-Vergleich den Kontakt mit dem Reformer in Moskau erschwert hatte. Auch nachdem diese Sache bereinigt war, hielt sich der sowjetische Parteichef noch längere Zeit bedeckt und bemühte mehrfach die Geschichte, die in Sachen Deutschland nicht umgeschrieben werden könne. Erst bei seinem Besuch in der Bundesrepublik im Juni 1989, bei dem Gorbatschow überall, wo er mit seiner Gattin Raissa öffentlich auftrat, begeistert gefeiert wurde, gaben dieser und sein Außenminister Schewardnadse gegenüber Kohl und Genscher zu erkennen, dass sie mit dem Ende der Teilung Deutschlands rechneten. Zumindest sahen das beide Politiker im Nachhinein so. Für diese Einschätzung spricht die für sowjetische Verhältnisse sensationelle Zusicherung im gemeinsamen Kommiqué, dass alle Völker und Staaten das Recht hätten, „ihr Schicksal frei zu bestimmen". Auch menschlich kam man sich näher. Zwischen dem Bundeskanzler und Gorbatschow wie zwischen den beiden Außenministern entwickelte sich eine Basis des Vertrauens, die sich bei den späteren Verhandlungen über die Zukunft Deutschlands als tragfähig erwies. Man begegnete sich auf einer gemeinsamen Wellenlänge. In vertraulichen Gesprächen deutete Gorbatschow

Kohl seine Kritik an Honecker an und registrierte mit Genugtuung, dass der Bundeskanzler ihm versicherte, seine Regierung unternähme nichts, um die DDR zu destabilisieren.

Flüchtlinge und Antragsteller – die Abstimmung mit den Füßen gegen die SED

Zunächst waren es aber nicht die Staatenlenker, die sozusagen von oben die weitere Entwicklung in Deutschland steuerten, sondern es waren die Bürger in Ostdeutschland selbst, die ihr Geschick in die eigenen Hände nahmen, indem sie aus der DDR flüchteten, ihre Ausreise spektakulär erzwangen und schließlich in immer größerer Zahl für Reformen und dann für die Wiedervereinigung demonstrierten. Die hohe Politik in Bonn wie in Moskau und Washington reagierte und versuchte sich in situationsgerechter Krisendiplomatie (Karl-Rudolf Korte). „Wir saßen wie Kinder vor dem Weihnachtsbaum und haben uns die Augen gerieben" beschrieb Jahre später der damalige Bonner Innenminister Wolfgang Schäuble die Lage.

Das Gefühl der Ausweglosigkeit und Frustration durch die Haltung der Herrschenden, aber auch die überall sichtbare wirtschaftliche Misere, verstärkten bei immer mehr DDR-Bürgern die Entschlossenheit, ihr Land endgültig zu verlassen. Obwohl die DDR-Behörden Reisegenehmigungen in die Bundesrepublik immer großzügiger ausstellten, wuchs die Zahl der Antragsteller auf „ständige Ausreise" lawinenartig an. Die Stasi registrierte bis Ende Juni 1989 bereits 125 429 Antragsteller, die immer häufiger ihre Angst überwanden und – wie es in einem Bericht der Geheimpolizei heißt – „mit öffentlichkeitswirksamen Demonstrativhandlungen" die staatlichen Organe zu „erpressen" suchten.

Ungarn öffnet die Grenze

Die Flüchtlingswelle seit dem Sommer 1989 war dann der eigentliche Vorbote für den bevorstehenden Umbruch in der DDR. Diese Abstimmung mit den Füßen setzte im Mai 1989 an der ungarisch-österreichischen Grenze ein und entwickelte sich im September 1989 zu einem Massenexodus. Während der Urlaubszeit flüchteten sich immer mehr vor allem jüngere DDR-Bürger in die Botschaften der Bundesrepublik in Budapest, Prag, Warschau und Ostberlin, um ihre Ausreise zu erzwingen. Da sich Ostberlin trotz ungarischer Bitten strikt weigerte, den

Botschaftsflüchtlingen in Budapest, deren Zahl inzwischen in die Tausende ging, eine sofortige Ausreisegenehmigung zu erteilen, entschloss sich die ungarische Regierung, die Grenzen zu öffnen – aus humanitären, aber auch politischen Erwägungen. Ohne wirtschaftliche Hilfe und Kredite durch den Westen, insbesondere die Bundesrepublik, sahen der ungarische Ministerpräsident Nemeth und Außenminister Horn ihr Land im Sog einer schweren ökonomischen Krise versinken. Dagegen maßen sie der Bündnissolidarität mit der DDR keine Bedeutung mehr bei. Der politische Überlebenswille der ungarischen Regierung war stärker als die Bereitschaft, für die Verbündeten weiterhin die Rolle einer Hilfsgrenzpolizei zu spielen. Bei einem streng geheimen Treffen mit Bundeskanzler Kohl und Außenminister Genscher in der Nähe von Bonn Ende August 1989 einigten sich beide Seiten stillschweigend auf wechselseitige Hilfe – für Ungarn bedeutete dies eine Erhöhung der bundesdeutschen Kredithilfe um eine halbe Milliarde DM.

Am 10. September verkündete Gyula Horn diese historische Entscheidung, und ab Mitternacht fuhren die über 6000 Botschaftsflüchtlinge in Trabis, Wartburgs und Bussen über die Grenze nach Österreich und von dort weiter nach Bayern. Die Bilder von begeisterten und erschütterten Menschen gingen um die Welt. Täglich folgten ihnen Tausende aus der DDR nach, weil viele fürchteten, dass die Regierung das Schlupfloch Ungarn schließen könnte. Ende September belief sich ihre Zahl bereits auf 32 500.

Botschaftsflüchtlinge

Über die Prager und Warschauer Botschaften der Bundesrepublik konnten Ende September und Anfang Oktober 1989 rund 14 000 zumeist junge DDR-Bürger mit ihren Kindern ausreisen – in verriegelten Zügen der Deutschen Reichsbahn und auf dem Umweg über das Territorium der DDR. Die SED hatte ihre Zustimmung von dieser Form der Ausreise abhängig gemacht, um die Souveränität der DDR und ihre Verfügungsgewalt über die Flüchtlinge zu demonstrieren. Unterwegs versuchten immer wieder fluchtwillige DDR-Bürger auf die Züge aufzuspringen. Bürgerkriegsähnliche Szenen spielten sich dabei auf dem Bahnhofsgelände in Dresden am 4. Oktober ab, als ein großes Aufgebot von Sicherheitskräften mit brutaler Gewalt gegen Fluchtwillige und Demonstranten vorging. Die DDR erlebte die größte Fluchtwelle seit dem Mauerbau im Jahre 1961. Dass er die wirkliche Stimmung im Land total verkannte, bewies Honecker – nach wochenlanger krankheitsbedingter Abwesenheit –, als er Anfang Oktober 1989 eigenhändig in einen die Flüchtlinge verunglimpfenden Kommentar des „Neuen Deutschland" den Satz hinzufügte, man sollte ihnen keine Träne nachweinen.

Die Bürgerrechtsbewegung formiert sich

Die Massenausreise wirkte wie ein Katalysator auf die allerorts Zulauf findende Bürgerrechtsbewegung und die immer zahlreicher werdenden Massenproteste in vielen Städten der DDR, vor allem in Leipzig in Gestalt der Montagsdemonstrationen nach den Friedensgebeten in der Nikolaikirche. Die Möglichkeit der Flucht und Ausreise wurde jetzt zum Druck- und Drohmittel gegenüber der Parteiführung, von der Reformen eingefordert wurden. Aus den Protestrufen der Ausreisewilligen „Wir wollen raus!" wurden bald trotzige Sprechchöre „Wir bleiben hier!". Ermutigt von diesen Aktionen gingen Oppositionelle, die sich bisher nur privat oder unter dem Schutz der Kirche getroffen hatten, in die Öffentlichkeit und riefen politische Organisationen wie das Neue Forum, Demokratie Jetzt, Demokratischer Aufbruch ins Leben bzw. gründeten eine Sozialdemokratische Partei (SDP) – ein unerhörter Vorgang in einem Land, in dem vier Jahrzehnte lang die Staatspartei jeden politischen Pluralismus vehement untedrückt hatte. Ersteren ging es um eine demokratische Erneuerung der DDR, die Sozialdemokraten wollten eine parlamentarische Demokratie. Sie alle forderten freie Wahlen, die Anerkennung der Menschenrechte und die Abschaffung des Machtmonopols der Kommunisten. Die Wiedervereinigung war kein Thema. Vergeblich versuchte die SED gegen die mutigen Wortführer dieser Gruppierungen wie Bärbel Bohley, Jens Reich, Martin Gutzeit, Markus Meckel, Ulrike Poppe, Wolfgang Ullmann, Rainer Eppelmann, Friedrich Schorlemmer oder Konrad Weiß und viele andere mehr vorzugehen, sie einzuschüchtern und mittels gezielt platzierter Stasi Spitzel (IMs) die weitere Entwicklung zu steuern. Doch das half alles nichts. Diese Oppositionsgruppen wurden zu den Schrittmachern der friedlichen Revolution in der DDR. Ihre Anhänger und Sprecher bewiesen außergewöhnliche Zivilcourage, denn noch saßen die Machthaber des Polizeistaates am längeren Hebel.

Im Rückblick sollte nicht in Vergessenheit geraten, dass die ostdeutsche Bürgerrechtsbewegung von nur reltativ wenigen Frauen und Männern – maximal 3 000 mit einem harten Kern von wenigen hundert – getragen wurde, deren Mut den vielen anderen half, öffentlich ihren Protest zu äußern. Dass diese Minderheit so viele normale Bürger mobilisieren konnte, war dem strategischen Geschick ihrer Vorkämpfer zu verdanken. Diese ließen bei ihren öffentlichen Forderungen Vorsicht walten, riefen nicht zum Sturz des Sozialismus auf, sondern propagierten unangreifbare Parolen wie „Wir sind das Volk" und sangen die kommunistische „Internationale" – „... erkämpft das Menschenrecht". Die Staatsmacht tat sich daher schwer, die Protestler einfach als Kriminelle oder Konterrevolutionäre hinzustellen.

Staatsfeierlichkeiten und Jagd auf Demonstranten

In dieser aufgeheizten, für viele Menschen gleichermaßen hoffnungs- und angstvollen Atmosphäre – wie wird die Staatsführung auf ihren immer stärkeren Autoritätsverlust reagieren? –, beging die Partei das 40. Gründungsjubiläum der DDR.

Es sollte die letzte pompöse Inszenierung und Selbstbeweihräucherung der kommunistischen Machthaber in Ostdeutschland sein. Während in den Tagen zuvor Volkspolizei und Kräfte der Staatssicherheit in mehreren Städten der DDR brutal gegen Demonstranten vorgingen und mehrere tausend von ihnen vorübergehend festnahmen („zuführten"), ließen sich die altgewordenen Berufsrevolutionäre des Politbüros am 6. und 7. Oktober von aufmarschierenden Menschenmassen mit Fackelzügen, Fahnen und Fanfaren feiern. Dem prominentesten Ehrengast dieser Veranstaltung, Parteichef Michail Gorbatschow, entging freilich nicht, dass seine deutlichen Mahnungen, Reformen in Gang zu setzen – „Wenn wir zurückbleiben, bestraft uns das Leben sofort ... Wenn die Partei nicht auf das Leben reagiert, ist sie verurteilt" – bei den deutschen Genossen, insbesondere bei Honecker, auf taube Ohren stießen. Spontane Sympathiebekundungen von ostdeutschen Demonstranten – „Gorbi hilf!" – wusste er richtig zu deuten. Als die Fernsehstationen aus aller Welt ihre Kameras ausgeschaltet hatten, lösten die Sicherheitskräfte am selben Abend noch einen Demonstrationszug von mehreren tausend Menschen in Berlin gewaltsam auf. Auch am nächsten Tag schlugen Einheiten der Polizei brutal auf Demonstranten ein und nahmen etwa 3 500 von ihnen fest. Viele mussten Schikanen und eine menschenunwürdige Behandlung über sich ergehen lassen.

Massenproteste und der Sieg der friedlichen Revolution in Leipzig

Doch alle diese Einschüchterungsversuche des Regimes nützten nichts mehr. Trotz ihrer Angst gingen immer mehr Menschen auf die Straße. Dass sie dabei ein hohes Risiko für Leib und Leben eingingen, war ihnen bewusst. Die Demonstrationen hörten nicht mehr auf und entwickelten sich zu landesweiten Massenprotesten.

Der entscheidende Durchbruch gelang der friedlichen Revolution in Ostdeutschland am 9. Oktober 1989 in Leipzig. Die Staatsmacht kapitulierte angesichts von 70 000 Demonstranten, ließ die friedliche Menschenmenge durch und zog ihre hochgerüsteten Einsatzkräfte zurück. Dass dies gelang, war dem besonnenen Handeln einiger Bürger vor Ort zu verdanken, die zur Gewaltfreiheit aufriefen, auch dem vorsichtigen Taktieren von Egon Krenz, der bereits den Sturz Honeckers plante. Regie führte aber auch der Zufall, weil die Befehlskette vom Politbüro zu den Verantwortlichen der Sicherheitskräfte nicht mehr einwandfrei funktionierte. Nach dem glücklichen Ausgang dieser einzigartigen Machtprobe zwischen dem Regime und den Bürgern gab es freilich viele, die sich verantwortlich dafür wähnten.

Honeckers Sturz

Honecker blieb uneinsichtig bis zum Schluss und wollte sogar Panzer gegen die Demonstranten einsetzen. Doch das Gesetz des Handelns ging inzwischen nicht mehr von ihm aus. Die Gruppe um seinen Kronprinzen Krenz, Stasichef Mielke, Ministerpräsident Stoph, der Berliner SED-Parteichef Schabowski und einige andere war zu seiner Entmachtung entschlossen. Aus Moskau kamen keine Einwände. Gegen den heftigen Widerstand Honeckers schlug das Politbüro in einer öffentlichen Erklärung versöhnlichere Töne an und sprach erstmals von notwendigen Erneuerungen und davon, dass der Sozialismus jeden brauche. Der Einsatz von Schusswaffen bei der am 16. Oktober in Leipzig bevorstehenden nächsten Montagsdemonstration wurde grundsätzlich untersagt. Alles verlief friedlich. 150 000 Demonstranten sorgten dafür, den Ruf der „Heldenstadt" Leipzig in alle Welt zu verbreiten. Jetzt verloren die Menschen ihre Angst und gingen in dieser und den folgenden Wochen zu Hunderttausenden überall in der DDR auf die Straßen. Am 18. Oktober zwangen Krenz und seine Mitverschwörer in einer Art Palastrevolution Honecker zum Rücktritt, auch der „Wirtschaftsdiktator" Günter Mittag und Propagandachef Hermann mussten gehen. Egon Krenz trat an die Stelle Honeckers, seine Wahl durch das Zentralkomitee war nicht mehr als ein formaler Akt.

Reaktion in Bonn – Krenz ist kein Reformer

In Bonn nahm man den Machtwechsel an der Spitze der SED mit einer gewissen Erleichterung auf. Vielleicht erhielt der Reformprozess in der DDR doch noch eine Chance. Illusionen machte sich Bundeskanzler Kohl allerdings nicht, im Gegensatz zu einigen namhaften Sozialdemokraten, die, wie etwa der Regierende Bürgermeister von Berlin Walter Momper, für eine gewandelte DDR durchaus einen Platz in der europäischen Staatenwelt sahen.

Obwohl der neue Staatsratsvorsitzende und Parteichef Krenz den Kontakt mit Kohl suchte, wurde bald deutlich, dass er die Situation völlig falsch einschätzte. Der in Bonn als Hardliner und Ideologe eingestufte Spitzenfunktionär war nicht wirklich reformwillig. Er hielt strikt am Führungsanspruch der SED fest und rechnete gleichzeitig mit der Finanzkraft der Bundesrepublik als Rettungsanker für die DDR. Die von ihm propagierte „Wende" lief auf eine modernisierte sozialistische DDR hinaus, der doch in Wirklichkeit immer mehr Bürger den Rücken kehrten.

Dass Krenz nicht der Mann Gorbatschows war, glaubte Kohl einem Telefonat mit dem Reformer in Moskau entnehmen zu können. Die Bundesregierung erklärte sich daher zu wirtschaftlicher Hilfe nur unter der Voraussetzung bereit, dass die SED echte Reformen anpackte, mit bloßen Ankündigungen wollte man sich nicht zufrieden geben. In einem ersten Telefonat forderte Kohl daher unmissverständlich eine Neuregelung der Reisefreiheit, eine Amnestie für politische Straftäter und wiederholte, dass es für seine Regierung keine Anerkennung einer eigenen DDR-Staatsbürgerschaft geben werde. Für ein Stillhalteabkommen mit einer an ihrem Machtanspruch festhaltenden Monopolpartei, war der Kanzler nicht zu haben. Das machten Kohls einflussreiche Unterhändler, Innenminister Schäuble und Kanzleramtsminister Seiters, dem damals wichtigsten Emissär Ostberlins, Alexander Schalk-Golodkowski, in einer Reihe von vertraulichen Gesprächen in Bonn klar. Dieser ließ durchblicken, wie verzweifelt die wirtschaftliche Lage der DDR war und brachte nur wenige Tage vor dem Mauerfall einen Kreditbedarf von 10 Milliarden DM ins Gespräch. Daraufhin forderte Schäuble als Vorbedingung für entsprechende Verhandlungen die Zulassung der oppositionellen Gruppierungen. Um die Staatspleite durch eine Kredithilfe aus Bonn abzuwenden, veranlasste Krenz das Politbüro, das Neue Forum am 8. November zu legalisieren. Dass dies eine Forderung der Bundesregierung war, verschwieg er seinen Genossen allerdings und bezog sich stattdessen auf Gorbatschow.

Kohls Taktik: kein Öl ins Feuer gießen

Im Übrigen verfolgte Kohl, wie schon seit Monaten, auch weiterhin einen Kurs größter verbaler Zurückhaltung, um die Demonstranten in der DDR nicht zu unbedachten Handlungen gegenüber den anwesenden sowjetischen Truppen zu verleiten, auch um der Fluchtwelle keine zusätzliche Nahrung zu geben, vor allem aber um im Westen kein Misstrauen gegenüber der Bündnissolidarität der Bundesrepublik zu wecken. Während die Bundesregierung also aus guten Gründen in ihrer Zuschauerrolle gegenüber den sich überschlagenden Ereignissen in der DDR verharrte, förderte sie nach Kräften die Reformländer Polen und Ungarn und versicherte ihren westlichen Partnern, dass die Bundesrepublik zuverlässig und berechenbar bleiben werde und die Integration Westeuropas zu beschleunigen gedenke. Die deutsche Antwort auf die Reformen in Osteuropa und auf die in der ausländischen Presse diskutierten Perspektive der Wiedervereinigung Deutschlands bleibe Europa, versicherte Kohl Anfang November dem französischen Staatspräsidenten Mitterrand in Bonn. Nur in einem ungeteilten Europa sei die Überwindung der Teilung Deutschlands denkbar. In dieser Einschätzung trafen sich beide Politiker. Kohl unterstrich besonders die Notwendigkeit, gerade jetzt keine weitere Zeit mehr zu verlieren, um die Europäische Wirtschafts- und Währungsunion unter Dach und Fach zu bringen.

Die Macht liegt auf der Straße

Die Bevölkerung in der DDR zeigte sich durch den Personalwechsel in der SED-Führung und die vagen Versprechungen von Krenz nicht beeindruckt. Sie durchschaute dessen Taktik, Zeit zu gewinnen, um wieder Ordnung in die eigenen Reihen zu bringen. Ihre Glaubwürdigkeit hatte die SED verloren. Instinktiv erkannten immer mehr DDR-Bürger ihre Chance, das System selbst zu ändern. Bei den Montagsdemonstrationen gingen jetzt regelmäßig Hunderttausende auf die Straßen. Am 4. November protestierte fast eine Million Menschen auf dem Berliner Alexanderplatz gegen die „SED-Bonzen", gegen die Stasi und für Reisefreiheit und Demokratie. Mielkes Geheimdienst in der Berliner Normannenstraße hielt inzwischen alles für möglich – einen Sturm auf die Dienstgebäude der verhassten Stasi oder auch den Versuch eines Grenzdurchbruchs am Brandenburger Tor. Für diesen Fall wurde vorsorglich ein heißer Draht nach Moskau sowie Standleitungen zur Sowjetarmee in Wünsdorf und zur KGB-Filiale in Karlshorst geschaltet. An jenem 4. November saßen Krenz, Stoph, Mielke und Verteidigungsminister Keßler im Dienstzimmer von Innenminister Dickel und verfolgten angespannt das Geschehen draußen auf dem Alexanderplatz über einen Monitor. Doch alles verlief friedlich, wie Millionen Fernsehzuschauer beobachten konnten. Die Demonstranten spendeten Rednern wie dem Schriftsteller Stefan Heym Beifall – „Es ist als habe einer die Fenster aufgestoßen nach all den Jahren der Stagnation, nach all den Jahren der Dumpfheit und des Miefs, des Phrasengewäschs und bürokratischer Willkür" – und buhten Wendehälse wie Günter Schabowski -„Wir lernen unverdrossen" – oder Vertreter des altes Regimes wie Ex-Spionagechef Markus Wolf einfach aus.

Massenflucht und Politikerrücktritte

Auch der Massenexodus aus der DDR setzte sofort wieder ein, als die ostdeutschen Behörden am 1. November die Grenzen zur Tschechoslowakei erneut öffneten. Fast 50 000 Menschen verließen in der ersten Novemberwoche ihr Land auf diesem Weg. Unter dem doppelten Druck von Ausreise und Protest traten am 7. November die 44 Minister der Regierung und ein Tag später das gesamte Politbüro zurück – ein für eine kommunistische Partei einmaliger Vorgang. Mit dem als Reformer geltenden, auch in der Bundesrepublik als „ehrliche Haut" eingeschätzten langjährigen Dresdener Parteichef Hans Modrow in der Rolle des Ministerpräsidenten hoffte Krenz die ihm selbst anhaftende Glaubwürdigkeitslücke ausgleichen zu können. Doch noch bevor Modrow am 13. November von der Volkskammer offiziell gewählt wurde, hatte sich die Geschäftsgrundlage für die neue Regierung bereits fundamental geändert.

Mit halbherzigen Reformankündigungen und Politikerrücktritten, auch aus den Reihen der SED-hörigen Blockparteien, ließ sich das Volk nicht mehr abspeisen. Die Zahl der Flüchtlinge nahm stündlich zu. Die SED hatte ihren Kredit verspielt. Man traute ihr alles zu, auch die erneute Abriegelung des Fluchtweges über die Tschechoslowakei. Ein am 6. November veröffentlichter Reisegesetzentwurf atmete nach wie vor den Geist des gewährenden und versagenden Obrigkeitsstaates, gegen den sofort wieder Hunderttausende öffentlich zu Felde zogen.

Die Bürger, die so lange nur Untertanen waren, wollten jetzt nichts weniger als ihre Freiheit, zu reisen wohin, wann und wie oft sie wollten. Appelle, im Land zu bleiben und an der Gestaltung einer „wahrhaft demokratischen Gesellschaft" mitzuwirken, die die Schriftstellerin Christa Wolf auch im Namen von Bürgerrechtlern wie Bärbel Bohley am Abend des 8. November im DDR-Staatsfernsehen an die Ausreisewilligen richtete, nützten nichts mehr. Die Zahl der Flüchtlinge aus der DDR nahm stündlich zu. Allein vom 8. auf den 9. November 1989 flohen 11 000 Ostdeutsche über die Tschechoslowakei in den Westen. Die Prager Regierung verlangte von Ostberlin, die Ausreisewelle sofort zu stoppen, anderenfalls würde sie die Grenzen dichtmachen. Der Grund war, dass die tschechischen Kommunisten den Ansteckungseffekt auf die eigene Bevölkerung fürchteten.

Das Politbüro im Zugzwang – Entscheidung über Reiseregelung

In dieser Situation beschloss das Politbüro, die für den Dezember ohnehin geplante weitgehende Freigabe der „ständigen Ausreise" ohne Umwege über Drittstaaten zeitlich vorzuziehen. Die Querulanten und Unruhestifter, so das Kalkül der Politbürokraten in Ostberlin, sollten rasch ausreisen können; dann würde wieder Ruhe in der Bevölkerung einkehren. Über den sowjetischen Botschafter in der DDR Kotschemassow war Gorbatschow davon informiert, und am 9. November morgens stimmte Moskau auch zu.

Im Innenministerium entwarfen vier Experten, darunter zwei Stasi-Offiziere, am Vormittag des 9. November eine entsprechende Vorlage für „Privatreisen nach dem Ausland ohne Vorliegen von Voraussetzungen", wobei sie über ihren Auftrag hinausgingen und keine Unterschiede mehr zwischen Besuchsreisen und Dauerausreisen machten; es sollten nur noch ein kurzfristig zu genehmigendes Visum und ein Reisepass notwendig sein. Einen Reisepass besaßen nur etwa vier Millionen Bürger; alle anderen, so die Überlegung, müssten bis zur Ausstellung eines Passes mehrere Wochen warten, so dass nicht alle DDR-Bürger gleichzeitig über die Grenze gehen konnten. Krenz bemerkte offensichtlich nicht, dass die eilig zu Papier gebrachten Bestimmungen über seine ursprünglichen, von Moskau auch abgesegneten Anweisungen hinausgingen und außerdem auch noch die Rechte der vier Alliierten in Berlin berührten, ohne deren Zustimmung einzuholen.

Um die Mittagszeit informierte Egon Krenz die bei einer Sitzung des Zentralkomitees gerade anwesenden Politbüromitglieder, die diesen Regelungen zustimmten. Später trug Krenz die neue Ausreiseverordnung im Plenum des Zentralkomitees vor und übergab danach dem jetzt als Pressesprecher des neuen Politbüros fungierenden Günter Schabowski, der im Plenum nicht anwesend war, die zwei Seiten Text für die vorgesehene Pressekonferenz am frühen Abend. Krenz hoffte, dass sich die Lage in der DDR sofort entspannen würde, sobald die Medien von der in Aussicht gestellten Regelung für eine kontrollierte Freizügigkeit berichteten.

Eine Fehlinformation mit Folgen

Den genauen Inhalt der Verordnung kannte Schabowski nicht, und er las sie nach eigenem Bekunden auf dem Weg ins Internationale Pressezentrum auch nicht durch. Vor allem wusste er nicht, dass der Ministerrat noch keinen formellen Beschluss gefasst hatte und die Grenztruppen somit auch nicht instruiert waren. Erst am Ende seiner Pressekonferenz gegen 19 Uhr kam er eher beiläufig auf die neue Reiseregelung zu sprechen, wobei ihm ein folgenreicher Fehler unterlief. Auf Nachfrage eines Journalisten nämlich, wann denn diese Bestimmungen in Kraft träten, gab er leicht irritiert und den Text rasch überfliegend zur Antwort: „Sofort, unverzüglich". Das stand zwar in der Verordnung so nicht drin. Aber jetzt war die Aussage des Politbüromitglieds über die „sofortige" Reisefreiheit in der Welt und die westlichen Medien machten sie zu einer Sensation. Um 20 Uhr brachte die Tagesschau der ARD als Spitzenmeldung die Nachricht: „DDR öffnet Grenze", und wenig später strömten erst Hunderte, dann Tausende von Menschen an die Staatsgrenze in Ostberlin.

Der Fall der Mauer und die Öffnung der Grenze

In Bonn beriet der Bundestag gerade über ein Gesetz zur Vereinsförderung, das so wichtige Fragen wie die Höhe der steuerfreien Pauschalen für Übungsleiter regeln sollte, als Kanzleramtsminister Seiters in einer kurzen Erklärung der Bundesregierung die Sensation bekannt gab. Die Abgeordneten stimmten spontan die dritte Strophe der Nationalhymne an, obwohl in Berlin die Mauer zu diesem Zeitpunkt noch zu war. Die Agenturmeldungen waren den Ereignissen vorausgeeilt. Doch das spielte letzten Endes keine Rolle mehr. Die Lawine war losgetreten. Ein Versprecher hatte geschichtsmächtige Wirkung erzielt und nach wenigen Stunden war klar, dass ein gerade acht Tage alter von Krenz streng geheim gehaltener Plan einiger Spitzenökonomen um Gerhard Schürer jetzt Makulatur war: um West-Kredite in großem Stil zu erhalten, sollte die Mauer geöffnet werden. Die einzige sozusagen „kreditwürdige Immobilie" der DDR (Rainer M. Lepsius) hatte nunmehr ihren Wert verloren.

Da die meisten SED-Spitzenpolitiker noch bis in den Abend hinein im Zentralkomitee tagten, bekamen sie das alles erst mit, als viele Straßen Ost-Berlins bereits vollgestopft waren mit Trabis auf dem Weg in Richtung Grenze. Partei, Regierung und militärische Führung wurden von den Ereignissen förmlich überrollt.

Unter dem Druck und den Forderungen der Menge an den Grenzübergangsstellen öffneten die Stasi-Grenzposten, die keine klaren Befehle von oben bekamen und somit weitgehend auf sich allein gestellten waren, in den späten Abendstunden die Schlagbäume. Kurz nach Mitternacht waren alle Übergänge geöffnet, auch die Grenzkontrollstellen in das Berliner Umland und zwischen der DDR und der Bundesrepublik waren passierbar.

Die Mauer war zum Einsturz gebracht – ganz unspektakulär, sozusagen versehentlich. In Autos und zu Fuß drängten Zehntausende von Menschen, fassungslos und überglücklich – „Wahnsinn" war das Wort der Stunde- nach Westberlin und feierten in Volksfeststimmung mit vielen tausend Westberlinern diesen historischen Augenblick. Auf der Mauer am Brandenburger Tor hüpften und jubelten junge Leute aus Ost und West, und ließen sich auch nicht durch Zurufe der Grenzsoldaten dazu bringen, wieder hinunter zu springen. „Mauerspechte" bearbeiteten den „antifaschistischen Schutzwall" mit Meißeln und Vorschlaghämmern. Später kehrten die meisten wieder in den Ostteil Berlins zurück, als sei dies die normalste Sache der Welt. Bis heute ist nicht eindeutig geklärt, ob die Parteiführung am nächsten und dem darauf folgenden Tag den Gedanken einer militärischen Aktion erwog. Jedenfalls wurden in der Nähe von Berlin stationierte Einheiten der Nationalen Volksarmee zwei Tage lang in „erhöhte Gefechtsbereitschaft" versetzt. Sie kamen jedoch nicht zum Einsatz. Der Fall der Mauer war unumkehrbar geworden und allein in der ersten Woche danach besuchten neun Millionen DDR-Deutsche Westberlin und die Bundesrepublik.

Besonnenheit in Ost und West

Seit dem Fall der Mauer liefen längere Zeit drei Entwicklungsstränge nebeneinander, die sich wechselseitig beeinflussten: Innenpolitisch versuchte die SED durch Reformsignale ihre Position zumindest im Kern zu erhalten, während die Bürgerbewegung um ihre Beteiligung an der Macht und für eine Demokratisierung der DDR kämpfte; auf der deutsch-deutschen Ebene bemühte sich die Bundesregierung, Einfluss auf den Reformprozess in der DDR zu gewinnen und schließlich die Weichen für die politische und wirtschaftliche Vereinigung zu stellen; auf der internationalen Ebene legten die vier ehemaligen Siegermächte in einem längeren Abklärungsprozess ihre Haltung zu der neu auf die Tagesordnung gekommenen deutschen Frage fest und einigten sich schließlich zusammen mit der Bundesrepublik und der erstmals demokratisch legitimierten DDR auf ein gemeinsames Konzept zur Wiedervereinigung.

Für die Staatslenker in Ost und West und ihre zahlreichen Berater kam die Öffnung der Berliner Mauer nicht weniger überraschend wie für die Bevölkerung ihrer Länder. Bundeskanzler Kohl befand sich auf Staatsbesuch in Polen, als er am Abend des 9. November aus Bonn die sensationelle Nachricht erhielt. „Das gibt's doch nicht ... Das ist ja unfassbar!" war sein erster Kommentar, dem der Entschluss nachfolgte, seinen Aufenthalt in Warschau zu unterbrechen, um am Tag darauf auf zwei Kundgebungen in Westberlin zu sprechen. Auch Willy Brandt, der langjährige Regierende Bürgermeister von Berlin und „Erfinder" der neuen Ostpolitik der siebziger Jahre, flog an diesem 10. November nach Berlin, um sich selbst ein Bild von den Ereignissen zu machen. Mehrfach fasste er seine Gefühle in den später viel zitierten knappen Satz: „Jetzt wächst zusammen, was zusammen gehört".

Kohl erreichte Berlin auf Umwegen, weil er mit einer Bundeswehrmaschine Berlin nicht anfliegen durfte: In Hannover bestieg er ein amerikanisches Flugzeug, das der Bonner US-Botschafter Walters für ihn organisiert hatte, und landete schließlich am späteren Nachmittag am Ort des Geschehens. Bei einer Kundgebung vor dem Schöneberger Rathaus vermied Kohl nationale Parolen. Die unabsehbaren Konsequenzen möglicher Übergriffe auf Symbole oder Soldaten der Sowjetarmee in der DDR vor Augen, forderte er die Berliner dazu auf, „besonnen zu bleiben und klug zu handeln". Dies war zugleich eine Antwort auf eine persönliche Botschaft, die Gorbatschow ihm wie auch den übrigen westlichen Regierungschefs kurz zuvor hatte zukommen lassen, in der jener vor einer gezielten Destabilisierung der DDR warnte. Das hatten jedoch weder die westdeutsche Regierung noch die übrigen Verbündeten vor, wie Bundeskanzler Kohl dem sowjetischen Staatschef wenig später ausdrücklich versicherte.

Dass das Ende der Mauer, des Symbols der Teilung Deutschlands und des ganzen Kontinents, friedlich vonstatten ging, war der kühl kalkulierenden Reaktion Gorbatschows zu verdanken, seine Politik „der Situation" anzupassen und sich nicht von Scharfmachern in der sowjetischen Führung oder auch der SED lenken zu lassen. Noch am 1. November hatte er Krenz in Moskau klar gemacht, dass alle Schritte einer Liberalisierung des Grenzregimes der DDR mit ihm abzusprechen waren und mit Gegenleistungen der Bundesregierung einherzugehen hätten. Die Ereignisse des 9. November in der DDR waren darüber hinweg gegangen. Im Rückblick (1999) beschrieb Gorbatschow die damalige Lage folgendermaßen: „Im Herbst 1989 wurde sie in Ostdeutschland wirklich brisant. Auf dem von Unruhen erfassten Territorium, auf dem die größte Gruppierung sowjetischer Streitkräfte stationiert war, konnte selbst eine kleine Provokation zum Blutvergießen und zu unkontrollierbaren Folgen führen. Provokationen waren durchaus möglich: Einige einflussreiche Vertreter bestimmter Kreise in der UdSSR wie in der DDR forderten die ‚Wiederherstellung der Ordnung'." Doch Gorbatschow und sein engster Beraterkreis entschieden sich dafür, den „mutigen Schritt" der SED-Führung zu loben und damit den Fall der Mauer zu akzeptieren. Dass es die DDR ein Jahr nach diesem Herbst 1989 nicht mehr geben würde, ahnte er zu diesem Zeitpunkt freilich so wenig wie alle übrigen Akteure auf der diplomatischen Bühne.

ZEITTAFEL

1988

7./9. Januar 1988	Staatsbesuch Honeckers in Frankreich.
17. Januar 1988	Am Rande der offiziellen Gedenkveranstaltung zum 69. Todestag Karl Liebknechts und Rosa Luxemburgs werden in Ostberlin 120 Bürgerrechtler festgenommen und dann zum Teil in die Bundesrepublik ausgewiesen, darunter die Regisseurin Freya Klier und der Liedermacher Stephan Krawczyk; sie hatten ein Transparent mit einem Zitat von Rosa Luxemburg aufgerollt „Freiheit ist immer Freiheit der Anders denkenden".
29. Januar 1988	Fürbittegottesdienste der evangelischen Kirche für verhaftete Bürgerrechtler; in den folgenden Tagen finden zahlreiche Solidaritätsgottesdienste in zahlreichen Städten der DDR statt.
17. Februar 1988	Politbüromitglied Werner Jarowinsky fordert vom Vorsitzenden des Bundes der Evangelischen Kirchen, Bischof Leich, ultimativ, dass die Kirche ihre Unterstützung für Oppositionelle und Ausreisewillige einzustellen habe.
15. Mai 1988	Abzug der sowjetischen Truppen aus Afghanistan.
18. Mai 1988	In der sowjetischen „Literaturnaja Gazeta" bezeichnet der Historiker und Berater von Außenminister Schewardnadse, W. Daschitschew, die Berliner Mauer als „Relikt des Kalten Krieges", das verschwinden müsse. Die DDR verfügte daraufhin ein Einreiseverbot gegen ihn.
29. Mai/2. Juni 1988	Viertes Gipfeltreffen zwischen US-Präsi-

dent Reagan und Staats- und Parteichef Gorbatschow in Moskau: Austausch der Ratifikationsurkunden des INF-Vertrages über den Abbau aller Mittelstreckenraketen in Europa.

15. August 1988 — Die DDR und die EG nehmen offizielle Beziehungen auf.

24./27. Oktober 1988 — Bundeskanzler Kohl auf Staatsbesuch in Moskau: Gorbatschow und er kommen überein, die „Eiszeit" in den deutsch-sowjetischen Beziehungen zu beenden.

8. November 1988 — Wahl des Republikaners George Bush zum 41. Präsidenten der USA; sein Amtsantritt erfolgt am 20.1.1989.

18. November 1988 — Die sowjetische Zeitschrift „Sputnik" darf nicht mehr in der DDR verkauft werden.

7. Dezember 1988 — Vor der UN-Generalversammlung verkündet Gorbatschow einseitige Abrüstungsmaßnahmen der Sowjetunion.

31. Dezember 1988 — In der DDR häufen sich Anzeichen einer Wirtschaftskrise mit ernsten Versorgungslücken.

1989

15. Januar 1989 — Auf der KSZE-Konferenz in Wien stimmt die Sowjetunion in Menschenrechtsfragen mit den westlichen Staaten gegen Bulgarien, DDR, Rumänien und die Tschechoslowakei. Eduard Schewardnadse: „das Wiener Treffen hat den Eisernen Vorhang erschüttert". Die DDR verpflichtet sich allerdings, das Recht der Reisefreiheit gesetzlich zu garantieren.

In Leipzig fordern mehrere hundert Demonstranten Meinungs- und Versammlungsfreiheit: 80 von ihnen werden festgenommen.

6. Februar 1989	DDR-Grenzsoldaten erschießen den 20jährigen Schlosser Chris Gueffroy bei einem Fluchtversuch nach Westberlin. Er ist das letzte Opfer an der Mauer. Der Todesschütze wird 1992 mit dreieinhalb Jahren Gefängnis bestraft. Ein weiterer Grenzsoldat erhält zwei Jahre Gefängnis mit Bewährung.
6. März 1989	Städtepartnerschaft zwischen Bonn und Potsdam.
12. März 1989	In Leipzig demonstrieren 600 Ausreisewillige.
3. April 1989	Aussetzung des Schießbefehls.
5. April 1989	In Polen einigen sich nach zähen Verhandlungen am „Runden Tisch" die kommunistischen Machthaber mit den Vertretern der Opposition: die bislang verbotene Gewerkschaft „Solidarnosc" unter der Führung von Lech Walesa wird wieder zugelassen und freie Wahlen für Juni angekündigt.
13. April 1989	Kabinettsumbildung in Bonn: neuer Finanzminister wird Theo Waigel (CSU), neuer Innenminister Wolfgang Schäuble (CDU).
2. Mai 1989	Ungarische Soldaten beginnen mit dem Abbau des Stacheldrahtes an der Grenze nach Österreich.
7. Mai 1989	Bürgerrechtsgruppen der DDR prangern massive Fälschungen bei den Kommunalwahlen an.
23. Mai 1989	Bundespräsident von Weizsäcker wird von der Bundesversammlung ein weiteres Mal zum Bundespräsidenten gewählt.
31. Mai 1989	Erstmals seit 1982 sinkt die Arbeitslosenzahl in der Bundesrepublik unter zwei Millionen.

4. Juni 1989	Blutige Niederschlagung der Demokratie-bewegung in Peking: Mehrere tausend To-te und Verhaftete. Einstimmig erklärt die DDR- Volkskammer ihr Verständnis für diese Maßnahmen.
12./15. Juni 1989	Michail Gorbatschow wird bei einem Staatsbesuch in Bonn von der Bevölkerung mit großem Jubel empfangen. Unterzeich-nung einer „Gemeinsamen Erklärung", in der beide Regierungen das Selbstbestim-mungsrecht aller Völker und die Freiheit der Wahl des politischen und sozialen Sys-tems ausdrücklich anerkennen.
Ab Juli 1989	Wachsende Fluchtbewegung aus der DDR nach Ungarn mit dem Ziel der Aus-reise in den Westen. Zahlreiche Flüchtlin-ge sammeln sich in den Vertretungen der Bundesrepublik in Ostberlin, Budapest und Prag.
7. Juli 1989	Gorbatschow widerruft bei einem Gipfel-treffen des Warschauer Paktes die Bre-schnew-Doktrin von der beschränkten Souveränität der sozialistischen Staaten.
24. Juli 1989	Aufruf der Initiativgruppe „Sozialdemo-kratische Partei in der DDR" für eine öko-logisch orientierte soziale Demokratie. Eine Initiativgruppe kirchlicher Mitarbei-ter gründet die Oppositionsgruppe „De-mokratischer Aufbruch".
19. August 1989	Etwa 660 DDR-Urlauber nutzen ein Volks-fest bei Sopron (Ödenburg) an der österrei-chisch-ungarischen Grenze zur Flucht.
25. August 1989	Geheimtreffen des ungarischen Minister-präsidenten Nemeth und Außenministers Horn mit Bundeskanzler Kohl und Au-ßenminister Genscher in Bonn.

4. September 1989	Über 1 000 Menschen demonstrieren in Leipzig vor der Nikolaikirche: „Wir wollen raus!".
10. September 1989	Gründung des „Neuen Forums" in Ostberlin von Bürgerrechtlern um Bärbel Bohley, Katja Havemann, Jens Reich u.a., der ersten landesweiten nichtkirchlichen Oppositionsgruppe. Ihr Antrag auf offizielle Zulassung als Bürgervereinigung vom 19. September wird vom DDR-Innenministerium abgelehnt; die Gruppierung sei staatsfeindlich. In den folgenden Wochen unterzeichnen Zehntausende den Aufruf für einen gesellschaftlichen Dialog über die Krise in der DDR.
11. September 1989	Ungarn öffnet unter Verstoß gegen ein Abkommen mit der DDR von 1969 die Grenze nach Österreich für alle DDR-Flüchtlinge. Innerhalb von drei Tagen reisen 15 000 DDR-Bürger über Ungarn und Österreich in die Bundesrepublik. Bis Ende Oktober sind es über 50 000. In Turnhallen und Zeltstädten finden sie erste Unterkunft.
12. September 1989	In Berlin wird die Bürgerbewegung „Demokratie Jetzt" gegründet.
25. September 1989	Erstmals seit 1953 kommt es in Leipzig zu einer Großdemonstration. Rund 5 000 Menschen fordern demokratische Reformen und rufen: „Wir bleiben hier!". An den folgenden Montagsdemonstrationen nehmen immer mehr Menschen teil; am 2. Oktober sind es bereits 20 000; es kommt zu zahlreichen Festnahmen.
30. September 1989	Außenminister Genscher und Kanzleramtsminister Seiters verkünden in der

Prager Botschaft der Bundesrepublik die Ausreiseerlaubnis für die Botschaftsbesetzer. Die rund 6 000 DDR-Flüchtlinge werden in verriegelten Sonderzügen der Reichsbahn in die Bundesrepublik gebracht. Honeckers Kommentar: „Man sollte ihnen keine Träne nachweinen".

4. Oktober 1989   Fast 10 000 neue Botschaftsflüchtlinge verlassen Prag in Sonderzügen durch die DDR in die Bundesrepublik. In Dresden versuchen etwa 3 000 Menschen den Bahnhof zu stürmen, um auf die Züge aufzuspringen; es kommt zu gewaltsamen Auseinandersetzungen mit der Polizei.

7. Oktober 1989   Staatsfeierlichkeiten zum 40. Jahrestag der DDR. Gorbatschow fordert die DDR-Führung zu Reformen auf: „Wer zu spät kommt, den bestraft das Leben." In Ostberlin und in weiteren Städten der DDR gehen Polizei und Stasi gewaltsam gegen Demonstranten vor; es kommt zu Massenverhaftungen.

Gründung der „Sozialdemokratischen Partei in der DDR" (zunächst noch SDP genannt) im Pfarrhaus in Schwante bei Oranienburg.

9. Oktober 1989   Massendemonstration von etwa 70 000 Menschen in Leipzig für demokratische Reformen: „Wir sind das Volk". Erstmals greifen die Sicherheitskräfte nicht ein. In Dresden tritt der erste „Runde Tisch" in der DDR mit Vertretern der Opposition und der SED zusammen.

10. Oktober 1989   Auflösung der kommunistischen Partei Ungarns. Zehn Tage später Änderung der Verfassung von 1949 in Richtung auf einen

pluralistisch-demokratischen Rechtsstaat; Zulassung von Privateigentum. Am 23. Oktober Ausrufung der Republik Ungarn.

11. Oktober 1989	SED-Politbüro erklärt sich zu einem Dialog mit der Bevölkerung bereit.
18. Oktober 1989	Erich Honecker wird vom Politbüro zum Rücktritt gezwungen; Egon Krenz wird neuer SED-Generalsekretär.
23. Oktober 1989	300 000 demonstrieren in Leipzig; weitere Demonstrationen in Berlin, Dresden, Eisenach, Greiz, Halle, Magdeburg, Schwerin, Stralsund und Zwickau.
28. Oktober 1989	Massendemonstrationen für Freiheit und Demokratie in Prag.
1. November 1989	DDR lässt den pass- und visafreien Reiseverkehr in die Tschechoslowakei wieder zu. Tausende DDR-Bürger suchen wieder Zuflucht in der Prager Botschaft der Bundesrepublik.
4. November 1989	Knapp eine Million Menschen demonstrieren auf dem Ostberliner Alexanderplatz für politische Reformen.
	DDR erlaubt die direkte Ausreise von Bürgern über die Tschechoslowakei in die Bundesrepublik. Innerhalb einer Woche machen 62 000 davon Gebrauch.
6. November 1989	Reisegesetzentwurf der DDR-Regierung wird in der Öffentlichkeit als unzureichend kritisiert.
	In Bonn präsentiert Alexander Schalck-Golodkowski im Auftrag von Egon Krenz Kreditwünsche in Millardenhöhe.
7. November 1989	Die Regierung Stoph tritt geschlossen zurück.

8. November 1989	Das Politbüro tritt geschlossen zurück.
9. November 1989	Öffnung der Berliner Mauer und weiterer Grenzübergänge zur Bundesrepublik. In den folgenden Tagen und Wochen besuchen Millionen DDR-Bürger West-Berlin und die Bundesrepublik.
13. November 1989	Hans Modrow, bislang Erster Sekretär der SED-Bezirksleitung in Dresden, wird von der Volkskammer zum letzten von der SED gestellten Ministerpräsidenten der DDR gewählt. In seiner Regierungserklärung vom 17. November schlägt er eine „Vertragsgemeinschaft" beider deutscher Staaten vor.

15.7.1990: Bundeskanzler Helmut Kohl in fröhlicher Runde mit Staatspräsident Michail Gorbatschow (Mitte) und Bundesaußenminister Hans-Dietrich Genscher (li) bei einer Rast während eines Spaziergangs nahe Archys – Bezirk Stawropol im Kaukasus. *Foto: Bilderdienst Süddeutscher Verlag*

12. Die unerwartete Einheit – Deutsche und internationale Weichenstellungen 1989/90

Skepsis und Beunruhigung in Paris und London

In der ersten Zeit nach der Öffnung der Mauer reagierten die verantwortlichen Politiker in den westlichen Hauptstädten mit betonter Zurückhaltung auf dieses symbolkräftige Ereignis. In London und Paris, aber auch in Den Haag, Rom und anderenorts überwog die Befürchtung, dass Debatten über Grenzänderungen oder gar die deutsche Wiedervereinigung zu einer gefährlichen Destabilisierung der europäischen Ordnung führen, die Demokratisierung der mittelosteuropäischen Länder hemmen und Gorbatschows Autorität untergraben könnten. Insbesondere die britische Premierministerin Margaret Thatcher wollte sich nicht mit der Perspektive anfreunden, dass es in absehbarer Zeit keine zwei deutsche Staaten mehr geben könne. Sie warnte den amerikanischen Präsidenten eindringlich davor, den Deutschen die Wiedervereinigung zu ermöglichen und betonte, der Westen müsse Gorbatschows Wunsch respektieren, die Grenzen des Warschauer Paktes zu erhalten. Anfang Dezember verlangte sie sogar, die deutsche Einigung auf zehn bis 15 Jahre zurückzustellen Auch der französische Staatspräsident Mitterrand zeigte sich beunruhigt beim Gedanken an ein geeintes Deutschland, das ihm allenfalls in einem noch engeren europäischen Verbund akzeptabel, wenn auch nicht wünschenswert, erschien, weil es anderenfalls zwangsläufig zur dominierenden Macht in Europa aufstiege.

Mit einem Mal waren die alten Ängste der großen und kleinen europäischen Völker wieder da, Deutschland könnte zu stark werden. Unausgesprochen galt in allen Nachbarländern die Zweistaatlichkeit Deutschlands Jahrzehnte lang als ein Faktor der Stabilität in Europa. Die bisherige Sicherheitsarchitektur schien jetzt durch die Ereignisse in der DDR in Frage gestellt zu sein, zumindest dann, wenn die Bundesregierung der deutschen Einheit Vorrang vor ihren Bündnisverpflichtungen einräumen würde. Vor allem in London und Paris hoffte man, mit Unterstützung der amerikanischen Regierung die weitere Entwicklung in Deutschland unter Kontrolle zu halten und zwar nach dem Motto – Selbstbestimmung für die Deutschen ja, Wiedervereinigung der beiden Staaten vielleicht später.

Deutsch-amerikanisches Tandem

In den USA dagegen zeigten sich Präsident Bush und Außenminister Baker hoch erfreut über die friedliche Revolution in der DDR. Auch sie betonten die Notwendigkeit eines geordneten und schrittweisen Veränderungsprozesses in Deutschland. Bush und seine Berater wollten vor allem nicht durch öffentliche Forderungen oder Ratschläge an die Adresse Moskaus Öl ins Feuer gießen und den dortigen Hardlinern Argumente gegen Gorbatschow liefern. Ungeachtet dessen akzeptierte der US-Präsident von Anfang an die deutsche Vereinigung und ließ sich von den Warnungen der westeuropäischen Regierungen nicht beeindrucken. „Lasst die Menschen in Deutschland diese Sache bestimmen", auf diesen Nenner brachte Bush seine Überzeugung in einem Gespräch mit ausländischen Journalisten Ende November 1989.

Die amerikanische Strategie lief darauf hinaus, zusammen mit Gorbatschow und nicht gegen ihn das Ende der kommunistischen Herrschaft in Ostmitteleuropa einschließlich Ostdeutschlands zu befördern, ohne diesen Prozess künstlich zu beschleunigen. Auch Kohl versicherte den sowjetischen Parteichef, dass seine Regierung alles tun werde, um ein Chaos in der DDR zu verhindern; politische und wirtschaftliche Reformen werde seine Regierung unterstützen, unter der Voraussetzung, dass dort freie Wahlen abgehalten würden. Eine Einschränkung des Selbstbestimmungsrechts aller Deutschen wiesen Kohl wie Bush jedoch einhellig zurück. Um den französischen Präsidenten zu beruhigen, betonten beide mehrfach die Notwendigkeit der europäischen Einbettung der deutschen Frage. Die Bundesrepublik werde die Interessen ihrer Nachbarstaaten berücksichtigen und die Intensivierung der europäischen Integration unter Einbeziehung eines größeren Deutschland vorantreiben. Ungeachtet dessen kündigte Mitterrand Ende November zur Überraschung vieler zwei kurzfristig anberaumte Treffen mit Gorbatschow in Kiew und mit Modrow in der DDR für den Dezember an.

Reformankündigungen ohne Wirkung

Die Dinge nahmen dann aber im November/Dezember 1989 ihren eigenen, in den westlichen Außenministerien und auch im Bonner

Kanzleramt nicht vorhergesehenen Verlauf. Die Menschen in der DDR wollten Freiheit und Wohlstand. Immer weniger glaubten an einen verbesserten und demokratischen Sozialismus, den ihnen Egon Krenz in Aussicht stellte. Aufrufe von bislang stets privilegierten Künstlern und Schriftstellern („Für unser Land", vom 26. November), in denen die Eigenständigkeit einer „revolutionär erneuerten" DDR beschworen und der „Ausverkauf unserer materiellen und moralischen Werte" im Falle einer Wiedervereinigung an die Wand gemalt wurden, blieben ohne Widerhall bei der Mehrheit der Bevölkerung. Der Traum vom Sozialismus war durch den realexistierenden Sozialismus zum Alptraum für Millionen geworden. Günter Kunert, Schriftsteller und ehemaliger Bürger der DDR, der seit 1979 in der Bundesrepublik lebte, brachte auf den Begriff, was viele damals angesichts solcher Aufrufe dachten: „Die gegenwärtig erhobene Forderung nach einer Erneuerung des Systems übertüchtiger Ruinenbaumeister wirkt wie ein später und deplazierter Scherz."

Die vagen Reformankündigungen des neuen Regierungschefs Hans Modrow und sein Vorschlag für eine „Vertragsgemeinschaft" zwischen beiden deutschen Staaten waren nicht geeignet, einen entscheidenden Stimmungsumschwung der Bevölkerung zugunsten einer erneuerten DDR herbeizuführen.

Deren Misstrauen war begründet. Die Auflösung des verhassten Ministeriums für Staatssicherheit geschah nur schleppend. Stattdessen wurden Akten vernichtet und Vorkehrungen für eine mögliche Fortsetzung der „Feindbekämpfung" unter neuem Etikett – „Amt für nationale Sicherheit" – getroffen. Der erste Geheimbefehl des Mielke-Nachfolgers, General Wolfgang Schwanitz, bestimmte daher auch die „vorerst" weitere Gültigkeit aller bisherigen Weisungen des MfS. Was die DDR-Bürger damals nicht wussten: die Hälfte der neuen Modrow-Regierung war als Inoffizielle Mitarbeiter (IM) bei der Stasi registriert. Von den elf neuen Kabinettsmitgliedern, die aus den Reihen der Blockparteien kamen, im Volksmund „Blockflöten" genannt (LDPD, CDU, NDPD, Bauernpartei), waren sieben früher oder immer noch Zuträger der Stasi; zum Staatssekretär des Ministerrates, also der Regierungszentrale, berief Modrow, wahrscheinlich ohne sein Wissen, einen hochrangigen Geheimdienstoffizier im besonderen Einsatz (OibE).

Die SED-Herrschaft im Sinkflug – Modrow als Konkursverwalter

Eine Stabilisierung der Verhältnisse in der DDR trat nicht ein. Das Volk war im Aufbruch. Täglich verließen über 2 000 Menschen das Land. Im November und Dezember kehrten insgesamt 176 650 Menschen der DDR den Rücken. Auf Großdemonstrationen in Leipzig, Halle,, Chemnitz, Schwerin, Ostberlin, Dresden, Cottbus, auch in kleineren Städten, erscholl jetzt immer häufiger der Ruf: „Wir sind ein Volk".

Immer neue Berichte über Machtmissbrauch, Korruption und das heimliche Wohlleben der führenden Genossen an der Spitze von Staat und Partei erregten den Volkszorn und beschleunigten den Zerfall der Mitgliederbasis der SED, die innerhalb von wenigen Wochen hunderttausende Mitglieder verlor. In zahlreichen Bezirks- und Kreisleitungen wurden die Ersten Parteisekretäre, die früheren unumschränkten Inhaber der Macht, zum Rücktritt gezwungen. In Massenorganisationen wie dem FDGB und der FDJ verloren leitende Funktionäre ihre Ämter. Seit Anfang Dezember besetzten Bürgerrechtler in Erfurt, Dresden, Leipzig und anderen Bezirksstädten die Gebäude der Staatssicherheit, versiegelten die Aktenarchive und gründeten Komitees zur Auflösung des Geheimdienstes, dessen Funktionäre freilich noch viele Spuren verwischen konnten. Mitte Januar 1990 stürmten in Berlin tausende Demonstranten die Stasi-Zentrale in der Normannenstraße; allerdings kamen sie nicht in die wichtigen Gebäudetrakte, wo das brisante Material der Stasi gelagert war. Bis heute ist unklar, ob dabei nicht die Geheimdienstler selbst die Finger im Spiel hatten, um die wütende Menge von ihrer Aktion Reißwolf abzulenken.

Dass die ostdeutsche Wirtschaft am Boden lag und der Staat praktisch bankrott war, war jetzt kein Geheimnis mehr. Dieser Sachverhalt war Gegenstand öffentlicher Diskussionen, an denen sich an so genannten „Runden Tischen" überall im Land, nach polnischem Vorbild, die neuen politischen Kräfte wie das Neuen Forum und die Ost-SPD mit anderen Reformern und den Vertretern der bisherigen Macht – SED und Blockparteien –, moderiert von Kirchenvertretern, trafen, um Anarchie und Gewalt zu verhindern. Zum ersten Mal suchten die Kommunisten das Gespräch mit der von ihnen jahrzehntelang verketzerten Opposition. Für den Machterhalt waren sie bereit, Opfer zu bringen. Doch die Rechnung ging nicht auf. Der neue Regierungschef mit dem Reformerimage und dem guten Draht nach Moskau geriet zusehends in die Rolle eines Konkursverwalters eines einstmals mächtigen Unternehmens mit Monopolstellung.

Anfang Dezember 1989 strich die Volkskammer die Bestimmung von der führenden Rolle der SED aus der Verfassung; die „Betriebskampfgruppen der Arbeiterklasse", 400 000 Mann, die der SED unterstanden, wurden ebenso aufgelöst wie das Politbüro und das Zentralkomitee der SED. Egon Krenz, ihr kurzzeitiger Vorsitzender, verlor alle seine Funktionen als Generalsekretär, Vorsitzender des Staatsrates und Vorsitzender des Nationalen Sicherheitsrates. In seine Positionen rückten Anhänger Modrows nach. Manfred Gerlach, langjähriger Vorsitzender der ostdeutschen LDPD, der noch nie durch kritische Bemerkungen gegenüber den SED-Oberen aufgefallen war, wurde Vorsitzender des Staatsrates und damit nominelles Staatsoberhaupt der DDR. Mitte Dezember benannte sich die einst allmächtige Staatspartei in SED-PDS (Partei des demokratischen Sozialismus) um. Damit wollte sie ihren Reformwillen und ihre Loslösung vom Stalinismus der Vergangenheit demonstrieren. Auf ihr gewaltiges Parteivermögen verzichtete sie allerdings nicht. Neuer Vorsitzender wurde der Rechtsanwalt Gregor Gysi, der früher prominente Bürgerrechtler verteidigt, zugleich aber auch enge Kontakte mit der Stasi gepflegt hatte.

Unter dem Druck von Massenprotest, Massenübersiedlung in die Bundesrepublik und des drohenden wirtschaftlichen Kollaps der DDR erklärten sich Modrow und die SED-PDS bereit, den Forderungen des Zentralen Runden Tisches in Ostberlin zu entsprechen und die ersten freien Wahlen zur Volkskammer schließlich auf den 18. März 1990 vorzuziehen (ursprünglich war der 6. Mai vorgesehen). Anfang Februar 1990 traten sieben Vertreter der Bürgerrechtsgruppen als Minister ohne Geschäftsbereich in die von Modrow so bezeichnete „Regierung der nationalen Verantwortung" ein, darunter Pfarrer Rainer Eppelmann, den die Stasi jahrelang im Visier gehabt hatte. Noch gingen die Sprecher der Bürgerbewegung wie der Altparteien von einem längeren Fortbestand der DDR, allerdings als demokratischer Staat, aus.

Doch die Weichen waren längst in Richtung Wiedervereinigung gestellt. Die große Mehrheit der Bevölkerung der DDR wollte das und die Regierungen in Bonn, London, Paris, Washington und Moskau trafen in einem mehrmonatigen Verhandlungsmarathon die entsprechenden Vorkehrungen und Absprachen.

Kohls Stufenplan zur Wiedervereinigung

Bundeskanzler Kohl ergriff am 28. November 1989 mit einem „Zehn-Punkte-Programm zur Überwindung der Teilung Deutschlands und Europas" die Initiative, um ein sich abzeichnendes Chaos in der DDR zu verhindern und die Meinungsführerschaft in der internationalen Debatte über die deutsche Frage zu gewinnen. Angesichts widersprüchlicher Signale aus Moskau, Paris und London hielt er es für sinnvoll, mit einem eigenen Vorschlag hervorzutreten, statt nur zu reagieren. Als eine „Politik am Rande des Abgrunds" (Robert L. Hutchings) qualifizierte ein enger außenpolitischer Berater von Präsident Bush später diesen Schritt und lobte ihn zugleich, weil Kohl dadurch verhindert habe, dass Briten, Franzosen und Sowjets taktische Absprachen gegen die Wiedervereinigung treffen konnten.

Der maßgeblich von Kohls engstem außenpolitischen Berater Horst Teltschik entworfene, vom Kanzler selbst akzentuierte Plan basierte auf der Überlegung, dass die Bundesregierung mit einer demokratisch legitimierten, rechtsstaatlich handelnden DDR-Regierung in einer Vertragsgemeinschaft zusammenarbeiten solle, um dann etappenweise ein immer dichteres Netz von „konföderativen Strukturen" zwischen beiden Staaten zu entwickeln – „mit dem Ziel, eine Föderation, das heißt eine bundesstaatliche Ordnung, in Deutschland zu schaffen." Kohl bettete den Stufenplan zur Wiedervereinigung, den er vor dem Bundestag entwickelte, ausdrücklich in den gesamteuropäischen Annäherungsprozess und die Stärkung der europäischen Integration ein („Die künftige Architektur Deutschlands muss sich einfügen in die künftige Architektur Gesamteuropas").

Mit diesem Entwurf einer deutschlandpolitischen Doppelstrategie sollten die Menschen in der DDR eine Perspektive erhalten und die Nachbarländer Deutschlands beruhigt werden. Innenpolitisch wollte sich Kohl für den 1990 anstehenden Bundestagswahlkampf eine günstige Ausgangsposition in der zum zentralen Thema aufsteigenden Debatte über die Zukunft Deutschlands verschaffen. Ein zeitlicher Rahmen wurde absichtlich nicht gezogen. Kohl selbst ging damals von einem Zeitraum von fünf bis zehn Jahren aus.

Reaktionen und Einschätzungen

Nur der amerikanische Präsident sollte vorab informiert werden. Die übrigen Regierungen kritisierten intern diesen mit ihnen nicht abgesprochenen Schritt Kohls, besaßen aber kein politisches Alternativkonzept, das über die allgemeine Forderung hinausgegangen wäre, den Prozess der deutsch-deutschen Annäherung nicht zu überstürzen.

Mitterrand unterstrich in einem Gespäch mit US-Präsident Bush, dass der deutsche Einigungsprozess und die europäische Entwicklung harmonisch verlaufen müssten. Das sei wie bei einem Pferdegespann: wenn die Pferde nicht „mit derselben Geschwindigkeit laufen, passiert ein Unfall". Insbesondere Gorbatschow zeigte sich verärgert über den deutschen Bundeskanzler („grober politischer Unfug"). Er pochte ausdrücklich auf die Fortdauer der Existenz einer souveränen DDR als Mitglied des Warschauer Paktes („Es gibt zwei deutsche Staaten, die Geschichte hat es so gefügt"). Er erklärte am 9. Dezember 1989 vor dem Zentralkomitee der KPdSU: „Wir lassen die DDR nicht im Stich", und signalisierte andererseits den Amerikanern, dass Moskau trotzdem still halten werde.

Dennoch trafen in Washington auch beunruhigende Meldungen aus der DDR ein, die zeigten, dass eine unbeabsichtigte Konfrontation zwischen Bevölkerung und Militär nicht völlig ausgeschlossen werden konnte. Aus Gera wurde bekannt, dass dort Stasioffiziere ihre Einheiten zu bewaffnetem Widerstand angestachelt hätten. Die sowjetischen Truppen in der DDR waren in erhöhte Alarmbereitschaft versetzt worden, und die Sowjets warnten die Amerikaner, dass diese Einheiten gezwungen wären, Gewalt anzuwenden, wenn die Sicherheitslage außer Kontrolle geriete. Nach seinem Rücktritt 1991 deutete Eduard Schewardnadse an, seine und Gorbatschows Gegner im sowjetischen Führungskreis hätten verlangt, „die Panzermotoren" anzulassen. Die Situation war damals sicher nicht ungefährlich.

Entscheidend für die deutsche Seite war die positive Reaktion der amerikanischen Regierung. Bush verknüpfte Anfang Dezember 1989 auf dem Nato-Gipfel der 16 Mitgliedstaaten in Brüssel den deutschen Vereinigungsprozess mit der festen Verankerung Deutschlands in der Nato und der Europäischen Union sowie der Anerkennung der Oder-Neiße-Grenze und versprach Kohl unter diesen Voraussetzungen die uneingeschränkte Unterstützung der USA.

Der Dezember 1989 war von hektischen diplomatischen Aktivitäten auf internationaler Ebene geprägt. Erwähnt seien nur das sowjetisch-amerikanische Gipfeltreffen auf Malta, der Brüsseler Nato-Gipfel, der EG-Gipfel in Straßburg, das Botschaftertreffen der vier Siegermächte im Berliner Kontrollratsgebäude, Mitterrands Reisen in die Sowjetunion und die DDR, Genschers Treffen mit Gorbatschow in Moskau, Thatchers Reise zu Bush in Camp David, Bakers Visite in London, Berlin und Potsdam. Die Überlegungen und Verhandlungen mündeten für fast alle politischen Akteure in die Erkenntnis, dass die Zeit der deutschen Zweistaatlichkeit zu Ende ging. Offen war jedoch, wann und wie dies geschehen sollte, ohne dass die Verhältnisse in Europa aus dem Lot gerieten.

Der Ruf nach der staatlichen Einheit wird lauter

Anfangs hofften die verantwortlichen Politiker noch, die Entwicklung behutsam steuern zu können. Bald mussten sich jedoch die Bonner wie die Ostberliner Regierung und die ehemaligen Siegermächte der demonstrativen Entschlossenheit einer großen Mehrheit der Ostdeutschen beugen, die Einheit Deutschlands möglichst rasch zu verwirklichen.

Die DDR war wirtschaftlich nicht mehr überlebensfähig. Im Gegensatz zu den Vorkämpfern der friedlichen Revolution wollte sich ein großer Teil der Bevölkerung mit bloßen Reformen nicht mehr zufrieden geben. „Deutschland! Deutschland!" skandierten Hunderttausende bei Demonstrationen auf den Straßen Leipzigs und anderenorts. In Dresden war es nicht anders, als Bundeskanzler Kohl am 19. Dezember 1989 dort zu einem ersten Gespräch mit Ministerpräsident Modrow zusammen kam. Kohl bezeichnete später seinen Besuch in Dresden als sein „Schlüsselerlebnis auf dem Weg zur staatlichen Einheit".

Die Ausführungen Modrows über die desolate wirtschaftliche Situation des Landes und die Begeisterung, mit der Kohl bei einer Kundgebung vor der Ruine der Frauenkirche von zehntausenden DDR-Bürgern empfangen wurde, ließen ihn erkennen, dass das Regime im Osten Deutschlands definitiv am Ende war. Modrow forderte zur Stabilisierung der ostdeutschen Wirtschaft eine Soforthilfe von 15 Milliarden DM von der Bundesregierung. Nur wenn Bonn einen solchen „Lastenausgleich" für 1990/91 gewähre, sah er eine Möglichkeit, die von der Bundesrepublik geforderte Wirtschaftsreform in Richtung Marktwirtschaft in Gang zu setzen. Die Bundesregierung vertrat aber genau den umgekehrten Standpunkt: sie machte die Zusage umfassender Hilfen davon abhängig, dass zuvor unumkehrbare wirtschaftliche und politische Reformen eingeleitet wurden. An einer Stabilisierung der Modrow-Regierung zeigte sich Kohl nicht interessiert, weil er deren Reformwillen nicht hoch einschätzte. Zum Ärger Modrows rückte die Bundesregierung daher Anfang Januar 1990 auch von ursprünglich geplanten Verhandlungen über Einzelheiten einer Vertragsgemeinschaft zwischen beiden Staaten wieder ab. Erst nach den Wahlen für eine neue Volkskammer wollte Kohl mit den dann demokratisch legitimierten Vertretern der DDR entsprechende Vereinbarungen treffen. Mit dieser neuen Strategie beschleunigte er absichtlich die innere Entwicklung in der DDR, die zum Ende der SED-Herrschaft führen musste, und sah sich darin im Einklang mit der großen Mehrheit der Ostdeutschen.

Staat und Wirtschaft der DDR vor dem Kollaps

Die Furcht der Bevölkerung vor einer wieder machtvoll werdenden SED ließ im Januar und Februar 1990 den Umsiedlerstrom erneut stark ansteigen – jeweils um die 50 000 vor allem jüngere, gut ausgebildete Menschen gingen in den Westen. Die Regierung Modrow hatte keinerlei Rückhalt in der Bevölkerung, aber auch nicht mehr in den Verwaltungen und Betrieben. Die staatlichen Strukturen begannen sich aufzulösen. Bürgermeister und ganze Kreise erklärten sich unabhängig und setzten sich über die Entscheidungen in Berlin hinweg. Manche Betriebe lieferten untereinander Waren nur noch auf der Grundlage der D-Mark. Der Ostberliner Magistrat bat den Senat von Westberlin, alle kommunalen Dienste wie Krankenhäuser, Verkehr, Polizei, Müllabfuhr für Ostberlin zu übernehmen. In einzelnen Fällen bewarben sich sogar Offiziere der Nationalen Volksarmee bei der Bundeswehr.

Modrow selbst zeichnete Ende Januar 1990 gegenüber Kanzleramtsminister Seiters und wenig später auch vor der Volkskammer ein düsteres Bild von der inneren Lage der DDR. Angesichts des voranschreitenden Verfalls der staatlichen Autorität, von Streiks und der Gefahr von gewalttätigen Auseinandersetzungen zwischen Polizei und Bevölkerung warb er erneut um wirtschaftliche und finanzielle Hilfe durch die Bundesregierung, um den Kollaps der DDR abzuwenden. Doch die Bonner Regierung übte sich weiterhin in Zurückhaltung gegenüber den Vorschlägen Modrows, dessen Zeit erkennbar abgelaufen war.

Das Signal aus Moskau

Noch einmal ergriff Ministerpräsident Modrow die Initiative mit einem Vorschlag, der erstmals das Ziel zur stufenweisen Schaffung der Einheit

Deutschlands in den Mittelpunkt rückte. Er fand damit die Zustimmung Gorbatschows bei einem am 30. Januar 1990 in Moskau anberaumten Treffen. Im Prinzip hatte sich die sowjetische Führung inzwischen darauf eingestellt, dass an der Wiedervereinigung Deutschlands kein Weg mehr vorbeiführen würde. Sogar den Abzug der Streitkräfte aus der DDR fasste Gorbatschow Ende Januar 1990 bereits ins Auge. Umstritten blieben jedoch im deutschlandpolitischen Beraterkreis Gorbatschows die zeitliche Perspektive und die Form des Zusammenschlusses und vor allem die Frage der zukünftigen Bündniszugehörigkeit Deutschlands. Gorbatschow selbst zeigte sich noch unentschlossen. Noch widerstrebte es ihm, die DDR fallen zu lassen und ganz auf die Bundesrepublik zu setzen. Andererseits gab es von ihm und anderen sowjetischen Spitzenpolitikern in diesen Tagen immer wieder Aussagen, die in Bonn aufhorchen ließen. So erklärte Gorbatschow vor ausländischen Journalisten, kurz vor seinem Gespräch mit Modrow in Moskau, dass „die Vereinigung der Deutschen niemals und von niemandem prinzipiell in Zweifel gezogen „ würde.

Modrows Wiedervereinigungsplan

Gegen Modrows Initiative erhob Gorbatschow keine Einwände, er hielt sie aber für illusionär. Wem sollte sich denn die Bundesrepublik – so Gorbatschow später – „annähern"? Denn Modrow selbst hatte ihm ein ungeschminktes Bild vom unaufhaltsamen Zerfall der DDR gezeichnet und vom Willen der Mehrheit der DDR-Bevölkerung zur Wiedervereinigung gesprochen. Auf der anderen Seite schlug er dem sowjetischen Staatschef vor, diesen Prozess unter Rückgriff auf die Rechte der vier Siegermächte „abzubremsen", um die Lage zu „stabilisieren". Wie Gorbatschow später schrieb (1999), war ihm nicht klar, was der Regierungschef der DDR damit genau meinte; er wollte nicht ausschließen, dass Modrow eventuell noch auf die Bereitschaft der Sowjetunion hoffte, „die starke Massenbewegung, welche die Wiedervereinigung forderte, von außen gewaltsam zu stoppen." Für den sowjetischen Gesprächspartner waren dies alles weitere Hinweise, dass er auf Modrow nicht länger bauen konnte.

Unter dem Slogan „Deutschland einig Vaterland" schwenkte Modrow dann Anfang Februar 1990 vermeintlich auf die Idee des Kohl-Plans vom November 1989 ein und propagierte eine etappenweise,

mehrere Jahre dauernde Vereinigung der beiden deutschen Staaten –
allerdings auf der Basis ihrer Neutralität.

Postwendend verwarfen Regierung wie Opposition in Bonn die Idee
eines neutralen Deutschland, das heißt die Herauslösung der Bundesrepublik aus der Nato. Wie sich bald zeigte, gab es aber auch zwischen
Kohl und seinem Außenminister Genscher in wichtigen Detailfragen
der Zugehörigkeit Gesamtdeutschlands zum Natobündnis eine Zeit
lang immer wieder Meinungsunterschiede. Genscher hielt es zum Beispiel für erwägenswert, Ostdeutschland nach der Wiedervereinigung
nicht in die Nato einzubeziehen und einem Sonderstatus zu unterstellen, um den Sowjets die Zustimmung zur Herstellung der Einheit
Deutschlands zu erleichtern, wie er auch bei einer anderen Gelegenheit
die Umformung der Nato in ein gesamteuropäisches System kollekti-
ver Sicherheit in die Debatte brachte. Diese Lösungen kamen jedoch
für Kohl ebenso wenig in Frage wie das Modell eines neutralen
Deutschland. Modrow schwächte wenig später seinen Neutralisie-
rungsvorschlag wieder ab, weil der unmittelbar drohende wirtschaftliche Zusammenbruch der DDR im Vordergrund aller Überlegungen
stand.

Kohl ergreift die Initiative für eine rasche Wiedervereinigung

Wichtiger als Modrows letzter Versuch, die weitere deutschlandpolitische Entwicklung zu beeinflussen, war für die Bundesregierung das
überraschend positive Signal aus Moskau. Kohl hielt es jetzt für möglich, „dass die staatliche Einheit noch schneller kommen kann, als wir
alle bisher angenommen hatten", wie er in einer Kabinettssitzung am
31. Januar 1990 feststellte. Drei Tage später fand er sich in seiner Einschätzung der dramatischen Lage der DDR durch ein Gespräch mit
Modrow am Rande einer internationalen Tagung in Davos vollauf bestätigt. Erneut brachte dieser die Summe von 15 Milliarden DM zur
Sprache, die die Bundesregierung zur Verfügung stellen sollte, auch
Nahrungsmittel und Textilien, damit er über den Monat März bis in
den Mai komme, anderenfalls „könne alles passieren". Sogar die Einführung der DM als Alleinwährung in der DDR hielt Modrow inzwischen für möglich: es müsse dann in der DDR „entsprechend der
niedrigeren Produktivität ein niedriger Lohn gezahlt werden." Die

Zeit drängte. Dessen waren sich beide deutschen Regierungschefs bewusst. Am längeren Hebel saß allerdings der Bundeskanzler.

Kohl erkannte seine Chance für eine erneute deutschlandpolitische Initiative. Das Fenster der Geschichte schien sich zugunsten des Einigungsprozesses zu öffnen – für wie lange, konnte niemand voraussagen. Anhaltspunkte dafür gab es freilich genug. Die US-Regierung unter George Bush und James Baker ließ erkennen, dass sie die rasche Vereinigung Deutschlands für alternativlos hielt und zum Ergebnis gekommen war -"je schneller, desto besser". Nicht weniger wichtig: am Horizont zeichnete sich ein Kurswechsel Moskaus in der Frage der Einigung Deutschlands ab. Eine Einladung Gorbatschows an Kohl für den 10. Februar 1990 lag inzwischen vor. Die Lage in der DDR spitzte sich gefährlich zu. Schließlich standen die ersten freien Wahlen für die Volkskammer am 18. März 1990 vor der Tür, bei denen die sozialdemokratische Partei bereits jetzt als wahrscheinlicher Sieger gehandelt wurde. Der Wahlkämpfer und der Staatslenker Kohl waren folglich gleichermaßen gefragt, und der erfahrene Politiker mit dem ausgeprägten Machtinstinkt zögerte nicht, zu handeln.

Kohls Vorschlag für eine Wirtschafts- und Währungsunion mit der DDR

Zur Überraschung vieler erklärte Kohl am 6. Februar 1990 in der CDU/CSU-Bundestagsfraktion seine Absicht, mit der DDR „unverzüglich in Verhandlungen über eine Währungsunion und Wirtschaftsreform einzutreten". Die D-Mark sollte zeitgleich mit der Sozialen Marktwirtschaft in der DDR eingeführt werden, und zwar bald. Auf diesen Kurswechsel der Regierung waren die wenigsten Abgeordneten vorbereitet. Auch nur wenige Minister waren informiert. Wirtschaftsminister Haussmann (FDP) machte sich noch einen Tag später öffentlich für eine auf Jahre angelegte schrittweise Angleichung der DDR an die Bundesrepublik stark. Kohl hatte jedoch bereits die Zustimmung der Fraktionsspitzen der Regierungsparteien für seine Initiative gewonnen. Das Kabinett fasste tags darauf einen entsprechenden Beschluss für ein Verhandlungsangebot an die Regierung Modrow. Auch der Präsident der Deutschen Bundesbank, Karl-Otto Pöhl, stellte schweren Herzens seine grundsätzlichen ökonomischen Bedenken gegen die rasche Einführung der D-Mark zurück. Kohl hatte ihn im Voraus weder informiert noch konsultiert. Pöhl fühlte sich überrumpelt und legte sein Amt ein Jahr später nieder. Die Regierungsentscheidung setzte er allerdings loyal um.

In der SPD-Opposition sprach sich eine Minderheit, an ihrer Spitze der Kanzlerkandidat für die Bundestagswahlen Ende des Jahres Oskar Lafontaine, unter Hinweis auf die Lasten, die eine schnelle Vereinigung den Westdeutschen aufbürden würde, gegen den Regierungskurs aus und plädierte statt dessen für eine vorausgehende Intensivierung der europäischen Einigung. Die Mehrheit der SPD einschließlich des Parteivorsitzenden Hans-Jochen Vogel allerdings sah keine Alternative zum Vorhaben der Bundesregierung, zumal prominente sozialdemokratische Finanzpolitiker kurz zuvor mit einem ähnlichen Vorschlag an die Öffentlichkeit getreten waren. Die kleine Oppositionspartei der Grünen wiederum lehnte den Waigel/Kohl-Plan entschieden ab.

Wie soll die Währungsunion verwirklicht werden? Planungen, Bedenken, Probleme

Später sprachen Kritiker dieser Entscheidung häufig von einer Panikreaktion der maßgeblichen Bonner Regierungspolitiker angesichts der Übersiedlungswelle aus der DDR. Davon konnte jedoch keine Rede sein. Die Idee einer Währungsunion mit der DDR – genauer: der Übertragung des Währungsgebietes der D-Mark auf die DDR – lag seit dem Mauerfall in der Luft. Schon Mitte Dezember 1989 hatte Innenminister Schäuble bei einer Gesprächsrunde im Bundeskanzleramt einen entsprechenden Vorstoß unternommen. Doch zu diesem Zeitpunkt galt seine Idee bei Kohl und dessen Beratern als noch zu kühn und auch aus außenpolitischen Gründen als nicht durchführbar. Das änderte sich bald.

Unbemerkt von der Öffentlichkeit befassten sich seit der Jahreswende 1989/90 das Bonner Finanzministerium unter der Stabführung von Bundesfinanzminister Theo Waigel sowie das Bundeskanzleramt mit Plänen über die Modalitäten einer Wirtschafts- und Währungsunion.

Die Finanzexperten Waigels entwarfen ein realistisches Bild der komplizierten Probleme, die mit einer solchen noch nie zuvor durchgeführten Transformation einer Planwirtschaft in ein marktwirtschaftliches System verbunden waren. Zum Beispiel war man sich bewusst, dass der ökonomisch gebotene Umtauschkurs der Geldvermögen der DDR-Bürger von mindestens 1:5 im Verhältnis der D-Mark zur DDR-Mark politisch nicht durchsetzbar war. Wie diese Frage gelösen werden konnte, blieb zunächst noch offen. Der offizielle Umtauschkurs von D-Mark zur DDR-Mark betrug 1:3, am freien Markt 1:9,und im Handel der DDR mit der Bundesrepublik wurde ein Verhältnis von 1:4,4 zugrunde gelegt. Das waren aber rein ökonomische Messgrößen, die den Ostdeutschen nicht plausibel gemacht werden konnten. Obwohl die meisten wussten, dass in diesen Zahlen die geringe Produktivität einer vierzigjährigen Planwirtschaft zum Ausdruck kam, hätten sie sich quasi enteignet gefühlt. Auch in der Frage der unzureichenden Wettbewerbsfähigkeit der DDR-Wirtschaft entwarfen die Experten im Bonner Finanzministerium ein, wie sich später herausstellte, durchaus realistisches Szenario. Sie prognostizierten als Folge der geplanten marktwirtschaftlichen Neuausrichtung der Betriebe in der DDR 1,4 Millionen Arbeitslose allein im Industriesektor, was etwa 40 Prozent aller dort Beschäftigten entsprach. Die jährlichen Kosten für die Absicherung der Arbeitslosen wurden auf 10 Milliarden DM veranschlagt.

Es war klar, dass ein Stufenkonzept – die schrittweise Übertragung des bundesdeutschen marktwirtschaftlichen Systems mit der Einführung der DM als Schlusspunkt und „Krönung" –, den ökonomischen Lehrbuchweisheiten besser entsprach als die Stichtagslösung – die Übertragung von Marktwirtschaft und DM an einem bestimmten Tag in das Gebiet der DDR. Deshalb warnten Fachökonomen außerhalb der Regierung vor einer übereilten Einführung der Wirtschafts- und Währungsunion in Deutschland und sprachen sich stattdessen für mehrjährige Anpassungsfristen aus.

Angesichts der Gefahr einer nicht mehr zu stoppenden Abwanderung von qualifizierten Arbeitskräften aus der DDR in die Bundesrepublik – bis Sommer 1990 wurden dann tatsächlich auch 240 000 weitere Übersiedler registriert – verwarfen Waigel und seine Berater alle Überlegungen für ein schrittweises Vorgehen und plädierten für die „unverzügliche" Ablösung der DDR-Mark durch die begehrte Westwährung.

Ein allmählicher, staatlich gesteuerter Übergang zur Marktwirtschaft hätte es nur geben können, wenn zwischen West und Ost eine Zollmauer mit umfassenden Kontrollen aufgebaut worden wäre. Eine neue innerdeutsche Grenze war aber politisch nicht durchsetzbar. Auch im Bundeskanzleramt teilten die wichtigsten Mitarbeiter Kohls diese Einschätzung und empfahlen dem Bundeskanzler, sich auf diese riskante, aber einzig realistische Lösung einzulassen. Denn es war keine Zeit mehr zu verlieren. Wegen ihrer akuten Zahlungsbilanzkrise stand die DDR vor dem Staatsbankrott. Die Bürger in der DDR wollten sich nicht mehr vertrösten lassen. Sie wollten endlich „richtiges Geld" und fieberten der D-Mark regelrecht entgegen, dem Symbol des westdeutschen Wohlstandes. „Kommt die D-Mark, bleiben wir, kommt sie nicht, gehen wir zu ihr!" skandierten jetzt immer mehr ausreisebereite Bürger bei Demonstrationen in der DDR. Um die Ausreisewelle zu stoppen, die unterdessen auch in der Bundesrepublik selbst Kritik und Missmut in der Bevölkerung hervorgerufen hatte, und um den Zusammenbruch der DDR zu verhindern, entschied sich Bundeskanzler Kohl schließlich gegen den Rat vieler Ökonomen, die freilich keine politische Verantwortung trugen, für die sofortige Schaffung einer Wirtschafts-, Währungs- und Sozialunion in Deutschland. Damit waren alle bisherigen Stufenpläne Makulatur. Mit der Einführung der D-Mark in Ostdeutschland sollte auch die politische Vereinigung auf den Weg gebracht werden.

Die Bevölkerung in Ostdeutschland war begeistert, als die Bonner Entscheidung bekannt wurde. Die Regierung Modrow hingegen sah vor allem die Risiken einer damit verbundenen hohen Arbeitslosigkeit und der Abwertung der Sparguthaben und hielt daher ein stufenweises Vorgehen bis etwa 1992 für den besseren Weg zur Währungsunion. Gleichzeitig wiederholte Modrow bei seinem Treffen mit Kohl in Bonn am 13. Februar 1990 seine bereits mehrfach vorgebrachte Forderung nach einem „Solidarbeitrag" der Bundesrepublik von 15 Milliarden DM zur Stabilisierung der Lage in der DDR, deren Zahlungsunfähigkeit er anderenfalls für unabwendbar hielt. Der Ostberliner Regierungschef sah sich dabei durchaus im Einklang mit den nichtkommunistischen Regierungsmitgliedern, die ihn begleiteten. Doch dafür war es zu spät. Die Bundesregierung war entschlossen, die Zeit nach der bevorstehenden Volkskammerwahl abzuwarten. Auch der sowjetische Regierungschef gab dem Bundeskanzler seine Zustimmung für den von der Bundesregierung vorgeschlagenen Sprung ins kalte Wasser.

Wahlerfolg der CDU bei den ersten freien Volkskammerwahlen

Der überraschend hohe Wahlerfolg der Ost-CDU unter Lothar de Maizière bei den ersten freien Volkskammerwahlen in der DDR am 18.

März 1990 – fast genau 58 Jahre (November 1932) seit den letzten freien Wahlen in Ostdeutschland überhaupt – beseitigte die möglicherweise noch vorhandenen Bedenken gegen den von Bundeskanzler Kohl eingeschlagenen Weg zur wirtschaftlichen und politischen Einigung. Seine Wahlkampfauftritte in der DDR wurden zu Großereignissen. Hunderttausende begeisterte Bürger spendeten ihm frenetischen Beifall.

Das von der West-CDU und Kohl persönlich massiv unterstützte konservative Parteienbündnis „Allianz für Deutschland" aus Ost- CDU, Demokratischem Aufbruch (DA) und Deutscher Sozialen Union (DSU) warb für eine schnelle Vereinigung Deutschlands und gewann damit 48,1 Prozent der Wählerstimmen. Für die absolute Mehrheit fehlten nur acht Mandate. Die SPD, die für eine schrittweise Vereinigung plädierte und durch skeptische, die Kosten der Vereinigung betonende Bemerkungen ihrer westdeutschen Spitzenleute auffiel, musste eine bittere Niederlage hinnehmen. Sie erhielt nur 21,8 Prozent der Stimmen. Die Nachfolgepartei der SED, die sich jetzt PDS nannte, kam auf 16,3 der Wählerstimmen. Die Liberalen und die Bürgerrechtler (Bündnis 90) erzielten nur 5,3 bzw. 2,9 Prozent der Stimmen, die Grünen 2 Prozent.

Bei einer Rekordwahlbeteiligung von über 93 Prozent war das Votum der Bevölkerung eindeutig: die DDR sollte so schnell wie möglich der Bundesrepublik beitreten. Die Arbeiter hätten für die CDU gestimmt, berichtete Kohl stolz dem amerikanischen Präsidenten Bush, der ihn telefonisch beglückwünschte. In fünf Jahren, so fügte er hinzu, könne man „aus der jetzigen DDR ein blühendes Land machen". Sein Optimismus gründete unter Anderem auf den Prognosen der bundesdeutschen Wirtschaftsforschungsinstitute, die übereinstimmend für die Folgejahre hohe Wachstumsraten von fast 4 Prozent erwarteten. Der Staat würde demnach über ausreichende finanzielle Mittel für die Modernisierung Ostdeutschlands und die soziale Abfederung des wirtschaftlichen Umbaus verfügen.

Große Koalition unter Ministerpräsident Lothar de Maizière (CDU)

In Ostberlin verständigten sich die Allianz für Deutschland, die SPD und der Bund Freier Demokraten auf eine große Koalition mit Lothar de Maizière (CDU) als Ministerpräsident. Die Regierungsparteien einigten sich darauf, dass die DDR gemäß Artikel 23 Grundgesetz zu einem noch festzusetzenden Zeitpunkt der Bundesrepublik beitreten solle. Der vom Grundgesetz als Alternative vorgesehene Weg nach Artikel 146 GG – eine neue gemeinsame Verfassung für das wieder vereinigte Deutschland – fand nur bei den Bürgerrechtlern der DDR und vielen Sozialdemokraten Unterstützung; weit über 80 Prozent der Bevölkerung hingegen wollten das Grundgesetz als gesamtdeutsche Verfassung ohne wesentliche Änderungen.

In seiner Regierungserklärung am 19. April 1990 nannte der erste demokratisch gewählte Regierungschef der DDR als wichtigstes Ziel die Einigung Deutschlands „so schnell wie möglich, aber so gut wie nötig". Die problematische Wirtschafts- und Finanzlage der DDR umschrieb er allerdings nur sehr allgemein, obwohl ihm Kohls Chefunterhändler für die Währungsunion, Hans Tietmeyer, dies dringend geraten hatte. Der erfahrene Finanzexperte und langjährige Staatssekretär im Bonner Finanzministerium war seit 1990 Mitglied des Direktoriums der Deutschen Bundesbank, deren Präsident er später wurde. Rückblickend (2000) stellte Tietmeyer fest: Ob de Maizière „unter dem Druck der Koalitionspartner auf eine klare Sprache verzichtete oder ob nach seiner Einschätzung der von ihm geforderte ‚aufrechte Gang der DDR-Bürger' beim Vereinigungsprozess das nicht erlaubte, kann ich nur schwer beurteilen. Nur so viel scheint mir sicher zu sein: Bei einer realistischen wirtschaftlichen Bestandsaufnahme wäre manches später leichter gewesen."

Innerdeutsche Verhandlungen über die Wirtschafts-, Währungs- und Sozialunion

Eine gemeinsame Expertenkommission aus Vertretern der Bundesregierung und der Bundesbank unter der Leitung von Hans Tietmeyer und der DDR-Regierung unter der Leitung von Günter Krause, Parlamentarischer Staatssekretär beim Ministerpräsidenten de Maizière und Vorsitzender der CDU-Fraktion in der Volkskammer, handelte den geplanten Staatsvertrag über die Schaffung einer Währungs-, Wirtschafts- und Sozialunion innerhalb von drei Wochen aus. Die Kommission konnte dabei auf umfangreiche Vorarbeiten des Bundesfinanzministeriums, der Bundesbank und weiterer Ressorts zurückgreifen.

Die Verhandlungen waren kompliziert, weil die Materie selbst schwierig war, vor allem aber, weil unterschiedliche Vorstellungen einander gegenüber standen. Besonders umstritten waren die Umstellungssätze von der Ost- auf die Westmark. Anfangs forderten die Unterhändler der DDR eine generelle Umstellung von 1:1 bei gleichzeitiger Streichung der Inlandsschulden aller Betriebe. Das traf auf heftigen Widerspruch der westdeutschen Seite, die vor einer übermäßigen Gefährdung der Wettbewerbsfähigkeit der DDR-Wirtschaft, vor zu hohen Arbeitskosten und daraus folgender Arbeitslosigkeit sowie vor den Gefahren einer Inflation warnte, die durch den Geldüberhang einer 1:1 umgestellten DDR-Mark drohte. Doch Kohl und andere westdeutsche Politiker hatten während des Wahlkampfes Erwartungen bei der DDR-Bevölkerung geweckt, die jetzt nicht mehr rückgängig gemacht werden konnten, auch wenn sie ökonomisch fragwürdig waren. Deshalb einigte man sich auf einen politischen Kompromiss: die Löhne, Gehälter, Renten und Mieten wurden 1:1 umgestellt, die Sparguthaben und Kredite generell 2:1 mit einigen altersabhängigen Freibeträgen zwischen 2 000 und 6 000 Mark bei den Guthaben, die in dieser Höhe 1:1 umgestellt wurden.

In der nicht weniger schwierigen Frage der Eigentumsordnung kam man überein, die Enteignungen unter sowjetischer Besatzungsherrschaft von 1945 bis 1949 nicht rückgängig zu machen, während für die später durch DDR-Entscheidungen zustandegekommenen Enteignungen der Grundsatz Rückgabe vor Entschädigung gelten sollte. Die heftig umstrittenen Einzelheiten wurden allerdings erst später im Rahmen des Einigungsvertrages vom August 1990 geregelt. Im Sozialbereich wurden trotz vorgebrachter Bedenken hinsichtlich einer Überforderung der westdeutschen Sozialkassen keine Übergangsregelungen akzeptiert, sondern die Gesamtheit des Rechtes der sozialen Sicherungssysteme der Bundesrepublik auf die DDR übertragen. Der Bund und die elf westdeutschen Länder schufen darüberhinaus mit dem gemeinsam finanzierten „Fonds Deutsche Einheit" die materielle Basis für den Wiederaufbau Ostdeutschlands, für den bis 1994 115 Milliarden DM vorgesehen waren.

Am 18. Mai 1990 unterzeichneten die beiden deutschen Finanzminister Theo Waigel (CSU) und Walter Romberg (SPD) das historische Vertragswerk. Kernstück des Vertrages war die Einführung der Sozialen Marktwirtschaft in der DDR und die Umstellung der DDR-Währung zum 1. Juli 1990. Mit Zustimmung der neuen Regierung in Ostberlin hatte sich Kohl für diesen Termin ausgesprochen, weil die

DDR-Bürger die D-Mark noch vor Beginn der Ferien in der Hand haben sollten. Außerdem übernahm die DDR das westdeutsche Sozialsystem. Im Gegenzug garantierte die Bundesrepublik, für eine Übergangszeit den defizitären Staatshaushalt der DDR auszugleichen und die Kosten für die Finanzierung der ostdeutschen Sozialsysteme zu tragen. Die DDR-Regierung gab damit ihre Souveränität in Finanzangelegenheiten auf.

Zwischen Begeisterung und Ernüchterung: Die D-Mark und die Soziale Marktwirtschaft in der DDR

Der Schritt zu einem einheitlichen Währungsraum, ein Meilenstein auf dem Weg zur Wiederherstellung der Einheit Deutschlands, war geschafft. Am 1. Juli 1990 konnten die Bürger Ostdeutschlands dann ihre alte Ostmark in die lang ersehnte D-Mark tauschen. Technisch-organisatorisch war dies eine Meisterleistung der Deutschen Bundesbank, die den größten Geldtransport aller Zeiten organisierte: 28 Milliarden DM zu über 10 000 Ausgabestellen. Insgesamt wurden Bankeinlagen von Privatpersonen und Betrieben in der Höhe von 300 Milliarden Mark der DDR in 182 Milliarden D-Mark umgetauscht.

Dass damit aber erst der Anfang bei der Transformation einer jahrzehntelang abgeschotteten, weitgehend wettbewerbsunfähigen Planwirtschaft mit einer extrem geringen Arbeitsproduktivität (30 Prozent des westdeutschen Niveaus) in eine international konkurrierende soziale Marktwirtschaft gemacht war und noch erhebliche, Millionen Menschen jahrelang in ihrem persönlichen Lebensumfeld unmittelbar betreffende Anpassungsschwierigkeiten zu bewältigen waren, wurde erst später deutlich.

Im Westen wie im Osten Deutschlands ging man von zeitlich falschen Erwartungen aus. Die Erblast einer vierzigjährigen Planwirtschaft ließ sich nicht, wie ursprünglich vielfach erwartet, in wenigen Jahren abtragen. Prominente damalige Akteure meinten später augenzwinkernd, in Wahlkampfzeiten sollte man eben keine Planwirtschaft abwickeln. Doch der eigentliche Grund für diese zeitliche Fehlprognose, die in den neunziger Jahren zu einer erheblichen Missstimmung in Teilen der Bevölkerung Ostdeutschlands sowie zu beachtlichen Stimmengewinnen der PDS führte, war die anfangs nur schwer überschaubare ökonomische Ausgangslage in Ostdeutschland. Die DDR war eben nicht die zehntstärkste Industriemacht der Welt, wie die gefälschten SED-Statistiken glauben machen wollten. Und als nicht weniger illusionär erwiesen sich die Vorstellungen über den Wert des Volksvermögens der DDR. Im Statistischen Jahrbuch der DDR 1989 wurde es noch mit 1,74 Billionen DDR-Mark angegeben. Anfang 1990 sprach Ministerpräsident Modrow von rund 1,6 Billionen DDR-Mark, Ende des Jahres schätzte der erste Chef der Treuhandanstalt, Detlef Carsten Rohwedder, das DDR-Vermögen noch auf 600 Milliarden DM. Als wenige Jahre später alle Kombinate und Betriebe der DDR verkauft und privatisiert (über 15 000) oder stillgelegt (3700) und vielfältige Sanierungsmaßnahmen durchgeführt worden waren, präsentierte die noch von der Regierung Modrow eingesetzte Treuhandanstalt eine Schlussbilanz mit einer Verschuldung von 205 Milliarden DM. Anstelle von Überschüssen hinterließ die DDR also der neuen Bundesrepublik hohe Verluste.

Aber alles dies wusste im Sommer 1990 niemand. Der freie Markt fegte über die ostdeutsche Volkswirtschaft hinweg. Die DDR-Bürger konnten nicht genug von seinen Segnungen bekommen. Sie kauften oft nur noch Produkte aus dem Westen. Konsumtempel und Einkaufslandschaften in den neu geschaffenen Gewerbegebieten der Städte schossen aus dem Boden. Die erstmals wirklich freien Gewerkschaften setzten Lohnerhöhungen von 50 und mehr Prozent durch, und die Arbeitgeber stimmten zu. Bald standen immer mehr der großen DDR-Betriebe vor dem Aus: im Westen waren sie nicht wettbewerbsfähig und im Osten brachen ihre traditionellen Märkte weg. Massenarbeitslosigkeit setzte ein. Zugleich wurde das halbe Land zu einer großen Baustelle. Straßen und Autobahnen, Bahngleise und Häuser wurden erneuert, modernste Telekommunikationseinrichtungen installiert, mittelständische und Hightech-Firmen angesiedelt. Abbau und Aufbau gingen Hand in Hand, und die meisten DDR-Bürger mussten Anpassungsleistungen erbringen, die sich die Bundesbürger im Westen nur schwer vorstellen konnten.

Rückblickend lässt sich feststellen: die Wirtschafts- und Währungsunion bildete das unverzichtbare Fundament der wenige Monate später errichteten politischen Einheit Deutschlands. Jene glich dabei einem Drahtseilakt, allerdings mit Netz und doppeltem Boden, weil die ökonomisch starke Bundesrepublik mit gewaltigen Investitionen und sozialen Transferleistungen von bislang (1990-1999) über 1500

Milliarden DM einsprang. Hinzu kamen noch – sozusagen als mittelbare Aufwendungen für die Wiedervereinigung – rund 160 Milliarden DM zur Stabilisierung der politischen und finanziellen Situation in den Nachfolgestaaten der Sowjetunion und den osteuropäischen Reformstaaten.

Gorbatschow gibt grünes Licht für die Wiederherstellung der Einheit Deutschlands

Faktisch waren Mitte Februar 1990 in Moskau die Weichen für die Beendigung der Zweistaatlichkeit Deutschlands gestellt worden. Nach seiner Begegnung mit Modrow Ende Januar (siehe oben) wusste Gorbatschow endgültig, wer seine wichtigsten Partner beim Prozess der Wiedervereinigung waren – nämlich Bundeskanzler Kohl und US-Präsident Bush. Mit ihnen, so Gorbatschow später, musste er sich verständigen, „wenn ich eine gerechte, alle Seiten mehr oder weniger zufrieden stellende Lösung erreichen wollte". Auch die sowjetischen Eigeninteressen geboten es geradezu, auf die wirtschaftlich starke Bundesrepublik zu setzen. Dass Bonn wie Washington entschieden den Austritt Deutschlands aus der Nato ablehnten und sich bereits auf die Zugehörigkeit des vereinten Deutschland zur Nato festgelegt hatten, war der sowjetischen Führung bewusst. Ungeachtet dessen versuchten Gorbatschow wie sein Außenminister Schewardnadse noch Monate lang, auszuloten, ob sich die sowjetische Zustimmung zur Wiedervereinigung nicht doch mit der Festschreibung eines Sonderstatus für Deutschland verknüpfen lasse. Auch sie hatten es mit einer öffentlichen Meinung zu tun, die einem zukünftigen Gesamtdeutschland als Nato-Mitglied höchst zwiespältig gegenüber stand; für die Gegner Gorbatschows im Militärapparat und der Bürokratie ein geeigneter Ansatzpunkt, um Stimmung gegen den ungeliebten Reformer zu machen.

Mit dem amerikanischen Außenminister James Baker einigte sich der sowjetische Staatschef am 9. Februar 1990 in Moskau darauf, alle Fragen, die die äußeren Aspekte der Wiedervereinigung betrafen, im Rahmen der von den Amerikanern vorgeschlagenen und von Außenminister Genscher begrüßten Zwei-plus-Vier-Gespräche – Bundesrepublik, DDR, USA, Sowjetunion, Großbritannien, Frankreich – zu behandeln, also gemeinsam mit den Deutschen und nicht über ihre

Köpfe hinweg. Die inneren Angelegenheiten der Wiedervereinigung sollten die Regierungen der beiden deutschen Staaten allein, ohne Einmischung von außen, regeln. Einigkeit bestand darüber, dass die Sicherheitsinteressen aller Staaten Europas bei diesen Verhandlungen berücksichtigt werden müssten einschließlich der Anerkennung der Oder-Neiße-Grenze durch die deutschen Regierung. Umstritten blieb die Natozugehörigkeit des vereinigten Deutschland.

Tags darauf trafen Bundeskanzler Kohl, Außenminister Genscher und einige enge Mitarbeiter in Moskau ein. Baker hatte die Deutschen noch rechtzeitig über sein Gespräch mit Gorbatschow in Kenntnis gesetzt. Das Ergebnis der deutsch-sowjetischen Besprechungen an jenem 10. Februar 1990 war die klare Aussage Gorbatschows, die staatliche Einheit sei die Sache der Deutschen, die dabei freilich die Interessen ihrer europäischen Nachbarn berücksichtigen müssten. Die noch offene Bündnisfrage werde im Zuge der Zwei-plus-Vier-Verhandlungen zu klären sein. Gorbatschow zu Kohl: „Nichts ohne Sie!". Mit dieser politischen Sensation im Gepäck, kehrten Kohl und Genscher nach Bonn zurück.

Die Zwei-plus-Vier-Verhandlungen über die äußeren Aspekte der deutschen Einigung

Mitte Februar 1990 stimmten die Außenminister der Nato-Staaten und des Warschauer-Paktes in Ottawa zu, dass die äußeren Aspekte der deutschen Wiedervereinigung einschließlich der Fragen der Sicherheit der Nachbarstaaten, so wie von den USA gewünscht, von den vier ehemaligen Siegermächten und den beiden deutschen Regierungen verhandelt werden sollten Für alle inneren Angelegenheiten wie zum Beispiel den wirtschaftlichen und den staatlichen Zusammenschluss sollten ausschließlich Ostberlin und Bonn zuständig sein. Selbstverständlich war das nicht. Denn damals war noch eine ganze Reihe anderer Verhandlungsvarianten im Umlauf war, von denen sich verschiedene Regierungen eine bessere Durchsetzung ihrer speziellen Deutschland betreffenden Interessen versprachen. So wollten anfangs auch die Italiener, Niederländer, Spanier und andere mit am Verhandlungstisch der Zwei-plus-Vier-Gespräche sitzen. Bekannt wurde in diesem Zusammenhang Außenminister Genschers harsche Replik an die Adresse seines italienischen Amtskollegen, der sich darüber beschwerte, dass Italien in diese Verhandlungen nicht einbezogen würde: „You are not part of the game!". Auch die polnische Regierung pochte wiederholt darauf, bei den Gesprächen regelmäßig beteiligt zu werden und fand dafür beim französischen Staatspräsidenten Mitterrand offene Ohren.

Die US-Regierung lehnte jedoch alle diese Forderungen ebenso strikt ab, wie sie schon zuvor die in Ost und West, in Moskau, Warschau, Paris und London ventilierten Vorschläge für eine reine Viermächtekonferenz der ehemaligen Besatzungsmächte, eine Friedenskonferenz aller ehemaligen Feindstaaten Deutschlands oder eine Konferenz der 35 KSZE-Mitglieder, zurückgewiesen hatte. Die amerikanische Position stand fest und konnte auch durchgesetzt werden. Sie entsprach zugleich den Vorstellungen Bonns: die sechs Mächte des Zwei-plus-Vier-Forums sollten sich rasch auf die Wiederherstellung der Souveränität eines geeinten deutschen Staates und die Abschaffung der Viermächte-Rechte ohne neue Beschränkungen einigen sowie auf eine akzeptable Einbindung des wieder vereinigten Deutschland in Europa und in die Nato – und zwar ausdrücklich mit Zustimmung der geschwächten Sowjetunion, die das Verhandlungsergebnis nicht als Niederlage empfinden sollte.

Am 5. Mai 1990 begannen die Zwei-plus-Vier-Verhandlungen auf Außenministerebene in Bonn. Fortgesetzt wurden sie im Juni in Berlin, im Juli in Paris und wurden im September in Moskau beendet. Beim Pariser Treffen war auch der polnische Außenminister im Zusammenhang mit der Frage der Oder-Neiße-Grenze dabei.

Erfolgreich war diese mehrmonatige Verhandlungsrunde, weil sie von einer großen Zahl von Politikertreffen innerhalb der Bündnisorganisationen und bilateral begleitet war, bei denen die Regierungschefs und ihre Außenminister in persönlichen Gesprächen die gemeinsame Verhandlungslinie festlegten und die immer wieder auftauchenden Differenzen überwanden. Eine wichtige Rolle spielten auch die Spitzenbeamten der östlichen und westlichen Außenministerien und Regierungszentralen, die mit Fingerspitzengefühl und diplomatischer Formulierungskunst die Interessen der beteiligten Regierungen verfochten und zugleich nach Kompromissen suchten. Ebenso kam es im Frühjahr und Sommer dieses ereignisreichen Jahres zu einer Reihe von Begegnungen der westlichen Staatsmänner mit der sowjetischen Führung, in deren Verlauf offene Fragen im Zusammenhang mit der deutschen Einigung abgeklärt werden konnten. Die strittigen Punkte, die monatelang die Gespräche und Verhandlungen beherrschten, waren die Bündniszugehörigkeit des vereinigten Deutschland zur Nato, die Stärke der Bundeswehr, die Sicherheitsgarantien für die Nachbarn Deutschlands, die endgültige Festlegung der polnischen Westgrenze, der Abzug der alliierten Streikräfte.

Zentraler Streitpunkt – die Natozugehörigkeit Deutschlands

Zunächst versuchten Gorbatschow und Schewardnadse noch, die Natozugehörigkeit des wiedervereinigten Deutschlands zu verhindern. Sie fanden aber bei keinem europäischen Land Unterstützung, auch nicht bei den Mitgliedern des Warschauer Paktes, einschließlich Polens. Alle Regierungen im Osten wie im Westen Europas stimmten darin überein, dass die Sicherheit ihrer Länder besser gewährleistet war, wenn das wiedervereinigte Deutschland nicht sich selbst überlassen wurde. Ohne Deutschland würde die Nato über kurz oder lang zerbrechen, was wiederum den Verbleib der amerikanischen Streitkräfte in Europa in Frage gestellt hätte.

Bei zwei Treffen im Mai 1990 mit US-Außenminister Baker und dem französischen Staatspräsidenten Mitterrand in Moskau erkannte Gorbatschow, dass seine Position in der Natofrage nicht haltbar war. Sowohl die amerikanische als auch die französische Regierung pochten auf die Einbeziehung Deutschlands in feste europäische und transatlantische Strukturen.

In einem Neun-Punkte-Programm gab Baker der sowjetischen Seite eine Reihe von Sicherheitsgarantien, die die US-Regierung mit Kohl abgesprochen hatte und die es Moskau erleichtern sollten, die Kröte der Natomitgliedschaft Deutschlands zu schlucken. Unter anderem sollten für eine Übergangszeit auf dem Gebiet der ehemaligen DDR keine der Nato unterstehenden Truppen stationiert werden; zur Beruhigung Moskaus sollte die Natostrategie im Sinne des Verzichts auf den Ersteinsatz von Waffen neu formuliert und eine drastische Verringerung der nuklearen und konventionellen Streitkräfte in Europa vorangetrieben werden; Deutschland, so Baker, würde seinen Verzicht auf nukleare, biologische und chemischen Waffen erneuern. Auch die ökonomischen Interessen der Sowjetunion würden bei der Wiedervereinigung gebührend berücksichtigt werden.

Mitterrand empfahl Gorbatschow wenige Tage später ebenfalls, sich in die Unvermeidlichkeit der Zugehörigkeit Deutschlands zur Nato in der vom US-Außenminister umrissenen Form zu schicken. Auch Frankreich habe sich inzwischen mit den Tatsachen abgefunden: „Es hat keinen Sinn in den Wind zu sprechen", so Mitterrand in Moskau: „Ich habe nicht den geringsten Zweifel an der Entschlossenheit der Bundesrepublik und der sie unterstützenden USA in Bezug auf die Nato-Frage. Über welche Möglichkeiten verfügen wir? Die USA stehen völlig an der Seite der Bundesrepublik. Großbritannien nimmt eine eher reservierte Haltung ein. Ich glaube sogar, dass es die Wiedervereinigung Deutschlands eigentlich ablehnt. Die Engländer befürworten jedoch eindeutig seine Zugehörigkeit zur Nato. Daher haben wir wenig Möglichkeiten, die Deutschen daran zu hindern, das zu tun, was sie erstreben."

Seit den für die CDU erfolgreichen Volkskammerwahlen hatte sich die französische Außenpolitik mit den Realitäten arrangiert. Mitterrand lag daran, sich wieder als zuverlässiger Partner der Deutschen zu profilieren und das vereinigte Deutschland fest in die Europäische Gemeinschaft einzubetten, die umgehend zu einer Währungsunion mit einer gemeinsamen Währung für alle Mitgliedstaaten ausgebaut werden sollte.

Gorbatschow benötigt die Hilfe der deutschen Wirtschaftsmacht

Gorbatschow wusste, dass er mit seiner ablehnenden Haltung allein stand, aber dringend auf westliche, nach Lage der Dinge hieß dies vor allem bundesdeutsche Wirtschaftshilfe angewiesen war. Er sah die Vorteile wenn es gelang, Deutschland als „einen zuverlässigen und mächtigen Partner" (Gorbatschow) zu gewinnen; zumal er einräumte, dass die Frage der Natozugehörigkeit Deutschlands eher eine psychologische und keine militärpolitische Bedeutung hatte Denn der Kalte Krieg war zu Ende.

Im Mai 1990 hatte er bereits seine dringenden Kreditwünsche nach Bonn signalisiert. Von 15 bis 20 Milliarden DM für sieben bis acht Jahre sowie von einem kurzfristigen und ungebundenen Kredit über 1,5 bis 2 Milliarden DM „zur Lösung der aktuellen Probleme" war die Rede. Um den Übergang zur Marktwirtschaft in der Sowjetunion zu beschleunigen, benötige er Kredite für den Kauf von Nahrungsmitteln und die Modernisierung der Leicht- und Konsumgüterindustrie, damit das

Volk bereits jetzt spüre, dass „sich etwas positiv ändere": die Sowjetunion brauche „jetzt Sauerstoff". Von den Amerikanern sei diese Hilfe nicht zu erwarten. Deutlicher konnte Gorbatschow der Bundesregierung nicht nahe bringen, wie sehr sein politisches Überleben auf dem im Juli bevorstehenden Parteitag der KPdSU von handfesten Zusagen aus Bonn abhing. Es ging um seine Wiederwahl und damit um die gesamte sowjetische Reformpolitik.

Der Bundeskanzler ließ keine Zeit verstreichen. Nach Rücksprache mit Spitzenvertretern der deutschen Banken bot er am 22. Mai 1990 Gorbatschow einen sofort verfügbaren ungebundenen Finanzkredit bis fünf Milliarden DM an und erklärte die grundsätzliche Bereitschaft der Bundesregierung, „Ihrem Land bei der Bewältigung der bevorstehenden schwierigen Phase der wirtschaftlichen Anpassung und der Neuordnung der internationalen Finanzbeziehungen zur Seite zu stehen." Er knüpfte damit an seinen Vorschlag für eine umfassende Zusammenarbeit beider Länder an, den er bereits im März und April 1990 gegenüber dem sowjetischen Botschafter in Bonn, Jurij Kwizinskij, entwickelt und auf den dieser „fast euphorisch" reagiert hatte, wie Kohls engster Berater im Kanzleramt, Ministerialdirektor Horst Teltschik damals vermerkte. Schon mit der großzügigen Lebensmittelhilfe im Wert von einigen hundert Millionen DM Anfang 1990 hatte die Bundesregierung ihre Bereitschaft zu erkennen gegeben, die sowjetischen Reformer zu unterstützen. Später setzte sie diesen Kurs fort, indem sie die Lieferverpflichtungen der DDR gegenüber der Sowjetunion übernahm. Alles dies waren bundesdeutsche Vorleistungen gegenüber Moskau, die sich wenige Monate später auszahlen sollten.

Wendepunkt: Amerikanisch-sowjetische Einigung in der Natofrage

Es bestand kein Zweifel mehr: Gute Wirtschaftsbeziehungen mit einem größer werdenden Deutschland waren für die vor dem Ruin stehende Sowjetunion wichtiger als die Verhinderung der gesamtdeutschen Natozugehörigkeit. Wohl um sein Gesicht gegenüber seinen Gegnern in der sowjetischen Führung zu wahren, pokerte Gorbatschow Ende Mai 1990 bei einem Gipfeltreffen mit Bush in Washington und Camp David ein letztes Mal in der Frage der deutschen Nato-Mitgliedschaft. Wie nicht anders zu erwarten war, blieb der amerikanische Präsident in dieser alles entscheidenden Frage hart. Am Ende einigten sich beide Staatsmänner darauf, es den Deutschen zu überlassen, selbst zu entscheiden, welchem Bündnis sie angehören wollten. Das war das diplomatisch verklausulierte Ja Gorbatschows zu den deutsch-amerikanischen Forderungen der Nato-Mitgliedschaft eines geeinten Deutschland. Das sowjetisch-amerikanische Gipfeltreffen vom 30. Mai 1990 markierte somit einen Wendepunkt für die Geschichte Europas. Im Gegenzug bestätigte Bush gegenüber Gorbatschow erneut die schon von US-Außenminister Baker gegebenen Sicherheitsgarantien.

Der Westen unterstützt Gorbatschow

Bei den konservativen Kräften der Moskauer Parteiführung stieß das alles auf heftige Kritik. Aus ihrer Sicht betrieb Gorbatschow einen Ausverkauf sowjetischer Interessen, und sein Außenminister Schewardnadse sah sich gar als „einflussreichster Agent der Amerikaner" (Valentin Falin) abqualifiziert. Beunruhigt und voller Spannung wartete man in den westlichen Regierungszentralen auf den Ausgang des Machtkampfes in Moskau, wo am 1. Juli 1990 der Parteitag der KPdSU beginnen sollte. Ein Ende der Ära Gorbatschow konnte nicht ausgeschlossen werden.

In einer Art konzertierten Aktion mit den Amerikanern beeilte sich Bundeskanzler Kohl, Gorbatschow seine Kreditzusagen Mitte Juni ausdrücklich noch einmal zu bekräftigen, was in Moskau dankbar registriert wurde: bereits vier Wochen später rief die sowjetische Regierung die angebotenen fünf Milliarden DM ab.

Hinsichtlich der definitiven Anerkennung der polnischen Westgrenze taktierte der Bundeskanzler zwar noch eine Zeit lang mit Blick auf das Wählerpotential der Vertriebenen, was ihm die heftige Kritik Polens einbrachte, doch auf diplomatischen Kanälen ließ er die Regierungschefs in Ost und West wissen, dass Deutschland die bestehende Oder-Neiße-Linie uneingeschränkt akzeptiere und einen entsprechenden Grenzvertrag mit der Regierung Mazowiecki nach der Wiedervereinigung unterzeichnen werde. Am 22. Juni 1990 bestätigten Bundestag und Volkskammer in einer gemeinsamen Resolution diese Linie auch öffentlich, wenn auch noch nicht in völkerrechtlich wirksamer Form.

Schließlich demonstrierten die westlichen Bündnispartner auf zwei Gipfeltreffen in London (Nato) und Houston (Weltwirtschaftsgipfel) Anfang Juli 1990 gegenüber Moskau ihre Bereitschaft zur umfassenden militärischen Abrüstung und wirtschaftlichen Hilfe. Die Zeit der Gegnerschaft zwischen Nato und Warschauer Pakt wurde in der Londoner Erklärung der Staats- und Regierungchefs vom 6. Juli 1990 für beendet erklärt: „Die Atlantische Gemeinschaft wendet sich den Ländern Mittel- und Osteuropas zu, die im Kalten Krieg unsere Gegner waren, und reicht ihnen die Hand zur Freundschaft".

Alle diese Angebote und Signale des Westens kamen zum richtigen Zeitpunkt. Vor allem die Londoner Erklärung der Nato half, Gorbatschows Schiff über Wasser zu halten, wie ein enger Mitarbeiter später feststellte. Auf dem Moskauer Parteitag der KPdSU gerieten Gorbatschows Kritiker in die Defensive. In tagelanger offener Auseinandersetzung versuchten die Gegner Gorbatschows seinen außenpolitischen Kurs als Verzichtspolitik zu diffamieren – erfolglos wie sich am Schluss zeigte. In Schewardnadse verfügte er über einen geschickten Verteidiger seiner Deutschlandpolitik. Die Reformer waren in der Mehrheit und am 10. Juli 1990 wurde Gorbatschow in seinem Amt als Staats- und Parteichef bestätigt. Er hatte den Ritt auf dem Tiger gewonnen und war, zumindest kurzfristig, mächtiger denn je.

Deutsch-sowjetische Übereinkunft in Moskau und im Kaukasus

Somit waren alle Voraussetzungen gegeben, damit das geplante zweite Zusammentreffen des deutschen Bundeskanzlers – in Begleitung von Außenminister Genscher, Finanzminister Waigel und seinen wichtigsten Beratern und Mitarbeitern – mit Gorbatschow am 15. und 16. Juli 1990 in Moskau und in Archys/Bezirk Stawropol im Kaukasus erfolgreich verlaufen konnte. Doch absolut sicher konnte man westlicherseits nicht sein. Die Unwägbarkeiten der Machtverhältnisse in Moskau waren für Überraschungen gut. Um so atemberaubender nahm sich sogar für die bestens informierten Akteure in Washington das Ergebnis der deutsch-sowjetischen Gespräche aus. Die Verhandlungen zwischen Kohl und Gorbatschow und in den um die beiden Außen- und Finanzminister und einige wenige Berater erweiterten Delegationsrunden verliefen in gelöster und freundschaftlicher Atmosphäre. Das Übereinkommen vom 16. Juli 1990 markierte einen historischen Einschnitt in den deutsch-sowjetischen Beziehungen und war nichts weniger als sensationell:

Gorbatschow stimmte der Wiederherstellung Deutschlands als souveräner Staat ohne Einschränkungen in den Grenzen der Bundesrepublik, der DDR und Berlins zu und akzeptierte seine Nato-Mitgliedschaft. Beide Seiten einigten sich auf ein Verfahren für die Übergangszeit bis zum endgültigen Abzug der russischen Truppen aus der DDR. Es kam vor allem der deutsch-amerikanischen Forderung entgegen, das geeinte Deutschland dürfe keinen Sonderstatus im Natobündnis haben. Es erlaubte aber auch der russischen Seite, das Gesicht zu wahren.

Bis zum endgültigen Abzug der Roten Armee aus Ostdeutschland innerhalb von drei bis vier Jahren, so die deutsch-sowjetische Vereinbarung, durften zwar die militärischen Strukturen der Nato nicht dorthin ausgedehnt werden, doch die nicht in die Nato integrierten Verbände der Bundeswehr konnten dort sofort stationiert werden. Die Schutzgarantie der Nato – ein monatelang heftig umstrittener Punkt – galt jedoch von Anfang an und uneingeschränkt für ganz Deutschland. Nach dem Abzug der sowjetischen Truppen durften auch deutsche Natokontingente in der ehemaligen DDR stationiert werden, jedoch keine ausländischen Kontingente und keine Nuklearwaffen.

Bundeskanzler Kohl erklärte die Bereitschaft der Bundesrepublik, die Personalstärke der gesamtdeutschen Streitkräfte auf 370 000 Mann zu reduzieren und auf die Herstellung, den Besitz und die Verfügung von atomaren, biologischen und chemischen Waffen zu verzichten. Des Weiteren vereinbarte man den Abschluss zweiseitiger Verträge über alle Fragen, die mit dem sowjetischen Truppenabzug zusammenhingen und die die zukünftige Zusammenarbeit beider Staaten auf allen Gebieten regeln sollten. Wichtig war in diesem Zusammenhang die Bereitschaft der Bundesregierung, ein Milliarden schweres Wohnungsbauprogramm für die in ihre Heimat zurückkehrenden sowjetischen Soldaten zu finanzieren.

In Washington tauften die engsten Berater von US-Präsident Bush im Nationalen Sicherheitsrat den 16. Juli 1990 „Victory Day II" – ein Datum, so Robert L. Hutchings, das für die verspätete Befreiung des Kontinents beinahe zwei Generationen nach dem Sieg der Alliierten in Europa 1945 stand. Gorbatschow und Schewardnadse hatten sich gegen den Willen der konservativen, freilich geschwächten Traditionalisten im Partei- und Staatsapparat für einen realpolitischen Kurs entschieden. „Wir sind außer Stande, Deutschlands Vereinigung zu stoppen, es sei denn mit Gewalt. Doch das käme einer Katastrophe gleich" resümierte Außenminister Schewardnadse später. In der Sicht Gorbatschows war die Wiedervereinigung „keine isolierte Erscheinung, sondern Bestandteil unserer Orientierung hin auf ein neues Europa". Die beiden die Geschicke ihres Landes damals maßgeblich bestimmenden sowjetischen Politiker versprachen sich vom Schulterschluss mit einem geeinten und in die Nato eingebundenen Deutschland wirtschaftlich-finanzielle und sicherheitspolitische Vorteile für die Sowjetunion, die ohne westliche Hilfe nicht reformierbar war. „Die Nato war der Teufel, den sie kannten; ein geeintes neutrales Deutschland war der Teufel, den sie nicht kannten und nicht einschätzen konnten" (Angela Stent).

Der Zwei-plus-Vier-Vertrag – das geeinte Deutschland wird souverän

Das Treffen im Kaukasus sollte den Beginn der deutsch-sowjetischen Partnerschaft symbolisieren, die gegen niemanden gerichtet war, weil sie beglaubigte, was bereits in einem monatelangen internationalen diplomatischen Entscheidungsprozess schrittweise ausgehandelt worden war. Insofern war der Abschluss der Zwei-plus-Vier-Verhandlungen im Prinzip nur noch eine Formsache. Unbestritten war jetzt auch die völkerrechtlich wirksame Festlegung auf die endgültige Anerkennung der Oder-Neiße-Grenze mit einem entsprechenden deutsch-polnischen Vertrag kurze Zeit später. Festgelegt wurde auch die Bündnisfreiheit Deutschlands, so dass seiner Mitgliedschaft in der NATO nichts im Wege stand. Ganz ohne letzte diplomatische Scharmützel ging es freilich nicht. Wenige Stunden vor der Vertragsunterzeichnung in Moskau forderten die Briten (mit der amerikanischen Seite im Hintergrund) plötzlich eine Änderung dahingehend, dass später Nato-Manöver auch in Ostdeutschland möglich sein sollten. Nur mit Mühe konnten Genscher, Baker und Dumas ihren britischen Außenministerkollegen Hurd wieder davon abbringen. Schließlich einigten sich die Außenminister der sechs Staaten am 12. September 1990 auf den „Vertrag über die abschließende Regelung in Bezug auf Deutschland" (Zwei-plus-Vier-Vertrag), der die Wiedervereinigung Deutschlands entsprechend der zwischen Ost und West gefundenen Übereinkommen völkerrechtlich fixierte. Er beendete die 45 Jahre lang geltenden Siegerrechte der vier ehemaligen Besatzungsmächte für Berlin und Deutschland als Ganzes. Deutschland war wieder ein uneingeschränkt souveränes Land – und zwar im Einvernehmen mit allen Nachbarn in Ost und West, wie Bundeskanzler Kohl in einer Kabinettssitzung am selben Tag mit spürbarer Genugtuung hervorhob: es sei dies die erste Einigung eines Landes in der modernen Geschichte, die ohne Krieg, ohne Leid und ohne Auseinandersetzung erfolge.

Bilaterale Abkommen – Feilschen bis zum Schluss

In den Wochen zuvor waren sich die Bundesregierung und die sowjetische Regierung auch über die Grundzüge des geplanten bilateralen Partnerschaftsvertrages sowie über die Regelungen der wirtschaftlichen Verpflichtungen der DDR gegenüber der Sowjetunion – sie bezog 40 Prozent aller ostdeutschen Exporte, insbesondere Maschinen, Ausrüstungen und chemische Produkte – und über die von der Bundesrepublik zu erbringenden finanziellen Leistungen im Zusammenhang mit der Stationierung (Stationierungsvertrag) und dem Rückzug der sowjetischen Truppen bis Ende 1994 (Überleitungsvertrag) einig geworden.

In letzter Minute versuchten die Sowjets zwar bei der Bundesregierung wesentlich höhere Geldzuwendungen durchzusetzen als inoffiziell veranschlagt worden war. Die Bundesregierung war ursprünglich von 4,25 Milliarden DM für die vier Jahre der Abzugsperiode der Roten Armee ausgegangen, jetzt forderte der sowjetische Finanzminister allein für die sowjetischen Liegenschaften in der DDR 17,5 Milliarden DM, alles in allem sogar 36 Milliarden DM. In einem ersten Telefonat hoffte Kohl, Gorbatschow, der erkennbar unter starkem innenpolitischen Druck stand, mit einem Angebot über acht Milliarden DM zufrieden stellen zu können. Doch dieser reagierte überraschend hart und abweisend („Ich habe den Eindruck, ich bin in eine Falle gelaufen") und deutete an, dass anderenfalls alles noch einmal von vorne verhandelt werden müsste. Die Pokerpartie endete, als Kohl nach eingehenden Beratungen mit Finanzminister Waigel und Wirtschaftsminister Haussmann am 10. September 1990 Gorbatschow zusätzlich zu einem nunmehr auf 12 Milliarden DM aufgestockten Grundbetrag – davon 7,8 Milliarden DM für den Bau von Wohnungen in der Sowjetunion für die zurückkehrenden Soldaten und ihre Familien – einen zinslosen Kredit in Höhe von drei Milliarden DM anbot. Das war wohl das teuerste Telefonat aller Zeiten. Doch es war nur logisch, dass die deutsche Seite einsetzte, worüber sie verfügte und was Gorbatschow vor allem benötigte: die deutsche Wirtschafts- und Finanzkraft.

Die deutsch-sowjetische Telefondiplomatie funktionierte, und in zwei Verträgen vom 9. und 12. Oktober 1990 wurden sowohl die finanziellen Regelungen sowie die Modalitäten der Stationierung wie des Abzugs der 380 000 Mann umfassenden Sowjettruppen aus Deutschland festgelegt. Am ersten Jahrestag des Mauerfalls in Berlin, am 9. November 1990, folgte schließlich in Bonn bei einem Besuch Gorbatschows in der Bundesrepublik die feierliche Unterzeichnung des deutsch-sowjetischen Vertrages über Partnerschaft und Zusammenarbeit sowie eines umfangreichen Wirtschaftsvertrages. Der deutsch-polnische Grenzvertrag vom 14. November 1990 schloss sich an, den Außenminister Genscher und sein polnischer Amtskollege Skubiszewski in Warschau unterzeichneten. In ihm erklärten beide Staaten, dass die zwischen ihnen bestehende Grenze „jetzt und in Zukunft unverletzlich ist". Ein spezieller deutsch-polnischer Kooperationsvertrag folgte am 17. Juni 1991 und besiegelte den neuen Geist, der das Verhältnis beider Länder zueinander hinfort prägen sollte.

Der Einigungsvertrag: Verhandlungen zwischen beiden deutschen Regierungen

Zeitgleich mit den geschilderten bilateralen und multilateralen Verhandlungen über die außenpolitischen Aspekte der deutschen Vereinigung erfolgten die innerdeutschen Absprachen über die zu klärenden Fragen einer schnellen rechtlichen und institutionellen Vereinigung der Bundesrepublik und der DDR.

Auf der Grundlage eines zweiten Staatsvertrags – bald Einigungsvertrag genannt – regelten die beiden deutschen Regierungen den Beitritt der DDR zur Bundesrepublik und damit zum Grundgesetz gemäß Artikel 23 (alt) GG. Im April 1990 hatte die Volkskammer bereits mehrheitlich die insbesondere von Bürgerrechtlern und Sozialdemokraten vorgeschlagene Ausarbeitung einer neuen Verfassung abgelehnt. Am 23. August 1990 beschloss die Volkskammer dann mit großer Mehrheit den Beitritt zur Bundesrepublik am 3. Oktober 1990. Bereits im Juli war die Wiederherstellung der 1952 aufgelösten Länder Mecklenburg-Vorpommern, Brandenburg, Sachsen-Anhalt, Sachsen und Thüringen mit Wirkung vom 14. Oktober 1990 festgelegt worden.

Von Anfang Juli 1990 bis Ende August 1990 berieten die von beiden Regierungen beauftragten Verhandlungsdelegationen unter der Leitung von Innenminister Schäuble und Staatssekretär Krause über den gesamten Komplex der Übertragung der bundesdeutschen Rechts-

und Verwaltungsordnung einschließlich der befristeten Ausnahmeregelungen sowie über viele andere Fragen wie die Behandlung der Stasi-Akten, die Regelung der Eigentums- und Besitzverhältnisse, die Vermögen der ostdeutschen Parteien, den Länderfinanzausgleich. Die extrem komplexe und in zahlreichen Einzelpunkten selbstverständlich auch parteipolitisch umstrittene Materie der Übertragung einer in vier Jahrzehnten gewachsenen demokratischen Rechtsordnung auf die Gesamtheit der Lebensverhältnisse in Ostdeutschland war ohne Vorbild, wenn man einmal vom Beitritt des Saargebietes zur Bundesrepublik im Jahre 1957 absieht.

Ansatzpunkte zum Streit gab es genug, aber nicht nur zwischen Ost und West, sondern auch innerhalb der Delegationen selbst entlang der parteipolitischen Lager zwischen Union und SPD. Im August verließen die sozialdemokratischen Minister die Regierung de Maizière, nachdem dieser seinen Finanzminister Romberg (SPD) entlassen hatte, der alle ostdeutschen Steuereinnahmen behalten wollte, was wiederum der Regierungschef ablehnte, um den Osten nicht um die Chance erheblicher Steuersubventionen aus dem gemeinsamen Steuertopf zu bringen. Ein weiterer Streitpunkt war die Fünf-Prozent-Klausel: sie sollte nach den Vorstellungen der CDU bei den ersten gesamtdeutschen Wahlen getrennt in Ost und West berechnet werden, was den kleineren Parteien, aber nicht der SPD nützte.

In allen Kernfragen gab eindeutig die westdeutsche Seite die Richtung vor. In nur wenigen strittigen Punkten konnte sich de Maiziere durchsetzen: beispielsweise blieb das Abtreibungsrecht der DDR in Ostdeutschland noch einige Jahre gültig. Außerdem wurden entgegen dem Wunsch der westdeutschen Unterhändler die Stasi-Akten nicht dem Bundesarchiv zugeführt und damit mindestens für 30 Jahre weggesperrt, sondern von einer unabhängigen Behörde (später Gauck-Behörde) auf der Grundlage eines besonderen Gesetzes (Stasiunterlagengesetz von 1991) der Öffentlichkeit und vor allem den Opfern des Geheimdienstapparates zugänglich gemacht. Schließlich gelang es den ostdeutschen Vertretern auch, das vom Westen für seit 1949 enteignete Häuser und Grundstücke durchgesetzte Prinzip „Rückgabe vor Entschädigung" mit einem Investitionsvorbehalt zu versehen, so dass solche Grundstücke und Gebäude an ihre Eigentümer nicht zurückgegeben werden mussten, die für volkswirtschaftlich förderungswürdige Investitionen benötigt wurden. Dann sollte nur eine Entschädigung fällig werden.

Die trotz aller klärungsbedürftigen Fragen erstaunlich rasch voranschreitenden Verhandlungsrunden beschäftigten ganze Heerscharen von Fachexperten der Ministerien und Politikern aus beiden Teilen Deutschlands, während sich die Bürger in Ost und West verständlicherweise nur für das schließlich gefundene Ergebnis interessierten. Am 31. August 1990 unterzeichneten Wolfgang Schäuble und Günther Krause das Vertragswerk in Ostberlin. Es legte in 45 Artikeln und auf rund 1 000 Schreibmaschinenseiten Anlagen alles fest, was für die Vereinigung der beiden deutschen Staaten notwendig schien.

Die abschließenden parlamentarischen Debatten in Bonn und Ostberlin standen bereits im Schatten des bevorstehenden Wahlkampfes für die erste gesamtdeutsche Bundestagswahl. Doch obwohl vor allem der sozialdemokratische Spitzenkandidat Oskar Lafontaine den überstürzten Beitritt der DDR zur Bundesrepublik kritisierte und die PDS in der Volkskammer abschätzig von einem „Anschlussvertrag" sprach, wurde der Einigungsvertrag in beiden Parlamenten am 20. September 1990 mit überwältigender Mehrheit angenommen – im Bundestag mit 442 gegen 47 Nein-Stimmen (Grüne und 13 Abgeordneten der Union) bei drei Enthaltungen und in der Volkskammer mit 299 gegen 80 Nein-Stimmen (PDS, Bündnis 90/Grüne) und einer Enthaltung.

Der Beitritt der DDR zum Grundgesetz

Das Ende der DDR war gekommen. Die politischen (Schwester-) Parteien schlossen sich zusammen. Nachdem die Liberalen bereits im August den Anfang gemacht hatten, folgten die SPD Ende September und die CDU am 1. Oktober 1990. Die FDP und die CDU absorbierten mit den ehemaligen ostdeutschen Blockparteien mitgliederstarke und vermögende, aber durch ihre Kollaboration mit der SED teilweise belastete politische Gruppierungen, während die ostdeutsche SPD nur 35 000 erst ein knappes Jahr registrierte Mitglieder und keinen Besitz mitbrachte.

Die Nationale Volksarmee der DDR wurde am 2. Oktober 1990 in die Bundeswehr integriert. Die Volkskammer trat zu ihrer letzten Sitzung zusammen. Einen „Abschied ohne Tränen" nannte Ministerpräsident de Maizière am Abend bei einem Festakt der Regierung der DDR das Verschwinden der DDR: „Was für die meisten nur noch ein Traum war, wird Wirklichkeit; dass die selbstverständliche Zusammengehörigkeit wieder gelebt werden kann." In einer Fernsehansprache beschwor Bundeskanzler Kohl den Geist guter Nachbarschaft und Freundschaft mit den Völkern Europas: „Die junge Generation in Deutschland hat jetzt -wie kaum eine andere Generation vor ihr – alle Chancen auf ein ganzes Leben in Frieden und Freiheit ... Deutschland ist unser Vaterland, das vereinte Europa ist unsere Zukunft."

Um Mitternacht – Mittwoch, den 3. Oktober 1990 Null-Uhr – war es dann so weit: die DDR trat dem Geltungsbereich des Grundgesetzes bei, wie dieser Vorgang im abstrakten Juristendeutsch genannt wurde. Eine 60 Quadratmeter große schwarzrotgoldene Fahne, von 14 Mädchen und Jungen aus Berlin getragen, wurde unter dem Jubel der Menschenmenge vor dem Reichstagsgebäude gehisst. Die staatliche Teilung Deutschlands war Geschichte. In Volksfeststimmung und ohne nationalen Überschwang feierten Hunderttausende auf dem Platz der Republik in der Nähe des Brandenburger Tores dieses Ereignis, mit dem die meisten Deutschen noch ein Jahr zuvor nicht gerechnet hatten. Auch in anderen Städten Deutschlands feierte man die Wiedervereinigung mit Feuerwerk und Straßenfesten.

Tags darauf trat der um 144 ostdeutsche Abgeordnete erweiterte Deutsche Bundestag (663 Mitglieder) im Reichstagsgebäude in Berlin erstmals zusammen. Fünf neue Minister ohne Geschäftsbereich aus Ostdeutschland gehörten jetzt zur ersten gesamtdeutschen Bundesregierung: Sabine Bergmann-Pohl, Günter Krause, Lothar de Maizière (alle CDU), Rainer Ortleb (FDP), Hans-Joachim Walther (DSU). Die Wähler selbst hatten noch zwei Mal in diesem ereignisreichen Jahr Gelegenheit, die politischen Entscheidungen, die zu der unerwartet schnellen Vereinigung Deutschlands geführt hatten, zu bewerten.

Landtagswahlen und erste gesamtdeutsche Bundestagswahlen

Aus den Landtagswahlen in Ostdeutschland am 14. Oktober 1990 gingen die Christdemokraten als unbestrittene Sieger hervor und stellten in allen neuen Ländern mit Ausnahme Brandenburgs (SPD-Regierung) den Ministerpräsidenten. Die erste gesamtdeutsche Bundestagswahl am 2. Dezember 1990 wurde zu einem Plebiszit über die Vereinigungspolitik der Bundesregierung. Erstmals in seiner Politikerkarriere war Helmut Kohl populärer als sein Herausforderer. Der Kanzlerkandidat der

SPD, Oskar Lafontaine, hoffte den „Kanzler der Einheit" zu besiegen, indem er dessen „Selbstherrlichkeit und Überheblichkeit" anprangerte, vor einer Verschleierung der sozialen und finanziellen Kosten der Einheit warnte und Steuererhöhungen voraus sagte. In den neuen Ländern stieß er damit jedoch auf Ablehnung. Sehr viel mehr Bundesbürger in Ost wie West fühlten sich von den optimistischen Parolen der Regierungsparteien angesprochen. „Gemeinsam schaffen wir's" oder „Ja zu Deutschland -Ja zur Zukunft!" verkündete die Union und rückte den Bundeskanzler ins Zentrum ihres Wahlkampfes. Die Regierungskoalition gewann dann auch die Bundestagswahl mit großem Vorsprung (CDU/CSU: 43,8%; FDP: 11,0%) vor der oppositionellen SPD (33,5%), die ihr schlechtestes Resultat seit 1957 erzielte. Nahezu eine Million SPD-Wähler von 1987 waren zu den Koalitionsparteien gewandert, und im Osten erreichte sie gar nur 23,6 Prozent der abgegebenen Stimmen. Die Liberalen verdankten ihr Traumergebnis (im Westen 10,6%; im Osten 12,9%) vor allem der Popularität des aus Halle stammenden Außenministers Genscher. Dank einiger Überhangmandate kam die Union mit 319 von insgesamt 662 Sitzen im Bundestag nahe an die absolute Mehrheit der Mandate heran. Die entschiedensten Vereinigungskritiker – PDS und Grüne – zählten wie die SPD zu den Verlierern. Da die Stimmen bei dieser Wahl einmalig in Ost und West getrennt ausgezählt wurden, zog die PDS (bundesweit 2,4%) wegen ihrer 11,1 % im Wahlgebiet Ost dennoch mit 17 Abgeordneten in den Bundestag; die Grünen (bundesweit 3,8%) scheiterten im Westen mit 4,8% an der Fünfprozenthürde, zogen aber wegen der 6,0% für Bündnis 90/Grüne im Osten mit zumindest 8 Abgeordneten ins gesamtdeutsche Parlament.

Am 17. Januar 1991 wurde Helmut Kohl mit 378 gegen 257 Stimmen erneut zum Bundeskanzler gewählt. Seiner Koalitionsregierung aus CDU/CSU und FDP gehörten drei Minister aus Ostdeutschland an: Angela Merkel (CDU) als Ministerin für Frauen und Jugend, Günter Krause (CDU) als Verkehrsminister und Rainer Ortleb (FDP) als Bildungsminister. Außenminister und Vizekanzler blieb Hans-Dietrich Genscher (FDP).

Fortsetzung der Politik der Selbstbindung

Die deutschen Wähler hatten somit am Ende dieses Epochenjahres 1990 die Politik, die zur Vereinigung Deutschlands führte, mit großer

Mehrheit legitimiert. Auch die 34 Staats- und Regierungschefs der Mitgliedstaaten der KSZE bestätigten ausdrücklich in der „Charta von Paris für ein neues Europa" vom 21. November 1990, dass sich das deutsche Volk „in vollem Einvernehmen mit seinen Nachbarn in einem Staat vereinigt" habe und nannten die Wiedervereinigung einen bedeutsamen „Beitrag zu einer dauerhaften und gerechten Friedensordnung für ein geeintes demokratisches Europa, das sich seiner Verantwortung für Stabilität, Frieden und Zusammenarbeit" bewusst sei. Diese freundlichen Worte waren durchaus auch als eine in diplomatische Formeln gekleidete Aufforderung an die deutsche Regierung zu verstehen, an der erfolgreichen Politik der europapolitischen und transatlantischen Einbindung der Bundesrepublik festzuhalten.

Den wenigsten Bürgern der um rund ein Viertel der Bevölkerung und um knapp die Hälfte ihrer bisherigen Fläche größer gewordenen Bundesrepublik dürfte damals bewusst gewesen sein, dass ihr Land gleichsam über Nacht wieder die Rolle „einer kontinentalen Großmacht mit weltpolitischem Gewicht" (Gregor Schölgen) übernommen hatte. Der politischen Führung in Bonn, vor allem den beiden deutschen Architekten der Wiedervereinigung Kohl und Genscher, war dies sehr wohl bewusst. Sie erklärten daher wiederholt, dass das vereinigte Deutschland die außenpolitischen Grundlinien und Traditionen der alten Bundesrepublik fortsetzen würde. Neben der Vollmitgliedschaft Gesamtdeutschlands in der Nato zählte dazu vor allem die aktive Mitwirkung an der Vertiefung der europäischen Integration, die nicht nur Frankreich ein wichtiges Anliegen war, sondern von allen Nachbarstaaten Deutschlands als Test für die Bereitschaft des großen Partners in der Mitte Europas zur politischen Selbstbindung verstanden wurde. Mit ihrer Zustimmung zur Einführung einer gemeinsamen Währung in der Europäischen Union unter definitivem Verzicht auf die D-Mark, der Deutschen liebstes Kind, im Maastrichter Vertrag von 1991 bewies die Bundesregierung, dass auch das mächtiger gewordene Deutschland seinen bewährten europapolitischen Kurs beibehielt. Somit beschleunigte die unvorhergesehene deutsche Wiedervereinigung den europäischen Integrationsprozess ganz erheblich, der mit dem gemeinsamen Binnenmarkt seit 1993 und der Wirtschafts- und Währungsunion seit 1999 mit dem Euro als gemeinsamer Währung einen Staatenverbund zur Verwirklichung einer immer engeren Union der Völker Europas begründet hat.

ZEITTAFEL

1989

10. November 1989	SED-Generalsekretär Egon Krenz ordnet gegen 11.30 Uhr „erhöhte Gefechtsbereitschaft" für zwei in Potsdam stationierte Eliteeinheiten der Nationalen Volksarmee an.
11./12. November 1989	Am ersten Wochenende nach der Grenzöffnung besuchen drei Millionen DDR-Bürger Westberlin und die Bundesrepublik. Weiterhin verlassen täglich bis zu 2500 Menschen die DDR.
13. November 1989	Die DDR hebt die Sperrzonen entlang der innerdeutschen Grenze auf.
	Hundertausende beteiligen sich an den Montagsdemonstrationen in Leipzig und Dresden, Zehntausende in Cottbus, Halle, Magdeburg, Chemnitz (damals: Karl-Marx-Stadt): für freie Wahlen, Reisefreiheit, gegen den Führungsanspruch der SED.
	Bericht des Ministers für Staatssicherheit, Erich Mielke, in der Volkskammer über die Arbeit seiner Behörde: „Wir haben, liebe Genossen, liebe Abgeordnete, einen außerordentlich hohen Kontakt zu allen werktätigen Menschen (Heiterkeit) ... Ich liebe doch alle Menschen ..." (Gelächter).
16. November 1989	Ungarn stellt beim Straßburger Europarat Beitrittsantrag.
20. November 1989	Massendemonstrationen in Leipzig und in anderen Städten der DDR. Es dominieren Rufe: „Deutschland – einig Vaterland",einem Zitat aus der ersten Strophe der DDR-Nationalhymne.
24. November 1989	Reportagen und Berichte in den DDR-Medien über die privilegierten Lebensbe-

dingungen der politischen Führung (Jagd-grundstücke, Wochenendhäuser, Westwa-ren).

28. November 1989 Bundeskanzler Kohl legt im Bundestag ein „Zehn-Punkte-Programm zur Überwin-dung der Teilung Deutschlands und Euro-pas" vor.

Das „Neue Deutschland" veröffentlicht den von prominenten DDR-Künstlern und Mit-gliedern von Oppositionsgruppen formu-lierten Aufruf „Für unser Land": gefordert wird eine eigenständige DDR als „sozialis-tische Alternative zur Bundesrepublik".

29. November/ Italien-Besuch von Generalsekretär Gor-
1. Dez. 1989 batschow. Er sichert Papst Johannes Paul II. die ungehinderte Religionsausübung in der Sowjetunion zu.

30. November 1989 Ermordung des Vorstandssprechers der Deutschen Bank, Alfred Herrhausen, durch Mitglieder der „Roten Armee Frak-tion".

1. Dezember 1989 Die Volkskammer streicht den Führungs-anspruch der SED aus der Verfassung.

2. Dezember 1989 Gipfeltreffen von US-Präsident Bush und Staats- und Parteichef Gorbatschow vor Malta.

3. Dezember 1989 Das Politbüro mit Egon Krenz an der Spit-ze und das Zentralkomitee der SED treten unter dem Druck der eigenen Mitglieder-basis und anhaltender Massendemonstra-tionen zurück; Honecker und andere Spit-zenpolitiker werden aus der SED ausge-schlossen.

DDR-Bürger bilden eine Menschenkette quer durch das Land und demonstrieren für eine demokratische Erneuerung.

	Bildung einer neuen tschechoslowaki-schen Regierung unter Beteiligung unabhängiger Gruppierungen.
4. Dezember 1989	Mit der Besetzung der Gebäude der MfS-Bezirksverwaltungen in Erfurt, Suhl und Leipzig beginnt das Ende des DDR-Geheimdienstes (Stasi).
	Tagung des Nato-Rates in Brüssel: Präsident Bush nennt die Rahmenbedingungen für die Lösung der deutschen Frage (u.a. Vollmitgliedschaft Deutschlands in der Nato).
	Warschauer-Pakt-Tagung in Moskau: Verurteilung des militärischen Einmarsches in die Tschechoslowakei von 1968.
6. Dezember 1989	Egon Krenz tritt auch als Vorsitzender des Staatsrates und des Nationalen Verteidigungsrates zurück.
7. Dezember 1989	Erste Sitzung des zentralen Runden Tisches in Ostberlin unter Beteiligung von Vertretern der SED, der Blockparteien, der Massenorganisationen und den Oppositionsgruppen; der Runde Tisch versteht sich als Kontrollinstanz der Regierung. Beschluss: Freie Wahlen zur Volkskammer am 6. Mai 1990 (später auf den 18. März vorgezogen), Auflösung der Nachfolgeorganisation des Staatssicherheitsdienstes, neue Verfassung.
8./9. Dezember 1989	Tagung des Europäischen Rates in Straßburg bestätigt das Recht der Deutschen auf Einheit im Rahmen des europäischen Einigungsprozesses.
10. Dezember 1989	Rücktritt des kommunistischen Staatspräsidenten Husak in Prag; die tschechischen Kommunisten verlieren in einem neuen

Kabinett unter Ministerpräsident Calfa die Mehrheit.

14./15. Dezember 1989	Die Nato-Außenminister bekräftigen in Brüssel die Erklärung des Europäischen Rates zu Deutschland.
16./17. Dezember 1989	SED gibt sich neuen Namen: SED-PDS und spricht sich für tief greifende Reformen in Staat und Gesellschaft aus; schon zuvor wurde Rechtsanwalt Gregor Gysi zum neuen Vorsitzenden gewählt, Antrag auf Selbstauflösung findet keine Mehrheit.
18. Dezember 1989	Rede von Bundeskanzler Kohl vor dem ungarischen Parlament in Budapest.
19. Dezember 1989	Bundeskanzler Kohl wird bei seinem ersten Treffen mit Ministerpräsident Modrow in Dresden von der Bevölkerung begeistert empfangen. Beide Regierungschefs vereinbaren Verhandlungen über eine deutsch-deutsche Vertragsgemeinschaft.
	Etwa 50 000 Ostberliner demonstrieren für „eine souveräne DDR, gegen Wiedervereinigung und Ausverkauf des Landes". Ähnliche Demonstrationen in Rostock und Cottbus.
	Der sowjetische Außenminister Eduard Schewardnadse besucht als erster Außenminister des Warschauer Paktes die Nato in Brüssel.
20./22. Dezember 1989	Besuch des französischen Präsidenten Mitterrand in Ostberlin und Leipzig (erster Besuch eines Staatsoberhauptes der drei alliierten Westmächte in der DDR).
22. Dezember 1989	Öffnung des Brandenburger Tores.
	Sturz des rumänischen Parteichefs Nicolai Ceausescu nach blutigen Demonstrationen.

23. Dezember 1989	Symbolische Beseitigung von Grenzanlagen an der deutsch-tschechoslowakischen Grenze bei Waidhaus durch Bundesaußenminister Genscher und den tschechoslowakischen Außenminister Jiri Dienstbier.
24. Dezember 1989	DDR schafft den Visumszwang und den Pflichtumtausch für Einreisende aus der Bundesrepublik und Westberlin ab.
25. Dezember 1989	Alexander Dubcek, der Führer des 1968 niedergeschlagenen „Prager Frühlings" wird zum Präsidenten des tschechoslowakischen Parlaments gewählt.
	Nicolai Ceausescu und seine Frau Elena werden durch ein rumänisches Militärgericht zum Tode verurteilt und anschließend hingerichtet.
29. Dezember 1989	Wahl von Vaclav Havel – Schriftsteller und langjähriger Dissident – zum ersten nichtkommunistischen Präsidenten der Tschechoslowakei seit 1948.
30. Dezember 1989	Ausrufung der Republik Polen.
31. Dezember 1989	343 854 Übersiedler kamen im Laufe des Jahres in die Bundesrepublik.

1990

3. Januar 1990	Auf Initiative der SED-PDS demonstrieren vor dem sowjetischen Ehrenmal in Ostberlin über 250 000 Menschen gegen Neofaschismus und Antisowjetismus.
15. Januar 1990	Sturm auf die Stasi-Zentrale in Ostberlin.
19. Januar 1990	Vorschlag der finanzpolitischen Sprecherin der SPD, Ingrid Matthäus-Maier, für eine Währungsunion zwischen beiden deutschen Staaten.

28. Januar 1990	Bei den Landtagswahlen im Saarland erzielt die SPD unter Ministerpräsident Oskar Lafontaine 54,4 % der Stimmen. Lafontaine wird Kanzlerkandidat der SPD für die Bundestagswahl im Dezember 1990 (offiziell am 19. März nominiert).
30. Januar 1990	Gorbatschow unterstützt Modrow-Plan für die stufenweise Schaffung eines geeinten, bündnispolitisch neutralen Deutschland („Deutschland, einig Vaterland").
	Polen stellt Beitrittsantrag beim Europarat (gefolgt von Jugoslawien, Bulgarien, Rumänien und der Tschechoslowakei).
5. Februar 1990	Bildung einer „Regierung der nationalen Verantwortung" in Ostberlin durch Ministerpräsident Modrow unter Einbeziehung von acht Ministern ohne Geschäftsbereich aus den Reihen der Opposition.
	In Anwesenheit des CDU-Vorsitzenden und Bundeskanzlers Kohl wird in Westberlin die „Allianz für Deutschland" als Wahlbündnis von CDU, Deutscher Sozialer Union (DSU) und Demokratischer Aufbruch (DA) für die Volkskammerwahlen gebildet.
5./8. Februar 1990	Gespräche des polnischen Außenministers Skubiszewski in Bonn: er betont die Notwendigkeit von Garantien für die polnische Westgrenze und der Einbindung des Vereinigungsprozesses in den gesamteuropäischen Rahmen.
6. Februar 1990	Bundeskanzler Kohl schlägt der DDR Verhandlungen über „ eine Währungsunion mit Wirtschaftsreform" vor.
7. Februar 1990	Kabinettsausschuss „Deutsche Einheit" in Bonn gebildet.

Neues Forum, Demokratie Jetzt und Initiative für Frieden und Menschenrechte schließen sich zum „Bündnis 90" zusammen.

7./10. Februar 1990 US-Außenminister James Baker in Moskau: die sowjetische Führung akzeptiert den „Zwei-plus-Vier"-Konferenzmechanismus zur Beratung der äußeren Aspekte der Wiedervereinigung Deutschlands.

10. Februar 1990 Bundeskanzler Kohl und Außenminister Genscher in Moskau: Gorbatschow gibt sein Einverständnis zur Schaffung der Einheit Deutschlands.

12./14. Februar 1990 Am Rande der Konferenz der 23 Nato- und Warschauer-Pakt-Staaten in Ottawa wird der „Zwei-plus-Vier"-Mechanismus (beide deutsche Staaten zusammen mit den Vier Mächten) als Rahmen verbindlich festgesetzt, in dem die äußeren Aspekte der deutschen Vereinigung geregelt werden sollen.

13./14. Februar 1990 DDR-Ministerpräsident Hans Modrow trifft mit einer Regierungsdelegation in Bonn zu einem Arbeitsbesuch ein. Kohl lehnt einen sofortigen Solidarbeitrag in Milliardenhöhe ab.

20. Februar 1990 Die Volkskammer verabschiedet ein Gesetz über freie, allgemeine, gleiche und direkte Wahlen; Einführung eines einjährigen Zivildienstes als Alternative zum Wehrdienst.

8. März 1990 Der Bundestag gibt eine Garantieerklärung für die polnische Westgrenze ab.

9. März 1990 Der französische Staatspräsident Mitterrand erklärt gegenüber dem polnischen Staatspräsidenten Jaruzelski und dem polnischen Ministerpräsidenten Mazowiecki seine Unter-

stützung der polnischen Sicherheitsinteressen: Beteiligung Polens an den Zwei-plus-Vier-Verhandlungen, deutsch-polnischer Grenzvertrag vor der Wiedervereinigung.

14. März 1990 — Wolfgang Schnur, Vorsitzender und Mitbegründer der DDR-Partei „Demokratischer Aufbruch", wird als langjähriger Stasispitzel entlarvt und muss zurücktreten.

15. März 1990 — Gorbatschow wird erster Staatspräsident der Sowjetunion.

18. März 1990 — Erste freie Volkskammerwahlen in der DDR: die konservative „Allianz für Deutschland" erhält 48,1% (CDU: 40,9%; DSU: 6,3%; DA: 0,9%), die SPD 21,8%, PDS 16,3%, Liberale (BFD) 5,3%, Bündnis 90 2,9%, die Grüne Partei 2,0%.

12. April 1990 — DDR-Volkskammer wählt Lothar de Maiziere (CDU) zum Ministerpräsidenten. Bildung einer Großen Koalition.

19. April 1990 — Regierungserklärung von Lothar de Maiziere: „Die Einheit muss so schnell wie möglich kommen, aber die Rahmenbedingungen müssen so gut, so vernünftig, so zukunftsfähig sein wie nötig."

25. April 1990 — Attentat auf den saarländischen Ministerpräsidenten und SPD-Kanzlerkandidaten Oskar Lafontaine in Köln durch eine Geistesgestörte, bei dem er schwer verletzt wird.

27. April 1990 — Beginn der Verhandlungen über den innerdeutschen Staatsvertrag zur Herstellung der Währungs-, Wirtschafts- und Sozialunion.

28. April 1990 — Der Europäische Rat in Dublin begrüßt die deutsche Einigung als „positiven Faktor" für den europäischen Einigungsprozess.

5. Mai 1990	Erstes Treffen der Außenminister im Rahmen der Zwei-plus-Vier-Verhandlungen in Bonn (Bundesrepublik, DDR, Frankreich, Großbritannien, Sowjetunion, USA). Zentrales Thema ist die Bündniszugehörigkeit eines vereinten Deutschland. Der sowjetische Außenminister Schewardnadse erklärt die Nato-Mitgliedschaft des vereinten Deutschland für nicht akzeptabel.
6. Mai 1990	Erste freie Kommunalwahlen in der DDR: CDU 34,4%, SPD 21,3%, PDS 14,6%, Liberale (BFD) 6,7%, Bündnis 90 2,4%.
10. Mai 1990	Warnstreiks und Kundgebungen von zehntausenden Beschäftigte aus Sorge um die soziale Sicherheit im vereinten Deutschland; gefordert werden ein geschützter DDR-Binnenmarkt und höhere Löhne.
16. Mai 1990	Passpflicht an der innerdeutschen Grenze wird aufgehoben.
	Errichtung eines Fonds zur Finanzierung der deutschen Einheit (Volumen: 115 Mrd. DM bis 1994).
18. Mai 1990	Unterzeichnung des ersten innerdeutschen Staatsvertrages über die Währungs-, Wirtschafts- und Sozialunion durch die beiden Finanzminister Waigel und Romberg.
	US-Außenminister Baker zu Gesprächen in Moskau: er präsentiert Gorbatschow in einem „Neun-Punkte-Plan" Sicherheitsgarantien, um ihm die Zustimmung zur deutschen Einheit zu erleichtern.
30. Mai/3. Juni 1990	Gipfeltreffen zwischen Bush und Gorbatschow in den USA: Einigung, dass die Bündniszugehörigkeit Sache der Deutschen sei. Abrüstungsmaßnahmen werden vereinbart.

6. Juni 1990	Mit der Festnahme des RAF-Mitglieds Susanne Albrecht beginnt die Verhaftung von insgesamt neun RAF-Terroristen, die in der DDR unter der Obhut des Staatssicherheitsdienstes untergetaucht waren.
5./8. Juni 1990	Kohl zu Gesprächen bei Bush.
7. Juni 1990	In Moskau erklären die Warschauer-Pakt-Staaten das Ende der ideologischen Konfrontation zwischen Ost und West.
7./8. Juni 1990	Nato-Außenminister-Tagung in Turnburry/Großbritannien: Nato reicht den Warschauer-Pakt-Staaten „die Hand zur Freundschaft".
9. Juni 1990	Wolfgang Thierse wird auf einem Sonderparteitag zum neuen Vorsitzenden der SPD in der DDR gewählt; sein Vorgänger, Ibrahim Böhme, musste zurücktreten, nachdem seine Tätigkeit als langjähriger Inoffizieller Mitarbeiter (IM) der Staatssicherheit bekannt geworden war.
13. Juni 1990	In Berlin wird mit dem Abriss der Mauer begonnen.
21. Juni 1990	Bundestag und Volkskammer verabschieden mit großer Mehrheit den Staatsvertrag über die Währungs-, Wirtschafts- und Sozialunion; tags darauf stimmt auch der Bundesrat zu, nur die Länder Niedersachsen und Saarland lehnen ihn ab.
	Die beiden deutschen Parlamente erklären in einer Resolution die Endgültigkeit der polnischen Westgrenze.
22. Juni 1990	Zweite Verhandlungsrunde der Zwei-plus-Vier-Gespräche in Berlin.
25./26. Juni 1990	Europäischer Rat beschließt in Dublin, die Sowjetunion mit einem wirtschaftlichen

Hilfsprogramm zu unterstützen. Für Dezember 1990 wird eine Regierungskonferenz zum Thema der Europäischen Wirtschafts- und Währungsunion vereinbart.

1. Juli 1990

Die D-Mark wird in der DDR zur allein gültigen Währung; Einführung der Sozialen Marktwirtschaft. Bundeskanzler Kohl: „Es wird niemandem schlechter gehen als zuvor, dafür vielen besser."

1./13. Juli 1990

28. Parteitag der KPdSU in Moskau: KPdSU verzichtet auf ihr Machtmonopol; heftige Auseinandersetzung zwischen Reformern und Gegnern Gorbatschows, die jedoch unterliegen; Zustimmung zu einer intensiven Zusammenarbeit mit den USA, den westeuropäischen Staaten und insbesondere mit einem vereinten Deutschland; Gorbatschow als Generalsekretär der Partei bestätigt.

5./6. Juli 1990

Nato-Gipfeltreffen in London zieht einen symbolischen Schlussstrich unter den Kalten Krieg. Die Staats- und Regierungschefs erklären gegenüber den Staaten des Warschauer-Paktes, „dass wir uns nicht länger als Gegner betrachten".

14./16. Juli 1990

Reise von Bundeskanzler Kohl, Bundesaußenminister Genscher und Bundesfinanzminister Waigel in die Sowjetunion. Gorbatschow billigt einem vereinten Deutschland die volle Souveränität und die Mitgliedschaft in der Nato zu. Beide Seiten einigen sich auf den Abzug der sowjetischen Truppen und die Verringerung der deutschen Streitkräfte auf 370 000 Mann bis Ende 1994 sowie den Abschluss eines umfassenden Vertrages über die deutsch-sowjetischen Beziehungen.

17. Juli 1990	Dritte Verhandlungsrunde der Zwei-plus-Vier-Gespräche in Paris bestätigt in Anwesenheit des polnischen Außenministers die Oder-Neiße-Linie als polnische Westgrenze.
22. Juli 1990	Volkskammer verabschiedet Gesetz zur Wiederherstellung der 1952 aufgelösten Länder Mecklenburg-Vorpommern, Brandenburg, Sachsen, Sachsen-Anhalt und Thüringen zum 14. Oktober 1990.
2. August 1990	Der Irak besetzt Kuwait und erklärt eine Woche später dessen Annexion.
20. August 1990	SPD verlässt die Regierungskoalition in der DDR unter Ministerpräsident de Maizière. Dieser übernimmt auch das Außenministerium.
23. August 1990	Die Volkskammer beschließt den Beitritt zur Bundesrepublik Deutschland zum 3. Oktober 1990.
24. August 1990	Die Volkskammer beschließt ein Gesetz über die Verwahrung und Auswertung der Akten des Staatssicherheitsdienstes der DDR.
31. August 1990	Unterzeichnung des zweiten innerdeutschen Staatsvertrages (Einigungsvertrag) in Berlin durch Bundesinnenminister Wolfgang Schäuble und Staatssekretär Günter Krause. In dem Vertrag wird der Beitritt der DDR zur Bundesrepublik geregelt.
4. Sept. 1990	Bürgerrechtler halten mehrere Wochen lang die Räume der ehemaligen Stasi-Zentrale in Berlin besetzt, um ihre Forderung nach Verbleib der Stasi-Akten in der ehemaligen DDR und nach Herausgabe der

persönlichen Akten an die Opfer der Verfolgung durch die Stasi zu unterstreichen. Es kommt zu einer Einigung mit der Bundesregierung. Am 20. Dezember 1991 verabschiedet der Bundestag das darauf Bezug nehmende Stasiunterlagengesetz, auf dessen Grundlage eine eigene Bundesbehörde („Gauck-Behörde") mit Sitz in Berlin und Außenstellen in den ostdeutschen Bundesländern tätig wird.

12. September 1990 Beendigung der Zwei-plus-Vier-Verhandlungen in Moskau mit dem „Vertrag über die abschließende Regelung in Bezug auf Deutschland".

13. September 1990 Bundesaußenminister Genscher und der sowjetische Außenminister Schewardnadse unterzeichnen in Moskau einen „Vertrag über gute Nachbarschaft, Partnerschaft und Zusammenarbeit".

1. Oktober 1990 In New York erklären die Vier Mächte die Aufhebung ihrer Vorbehaltsrechte über Deutschland bereits vor der Ratifizierung des Zwei-plus-Vier-Vertrages.

3. Oktober 1990 Tag der Deutschen Einheit: die DDR tritt dem Geltungsbereich des Grundgesetzes bei.

4. Oktober 1990 Erste Plenarsitzung des um 144 Volkskammerabgeordneten erweiterten gesamtdeutschen Parlaments (663 Abgeordnete) im Berliner Reichstag.

12. Oktober 1990 Deutsch-sowjetischer Vertrag über Aufenthalt und Abzug der sowjetischen Truppen in Deutschland.

Attentat auf Bundesinnenminister Schäuble durch einen Geisteskranken bei einer Wahlveranstaltung.

14. Oktober 1990	Erste freie Landtagswahlen in den fünf neuen Ländern seit 1945: in vier Ländern geht die CDU als stärkste Partei hervor, die SPD siegt in Brandenburg.
9./10. November 1990	Besuch des sowjetischen Staatspräsidenten Gorbatschow in Bonn. Unterzeichnung mehrerer Deutsch-sowjetischer Kooperationsverträge.
14. November 1990	Deutsch-polnischer Grenzvertrag in Warschau unterzeichnet. Am 17. Juni 1991 folgt der deutsch-polnische Vertrag über gute Nachbarschaft.
19./21. November 1990	Gipfeltreffen der 34 KSZE-Staaten in Paris: Verabschiedung der „Charta von Paris für ein neues Europa", die Spaltung Europas wird für beendet erklärt. Ein erster umfassender Abrüstungsvertrag über die Reduzierung konventioneller Streitkräfte in Europa wird unterzeichnet.
1. Dezember 1990	Haftbefehl gegen Erich Honecker wegen der Todesschüsse an der Mauer.
2. Dezember 1990	Erste gesamtdeutsche Wahlen zum Deutschen Bundestag; die Regierungskoalition aus CDU, CSU und FDP geht als Sieger hervor: CDU/CSU 43,8%, FDP 11%, SPD 33,5%, PDS 2,4%, Bündnis 90/Grüne in den neuen Ländern 5,1%; PDS und Bündnis 90/Grüne erhalten nur wegen gesondert berechneter 5%Sperrklausel im Wahlgebiet Ost Mandate.
30. Dezember 1990	Meinungsumfragen (Allensbach) ergeben, dass 57% der Bürger in den alten und 50% in den neuen Ländern „mit Optimismus" ins neue Jahr gehen.

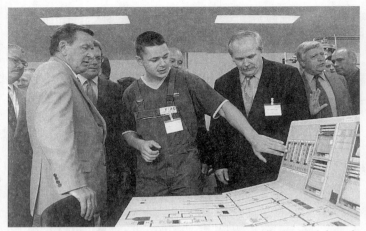

Auf seiner Sommerreise durch die ostdeutschen Bundesländer 2000 besucht Bundeskanzler Gerhard Schröder die Vereinigten Energiewerke in Sachsen.

Marco Urban/Süddeutscher Verlag Bilderdienst

13. Ausblick

Ironie der Geschichte

Im Rückblick könnte man von der Ironie der Geschichte sprechen. In dem Augenblick nämlich als die DDR in den späten achtziger Jahren von einer Mehrheit der Bundesbürger als zweiter deutscher Staat weitgehend akzeptiert war, als Spitzenvertreter von SPD und SED ein gemeinsames Papier über den „Streit der Ideologien und die gemeinsame Sicherheit" veröffentlichten, als Partei- und Staatschef Erich Honecker von Bundeskanzler Kohl in Bonn erstmals mit allen Ehren empfangen wurde, als schließlich eine große deutsche Tageszeitung beschloss, auf die bisher stets verwendeten distanzierenden Anführungszeichen für die DDR zu verzichten und sie hinfort bei ihrem selbst gewählten Namen zu nennen – da stand das SED-Regime in Wirklichkeit kurz vor dem wirtschaftlichen Zusammenbruch. Sein Ende nahte, aber niemand hätte darauf gewettet.

Die DDR hatte über ihre Verhältnisse gelebt. Die kommunistischen Machthaber im Ostberliner Politbüro glaubten, sie könnten ihre Herrschaft ohne Mandat durch den Aufbau eines sozialistischen Wohlfahrtsstaates legitimieren. Unter Honecker verzeichnete das Regime dann auch zunächst einen Zugewinn an Akzeptanz, weil es dem Bedürfnis der Bürger nach sozialer Sicherheit entgegenkam. Doch zu einer wirklichen Stabilisierung ihrer Herrschaft kam es nicht, weil die SED soziale Leistungen verteilte, die den Staatshaushalt überforderten und von der unproduktiven Planwirtschaft nicht finanziert werden konnten. Die Schulden im westlichen Ausland wuchsen und die finanzielle Abhängigkeit von der Bundesrepublik nahm immer mehr zu, was freilich nur wenigen Spitzenfunktionären bekannt war. „Sie können die DDR nicht mehr negieren", notierte Egon Krenz zufrieden über das Ergebnis des Honecker-Besuches in Bonn. Zwei Jahre später musste er sich als politischer Konkursverwalter des SED-Regimes betätigen, in der Annahme freilich, das Schlimmste, nämlich den Machtverlust der Kommunisten, sozusagen in letzter Minute abwenden zu können.

Alles dies ist inzwischen Geschichte. Auch die Wiedervereinigung des Jahrzehnte lang geteilten Landes ist längst zu einem historischen

Faktum geworden. Dass sich das viel zitierte „Fenster der Geschichte" damals völlig unerwartet geöffnet hatte, haben viele bereits vergessen, vor allem jene Zeitgenossen, die die bisherigen Ergebnisse des Prozesses der Angleichung der östlichen Bundesländer an die alte Bundesrepublik eher kritisch beurteilen.

Welthistorische Wende – Rahmenbedingungen und die Mühen des Alltags

Es ist durchaus verständlich, dass die wirtschaftlichen und sozialen Probleme dieses Transformationsprozesses die Kraft vieler Menschen im Osten so sehr in Anspruch nahmen, dass die glücklichen Umstände, die zum Ende der SED-Diktatur führten, kurze Zeit später bereits nicht mehr zureichend gewürdigt wurden. Und die Westdeutschen konnten sich in ihrer großen Mehrheit gar nicht vorstellen, welche Anpassungsleistungen von den neuen Bundesbürgern in Ostdeutschland erbracht werden mußten. Was 1989/90 gelang, schien bald selbstverständlich zu sein. Stattdessen belasteten die Unzulänglichkeiten des praktischen Vollzugs der Wiedervereinigung die Stimmung der Menschen in den neunziger Jahren. Vor allem die bedrückend hohe Arbeitslosigkeit überlagerte die unbestreitbaren großen Erfolge beim Aufbau Ost in der öffentlichen Wahrnehmung.

Wer jedoch in historischen Zusammenhängen zu denken versteht, wird den Zusammenbruch des sowjetischen Kommunismus, der die Wiedervereinigung erst ermöglicht hat, als eine welthistorische Wende vor Augen behalten. Der Beitritt der DDR zur Bundesrepublik hat territoriale Grenzziehungen nach dem Zweiten Weltkrieg beseitigt und mit der Öffnung des „Eisernen Vorhangs" endete der Kalte Krieg in Europa. Eine bis zum Schluss lebensgefährliche Grenze in Deutschland gehörte mit der Öffnung der Mauer am 9.November 1989 der Vergangenheit an.

Die Wiedervereinigung Deutschlands schließlich erfolgte unter den Rahmenbedingungen, wie sie von den beiden Staatsmännern der ersten Stunde und Gründervätern der Bundesrepublik Kurt Schumacher und Konrad Adenauer erstaunlich weitsichtig und illusionslos vorhergesagt worden sind. Schumacher setzte bereits im Jahre 1947 auf das Gewicht der sozialen und ökonomischen Tatsachen, auf die

„Prosperität" Westdeutschlands, die es zum „ökonomischen Magneten" gegenüber dem Osten machen würde: „Es ist realpolitisch vom deutschen Gesichtspunkt aus kein anderer Weg zur Erringung der deutschen Einheit möglich, als diese ökonomische Magnetisierung des Westens, die ihre Anziehungskraft auf den Osten so stark ausüben muss, dass auf die Dauer die bloße Innehabung des Machtapparates dagegen kein sicheres Mittel ist. Es ist gewiss ein schwerer und vermutlich langer Weg." Konrad Adenauer betonte stärker die außenpolitische Dimension, deren Kern er in der Westbindung der Bundesrepublik sah: „Mit Sowjet-Russland kann man nur verhandeln, wenn man mindestens gleich stark ist... Meine Politik geht dahin, Deutschland in den Westen einzubauen, um der Gefahr der Neutralisierung zu entgehen, um den Westen zu stärken, um bei der eines Tages eintretenden Möglichkeit der Verhandlung mit Russland mitsprechen zu können, und zwar im Interesse Deutschlands" (1952). Dass schließlich auch Willy Brandts Konzept einer neuen Ostpolitik in den frühen siebziger Jahren mit dem Ziel eines „Wandels durch Annäherung" eine zeitgemäße Antwort auf die Deutsche Frage angesichts der verfestigten Teilung der Welt in eine östliche und westliche Einflusssphäre mit gewaltigen atomaren Vernichtungspotentialen auf beiden Seiten war, ist heute unbestritten. Über die kausalen Zusammenhänge zwischen diesen drei Politikkonzepten und dem Zusammenbruch der SED-Diktatur besteht freilich keine Einigkeit unter den Historikern.

Was immer die historische Forschung über die Ziele, Konzepte und Visionen hinsichtlich der Wiedervereinigung von Konrad Adenauer bis Willy Brandt und Helmut Kohl noch alles präsentieren wird, erklärungsbedürftig bleibt auf jeden Fall ein Faktum, das angesichts der vielen Bekundungen aller politischen Akteure zur Wiedervereinigung seit den fünfziger Jahren sehr überraschend ist – dass es nämlich an konkreten Plänen über Methoden und Wege der Umgestaltung einer Planwirtschaft und der Transformation einer sozialistischen in eine demokratische Gesellschaftsordnung fehlte. Das erklärt wohl auch die Tatsache, dass sich 1990 praktisch alle Politiker und Wirtschaftsexperten über die Schwierigkeiten dieses „Unternehmens" getäuscht haben. Aber, so könnte man zu Recht einwenden, wann bricht schon einmal ein Staat zusammen? Damit war eben nicht zu rechnen. Dass Lehrbuchweisheiten in dieser einmaligen

Situation nicht weiter helfen konnten, war insofern nicht weiter überraschend. Es kam zu Fehleinschätzungen, die auch in der Euphorie der unerwarteten Grenzöffnung, in den spezifischen Bedingungen eines Wahlkampfjahres und schlicht auch in verbreiteten Wunschvorstellungen begründet waren.

Fehleinschätzungen und ihre Folgen

Die Fehleinschätzungen der Regierung über die – wie man Anfang 1990 meinte – relativ rasch zu bewältigenden wirtschaftlichen und sozialen Probleme in Ostdeutschland hatten gravierende Folgen, weil sie dort falsche Hoffnungen weckten und Enttäuschungen produzierten, die lange Zeit nachwirkten.

Wenige Monate nach der epochalen Zäsur von 1989, als die Berliner Mauer fiel und der SED-Staat zusammenbrach, teilten viele in Ost und West die Hoffnung, dass Deutschland rasch zur inneren Einheit finden würde. Die Angleichung der Lebensverhältnisse an das westliche Niveau schien eine Frage von wenigen Jahren zu sein. Aus der Portokasse, so gaben nicht wenige politischen Akteure damals zu Protokoll, werde man die dafür notwendigen Investitionen finanzieren. Doch auch diejenigen, die für einen langsameren Anpassungsprozess des östlichen Wirtschaftssystems an die Bedingungen der Marktwirtschaft plädierten, konnten kein realistisches Konzept vorlegen, wie das geschehen sollte angesichts der eindeutigen Willensbekundung einer großen Mehrheit der Ostdeutschen zugunsten eines raschen Beitritts zur Bundesrepublik und der sofortigen Einführung der D-Mark im Osten des Landes.

Gern schenkten die der planwirtschaftlichen Gängelei überdrüssigen und konsumhungrigen neuen Bundesbürger den Versprechungen der Regierenden Glauben, dass „blühende Landschaften" in wenigen Jahren das triste Grau des real existierenden Sozialismus der untergegangenen DDR ablösen würden. Doch bereits ab 1991 war nicht mehr zu übersehen, dass die staatliche Einigung nur den ersten Schritt auf dem Weg der wesentlich komplizierteren wirtschaftlichen und sozialen Einigung darstellte. Die Massenarbeitslosigkeit im Gefolge des notwendigen Umbaus und der Erneuerung der ostdeutschen Wirtschaft, die nach der Einführung der D-Mark international nicht konkurrenzfähig war, erwies sich als die schwerwiegendste Belastung des Einigungsprozesses.

Ernüchterung und Ungeduld machten sich breit. Die Hochstimmung des Jahres 1990 schlug bei vielen neuen Bundesbürgern in Niedergeschlagenheit und Existenzangst um. Im Westen des Landes reagierten viele Bürger mit Unverständnis auf die kritische Distanz, die eine wachsende Zahl von Ostdeutschen gegenüber Marktwirtschaft und Demokratie seit Mitte der neunziger Jahre erkennen ließen und auf die damit einher gehende Verklärung der Verhältnisse in der früheren DDR. Dass sich rund 20 Prozent der dortigen Wähler seither für die PDS, also die Nachfolgepartei der SED, entschieden, betrachtete mancher darüber enttäuschte oder verärgerte Beobachter in der alten Bundesrepublik als einen Akt grober Undankbarkeit. Das Wort von der Vereinigungskrise machte die Runde.

Ein ökonomisch-sozialer Kraftakt und die Stimmungslage der Bürger

Doch es handelte sich eher um eine Krise, die ihre Ursache in falschen Erwartungen hatte. Dass mit dem geforderten radikalen Umbau des ostdeutschen Wirtschaftssystems viele Arbeitsplätze verloren gehen würden, war der Mehrheit der Bevölkerung in den neuen Bundesländern 1990 durchaus bewusst, wie Umfragen zeigten. Doch die wenigsten konnten sich mangels persönlicher Erfahrung vorstellen, was auf sie ganz konkret zukommen und dass dieser Umstellungsprozess so lange dauern würde.

Der materielle Erfolg der Einheit stand für die große Mehrheit der ostdeutschen Bevölkerung außer Frage. Was ihr lange zu schaffen machte, war der Verlust an Sicherheit und Kalkulierbarkeit der Lebensverhältnisse. Das erklärt die idealisierende Rückerinnerung an die soziale Sicherheit zur Zeit der DDR bei einem beachtlichen Teil der Ostdeutschen. Beides ging also durchaus zusammen: die nostalgische Erinnerung an stabile soziale Verhältnisse (Arbeitsplatz, Wohnung), wenn auch auf niederem Niveau, und die Anerkennung, dass sich die eigenen Lebensbedingungen seit 1990 verbessert haben, wie 50 Prozent der ostdeutschen Bevölkerung Ende der neunziger Jahre erklärten (gleichgeblieben: 28 Prozent, verschlechtert: 22

Prozent) . Mit ihrem Lebensstandard waren fast ein Jahrzehnt nach der Wiedervereinigung 65 Prozent der Ostdeutschen (73 Prozent der Westdeutschen) zufrieden. Nach wie vor stand die Mehrheit der Ostdeutschen positiv zur Wiedervereinigung (1990: 64 Prozent, 1997:55 Prozent); die Zahl der Skeptiker blieb zwischen 1990 und 1997 ziemlich stabil (1990: 20 Prozent, 1997: 25 Prozent) und nahm seither erkennbar ab (2000: 16 Prozent) . In Westdeutschland waren die entsprechenden Umfragedaten negativer: 1997 äußerten sich erstmals mehr Bürger skeptisch über die Wiedervereinigung (1990: 25 Prozent, 1997: 40 Prozent) als optimistisch (1990: 58 Prozent, 1997: 37 Prozent). Doch seit 1998 haben die Bürger, die sich über die Wiedervereinigung freuen (2000: knapp 50 Prozent) gegenüber den Skeptikern (2000: rund 25 Prozent) wieder die Oberhand.

Diese und viele andere Umfragedaten geben momentane Stimmungen, über die Jahre betrachtet aber auch einen nicht weiter überraschenden Trend wieder: der ungeheure Kraftakt der Wiedervereinigung zweier so fundamental verschiedener Staats-, Wirtschafts- und Gesellschaftsordnungen hat die Deutschen in Ost und West ernüchtert. Die Ostdeutschen vor allem zeigten sich zehn Jahre später wesentlich kritischer gegenüber der Sozialen Marktwirtschaft und der Demokratie des Grundgesetzes als Anfang der neunziger Jahre. Damals gaben nach Erhebungen des Allensbacher Instituts für Demoskopie 5 Prozent der Ostdeutschen zu Protokoll, daß sie eine schlechte Meinung vom Wirtschaftssystem der Bundesrepublik hätten, aber 77 Prozent eine positive. Im Jahre 2000 äußerten sich 33 Prozent negativ und 31 Prozent positiv. Allerdings scheint inzwischen die Talsohle der Unzufriedenheit durchschritten zu sein, wenn man bedenkt, dass sich Ende 1995 noch 45 Prozent negativ und nur 26 Prozent positiv geäußert hatten. Die Zufriedenheit mit dem politischen System der Bundesrepublik ist in der ostdeutschen Bevölkerung insgesamt, gerade aber auch bei jungen Ostdeutschen, rückläufig, wie aktuelle Untersuchungen zeigen. Andererseits meinten im Jahre 2000 immerhin 61 Prozent der Ostdeutschen ,dass sich die Demokratie bei uns im großen und ganzen bewährt habe gegenüber 49 Prozent im Jahre 1994; nur 8 Prozent plädierten für eine autoritäre Staatsform mit einem starken Mann an der Spitze, während sich 1994 noch 20 Prozent dafür aussprachen. Dieser positive Trend hinsichtlich der Verwurzelung der freiheitlichen demokratischen Grundordnung in den neuen Bundesländern wurde in der öffentlichen Diskussion allerdings durch den in den neunziger Jahren zu registrierenden Anstieg von brutalen Übergriffen gegen Ausländer und anderer rechtsextremistisch motivierter Gewalttaten überdeckt. Dabei ist der in den neunziger Jahren wieder auflebende Rechtsextremismus ein gesamtdeutsches Phänomen – im Westen stärker auf politische Agitation, im Osten häufiger auf gewaltsame Aktionen ausgerichtet.

Innere Einheit als Aufgabe und Prozess

Alle einschlägigen Untersuchungen erhärten die naheliegende Annahme, dass mit einer weiteren Verbesserung der ökonomischen Situation in den neuen Bundesländern, insbesondere mit dem Abbau der Massenarbeitslosigkeit (2001: 17,7 Prozent im Osten, 9,5 Prozent im Westen), auch die Sympathiewerte für das demokratische Gesellschaftsmodell, insbesondere die Soziale Marktwirtschaft ansteigen werden – in der alten Bundesrepublik war das in den fünfziger Jahren nicht anders. Erst wenn es den neuen Bundesländern durchgängig wirtschaftlich besser geht , wird auch der Trend zur Abwanderung vor allem junger Leute von Ost nach West gestoppt werden können. Allein im Jahr 2000 verließen 50 000 Personen mehr die neuen Bundesländer als zugewandert sind; seit 1991 waren es insgesamt rund eine halbe Million. Ein Exodus von einer weiteren Million Menschen könnte bis 2020 folgen, so die demografischen Berechnungen, wenn keine neuen Arbeitsplätze mit Zukunftschancen geschaffen werden. Mindestens jeder dritte Erwachsene im Alter zwischen 18 und 29 Jahren gab auf Befragen (2001) an, die östlichen Regionen Richtung alte Bundesländer mangels einer beruflichen Perspektive verlassen zu wollen.

In Ost und West – so lautet nach zehn Jahren deutscher Einheit die ernüchternde Bilanz – muß man sich auf eine wesentlich längere Übergangsphase für die Herstellung annähernd vergleichbarer Lebensverhältnisse einstellen, als Politiker und Experten ursprünglich angenommen haben. Neuere Prognosen gehen gegenwärtig von 15 bis 20 Jahren aus. Für den wirtschaftlichen und sozialen Umstrukturierungsprozess in Ostdeutschland wurden bislang jährlich rund 6 Prozent des gesamtdeutschen Bruttosozialproduktes an öffentlichen Mitteln aufgebracht; nach Abzug von Steuerrückflüssen aus den neuen Ländern belief sich der Netto-West-Ost-Transfer bis Ende der neunziger Jahre auf über 1500 Milliarden DM. Allerdings wurde nur ein Viertel dieser gewaltigen Summe für Investitionen verwendet, der Löwenanteil ging in den konsumtiven Bereich, insbesondere in die soziale Absicherung. Zu berücksichtigen ist dabei jedoch, dass insbesondere die Sozialleistungen keine Sonderleistungen für den Osten sind, sondern sich aus allgemeinen für ganz Deutschland gültigen Rechtsvorschriften ergeben. Das ist der von allen Bürgern zu zahlende Preis der politischen Einheit. Ein hohes Maß an Angleichung weisen die verfügbaren Realeinkommen in Ostdeutschland auf – seit Mitte der neunziger Jahre erreichten sie etwa 90 Prozent des westdeutschen Niveaus, mit steigender Tendenz. Die meisten Ökonomen halten diese relativ rasche Angleichung der Löhne allerdings für verfehlt und erklären daraus einen Teil der fortbestehenden Arbeitslosigkeit in den neuen Bundesländern. Die wirtschaftliche Leistungsfähigkeit Ostdeutschlands (gemessen am Bruttoinlandsprodukt pro Einwohner) ist von ursprünglich einem knappen Drittel auf etwas über 60 Prozent des westdeutschen Niveaus angewachsen (1998), unbestritten ein beachtlicher Erfolg; allerdings hat die Wachstumsdynamik seit 1995 merklich nachgelassen, mit der Folge, dass der wirtschaftliche Aufholprozess eben entsprechend länger dauern wird. Demnach sind Realismus und Ausdauer auch weiterhin gefragt – und historische Kenntnisse über die Gründe für die geschilderte Situation in den neuen Bundesländern. Dann werden auch Legenden keine Chance haben.

ZEITTAFEL

1991

2. Januar 1991	Neue Auto-Kennzeichen werden in den neuen Bundesländern eingeführt.
17. Januar/ 28. Februar 1991	Golfkrieg: Die Bundesrepublik beteiligt sich erstmals – finanziell – an einem Kriegseinsatz.
8. März 1991	Bundeskabinett beschließt Solidaritätszuschlag von 7,5% auf die Lohn- und Einkommensteuer zur Finanzierung des wirtschaftlichen Wiederaufbaus in Ostdeutschland.
1. April 1991	Ein RAF-Kommando ermordet den Chef der Treuhandanstalt Detlev Karsten Rohwedder. Birgit Breuel wird neue Vorsitzende der Treuhandanstalt, die bis 1994 rund 14 000 ehemals „volkseigene" Betriebe der DDR privatisiert.
30. April 1991	In Zwickau rollt der letzte Trabbi vom Band.
23. Mai 1991	Der frühere Stasi-Chef Erich Mielke wird verhaftet. Im Oktober 1993 wird er wegen des Mordes an zwei Berliner Polizisten im Jahre 1931 zu sechs Jahren Haft verurteilt, aber aus Altersgründen bereits im August 1995 wieder entlassen. Auf Grund seines schlechten Gesundheitszustandes kommt es zu keinem Prozess wegen seiner Stasiverbrechen und den Todesschüssen an der innerdeutschen Grenze. Er stirbt am 21. Mai 2000 im 93. Lebensjahre.
20. Juni 1991	Mit 338 zu 320 Stimmen entscheidet sich der Deutsche Bundestag für Berlin als neuen Parlaments- und Regierungssitz. Acht Jahre später sind Bundesregierung und Parlament endgültig in die Hauptstadt umgezogen.

2. September 1991	Gegen vier DDR-Grenzsoldaten beginnt der erste Mauerschützenprozess; 239 Anklagen folgen bis zum Jahre 2004.
11. September 1991	Wegen Stasi-Vorwürfen, die er bis heute bestreitet, legt Lothar de Maiziere sein Bundestagsmandat nieder; seine CDU-Ämter hat er zuvor bereits abgegeben.
20. September 1991	Im sächsischen Hoyerswerda greifen Rechtsextremisten ein Ausländerwohnheim an; 30 Menschen werden verletzt. In Rostock (August 1992), Mölln (November 1991), Solingen (Mai 1993), Lübeck (Januar 1996) setzt sich die Welle der Gewalt gegen Vietnamesen bzw. Türken fort. Bis in die Gegenwart kommt es in Ost- und Westdeutschland immer wieder zu rechtsextremistischen und ausländerfeindlichen Gewalttaten, bei denen zahlreiche Todesopfer zu beklagen sind.
9./10. Dezember 1991	Der Europäische Rat beschließt in Maastricht die Gründung der Europäischen Union und der Wirtschafts- und Währungsunion. Der Vertrag wird am 7. Februar 1992 unterzeichnet und tritt am 1. November 1993 in Kraft.
20. Dezember 1991	Der Bundestag verabschiedet das Stasi-Unterlagengesetz.

1992

2. Januar 1992	Erich Honecker kehrt aus seinem Exil in Moskau nach Berlin zurück, wo er in Untersuchungshaft genommen wird. Im November wird ein Prozess wegen der Todesschüsse an der Mauer gegen ihn (und andere Politbüromitglieder) eröffnet. Wegen krankheitsbedingter Verhandlungsunfähigkeit kommt er zwei Monate später frei

und kann mit seiner Frau Margot, der früheren Volksbildungsministerin der DDR, nach Chile ausreisen, wo er am 29. Mai 1994 im Alter von 81 Jahren verstirbt.

Stasi-Opfer dürfen bei der so genannten Gauck-Behörde zum ersten Mal Einsicht in ihre Akten nehmen. Der ehemalige Pfarrer und Bürgerrechtler Joachim Gauck leitet bis Oktober 2000 das später bis zu 3 000 Mitarbeiter zählende Amt als „Bundesbeauftragter für die Unterlagen des Staatssicherheitsdienstes der ehemaligen DDR" in Berlin. Seine Amtsnachfolgerin wird Marianne Birthler, die ebenfalls aus der Bürgerrechtsbewegung kommt.

8. Oktober 1992	Der frühere Bundeskanzler Willy Brandt stirbt im Alter von 78 Jahren.

1993

1. Januar 1993	Europäischer Binnenmarkt der EG mit weitgehend freiem Verkehr für Personen, Waren, Dienstleistungen und Kapital tritt in Kraft.
17. Januar 1993	Die ostdeutsche Bürgerbewegung Bündnis 90 und die westdeutschen Grünen schließen sich zu einer Partei zusammen.
13. März 1993	Regierung, Opposition und Länder einigen sich auf den Solidarpakt zur weiteren Finanzierung der deutschen Einheit.
26. Mai 1993	Mit 551 zu 132 Stimmen ändert der Bundestag den Artikel 16 des Grundgesetzes. Das umstrittene neue Asylrecht schränkt den Zustrom von Flüchtlingen stark ein.
29. Oktober 1993	Die EG-Staats- und Regierungschefs beschließen das Inkrafttreten des Maastricht-Vertrages zum 1. November und die Umwandlung der EG zur Europäischen Union (EU). Frankfurt am Main wird zum

Standort der zukünftigen Europäischen Zentralbank bestimmt.

6. Dezember 1993 — Das Oberlandesgericht Düsseldorf verurteilt den früheren DDR-Spionagechef Markus Wolf wegen Landesverrats und Bestechung zu sechs Jahren Haft auf Bewährung.

1994

23. Mai 1994 — Wahl des bisherigen Präsidenten des Bundesverfassungsgerichts Roman Herzog zum Bundespräsidenten durch die Bundesversammlung in Berlin.

31. August 1994 — Beendigung des Abzugs der russischen Truppen nach 49jähriger Stationierung in Deutschland. Die Bundesrepublik finanziert ein Milliarden schweres Wohnungsbauprogramm für die 546 000 nach Russland zurückkehrenden Soldaten und Familienangehörigen.

8. September 1994 — Großer Zapfenstreich am Brandenburger Tor: die westalliierten Truppen werden in Berlin offiziell verabschiedet.

16. Oktober 1994 — Bundestagswahl: knapper Sieg der Koalition aus CDU/CSU und FDP: CDU/CSU: 41,5%; SPD: 36,4%; FDP: 6,9%; Bündnis 90/Grüne: 7,3%; PDS: 4,4%. Helmut Kohl bleibt Bundeskanzler.

31. Dezember 1994 — Die Berliner Treuhandanstalt beendet nach viereinhalb Jahren ihre Arbeit. Sie hat rund 15 000 staatliche Unternehmen der DDR privatisiert. Von den vier Millionen Beschäftigten in volkseigenen Betrieben verlieren drei Millionen ihre Jobs. Sie hinterlässt 275 Milliarden DM Schulden, die nicht durch Privatisierungserlöse ausgeglichen werden können. Bis Ende 2000 führt die „Bundesanstalt für vereinigungsbedingte Sonderaufgaben" (BfS) die Arbeit der Treuhandanstalt fort.

1995

26. März 1995

Das Schengener Abkommen tritt in Kraft: Außer Großbritannien und Irland schaffen alle EU-Staaten die Personenkontrollen an ihren Binnengrenzen ab.

15./16. Dezember 1995

Die Staats- und Regierungschefs der EU einigen sich in Madrid auf den EURO als gemeinsame europäische Währung – ab dem 1. Januar 1999 im bargeldlosen Zahlungsverkehr, drei Jahre später im allgemeinen Zahlungsverkehr.

1996

18. April 1996

Das Bundesverfassungsgericht entscheidet, dass die in der SBZ von 1945 bis 1949 vorgenommenen Enteignungen von Grundbesitz nicht rückgängig zu machen seien und bestätigt damit die Regelung des Einigungsvertrages von 1990.

5. Mai 1996

Der Zusammenschluss zwischen Berlin und Brandenburg scheitert. Bei einer Volksabstimmung erklären sich 53,4% dafür, aber 62,7% Brandenburger dagegen.

30. Juni 1996

Mit dem ersten „Golden Goal" der Fußballgeschichte gewinnt die deutsche Nationalmannschaft im Wembley-Station gegen Tschechien die Europameisterschaft.

16. Dezember 1996

Die Bundestagsabgeordnete Vera Lengsfeld und weitere sechs ehemalige DDR-Bürgerrechtler wechseln von Bündnis 90/Die Grünen zur CDU. Ihrer bisherigen Partei werfen sie „schleichende Annäherung" an die PDS vor.

1997

14. Februar 1997	Mehr als 200 000 Menschen bilden eine 100 Kilometer lange Menschenkette durchs Ruhrgebiet und demonstrieren für den Erhalt des Steinkohlebergbaus.
30. Mai 1997	Das Landgericht Berlin verurteilt vier frühere DDR-Generale zu mehrjährigen Haftstrafen wegen ihrer Mitverantwortung für den Schusswaffengebrauch an der Grenze.
17. Juli 1997	Tausende von Menschen müssen wegen der Oderflut ihre Häuser verlassen. Die Bundeswehr schickt Soldaten in die Krisenregion. Erst nach zwei Wochen sinken die Pegelstände. Große Hilfsbereitschaft der Menschen in Ost- und Westdeutschland: bis Mitte August gehen über 40 Millionen an Spenden ein.
27. Juli 1997	Als erster Deutscher gewinnt der gebürtige Rostocker Jan Ullrich die Tour de France.
25. August 1997	Der letzte DDR-Staatsratschef Egon Krenz wird wegen Totschlags an DDR-Flüchtlingen zu sechseinhalb Jahren Haft verurteilt. Der Bundesgerichtshof bestätigt das Urteil im November 1999. Die mitangeklagten ehemaligen Politbüromitglieder Günter Schabowski und Günther Kleiber erhalten eine Strafe von drei Jahren Haft, die sie im Januar 2000 antreten: sie werden Anfang Oktober 2000 vom Regierenden Bürgermeister von Berlin, Eberhard Diepgen (CDU), begnadigt. Krenz sieht sich als „Opfer einer Siegerjustiz". Wegen eines Revisionsverfahrens tritt Krenz seine Haftstrafe erst am 13. Januar 2000 an. Es wird ihm bald offener Vollzug gewährt. Er reicht Verfassungsklage vor dem Europäischen Gerichtshof für Men-

schenrechte in Straßburg ein. Sie wird im März 2001 vom Gericht einstimmig zurückgewiesen. Vorzeitige Haftentlassung im Dezember 2003.

1998

5. Februar 1998

Die Zahl der Arbeitslosen erreicht den höchsten Stand in der Geschichte der Bundesrepublik: 4,82 Millionen. In Ostdeutschland übersteigt die Arbeitslosenquote erstmals die 20-Prozent-Marke und ist doppelt so hoch wie im Westen.

21. April 1998

Die links-terroristische Organisation „Rote Armee Fraktion" (RAF) erklärt sich selbst für aufgelöst.

23. April 1998

Der Bundestag stimmt für die vorerst nur rechnerische Einführung des Euro zum 1. Januar 1999.

17. Juni 1998

Der PDS-Vorsitzende Lothar Bisky entschuldigt sich für die Niederschlagung des Volksaufstandes vom 17. Juni 1953 durch die SED.

10. August 1998

Nach neunjähriger Verfahrensdauer spricht der Bundesgerichtshof den ehemaligen DDR-Unterhändler Wolfgang Vogel endgültig vom Vorwurf der Erpressung Ausreisewilliger frei. Er hebt damit eine Verurteilung durch das Landgericht Berlin auf.

2. September 1998

Bundespräsident Roman Herzog eröffnet den Potsdamer Platz in Berlin, der auf dem ehemaligen Niemandsland an der Berliner Mauer wieder erstand.

27. September 1998

Die SPD gewinnt mit ihrem Kanzlerkandidat Gerhard Schröder die Bundestagswahl mit 40,9% der Stimmen. Die CDU/CSU unter Bundeskanzler Kohl erreicht mit nur 35,2% der Stimmen ihr schlechtestes Ergebnis seit 1949. Die Grünen werden mit 6,7% drittstärkste Partei, FDP 6,2%, PDS 5,1%. Rot-Grüne Regierungskoalition unter Bundeskanzler Schröder. Der CDU-Vorsitzende Kohl gibt sein Amt an Wolfgang Schäuble ab.

3. November 1998 — In Mecklenburg-Vorpommern wird die PDS erstmals Regierungspartei in einer Koalition mit der SPD.

1999

1. Januar 1999 — Die Europäische Währungsunion von 11 EU-Staaten mit insgesamt 290 Millionen Einwohnern tritt in Kraft.

16. Februar 1999 — Bundeskanzler Gerhard Schröder und zwölf Konzernchefs beschließen die Einrichtung eines Entschädigungsfonds für ehemalige Zwangsarbeiter in der Nazi-Zeit.

11. März 1999 — Der SPD-Vorsitzende und Bundesfinanzminister Oskar Lafontaine gibt alle seine Ämter auf. Bundeskanzler Schröder wird am 12. April zum neuen SPD-Vorsitzenden gewählt.

24. März 1999 — Mit Nato-Luftanschlägen auf serbische Stellungen beginnt der Kosovo Krieg. Ziel der Nato ist das Einlenken Serbiens im Kosovo und die Entmachtung des serbischen Präsidenten Milosevic. Erstmals seit 54 Jahren sind deutsche Soldaten wieder an Kampfhandlungen beteiligt.

1. Mai 1999 — Der Vertrag von Amsterdam über die weitere Vertiefung der europäischen Integration tritt in Kraft.

23. Mai 1999 — Der frühere Ministerpräsident von Nordrhein-Westfalen, Johannes Rau, wird zum Bundespräsidenten gewählt.

25. Juni 1999	Der Bundestag spricht sich für ein Holo-caust-Mahnmal in Berlin zur Erinnerung an die von den Nazis ermordeten Juden aus.
1. Juli 1999	Letzte Sitzung des Bundestages in Bonn, der hinfort im Reichstagsgebäude in Berlin tagt.
8. Dezember 1999	Der CDU-Vorsitzende Wolfgang Schäu-ble verspricht die Aufklärung der Spenden-affäre der CDU ohne Rücksicht auf Per-sonen. Im Verlauf der Affäre muss Alt-Kanzler Kohl den Ehrenvorsitz der CDU niederlegen, nachdem er sich weigerte, die Namen der Spender von zwei Millionen DM nicht deklarierter Parteispenden zu nennen. Auch Schäuble tritt wenige Mo-nate später von seinen Ämtern als Partei- und Fraktionsvorsitzender der Union zu-rück (16. Februar 2000). Angela Merkel wird im April 2000 Vorsitzende der Bun-des-CDU.

2000

1. Januar 2000	Neues Staatsbürgerschaftsrecht: doppelte Staatsangehörigkeit ist bis zum 23. Lebensjahr möglich.
11. Januar 2000	Der Europäische Gerichtshof entscheidet, dass auch Frauen in der Bundeswehr ab 2001 Waffendienst leisten dürfen.
13. Januar 2000	Egon Krenz, der letzte Staats- und Partei-chef der DDR tritt seine Gefängnisstrafe in Berlin an; er ist rechtskräftig zu sechs-einhalb Jahren Haft verurteilt wegen der Todesschüsse an der Mauer.
4. Februar 2000	Das britische Telekomunternehmen Voda-fone erwirbt nach einer monatelangen „Übernahmeschlacht" den 115 Jahre alten Mannesmann-Konzern und verkauft Teile davon an Firmen wie Siemens und Bosch;

von ehemals 130 000 Beschäftigten bleiben zunächst 29 000 übrig; das Management wird mit insgesamt 112 Millionen DM abgefunden; der damalige Vorstandschef und Mitglieder des Aufsichtsrates müssen sich vier Jahre später vor dem Landgericht Düsseldorf wegen der Anklage der Untreue verantworten.

15. Februar 2000 — Bundestagspräsident Wolfgang Thierse verhängt gegen die CDU eine Strafzahlung von 41 Millionen DM wegen des fehlerhaften Rechenschaftsberichts für 1998, in dem das ins Ausland geschaffte Vermögen der hessischen CDU nicht aufgeführt worden ist.

1. März 2000 — Mit „Big Brother" beginnt das private Fernsehen die öffentliche Zurschaustellung des gewöhnlichen Lebens in einem eigens gebauten Wohncontainer in Köln; das Spektakel verfolgen Millionen Zuschauer.

26. März 2000 — Wladimir Putin wird in direkter Wahl zum Päsidenten Russlands gewählt.

10. April 2000 — Angela Merkel wird zur Vorsitzenden der CDU gewählt.

14. April 2000 — Mit sieben Jahren Verzögerung ratifiziert das russische Parlament den amerikanisch-russischen Start-II-Vertrag, der bis 2007 eine Verringerung der Atomsprengköpfe auf 3000 bis 2500 vorsieht.

20. April 2000 — Rechtsextremisten verüben Brandanschlag auf die Synagoge in Erfurt; laut Bundesinnenminister Schily sind in diesem Jahr bereits über zehntausend

rechtsextremistische Straftaten registriert worden.

2. Mai 2000	Als erstes Land setzt Hessen bei bestimmten Straftätern elektronische Fußfesseln ein.
18. Mai 2000	Die rot-grüne Koalition setzt im Bundestag eine schrittweise Senkung des Spitzensteuersatzes bis 2005 durch.
31. Mai 2000	Eröffnung der ersten Weltausstellung in Deutschland, Expo 2000; bis Ende Oktober wird sie von über 18 Mio. Menschen besucht; das Defizit beträgt 2,4 Milliarden DM.
14. Juni 2000	Die Bundesregierung beschließt im Rahmen einer Reform der Bundeswehr deren Verkleinerung von 320 000 auf knapp 280 000 Soldaten.
15. Juni 2000	Die Bundesregierung und die Industrie einigen sich auf einen „Fahrplan zum Ausstieg aus der Atomkraft".
1. Juli 2000	Der Zivildienst dauert statt 13 nur noch 11 Monate.
14. Juli 2000	Einführung der Green Card für die zeitlich begrenzte Beschäftigung von ausländischen Computerspezialisten in Deutschland; 4200 werden bis Ende des Jahres ausgegeben.
18. Juli 2000	Der ehemalige langjährige DDR-Sportchef Manfred Ewald wird wegen des Dopings von DDR-Sportlern zu 22 Monaten auf Bewährung verurteilt.
7. September 2000	Die Arbeitslosigkeit sinkt mit 3,8 Mio. Menschen auf den niedrigsten August-Stand seit 1995.

6. November 2000	George W. Bush – bislang republikanischer Gouverneur von Texas – wird zum US-Präsidenten gewählt; nach wochenlangem Rechtsstreit über die korrekte Auszählung und Gültigkeit von Stimmen im wahlentscheidenden Bundesstaat Florida bestätigen ihn 271 gegen 266 Wahlmänner als 43. Präsidenten der USA.
9. November 2000	Großdemonstration gegen Fremdenfeindlichkeit in Berlin. Diskussion über ein Verbot der NPD.
22. November 2000	Das Bundesverfassungsgericht weist – wie schon zuvor der Bundesgerichtshof - Entschädigungsforderungen von Alteigentümern aus Ostdeutschland (Bodenreformland) ab; Anfang 2004 korrigiert der Europäische Gerichtshof für Menschenrechte in Straßburg die Entscheidungen beider Gerichte zugunsten der Kläger.
24. November 2000	Erster Fall von Rinderwahnsinn BSE in Deutschland; Anfang Januar 2001 Rücktritt der Bundesgesundheitsministerin Andrea Fischer (Die Grünen) und des Bundeslandwirtschaftsministers Karl-Heinz Funke (SPD); das neugeschaffene Bundesministerium für Verbraucherschutz und Landwirtschaft übernimmt Renate Künast (Die Grünen), Ulla Schmidt (SPD) wird Gesundheitsministerin.
1. Dezember 2000	Der Deutsche Bundestag verabschiedet den Haushalt 2001 (477 Milliarden DM). Bundestagspräsident Thierse: „Dies ist der letzte Haushalt in D-

Mark. Wen ein Gefühl der Wehmut beschleichen will, dem sei es erlaubt."

11. Dezember 2000	Der EU-Gipfel in Nizza beschließt eine EU-Charta der Grundrechte und verständigt sich auf institutionelle Reformen sowie auf die Osterweiterung der EU für das Jahr 2004.

2001

26. Januar 2001	Der Bundestag verabschiedet die Rentenreform der rot-grünen Koalition; das Gesetz sieht einen langsameren Anstieg der Renten ab 2003 vor; sein Kernpunkt ist die Einführung einer staatlich geförderten kapitalgedeckten Privatvorsorge als Ergänzung zur Sozialrente ab 2002 (Riester-Rente).
30. Januar 2001	Die Bundesregierung stellt NPD-Verbotsantrag vor dem Bundesverfassungsgericht, Ende März folgen der Bundestag und der Bundesrat.
8. Februar 2001	Einstellung der staatsanwaltschaftlichen Ermittlungen gegen Altbundeskanzler Helmut Kohl wegen Untreue in der CDU-Spendenaffäre gegen eine Geldbuße von 300 000 DM.
9. März 2001	Claudia Roth wird neue Parteivorsitzende von Bündnis 90/Die Grünen.
19. März 2001	Zusammenschluss mehrerer DGB-Gewerkschaften (ÖTV u.a.) und der DAG zur Dienstleistungsgewerkschaft Verdi.
1. April 2001	Verschärfte Promille-Regelung in Kraft: bereits ab 0,5 Promille droht ein Fahrverbot.

10. April 2001	In ihrem Frühjahrsgutachten kündigen die Wirtschaftsforschungsinstitute das Ende des konjunkturellen Aufschwungs in Deutschland an.
18. April 2001	Die PDS entschuldigt sich erstmals für die Zwangsvereinigung der SPD mit der KPD im Jahr 1946 – die Gründung der SED sei auch mit „politischen Täuschungen, Zwängen und Repressionen vollzogen" worden.
4. Mai 2001	Der bisherige Generalsekretär Guido Westerwelle wird neuer FDP-Parteichef.
7. Juni 2001	Tony Blair (Labour-Partei) gewinnt die Wahlen in Großbritannien.
16. Juni 2001	SPD, Grüne und PDS stürzen den Berliner Regierenden Bürgermeister Eberhard Diepgen (CDU); Klaus Wowereit (SPD) wird zum Nachfolger eines Übergangssenats gewählt. Aus den Wahlen zum Berliner Abgeordnetenhaus am 21. Oktober geht er als Sieger hervor – SPD 29,7%, CDU 23,8%, PDS 22,6%, FDP 9,9%, Die Grünen 9,1% - und bildet eine Koalitionsregierung mit der PDS (Gregor Gysi als Wirtschaftssenator). Der Schuldenberg Berlins beträgt knapp 80 Milliarden DM.
23. Juni 2001	Neuregelung des Finanzausgleichs und Fortführung des „Solidarpakts" für Ostdeutschland durch den Bund und die Länder. Die neuen Bundesländer sollen bis einschließlich 2019 für Infrastruktur und Wirtschaftsförderung insgesamt 306 Milliarden DM erhalten.

28. Juni 2001	Der jugoslawische Ex-Präsident Milosevic wird an das UN-Kriegsverbrechertribunal in Den Haag überstellt und als Kriegsverbrecher angeklagt.
29. Juni 2001	Der Bundestag beschließt die ersatzlose Abschaffung des fast 70 Jahre alten Rabattgesetzes (keine Begrenzung mehr).
4. Juli 2001	Die Stasi-Akten von Helmut Kohl bleiben nach seiner erfolgreichen Klage vor dem Berliner Verwaltungsgericht gegen die Birthler-Behörde unter Verschluss; das Bundesverwaltungsgericht bestätigt das Urteil im März 2002; auch nach der Novellierung des Stasi-Unterlagengesetzes (1991) durch den Bundestag Anfang Juli 2002 sieht Kohl seine Persönlichkeitsrechte weiterhin verletzt; mit seinem Urteil vom Juni 2004 beschränkt das Bundesverwaltungsgericht den Zugang zu personenbezogenen Akten.
28. August 2001	Der VW-Konzern und die IG Metall einigen sich auf das Job-Programm „5000 mal 5000" – ein Sondertarifmodell, durch das 5000 Arbeiter für jeweils 5000 DM Lohn für den Bau des neuen VW-Minivan neu eingestellt werden.
29. August 2001	Der Bundestag billigt den Bundeswehreinsatz in Mazedonien im Rahmen der Nato; die Regierungskoalition erhält allerdings keine eigene Mehrheit.
11. September 2001	Terroranschläge in den USA: zwei von islamistischen Attentätern gekaperte Flugzeuge rasen in die Türme des

World-Trade-Centers in New York, ein drittes wird von Selbstmordattentätern über dem Pentagon in Washington zum Absturz gebracht, das vierte stürzt auf freiem Feld bei Pittsburgh ab. Als Drahtzieher gilt der unter dem fundamentalistischen Taliban-Regime in Afghanistan lebende, aus Saudi-Arabien stammende Multimillionär Osama bin Laden; er ist der Kopf einer weltweit operierenden islamistischen Terrororganisation Al-Quaida. Drei der 19 namentlich bekannten Attentäter lebten und studierten jahrelang in Hamburg, darunter ihr Anführer Mohammed Atta. Den Anschlägen fallen 3066 Menschen zum Opfer. Präsident Bush in einer ersten Fernsehansprache: „Die amerikanischen Bürger, unser Lebensstil und unsere Freiheit wurden durch eine Serie feiger und tödlicher Terrorattacken angegriffen. Wir sind im Krieg."

12. September 2001   Erstmals in ihrer Geschichte stellt die Nato wegen des Terroranschlages in den USA den kollektiven Bündnisfall fest.

In seiner Regierungserklärung bekundet Bundeskanzler Schröder die „uneingeschränkte Solidarität" mit den USA.

Eine Resolution des UN-Sicherheitsrats schafft die völkerrechtliche Grundlage für den Kampf gegen den globalen Terrorismus.

19. September 2001   Das Bundeskabinett beschließt eine Reihe von Antiterrormaßnahmen zur

Gewährleistung der inneren Sicherheit der Bundesrepublik.

23. September 2001	Bei den Bürgerschaftswahlen in Hamburg verliert die SPD (36,5%) nach 44 Jahren die Macht; auch die Grünen verlieren Stimmen (8,6%), der Rechtspopulist Schill erreicht aus dem Stand 19,4 Prozent der Stimmen; Ole von Beust (CDU/22,2%) wird neuer Bürgermeister eines Mitte-Rechts-Bündnisses in der Hansestadt.
7. Oktober 2001	Erste Militärschläge der USA gegen das Taliban-Regime in Afghanistan. Nach knapp zwei Monaten beendet das amerikanische Dauerbombardement im Verein mit der afghanischen Nordallianz die Taliban-Herrschaft. Im Januar 2002 werden die ersten Taliban- und Al-Quaida-Kämpfer auf den US-Militärstützpunkt Guantanamo auf Kuba gebracht. Sie gelten als „ungesetzliche Kombattanten". Noch Anfang 2004 sind in Afghanistan im Rahmen der Mission „Enduring Freedom" rund 10 000 Soldaten unter US-Befehl auf der Jagd nach Terroristen und den früheren Taliban-Machthabern.
2. November 2001	Falscher Milzbrandbazillus-Alarm (Anthrax) von Behörden versetzt Deutschland in Angst vor möglichen Attacken mit Bio-Waffen; tags darauf Entwarnung.
16. November 2001	Um die Zustimmung der Abgeordneten der Koalition zum Anti-Terror-Einsatz der Bundeswehr zu erhalten, verbindet Bundeskanzler Schröder die Abstimmung darüber mit der Vertrauensfrage (in der bisherigen Par-

lamentsgeschichte der Bundesrepublik erst drei Mal eingesetzt): mit zwei Stimmen Mehrheit sichert er sich die Unterstützung des Bundestages. Zehn Tage später erste Hilfsflüge der Bundeswehr von Ramstein nach Afghanistan.

27. November 2001   Beginn der Afghanistan-Konferenz auf dem Petersberg bei Bonn, die am 5. Dezember mit der Bildung einer Übergangsregierung unter dem militärischen Schutz der UNO endet.

30. November 2001   Die ersten Anti-Terror-Gesetze treten in Kraft: u.a. Streichung des Religionsprivilegs im Vereinsrecht, drei Milliarden DM für Sicherheitsmaßnahmen, die durch Erhöhung der Tabak- und Versicherungssteuer finanziert werden.

6. Dezember 2001   Deutsche Schulen und Schüler schneiden bei dem internationalen Pisa-Test („Programme for the International Student Assessment") sehr schlecht ab.

11. Dezember 2001   Verbot der extremistischen Islam-Vereinigung „Kalifatstaat" in Köln durch Innenminister Schily.

14./15. Dezember 2001   Gipfeltreffen der EU-Staats- und Regierungschefs in Laeken: die Einsetzung eines Verfassungskonvents für die Reform der EU wird beschlossen.

17. Dezember 2001   Die Deutschen haben die ersten Euros in Händen. Banken verkaufen für 20 DM die so genannten Starter-Kits, um

die Bundesbürger mit den neuen Münzen vertraut zu machen. Das Ende der D-Mark naht. 4,8 Milliarden neue Geldscheine im Wert von 255 Milliarden Euro und 17 Milliarden Münzen im Wert von 5,3 Milliarden Euro lagern bereits in den Landeszentral- und Geschäftsbanken.

2002

1. Januar 2002

Das Euro-Zeitalter beginnt in 12 EU-Staaten für knapp 300 Mio. Europäer. Bis Ende Februar können die Bundesbürger noch mit DM bezahlen. Viele Dienstleister und Gastronomen nützen die Einführung der Gemeinschaftswährung als Bargeld für Preiserhöhungen, die von den verärgerten Verbrauchern fälschlicherweise dem Euro angelastet werden – Teuro wird zum Wort des Jahres. Gegenüber dem Dollar gewinnt der Euro jedoch im Laufe des Jahres an Wert.

2. Januar 2002

Größte Operation deutscher Seestreitkräfte seit 1945 beginnt: ein Flottenverband der Marine der Bundeswehr mit 750 Soldaten an Bord unterstützt den Anti-Terror-Krieg der USA am Horn von Afrika (Überwachung der Seewege im Golf von Aden).

11. Januar 2002

Der bayerische Ministerpräsident und CSU-Parteivorsitzende Edmund Stoiber wird Kanzlerkandidat der Union.

Auftrag Terrorbekämpfung: Vorauskommando der Bundeswehr für die Afghanistan-Schutztruppe trifft in Kabul ein.

22. Januar 2002	Das Bundesverfassungsgericht sagt die mündliche Verhandlung über das NPD-Verbot ab, weil einer der vorgeladenen Vertreter der NPD sich als V-Mann des Verfassungsschutzes erweist; später wird bekannt, dass weitere Aussagen von V-Leuten stammen, ohne dass das Gericht informiert wurde.
29. Januar 2002	George W. Bush bezeichnet in seiner Rede zur Lage der Nation den Iran, den Irak und Nordkorea als eine „Achse des Bösen". Den Kampf gegen den Terrorismus und gegen die Rezession nennt er seine beiden Hauptziele.
30. Januar 2002	Eine knappe Mehrheit im Bundestag stimmt dem begrenzten Import von embryonalen Stammzellen zu, von denen sich Forscher Hilfe beim Kampf gegen schwere Krankheiten erwarten.
4. Februar 2002	Nach Feststellungen des Bundesrechnungshofes wurden die Vermittlungsstatistiken der Arbeitsämter massiv geschönt; Rücktritt des Chefs der Nürnberger Bundesanstalt für Arbeit, Jagoda; Nachfolger wird der rheinland-pfälzische Sozialminister Florian Gerster (SPD), der eine umfassende Reform der Arbeitsvermittlung und der 90 000 Mitarbeiter umfassenden Bundesanstalt (hinfort: Agentur für Arbeit) ankündigt; wegen „Kommunikationsdefiziten" wird er Anfang 2004 aus seinem Amt wieder entlassen.
28. Februar 2002	Konstituierende Sitzung des Europäischen Konvents.

22. März 2002	Eklat im Bundesrat bei der Abstimmung über das Zuwanderungsgesetz: Auslöser ist ein geteiltes Votum des Landes Brandenburg, das Bundesratspräsident Wowereit unzulässig als Zustimmung für die Regierungsvorlage wertet; die Empörung der Unionspolitiker wird als nur inszeniert kritisiert. Das von Bundespräsident Johannes Rau später ausgefertigte Gesetz scheitert im Dezember am Bundesverfassungsgericht (das Ja des Bundesrats war verfassungswidrig).
8. April 2002	Die Kirch-Unternehmensgruppe in München stellt Insolvenzantrag für mehrere ihrer TV-Sender und die TV-Rechte an der Fußballbundesliga; bisher größte Firmenpleite in der Bundesrepublik.
11. April 2002	Bei einem Anschlag islamistischer Terroristen auf der tunesischen Insel Djerba sterben 14 deutsche Touristen.
17. April 2002	Rücktritt des sächsischen Ministerpräsidenten Kurt Biedenkopf (CDU) nach über elfjähriger Amtszeit; Nachfolger wird der langjährige Finanzminister Georg Milbradt.
21. April 2002	Bei den Landtagswahlen in Sachsen-Anhalt verliert die SPD die Macht: CDU 37,3% (1998:22%), PDS 20,4% (19,6%), SPD 20% (35,9%), FDP 13,3% (4,2%), „Schill-Partei" 4,5%; Wahlbeteiligung 56,5% (71,5%). Wolfgang Böhmer (CDU) neuer Regierungschef einer Koalition mit der FDP.

26. April 2002	Amoklauf im Erfurter Johannes-Gutenberg-Gymnasium: ein 19jähriger Schüler erschießt 13 Lehrer, zwei Schülerinnen, eine Sekretärin, einen Polizisten und sich selbst.
30. April 2002	Hans-Jürgen Papier folgt Jutta Limbach als Präsident des Bundesverfassungsgerichts.
11./12. Mai 2002	Jürgen Möllemann propagiert auf dem FDP-Parteitag in Düsseldorf seine „Strategie 18" und lässt Parteichef Westerwelle zum Kanzlerkandidaten küren; wenig später treibt Möllemann die Liberalen in einen heftigen Konflikt mit dem Zentralrat der Juden, dessen Vizepräsidenten Friedman er Mitverantwortung für den Antisemitismus im Lande vorwirft. Im Bundestagswahlkampf setzt er seine Attacken gegen Friedman und den israelischen Regierungschef Ariel Scharon fort. Ende Oktober tritt er unter dem Druck einer Spendenaffäre als Landes- und Fraktionschef der FDP in NRW zurück. Die Staatsanwaltschaft ermittelt gegen ihn wegen Steuerhinterziehung, Verstoß gegen das Parteiengesetz, Betrug und Untreue. Am 5. Juni 2003 kommt er bei einem Fallschirmabsprung zu Tode.
17. Mai 2002	Tierschutz als Staatsziel im Grundgesetz vom Bundestag beschlossen.
23. Mai 2002	US-Präsident Bush spricht vor dem Deutschen Bundestag. Er mahnt zur Einheit im Kampf gegen den internationalen Terrorismus.

28. Mai 2002	Die Nato und Russland schließen in Rom einen Anti-Terror-Pakt.
1. Juni 2002	Beginn der Fußball-Weltmeisterschaft in Japan und Südkorea; Deutschland wird Vizeweltmeister.
25. Juni 2002	Bayern liegt im innerdeutschen Schulvergleich der Pisa-Studie an der Spitze (gefolgt von Baden-Württemberg und Sachsen); die Schlusslichter bilden Brandenburg, Bremen und Sachsen-Anhalt.
1. Juli 2002	Der Internationale Strafgerichtshof zur Verfolgung von Verbrechen gegen die Menschlichkeit nimmt seine Arbeit in Den Haag auf. Die US-Regierung erkennt seine Zuständigkeit für die USA nicht an. Anfang August setzt Präsident Bush ein Gesetz in Kraft, das amerikanischen Behörden die Zusammenarbeit mit dem Gericht untersagt.
18. Juli 2002	Bundeskanzler Schröder entlässt Verteidigungsminister Rudolf Scharping wegen Honorarzahlungen, die dieser von dem PR-Unternehmer Hunzinger erhalten hat. Nachfolger wird der bisherige SPD-Fraktionsvorsitzende Peter Struck.
31. Juli 2002	Rücktritt von Gregor Gysi (PDS) als Berliner Wirtschaftssenator.
August 2002	Flutkatastrophe in Europa. In Deutschland sind Bayern, Sachsen-Anhalt und vor allem Sachsen betroffen; mit 9 Metern erreicht die Elbe in Dresden ihren bisherigen Höchststand; durch die Flut kommen 21 Menschen

um, viele verlieren ihr Hab und Gut; die Schäden werden auf über 9 Milliarden Euro geschätzt. Am 22. August einigen sich die Ministerpräsidenten der Länder und Bundeskanzler Gerhard Schröder darauf, einen Hilfsfond für die Flutopfer in Deutschland über 9,8 Mrd. Euro einzurichten.

5. August 2002   Zu Beginn der heißen Wahlkampfphase spricht Bundeskanzler von einem „deutschen Weg" und lehnt jede Beteiligung an einem von den USA erwogenen Militärschlag gegen den Irak ab.

16. August 2002   Die von VW-Personalvorstand Peter Hartz geleitete Kommission zur Reform des Arbeitsmarktes legt ihr Konzept vor (u.a. Förderung von „Ich-AGs", Minijobs, Leiharbeit), bei dessen rascher Umsetzung durch den Gesetzgeber – so Hartz – die Arbeitslosigkeit bis 2005 halbiert werden könne.

19. August 2002   Die 14. Shell-Jugend-Studie ergibt, dass sich mit nur 37 Prozent immer weniger Jugendliche für Politik interessieren (1991 waren es noch 57 Prozent).

25. August 2002   Erstes Wahlkampf-Fernsehduell zwischen den beiden Spitzenkandidaten von SPD und CDU/CSU Gerhard Schröder und Edmund Stoiber; ein zweites folgt am 8. September.

3. September 2002   Der britische Premierminister Tony Blair stellt sich im Konflikt um den Irak hinter US-Präsident Bush, der Saddam Hussein mit Gewalt stürzen will. Wie bereits seit Wochen, erklärt der deut-

sche Bundeskanzler erneut, dass sich die Bundesrepublik Deutschland an einem Angriff auf den Irak nicht beteiligen werde.

16. September 2002	Die Pinakothek der Moderne in München wird eröffnet.
19. September 2002	Bundesjustizministerin Herta Däubler-Gmelin gerät wegen eines angeblichen Vergleichs Bushs mit Hitler in die Kritik und scheidet aus dem Bundeskabinett aus.
22. September 2002	Wahl zum 15. Deutschen Bundestag: Trotz erheblicher Stimmenverluste der SPD kann Bundeskanzler Gerhard Schröder die rot-grüne Koalition fortsetzen; die SPD erhält nur 6027 Stimmen mehr als die Union und wird durch vier Überhangmandate knapp stärkste Fraktion: SPD 38,5% (-2,4% gegenüber 1998), CDU 29,5% (+1,1%), CSU 9,0% (+2,2%), Bündnis 90/Grüne 8,6% (+1,9%), FDP 7,4% (+1,1%), PDS 4,0% (-1,1%) - in Ostdeutschland: 16,9% (-4,7%), Sonstige 3% (-3,%). Die Sitzverteilung: SPD 251 (1998: 298), CDU/CSU 248 (245), Bündnis 90/Grüne 55 (47), FDP 47 (43), PDS 2 Direktmandate (36).
22. Oktober 2002	Gerhard Schröder wird zum Bundeskanzler gewählt.
28. Oktober 2002	Der Präsident des EU-Konvents, Valéry Giscard d'Estaing, präsentiert den Entwurf für eine Verfassung der Europäischen Union; am 10. Juli 2003 beendet der Konvent seine Arbeit.

13. November 2002	Der irakische Diktator Saddam Hussein akzeptiert neue Rüstungsinspektionen der UNO im Irak.
27. November 2002	Bundeskanzler Gerhard Schröder sagt Israel die Lieferung von deutschen Patriot-Raketen zur Luftabwehr zu. Israel hatte wegen des drohenden Irakkrieges darum gebeten.
12. Dezember 2002	Bei ihrem Gipfeltreffen in Kopenhagen beschließen die EU-Staats- und Regierungschefs die Aufnahme von 10 weiteren Ländern im Jahre 2004: Estland, Lettland, Litauen, Malta, Polen, die Slowakei, Slowenien, Tschechien, Ungarn, Zypern.
31. Dezember 2002	Die Aktienmärkte erleben das schlechteste Jahr seit der Weltwirtschaftskrise von 1929. Allein an den deutschen Börsen sind in den letzten drei Jahren Verluste von insgesamt 700 Mrd. Euro zu verzeichnen. Das diesjährige Wirtschaftswachstum beträgt nur noch minimale 0,2% (1999: 2,0%, 2000: 2,9%, 2001: 0,6%); 37700 Unternehmenspleiten. 4,225 Mio. Menschen sind arbeitslos: die Arbeitslosenquote in Gesamtdeutschland beträgt 10,1% (West: 8,1%, Ost: 17,9%).

2003

1. Januar 2003	Einführung eines Pfandes auf Getränkedosen und Einwegflaschen.
	Deutschland ist nach acht Jahren wieder Mitglied im UN-Sicherheitsrat.
21. Januar 2003	Die EU-Finanzminister leiten Verfahren gegen die Bundesrepublik wegen der

Verletzung des EU-Stabilitätspaktes ein; die öffentliche Verschuldung Deutschlands beträgt im Jahr 2002 3,75 Prozent des BIP; auch an Frankreich ergeht eine Frühwarnung wegen Verletzung der 3,0-Prozent-Grenze.

22. Januar 2003	Im Schloss von Versailles feiern 830 deutsche und französische Parlamentarier den 40. Jahrestag des Elysée-Vertrages. Tags darauf besucht der französische Staatspräsident Chirac Berlin.
23. Januar 2003	US-Verteidigungsminister Donald Rumsfeld bezeichnet Frankreich und Deutschland, die einen Krieg gegen den Irak ablehnen, als „altes Europa". Zum „neuen Europa" zählt er u.a. Spanien und Polen; es kommt zu Spannungen innerhalb der EU-Mitgliedstaaten über die Irak-Frage.
2. Februar 2003	„Denkzettelwahlen" in Hessen und Niedersachsen. In beiden Bundesländern laufen die Wähler der SPD davon und die CDU triumphiert. Hessen: CDU 48,8% (1999: 43,4%), SPD 29,1% (39,4%), Grüne 10,1% (7,2%), FDP 7,9% (5,1%), Sonstige 4,1% (5,0%).

Niedersachsen: CDU 48,3% (1999: 35,9%), SPD 33,4% (47,9%), Grüne 7,6% (7,0%); FDP 8,1% (4,9%), Sonstige 2,6% (4,3%).

In Hessen regiert Ministerpräsident Roland Koch (CDU) mit einer absoluten Mehrheit, in Niedersachsen steht Christian Wulff (CDU) an der Spitze einer Koalitionsregierung mit der FDP. |

5. Februar 2003	US-Außenminister Colin Powell präsentiert vor der UNO Dokumente, die die Existenz von Massenvernichtungswaffen im Irak belegen sollen.
10. Februar 2003	Im SPD-Parteivorstand bezeichnet Bundeskanzler Schröder seine Irak-Politik als Ausdruck einer neuen „europäischen Souveränität" gegenüber den USA.
	Gemeinsame Erklärung Deutschlands, Frankreichs und Russlands derzufolge sie „der friedlichen Entwaffnung des Irak alle Chancen„ geben wollen.
19. Februar 2003	Als Helfer der Terroristen vom 11.9.2001 wird der Marokkaner Motassadeq vom Oberlandesgericht Hamburg zu 15 Jahren Haft verurteilt. (Revisionsverfahren 2005: 7 Jahre).
14. März 2003	Bundeskanzler Schröder kündigt harte Einschnitte in die sozialen Sicherungssysteme an („Agenda 2010"): „Wir werden Leistungen des Staates kürzen, Eigenverantwortung fördern und mehr Eigenleistung von jedem Einzelnen abfordern müssen".
18. März 2003	Das Bundesverfassungsgericht stellt das Verbotsverfahren gegen die NPD ein.
20. März 2003	Die USA und Großbritannien führen Krieg gegen den Irak.
	In zahlreichen deutschen Städten demonstrieren Bürger gegen den Krieg. Bundeskanzler Schröder unterstreicht die strikte Ablehnung der US-Politik durch seine Regierung, während die Unionsführung unter

Angela Merkel ihre proamerikanische Haltung betont.

Drei Wochen später rücken US-Panzer in das Zentrum von Bagdad vor. Ohne große Gegenwehr zerbricht das Regime des irakischen Diktators. Präsident Bush verkündet am 1. Mai „das Ende der Hauptkampfhandlungen". Bis dahin sind 169 alliierte Soldaten gefallen, auf irakischer Seite wurden schätzungsweise 6000 Zivilisten getötet. Blutige Anschläge gegen die Besatzungsmacht, die UNO und das Rote Kreuz bleiben jedoch im Irak an der Tagesordnung. Irakische Massenvernichtungswaffen können nicht gefunden werden. Am 13. Dezember wird Saddam Hussein in der Nähe von Tikrit in einem Erdloch von US-Truppen gefasst.

15. April 2003	Die sechs führenden deutschen Wirtschaftsforschungsinstitute sehen in ihrem Frühjahrsgutachten keine wesentliche Verbesserung der anhaltenden Wachstumsschwäche der deutschen Volkswirtschaft vorher. Sie prognostizieren ein reales Wachstum von nur 0,5 Prozent.
	Richtungsstreit in der SPD über die Sozialreformen, Bundeskanzler Schröder droht mit seinem Rücktritt.
16. April 2003	In Athen unterzeichnen die 15 EU-Staaten und die 10 künftigen Mitglieder die Beitrittsverträge.
25. Mai 2003	Bei den Bürgerschaftswahlen in Bremen wird die SPD - gegen den Bundestrend –

mit 42,3% (1999: 42,6%) erneut stärkste Partei, die mitregierende CDU verliert mit 29,9% (37,1%) deutlich an Stimmen; die Grünen 12,8% (9,0%) gewinnen Stimmen hinzu; alle übrigen Parteien 12,5%, darunter auch die FDP 4,2% (2,5%), scheitern an der Fünfprozentklausel. Fortsetzung der Koalitionsregierung von SPD und CDU unter dem Regierenden Bürgermeister Henning Scherf.

1. Juni 2003   Die Geschäfte dürfen am Samstag bis 20 Uhr öffnen.

17. Juni 2003   Deutschland gedenkt des Volksaufstands in der DDR vor 50 Jahren.

29. Juni 2003   Die IG Metall bricht ihren Streik in Ostdeutschland um die Einführung der 35-Stunden-Woche ergebnislos ab.

10. Juli 2003   Mitgliederschwund bei der IG Metall (2,58 Mio.) nimmt zu: 47 000 im ersten Halbjahr.

21. Juli 2003   Regierung und Opposition einigen sich in Berlin auf Grundzüge einer Gesundheitsreform zur Senkung der Lohnnebenkosten (u.a. Praxisgebühr, vermehrte Zuzahlungen und Privatisierung einzelner Risiken).

8. August 2003   Hitzerekord in einem Ausnahmesommer: in Perl-Nenning im Saarland werden 40,8 Grad gemessen. Der Deutsche Wetterdienst errechnet zum Ende des Sommers eine mittlere Tagestemperatur in den Monaten Juni, Juli, August von 19,6 Grad Celsius – das ist 3,4 Grad über dem langjährigen Durchschnitt.

28. August 2003	Die Rürup-Kommission legt ihren Abschlussbericht vor: sie empfiehlt die schrittweise Erhöhung des Renteneintrittsalters von 65 auf 67 Jahre und eine Begrenzung der jährlichen Rentenanpassung (Nachhaltigkeitsfaktor).
9. September 2003	Wegweisendes arbeitsrechtliches Urteil des Europäischen Gerichtshofs: der Bereitschaftsdienst von Ärzten in Krankenhäusern ist voll als Arbeitszeit anzuerkennen.
14. September 2003	Die Schweden lehnen die Einführung des Euro ab.
22. September 2003	Bei den bayerischen Landtagswahlen erringt die CSU unter Ministerpräsident Edmund Stoiber mit 60,7% (7,8% mehr als 1998) eine Zwei-Drittel-Mehrheit der Mandate (124 der 180 Sitze im Landtag). Die SPD unter Franz Maget kommt nur auf 19,6% (-9,1%); die Grünen verbessern sich auf 7,7%. (+ 2,0%), die FDP verfehlt mit 2,6% (+0,9%) erneut den Sprung ins Parlament, ebenso die Republikaner 2,2% (-1,4%) und die ÖDP 2,0% (-0,2%). Stoibers wenige Wochen später angekündigter strikter Sparkurs mit Einschnitten im Haushalt 2004 von 2,5 Milliarden Euro und die überraschend beschlossene Verkürzung des Gymnasiums auf acht Jahre lösen heftige Proteste in der Öffentlichkeit aus.
24. September 2003	US-Präsident Bush und Bundeskanzler Schröder erklären nach einem Treffen in New York ihren Streit um den Irak-Krieg für beendet.

25./26. Oktober 2003	PDS (Vorsitzender: Lothar Bisky) beschließt auf ihrem Parteitag in Chemnitz ein neues Parteiprogramm, das ihre „konsequent antikapitalistische" Ausrichtung unterstreicht; der „unumkehrbare Bruch mit der Missachtung von Demokratie und politischen Freiheitsrechten" der SED wird betont.
26. September 2003	Der Bundestag verabschiedet eine Reihe von sozialpolitischen Reformgesetzen (Krankenversicherung, Arbeitsmarkt – u.a. Lockerung des Kündigungsschutzes in Kleinbetrieben, Verkürzung der Bezugsdauer des Arbeitslosengeldes).
30. September 2003	Die von der CDU eingesetzte Herzog-Kommission „Soziale Sicherung" legt Gutachten vor. Der ehemalige Bundespräsident und Kommissionsvorsitzende Roman Herzog: Die Sozialsysteme stehen „auf der Kippe".
1. November 2003	In Berlin demonstrieren über 100 000 Menschen gegen die geplanten Sozialreformen. Deutsche Gemeinden beginnen die Aktion „Städte in Not".
14. November 2003	Die Unionsfraktion im Bundestag schließt den Abgeordneten Martin Hohmann wegen antisemitischer Äußerungen aus.
13. Dezember 2003	Der EU-Gipfel in Brüssel über eine neue Europa-Verfassung scheitert vor allem am Widerstand aus Polen.
31. Dezember 2003	4,317 Mio. Menschen sind arbeitslos; die Arbeitslosenquote in Gesamtdeutschland beträgt 10,4% (West: 8,4%, Ost: 17,9%).

Mit einer Neuverschuldung von 38,6 Mrd. Euro (3,9%) verstößt die Bundesrepublik erneut gegen den europäischen Stabilitätspakt, der als Obergrenze 3% des BIP vorsieht. Rückgang des Wirtschaftswachstums um 0,1% („Minuswachstum"). Rückgang der Erwerbstätigen um 1,1% auf 38,2 Mio. (1999: 38,0 Mio., 2000: 38,7 Mio., 2001: 38,9 Mio., 2002: 38,6 Mio.) Die Staatsverschuldung erreicht mit 1,37 Billionen Euro (64,2% des BIP) einen Rekordwert, der ebenfalls die EU-Vorgaben überschreitet. Die Staatsquote (Anteil aller Staatsausgaben am BIP) beträgt 49% gegenüber 46% in den späten achtziger Jahren. 57% der Staatsausgaben werden für Sozialleistungen verwendet (in den Jahren 1985/89 rund 48%). Die Preise sind stabil. Zunahme der Ausfuhren deutscher Waren im Gesamtjahr gegenüber 2002 um 1,6% (661,6 Milliarden Euro), mehr als die Hälfte des Exports geht in die EU-Staaten). Der Euro hat 18% an Wert gegenüber dem Dollar gewonnen (1,25 Dollar).

Literaturhinweise

Die folgenden Titel bieten nur eine kleine Auswahl aus dem einschlägigen Schrifttum, auf das ich mich bei der Abfassung des vorliegenden Überblicks zur Deutschen Geschichte seit 1945 gestützt habe. Die Hinweise sind als Hilfen für den interessierten Leser gedacht, der sich eingehender mit der Thematik beschäftigen möchte. Aus Platzgründen werden vor allem neuere Publikationen aufgeführt. Den meisten der hier genannten Bücher sind weiterführende Literaturangaben zu wichtigen älteren Werken zu entnehmen, vor allem zu speziellen Fragen der dargestellten Epoche, zur Sozial- und Alltagsgeschichte, zur Memoirenliteratur und zu Biografien sowie zu Quelleneditionen und Dokumentationen, auch zu Forschungskontroversen. Auch Aufsätze in Sammelbänden und Zeitschriften können auf diese Weise leicht erschlossen werden. Für die vorliegende Neuauflage wurden die Literaturhinweise überarbeitet und wichtige Neuerscheinungen aufgenommen.

Chroniken

Auswärtiges Amt (Hrsg.): Außenpolitik der Bundesrepublik Deutschland. Dokumente von 1949 bis 1994, Köln 1995.

Wolf-Rüdiger Baumann/Wieland Eschenhagen u.a.: Die Fischer Chronik Deutschland 1949-1999. Ereignisse, Personen, Daten, Frankfurt am Main 1999.

Wolfgang Benz: Deutschland seit 1945. Chronik und Bilder, München 1999.

Hartwig Bögeholz: Wendepunkte – die Chronik der Republik, Reinbek 1999.

Werner Conze/Volker Hentschel (Hrsg.): Ploetz Deutsche Geschichte. Epochen und Daten, 6. aktualisierte Auflage, Freiburg 1998.

Gebhard Diemer: Kurze Chronik der Deutschen Frage, München 1990.

Eckhard Fuhr u.a.: Geschichte der Deutschen 1949-1990. Eine Chronik zu Politik, Wirtschaft und Kultur, Frankfurt am Main 1990.

Ullrich Heilemann/Heinz Gebhardt/Hans Dietrich von Loeffel-
holz: Wirtschaftspolitische Chronik der Bundesrepublik 1949-
2002, 2. Auflage, Stuttgart 2003.

Hans Georg Lehmann: Deutschland-Chronik 1945 bis 1995, Bonn
1995.

Helmut M. Müller: Brockhaus:1949-1999. 50 Jahre Deutsche
Geschichte: Ereignisse, Personen, Entwicklungen, Leipzig /
Mannheim 1999.

Hermann Schäfer (Hrsg.): 50 Jahre Deutschland Ploetz. Ereignisse
und Entwicklungen. Deutsch-deutsche Bilanz in Daten und
Analysen, Freiburg 1999.

Walter Süß: Ende und Aufbruch – Von der DDR zur neuen
Bundesrepublik Deutschland, 2. Auflage, Frankfurt am Main 1997.

Darstellungen und Abhandlungen

Werner Abelshauser: Deutsche Wirtschaftsgeschichte nach 1945,
München 2004.

Manfred Agethen/Eckhard Jesse/Ehrhart Neubert (Hrsg.): Der
mißbrauchte Antifaschismus. DDR-Staatsdoktrin und Lebenslüge
der deutschen Linken, Freiburg u.a. 2002.

Ralf Altenhof / Eckhard Jesse (Hrsg.): Das wiedervereinigte
Deutschland. Zwischenbilanz und Perspektiven, München 1995.

Bela Anda/Rolf Kleine: Gerhard Schröder. Eine Biographie,
München 2002.

Reinhold Andert: Nach dem Sturz. Gespräche mit Erich Honecker,
Leipzig 2001.

Karl Otmar Freiherr von Aretin u.a. (Hrsg.): Das deutsche Problem
in der neueren Geschichte, München 1997.

Thomas Auerbach: Einsatzkommandos an der unsichtbaren Front.
Terror und Sabotagevorbereitungen des MfS gegen die BRD,
3.Auflage, Berlin 1999.

Egon Bahr: Zu meiner Zeit, München 1996.

Egon Bahr: Der deutsche Weg, München 2003.

George Bailey/Sergej A. Kondraschow/David E. Murphy: Die

unsichtbare Front. Der Krieg der Geheimdienste im geteilten Berlin, Berlin 1997.

Arnulf Baring/Manfred Görtemaker: Machtwechsel. Die Ära Brandt-Scheel, München/Berlin 1998.

Arnulf Baring/Gregor Schöllgen: Kanzler, Krisen, Koalitionen, Berlin 2002.

Udo Baron: Kalter Krieg und heißer Frieden. Der Einfluss der SED und ihrer westdeutschen Verbündeten auf die Partei „Die Grünen", Münster 2003.

Rainer Barzel: Die Tür blieb offen. Ostverträge, Mißtrauensvotum, Kanzlersturz, Bonn 1998.

Arnd Bauerkämper/Martin Sabrow/Bernd Stöver (Hrsg.): Doppelte Zeitgeschichte. Deutsch – deutsche Beziehungen 1945-1990, Bonn 1998.

Klaus Behling: Kundschafter a.D. Das Ende der DDR-Spionage, Stuttgart/Leipzig 2003.

Peter Bender: Fall und Aufstieg: Deutschland zwischen Kriegsende, Teilung und Vereinigung, Halle 2002.

Peter Bender: Die „Neue Ostpolitik" und ihre Folgen. Vom Mauerbau bis zur Vereinigung, 4. Auflage, München 1996.

Wolfgang Benz: Potsdam 1945. Besatzungsherrschaft und Neuaufbau im Vier-Zonen-Deutschland, 4. Auflage, München 2005.

Wolfgang Benz: Die Gründung der Bundesrepublik. Von der Bizone zum souveränen Staat, 5. Auflage, München 1999.

Wolfgang Benz (Hrsg.): Die Geschichte der Bundesrepublik Deutschland. Band 1: Politik, Band 2: Wirtschaft, Band 3: Gesellschaft, Band 4: Kultur, Frankfurt am Main 1989.

Wolfgang Benz (Hrsg.): Deutschland unter alliierter Besatzung 1945-1949/55. Ein Handbuch, Berlin 1999.

Knut Bergmann: Der Bundestagswahlkampf 1998. Vorgeschichte, Strategien, Ergebnis, Wiesbaden 2002.

Hans Bertram/Raj Kollmorgen (Hrsg.): Die Transformation Ostdeutschlands. Berichte zum sozialen und politischen Wandel in den neuen Bundesländern, Opladen 2001.

Michael R. Beschloss/Strobe Talbot : Auf höchster Ebene. Das Ende des Kalten Krieges und die Geheimdiplomatie der Supermächte 1989-1991, Düsseldorf u.a. 1993.

Achim Beyer: Urteil: 130 Jahre Zuchthaus. Jugendwiderstand in der DDR und der Prozess gegen die „Werdauer Oberschüler" 1951, Leipzig 2003.

Stephan Bierling: Die Außenpolitik der Bundesrepublik Deutschland. Normen, Akteure, Entscheidungen, München 1999.

Stephan Bierling: Geschichte der amerikanischen Außenpolitik. Von 1917 bis zur Gegenwart, München 2003.

Dieter Bingen: Die Polenpolitik der Bonner Republik von Adenauer bis Kohl 1949-1991, Baden-Baden 1998.

Rainer A. Blasius (Hrsg.): Von Adenauer zu Erhard. Studien zur Auswärtigen Politik der Bundesrepublik Deutschland 1963, München 1994.

Frank Bösch: Die Adenauer-CDU. Gründung, Aufstieg und Krise einer Erfolgspartei, Stuttgart 2001.

Frank Bösch: Macht und Machtverlust. Die Geschichte der CDU, Stuttgart/München 2002.

Günter Bohnsack/Herbert Brehmer: Auftrag Irreführung. Wie die Stasi Politik im Westen machte, Hamburg 1992.

Peter Borowsky: Deutschland 1969-1982, Hannover 1987.

Willy Brandt: Mehr Demokratie wagen – Innen- und Gesellschaftspolitik 1966 bis 1974. Berliner Ausgabe, Band sieben; bearbeitet von Wolther von Kieseritzky, Bonn 2001.

Martin Broszat (Hrsg.): Zäsuren nach 1945. Essays zur Periodisierung der deutschen Nachkriegsgeschichte, München 1990.

Gerhard Brunn: Die Europäische Einigung von 1945 bis heute, Stuttgart 2002.

Stephan Buchloh: „Pervers, jugendgefährdend, staatsfeindlich". Zensur in der Ära Adenauer als Spiegel des gesellschaftlichen Klimas, Frankfurt/New York 2002.

Heinz Bude/Bernd Greiner (Hrsg.): Westbindungen. Amerika in der Bundesrepublik, Hamburg 1999.

Werner Bührer (Hrsg.): Die Adenauer-Ära. Die Bundesrepublik Deutschland 1949-1963, München 1993.

Bundesministerium des Innern (Hrsg.): Bewährung und Herausforderung. Die Verfassung vor der Zukunft. Dokumentation zum Verfassungskongress „50 Jahre Grundgesetz – 50 Jahre Bundesrepublik Deutschland", Opladen 1999.

Jürgen Busche: Helmut Kohl. Anatomie eines Erfolgs, Berlin 1998.

Wolfgang Buschfort: Das Ostbüro der SPD. Von der Gründung bis zur Berlin-Krise, München 1991.

Patricia Clough: Helmut Kohl. Ein Porträt der Macht, München 1998.

Eckart Conze/Gabriele Metzler (Hrsg.): 50 Jahre Bundesrepublik Deutschland. Daten und Diskussionen, Stuttgart 1999.

Roland Czada/Hellmut Wollmann (Hrsg.): Von der Bonner zur Berliner Republik. 10 Jahre Deutsche Einheit (Leviathan-Sonderheft 19), Wiesbaden 2000.

Wjatscheslaw Daschitschew: Moskaus Griff nach der Weltmacht. Die bitteren Früchte hegemonialer Politik, Hamburg 2002.

Deutsche Geschichte in Quellen und Darstellung:
Band 10: Merith Niehuss/Ulrike Lindner (Hrsg.): Besatzungszeit, Bundesrepublik und DDR 1945-1969, Stuttgart 1998.

Band 11: Dieter Grosser/Stephan Bierling/Beate Neuss (Hrsg.): Bundesrepublik und DDR 1969-1990, Stuttgart 1996.

Deutscher Bundestag (Hrsg.): Materialien der Enquete-Kommission „Aufarbeitung von Geschichte und Folgen der SED-Diktatur in Deutschland", 18 Bände, Baden-Baden 1995.

Deutscher Bundestag (Hrsg.): Materialien der Enquete-Kommission „Überwindung der Folgen der SED – Diktatur im Prozeß der deutschen Einheit", 14 Bände, Baden-Baden 1999.

Torsten Dietrich/Rüdiger Wenzke: Die getarnte Armee. Geschichte der Kasernierten Volkspolizei der DDR 1952-1956, Berlin 2001.

Karl Doehring/Bernd Josef Fehn/ Günter Hockerts: Jahrhundertschuld, Jahrhundertsühne. Reparationen, Wiedergutmachung, Entschädigung für nationalsozialistisches Kriegs- und Verfolgungsunrecht, München 2001.

Marion Gräfin Dönhoff: Deutschland deine Kanzler. Die Geschichte der Bundesrepublik vom Grundgesetz zum Einigungsvertrag, München 1992.

Margarete Dörr: Vertrieben, ausgebombt, auf sich gestellt. Frauen meistern Kriegs- und Nachkriegsjahre, Augsburg 2001.

Klaus Dreher: Kohl und die Konten. Eine schwarze Finanzgeschichte, Stuttgart/München 2002.

Klaus Dreher: Helmut Kohl. Leben und Macht, Stuttgart 1998.

Jost Dülffer: Jalta, 4. Februar 1945. Der Zweite Weltkrieg und die Entstehung der bipolaren Welt, 2. Auflage, München 1999.

Jörg Echternkamp: Nach dem Krieg. Alltagsnot, Neuorientierung und die Last der Vergangenheit 1945-1949, Zürich 2003.

Bernd Eisenfeld/Ilko-Sascha Kowalczuk/Ehrhart Neubert: Die verdrängte Revolution. Der Platz des 17. Juni 1953 in der deutschen Geschichte, Bremen 2004.

Bernd Eisenfeld/Roger Engelmann: 13.8.1961: Mauerbau, Fluchtbewegung und Machtsicherung, Berlin 2001.

Peter Eisenfeld: "... rausschmeißen...". Zwanzig Jahre politische Gegnerschaft in der DDR, Bremen 2002.

Thomas Ellwein/Everhard Holtmann (Hrsg.): 50 Jahre Bundesrepublik Deutschland. Rahmenbedingungen, Entwicklungen, Perspektiven (PVS-Sonderheft 30), Opladen/Wiesbaden 1999.

Roger Engelmann/Paul Erker: Annäherung und Abgrenzung. Aspekte deutsch-deutscher Beziehungen 1956-1969, München 1993.

Rainer Eppelmann u.a. (Hrsg.): Lexikon des Sozialismus. Das Staats- und Gesellschaftssystem der Deutschen Demokratischen Republik, Paderborn u.a. 1996.

Rainer Eppelmann/Bernd Faulenbach/Ulrich Mählert (Hrsg.): Bilanz und Perspektiven der DDR-Forschung, Paderborn u.a. 2003.

Hartmut Esser (Hrsg.): Der Wandel nach der Wende. Gesellschaft, Wirtschaft, Politik in Ostdeutschland, Wiesbaden 2000.

Michael F. Feldkamp (Hrsg.): Die Entstehung des Grundgesetzes für die Bundesrepublik Deutschland 1949. Eine Dokumentation, Stuttgart 1999.

Michael F. Feldkamp: Der Parlamentarische Rat 1948-1949, Göttingen 1998.

Werner Filmer/Heribert Schwan: Opfer der Mauer. Die geheimen Protokolle des Todes, München 1991.

Mario Frank: Walter Ulbricht. Eine deutsche Biografie, Berlin 2001.

Norbert Frei: Karrieren im Zwielicht. Hitlers Eliten nach 1945, Frankfurt am Main 2001.

Norbert Frei: 1945 und wir. Das Dritte Reich im Bewusstsein der Deutschen, München 2005.

Norbert Frei: Vergangenheitspolitik, München 1999.

Karl Wilhelm Fricke: MfS intern. Macht, Strukturen, Auflösung der DDR-Staatssicherheit, Köln 1991.

Karl Wilhelm Fricke: Der Wahrheit verpflichtet. Texte aus fünf Jahrzehnten zur Geschichte der DDR, Berlin 2000.

Karl Wilhelm Fricke/Roger Engelmann (Hrsg.): „Konzentrierte Schläge". Staatssicherheitsaktionen und politische Prozesse in der DDR 1953-1956, Berlin 1998.

Karl Wilhelm Fricke/Peter Steinbach/Johannes Tuchel (Hrsg.): Opposition und Widerstand in der DDR. Politische Lebensbilder, München 2002.

Karl Wilhelm Fricke/Roger Engelmann: Der „Tag X" und die Staatssicherheit. 17. Juni 1953 – Reaktionen und Konsequenzen im DDR-Machtapparat, Bremen 2003.

Stefan Fröhlich: „Auf den Kanzler kommt es an": Helmut Kohl und die deutsche Außenpolitik, Paderborn 2001.

Alexander Gallus: Die Neutralisten. Verfechter eines vereinten Deutschland zwischen Ost und West 1945-1990, Düsseldorf 2001.

Timothy Garton Ash: Ein Jahrhundert wird abgewählt. Aus den Zentren Mitteleuropas 1980-1990, München 1990.

Timothy Garton Ash: Im Namen Europas. Deutschland und der geteilte Kontinent, München 1993.

Rainer Geißler: Die Sozialstruktur Deutschlands. Die gesellschaftliche Entwicklung vor und nach der Vereinigung, Opladen 2002.

Michael Gehler: Europa, Frankfurt am Main 2002.

Hans-Dietrich Genscher: Erinnerungen, Berlin 1999.

Geschichte der Bundesrepublik Deutschland in fünf Bänden:
Band 1: Theodor Eschenburg: Jahre der Besatzung 1945-1949, Stuttgart/Wiesbaden 1983;

Band 2: Hans-Peter Schwarz: Die Ära Adenauer 1949-1957, Stuttgart/Wiesbaden 1981;

Band 3: Hans-Peter Schwarz: Die Ära Adenauer 1957-1963, Stuttgart/Wiesbaden 1983;

Band 4: Klaus Hildebrand: Von Erhard zur Großen Koalition 1963-1967, Stuttgart/Wiesbaden 1984;

Band 5/I: Karl Dietrich Bracher/Wolfgang Jäger/Werner Link: Republik im Wandel 1969-1974. Die Ära Brandt, Stuttgart/Wiesbaden 1986;

Band 5/II: Wolfgang Jäger/Werner Link: Republik im Wandel 1974-1982. Die Ära Schmidt, Stuttgart/Wiesbaden 1987.

Geschichte der deutschen Einheit:

Band 1: Karl-Rudolf Korte: Deutschlandpolitik in Helmut Kohls Kanzlerschaft. Regierungsstil und Entscheidungen 1982-1989, Stuttgart 1998.

Band 2: Dieter Grosser: Das Wagnis der Währungs-,Wirtschafts- und Sozialunion. Politische Zwänge im Konflikt mit ökonomischen Regeln, Stuttgart 1998.

Band 3: Wolfgang Jäger: Die Überwindung der Teilung. Der innerdeutsche Prozess der Vereinigung 1989/90, Stuttgart 1998.

Band 4: Werner Weidenfeld: Außenpolitik für die deutsche Einheit. Die Entscheidungsjahre 1989/90, Stuttgart 1998.

Dominik Geppert: Die Ära Adenauer, Darmstadt 2002.

Jens Gieseke: Die DDR-Staatssicherheit. Schild und Schwert der Partei, Bonn 2000.

Jens Gieseke: Mielke-Konzern. Die Geschichte der Stasi 1945-1990, Stuttgart 2001.

Hermann Glaser: Kleine Kulturgeschichte Deutschlands im 20. Jahrhundert, München 2002.

Nicole Glocke/Edina Stiller: Verratene Kinder. Zwei Lebensgeschichten aus dem geteilten Deutschland, Berlin 2003.

Peter Glotz: Die Vertreibung. Böhmen als Lehrstück, München/Berlin 2003.

Manfred Görtemaker: Kleine Geschichte der Bundesrepublik Deutschland, München 2002.

Manfred Görtemaker: Geschichte der Bundesrepublik Deutschland. Von der Gründung bis zur Gegenwart, München 1999.

John Goetz/Conny Neumann/Oliver Schröm: Allein gegen Kohl, Kiep und Co. Die Geschichte einer unerwünschten Ermittlung, Berlin 2000.

Michail Gorbatschow: Erinnerungen, Berlin 1995.

Michail Gorbatschow: Wie es war. Die deutsche Wiedervereinigung, Berlin 1999.

Sigrid Grabner/Hendrik Röder/Thomas Wernicke (Hrsg.): Widerstand in Potsdam 1945-1989, Berlin 1999.

Roman Grafe: Die Grenze durch Deutschland. Eine Chronik von 1945 bis 1990, Berlin 2002.

Roman Grafe: Deutsche Gerechtigkeit. Prozesse gegen DDR-Grenzschützen und ihre Befehlsgeber, Berlin 2004.

Hermann Graml: Die Alliierten und die Teilung Deutschlands. Konflikte und Entscheidungen 1941-1948, Frankfurt am Main 1985.

Rudolf Großkopff: Die fünfziger Jahre, Frankfurt am Main 2005.

Christian Hacke: Die Außenpolitik der Bundesrepublik Deutschland. Von Konrad Adenauer bis Gerhard Schröder, Frankfurt/Berlin 2003.

Christian Härtel/Petra Kabus (Hrsg.): Das Westpaket. Berlin 2001.

Helga Haftendorn: Deutsche Außenpolitik zwischen Selbstbeschränkung und Selbstbehauptung 1945-2000, Stuttgart/München 2001.

Winfrid Halder: Deutsche Teilung. Vorgeschichte und Anfangsjahre der doppelten Staatsgründung, Zürich 2002.

Peter Hampe (Hrsg.): Währungsreform und Soziale Marktwirtschaft. Rückblicke und Ausblicke, München 1989.

Peter Hampe/Jürgen Weber (Hrsg.): 50 Jahre Soziale Mark(t)wirtschaft. Eine Erfolgsstory vor dem Ende? München 1999.

Wolfram F. Hanrieder: Deutschland, Europa, Amerika. Die Außenpolitik der Bundesrepublik Deutschland 1949-1994, 2. Auflage, Paderborn 1995.

Klaus Harpprecht: Im Kanzleramt. Tagebuch der Jahre mit Willy Brandt, Reinbek 2001.

A.B. Hegedüs/Manfred Wilke (Hrsg.): Satelliten nach Stalins Tod. Der „neue Kurs" 17.6.1953 in der DDR. Ungarische Revolution 1956, Berlin 2000.

Klaus-Dietmar Henke/Roger Engelmann (Hrsg.): Aktenlage. Die Bedeutung der Unterlagen des Staatssicherheitsdienstes für die Zeitgeschichtsforschung, Berlin 1995.

Klaus-Dietmar Henke: Die amerikanische Besetzung Deutschlands, München 1995.

Klaus-Dietmar Henke/Hans Woller (Hrsg.): Politische Säuberung in Europa. Die Abrechnung mit Faschismus und Kollaboration nach dem Zweiten Weltkrieg, München 1991.

Hans Jörg Hennecke: Die dritte Republik. Aufbruch und Ernüchterung, München 2003.

Volker Hentschel: Ludwig Erhard. Ein Politikerleben, München/ Landsberg am Lech 1996.

Ulrich Herbert/Axel Schildt (Hrsg.): Kriegsende in Europa. Vom Beginn des deutschen Machtzerfalls bis zur Stabilisierung der Nachkriegsordnung 1944-1948, Essen 1998.

Ulrich Herbert (Hrsg.): Wandlungsprozesse in Westdeutschland. Belastung, Integration, Liberalisierung 1945-1980, Göttingen 2002.

Ludolf Herbst/Constantin Goschler (Hrsg.): Wiedergutmachung in der Bundesrepublik Deutschland, München 1989.

Ludolf Herbst: Option für den Westen. Vom Marshallplan bis zum deutsch-französischen Vertrag, 2. Auflage, München 1996.

Georg Herbstritt/Helmut Müller-Enbergs (Hrsg.): Das Gesicht dem Westen zu ... DDR-Spionage gegen die Bundesrepublik Deutschland, Bremen 2003.

Jeffrey Herf: Zweierlei Erinnerung. Die NS -Vergangenheit im geteilten Deutschland, Berlin 1998.

Wolfgang Herles : Wir sind kein Volk. Eine Polemik, München/ Zürich 2004.

Ulrich Herrmann (Hrsg.): Protestierende Jugend. Jugendopposition und politische Proteste in der deutschen Nachkriegsgeschichte, Weinheim/München 2002.

Hans-Hermann Hertle: Chronik des Mauerfalls. Die dramatischen Ereignisse um den 9. November 1989, 3. Auflage, Berlin 1996.

Hans-Hermann Hertle: Der Fall der Mauer. Die unbeabsichtigte Selbstauflösung des SED-Staates, 2. Auflage, Opladen/Wiesbaden 1999.

Hans-Hermann Hertle/Kathrin Elsner (Hrsg.): Mein 9. November. Der Tag an dem die Mauer fiel, Berlin 1999.

Hans-Hermann Hertle/Konrad H. Jarausch/Christoph Klessmann (Hrsg.): Mauerbau und Mauerfall. Ursachen-Verlauf-Auswirkungen, Berlin 2002.

Hans-Hermann Hertle/Stefan Wolle: Damals in der DDR. Der Alltag im Arbeiter- und Bauernstaat, München 2004.

Günther Heydemann: Die Innenpolitik der DDR, München 2003.

Klaus Hildebrand: Integration und Souveränität. Die Außenpolitik der Bundesrepublik Deutschland 1949-1982, Bonn 1991.

Andreas Hilger/Mike Schmeitzner/Ute Schmidt (Hrsg.): Diktaturdurchsetzung. Instrumente und Methoden der kommunistischen Machtsicherung in der SBZ/DDR 1945-1955, Dresden 2001.

Hans Günter Hockerts/Christiane Kuller (Hrsg.): Nach der Verfolgung. Wiedergutmachung nationalsozialistischen Unrechts in Deutschland?, Göttingen 2003.

Hans Günter Hockerts (Hrsg.): Koordinaten deutscher Geschichte in der Epoche des Ost-West-Konflikts, München 2004.

Hans Günter Hockerts (Hrsg.): Drei Wege deutscher Sozialstaatlichkeit. NS-Diktatur, Bundesrepublik und DDR im Vergleich, München 1998.

Dierk Hoffmann: Die DDR unter Ulbricht. Gewaltsame Neuordnung und gescheiterte Modernisierung, Zürich 2003.

Dierk Hoffmann/Michael Schwartz (Hrsg.): Geglückte Integration? Spezifika und Vergleichbarkeiten der Vertriebenen-Eingliederung in der SBZ/DDR, München 1999.

Dierk Hoffmann/Hermann Wentker (Hrsg.): Das letzte Jahr der SBZ. Politische Weichenstellungen und Kontinuitäten im Prozess der Gründung der DDR, München 2000.

Dierk Hoffmann/Michael Schwartz/Hermann Wentker (Hrsg.):

Vor dem Mauerbau. Politik und Gesellschaft in der DDR der fünfziger Jahre, München 2003.

Dierk Hoffmann/Michael Schwartz (Hrsg.): Sozialstaatlichkeit in der DDR. Sozialpolitische Entwicklungen im Spannungsfeld von Diktatur und Gesellschaft 1945/49 – 1989, München 2005.

Jürgen Hogrefe: Gerhard Schröder. Ein Porträt, Berlin 2002,

Tobias Hollitzer (Hrsg.): Einblick in das Herrschaftswissen einer Diktatur – Chance oder Fluch?, Opladen 1996.

Tobias Hollitzer/Reinhard Bohse (Hrsg.): Heute vor 10 Jahren. Leipzig auf dem Weg zur Friedlichen Revolution, Bonn u.a. 2000.

Mária Huber: Moskau, 11. März 1985. Die Auflösung des sowjetischen Imperiums, München 2002.

Emil Hübner/Heinrich Oberreuter (Hrsg.): Parteien und Wahlen in Deutschland, München 2003.

Reinhard Hübsch (Hrsg.): „Hört die Signale!" Die Deutschlandpolitik von KPD/SED und SPD 1945-1970, Berlin 2002.

Robert L. Hutchings: Als der Kalte Krieg zu Ende war. Ein Bericht aus dem Innern der Macht, Berlin 1999.

Beate Ihme-Tuchel: Die DDR, Darmstadt 2002.

Jeremy Isaacs/Taylor Downing: Der Kalte Krieg. Eine illustrierte Geschichte, 1945-1991, München/Zürich 1999.

Eberhard Jäckel/Horst Möller/Hermann Rudolf: Von Heuss bis Herzog. Die Bundespräsidenten im politischen System der Bundesrepublik, Stuttgart/München 1999.

Konrad Jarausch: Die Umkehr. Deutsche Wandlungen 1945-1995, München 2004.

Konrad H. Jarausch: Die unverhoffte Einheit 1989-1990, Frankfurt am Main 1995.

Konrad Jarausch/Hannes Siegrist (Hrsg.): Amerikanisierung und Sowjetisierung in Deutschland 1945-1970, Frankfurt am Main 1997.

Konrad H. Jarausch/Martin Sabrow (Hrsg.): Weg in den Untergang. Der innere Zerfall der DDR, Göttingen 1999.

Eckhard Jesse/Armin Mitter (Hrsg.): Die Gestaltung der deutschen Einheit. Geschichte, Politik, Gesellschaft, Bonn 1992.

Eckhard Jesse/Steffen Kailitz (Hrsg.): Prägekräfte des 20. Jahrhunderts. Demokratie, Extremismus, Totalitarismus, München 1997.

Markus Jodl: Amboss oder Hammer? Otto Grotewohl. Eine politische Biographie, Berlin 1997.

Matthias Judt (Hrsg.): DDR-Geschichte in Dokumenten. Beschlüsse, Berichte, interne Materialien und Alltagszeugnisse, Bonn 1998.

Detlef Junker (Hrsg.): Die USA und Deutschland im Zeitalter des Kalten Krieges 1945-1990, 2 Bände, Stuttgart/München 2001.

Detlef Junker: Power and Mission. Was Amerika antreibt, 2. Auflage, Freiburg 2003.

Max Kaase/Günther Schmid (Hrsg.): Eine lernende Demokratie. 50 Jahre Bundesrepublik Deutschland (WZB-Jahrbuch 1999), Berlin 1999.

Brigitte Kaff (Hrsg.): „Gefährliche politische Gegner". Widerstand und Verfolgung in der sowjetischen Zone/DDR, Düsseldorf 1995.

Karl Kaiser: Deutschlands Vereinigung. Die internationalen Aspekte. Mit den wichtigen Dokumenten, Bergisch Gladbach 1991.

Rainer Karlsch/Jochen Laufer (Hrsg.): Sowjetische Demontagen in Deutschland 1944 – 1949. Hintergründe, Ziele und Wirkungen, Berlin 2002.

Franz-Xaver Kaufmann: Herausforderungen des Sozialstaates, Frankfurt am Main 1997.

Udo Kempf/Hans-Georg Merz (Hrsg.): Kanzler und Minister 1949-1998, Opladen 2001.

Wolfgang Kenntemich u.a. (Hrsg.): Das war die DDR. Eine Geschichte des anderen Deutschland, Berlin 1993.

Peter Graf Kielmansegg: Nach der Katastrophe. Eine Geschichte des geteilten Deutschland, Berlin 2000.

Werner Kilian: Die Hallstein-Doktrin. Der diplomatische Krieg zwischen der BRD und der DDR 1955-1973, Berlin 2001.

Adolf Kimmel/Pierre Jardin (Hrsg.): Die deutsch-französischen Beziehungen seit 1963. Eine Dokumentation, Opladen 2002.

Manfred Kittel: Nach Nürnberg und Tokio. „Vergangenheitsbewältigung" in Japan und Westdeutschland 1945 bis 1968, München 2004.

Markus Klein/Jürgen W. Falter: Der lange Weg der Grünen, München 2003.

Jürgen Kleindienst (Hrsg.): Deutschland-Wunderland. Neubeginn 1950-1960. Erinnerungen aus Ost und West, Berlin 2003.

Christoph Kleßmann: Zeitgeschichte in Deutschland nach dem Ende des Ost-West-Konflikts, Essen 1998.

Christoph Kleßmann: Die doppelte Staatsgründung. Deutsche Geschichte 1945-1955, 5. Auflage, Bonn 1991.

Christoph Kleßmann: Zwei Staaten, eine Nation. Deutsche Geschichte 1955-1970, 2. Auflage, Bonn 1997.

Christoph Kleßmann u.a. (Hrsg.): Deutsche Vergangenheiten – eine gemeinsame Herausforderung. Der schwierige Umgang mit der doppelten Nachkriegsgeschichte, Berlin 1999.

Michael Klonovsky/Jan von Flocken: Stalins Lager in Deutschland. Dokumentation, Zeugenberichte, München 1993.

Hubertus Knabe: Die unterwanderte Republik. Stasi im Westen, Berlin 1999.

Hubertus Knabe: West-Arbeit des MfS. Das Zusammenspiel von „Aufklärung" und „Abwehr", 2. Auflage, Berlin 1999.

Hubertus Knabe: 17. Juni 1953. Ein deutscher Aufstand, München 2003.

Hubertus Knabe: Tag der Befreiung? Das Kriegsende in Ostdeutschland, Berlin 2005.

Franz Knipping: Rom, 25. März 1957. Die Einigung Europas, München 2004.

Guido Knopp u.a.: Kanzler. Die Mächtigen der Republik, München 1999.

Gerd Koenen: Das rote Jahrzehnt. Unsere kleine deutsche Kulturrevolution 1967-1977, Frankfurt am Main 2002.

Gerd Koenen: Vesper, Ensslin, Baader. Urszenen des deutschen Terrorismus, Köln 2003.

Helmut Kohl: Erinnerungen 1930-1982, München 2004.

Helmut Kohl: Erinnerungen 1982-1990, München 2005.

Helmut Kohl: „Ich wollte Deutschlands Einheit". Dargestellt von Kai Diekmann und Ralf Georg Reuth, Berlin 1996.

Helmut König/Michael Kohlstruck/Andreas Wöll (Hrsg.): Vergangenheitsbewältigung am Ende des zwanzigsten Jahrhunderts (Leviathan. Sonderheft 18/1998) Opladen/Wiesbaden 1998.

Karl-Rudolf Korte (Hrsg.): „Das Wort hat der Herr Bundeskanzler": eine Analyse der Großen Regierungserklärungen von Adenauer bis Schröder, Wiesbaden 2002.

Ilko-Sascha Kowalczuk: 17.Juni 1953: Volksaufstand in der DDR. Ursachen, Abläufe, Folgen, Bremen 2003.

Ilko-Sascha Kowalczuk/Stefan Wolle: Roter Stern über Deutschland, Berlin 2001.

Hans-Dieter Kreikamp: Die Ära Adenauer 1949-1963, Darmstadt 2003.

Wolfgang Krieger (Hrsg.): Geheimdienste in der Weltgeschichte. Spionage und verdeckte Aktionen von der Antike bis zur Gegenwart, München 2003.

Dirk Kroegel: Einen Anfang finden! Kurt Georg Kiesinger in der Außen- und Deutschlandpolitik der Großen Koalition, München 1997.

Dieter Krüger/Armin Wagner (Hrsg.): Konspiration als Beruf. Deutsche Geheimdienstchefs im Kalten Krieg, Berlin 2003.

Hanns Jürgen Küsters: Der Integrationsfriede. Viermächteverhandlungen über die Friedensregelung mit Deutschland 1945-1990, München 2000.

Hanns Jürgen Küsters/Daniel Hofmann (Hrsg.): Deutsche Einheit. Sonderedition aus den Akten des Bundeskanzleramtes 1989/90. Dokumente zur Deutschlandpolitik, München 1998.

Ekkehard Kuhn: „Wir sind das Volk !" Die friedliche Revolution in Leipzig, 9.Oktober 1989, Berlin 1999.

Eberhard Kuhrt u.a. (Hrsg.): Am Ende des realen Sozialismus. Beiträge zu einer Bestandsaufnahme der DDR – Wirklichkeit in den 80er Jahren – vier Bände:

Band 1: Die SED-Herrschaft und ihr Zusammenbruch, Opladen 1996;

Band 2: Die wirtschaftliche und ökologische Situation der DDR in den achtziger Jahren, Opladen 1996;

Band 3: Opposition in der DDR von den 70er Jahren bis zum Zusammenbruch der SED-Herrschaft, Opladen 1999;

Band 4: Die Endzeit der DDR-Wirtschaft. Analysen zur Wirtschafts-, Sozial- und Umweltpolitik, Opladen 1999.

Band 5: Johannes Raschka: Zwischen Überwachung und Repression – Politische Verfolgung in der DDR 1971 bis 1989, Opladen 2001.

Thomas Kunze: Staatschef a. D. Die letzten Jahre des Erich Honecker, Berlin 2001.

Erhard H.M. Lange: Wegbereiter der Bundesrepublik. Die Abgeordneten des Parlamentarischen Rates. Neunzehn historische Biografien, Brühl/Rheinland 1999.

Gerd Langguth: Mythos '68. Die Gewaltphilosophie von Rudi Dutschke – Ursachen und Folgen der Studentenbewegung, München 2001.

Gerd Langguth: Das Innenleben der Macht. Krise und Zukunft der CDU, Berlin 2001.

Ulrich Lappenküper/Daniel Kosthorst: Bundesrepublik Deutschland. Ein halbes Jahrhundert im Bild, Köln 1999.

Michael Lemke: Einheit oder Sozialismus? Die Deutschlandpolitik der SED 1949-1961, Köln u.a. 2001.

August H. Leugers-Scherzberg: Die Wandlungen des Herbert Wehner. Von der Volksfront zur Großen Koalition, Berlin/München 2002.

Hans Leyendecker/ Heribert Prantl/Michael Stiller: Helmut Kohl, die Macht und das Geld, 2. Auflage, Göttingen 2000.

Bernd Lindner: Die demokratische Revolution in der DDR 1989/90, Bonn 1998.

Konrad Löw (Hrsg.): Ursachen und Verlauf der deutschen Revolution 1989, 2. Auflage, Berlin 1993.

Jan N. Lorenzen: Erich Honecker. Eine Biographie, Reinbek bei Hamburg 2001.

Wilfried Loth: Helsinki, 1.August 1975. Entspannung und Abrüstung, München 1998.

Wilfried Loth: Die Teilung der Welt. Geschichte des Kalten Krieges 1941-1955, 9. Auflage, München 2000.

Wilfried Loth/Bernd-A. Rusinek (Hrsg.): Verwandlungspolitik.

NS-Eliten in der westdeutschen Nachkriegsgesellschaft, Fankfurt/ New York 1998.

Ulrich Mählert: Kleine Geschichte der DDR, 2. Auflage, München 1999.

Hans Maier: Niederlage und Befreiung. Der 8. Mai 1945 und die Deutschen, Bonn 1996.

Peter März (Hrsg.): Die zweite gesamtdeutsche Demokratie. Ereignisse und Entwicklungslinien, Bilanzierungen und Perspektiven, München 2001.

Peter März: An der Spitze der Macht. Kanzlerschaften und Wettbewerber in Deutschland, 2. Auflage, München 2003.

Peter März (Hrsg.): 40 Jahre Zweistaatlichkeit in Deutschland. Eine Bilanz, München 1999.

Peter März (Hrsg.): Dokumente zu Deutschland 1944-1994, 2. Auflage, München 2000.

Peter März/Heinrich Oberreuter (Hrsg.): Weichenstellung für Deutschland. Der Verfassungskonvent von Herrenchiemsee, München 1999.

Werner Maibaum: Geschichte der Deutschlandpolitik, Bonn 1998.

Charles S. Maier: Das Verschwinden der DDR und der Untergang des Kommunismus, Frankfurt am Main 1999.

Jürgen Maruhn/Manfred Wilke (Hrsg.): Die verführte Friedensbewegung. Der Einfluss des Ostens auf die Nachrüstungsdebatte, München 2002.

Jürgen Maruhn (Hrsg.): 17. Juni 1953. Der Aufstand für die Demokratie, München 2003.

Hartmut Mehringer (Hrsg.): Von der SBZ zur DDR. Studien zum Herrschaftssystem in der sowjetischen Besatzungszone und in der DDR, München 1995.

Hartmut Mehringer/Michael Schwartz/Hermann Wentker (Hrsg.): Deutschland im internationalen Kräftefeld und die sowjetische Besatzungszone (1945/46), München 1999.

Richard Meng: Der Medienkanzler. Was bleibt vom System Schröder?, Frankfurt am Main 2002.

Peter Merseburger: Der schwierige Deutsche. Kurt Schumacher. Eine Biographie, 2. Auflage, Stuttgart 1995.

Peter Merseburger: Willy Brandt 1913-1992. Visionär und Realist, Stuttgart/München 2002.

Gabriele Metzler: Der deutsche Sozialstaat. Vom bismarckschen Erfolgsmodell zum Pflegefall, Stuttgart 2003.

Matthias Meusch: Von der Diktatur zur Demokratie. Fritz Bauer und die Aufarbeitung der NS-Verbrechen in Hessen (1956-1968), Wiesbaden 2001.

Christoph Meyer: Die deutschlandpolitische Doppelstrategie. Wilhelm Wolfgang Schütz und das Kuratorium Unteilbares Deutschland, Landsberg am Lech 1997.

Alfred C. Mierzejewski: Ludwig Erhard. Der Wegbereiter der Sozialen Marktwirtschaft, Berlin 2005.

Armin Mitter: Brennpunkt 13. August 1961. Von der inneren Krise zum Mauerbau, Berlin 2001.

Armin Mitter/Stefan Wolle: Untergang auf Raten. Unbekannte Kapitel der DDR-Geschichte, München 1993.

Patrik von zur Mühlen: Aufbruch und Umbruch in der DDR. Bürgerbewegungen, kritische Öffentlichkeit und Niedergang der SED-Herrschaft, Bonn 2000.

Rudolf Morsey: Die Bundesrepublik Deutschland. Entstehung und Entwicklung bis 1969, 4. Auflage, München 2000.

Bodo Müller: Faszination Freiheit. Die spektakulärsten Fluchtgeschichten, 3. Auflage, Berlin 2001.

Uwe Müller: Supergau Deutsche Einheit, Berlin 2005.

Gisela Müller-Brandeck-Bocquet u.a.: Deutsche Europapolitik von Konrad Adenauer bis Gerhard Schröder, Opladen 2002.

Helmut Müller-Enbergs (Hrsg.): Inoffizielle Mitarbeiter des Ministeriums für Staatssicherheit. Richtlinien und Durchführungsbestimmungen, Berlin 1996.

Helmut Müller-Enbergs (Hrsg.): Inoffizielle Mitarbeiter des Ministeriums für Staatssicherheit. Teil 2: Agenten, Kundschafter und Spione in der Bundesrepublik Deutschland, Berlin 1998.

Helmut Müller-Enbergs u. a. (Hrsg.): Wer war wer in der DDR? Ein biographisches Lexikon, Berlin 2001.

Christof Münger: Die Berliner Mauer, Kennedy und die Kubakrise. Die westliche Allianz in der Zerreißprobe 1961-1963, Paderborn 2003.

Norman M. Naimark: Die Russen in Deutschland. Die sowjetische Besatzungszone 1945 bis 1949, Berlin 1997.

Detlef Nakath/Gerd-Rüdiger Stephan: Die Häber-Protokolle. Schlaglichter der SED-Westpolitik 1973-1985, Berlin 1999.

Ehrhart Neubert: Geschichte der Opposition in der DDR 1949-1989, 2. Auflage, Bonn 2000.

Ehrhart Neubert: Ein politischer Zweikampf in Deutschland. Die CDU im Visier der Stasi, Freiburg u.a. 2002.

Ehrhart Neubert/Bernd Eisenfeld (Hrsg.): Macht-Ohnmacht-Gegenmacht. Grundfragen zur politischen Gegnerschaft in der DDR, Bremen 2001.

Ehrhart Neubert/Thomas Auerbach: „Es kann anders werden". Opposition und Widerstand in Thüringen 1945-1989, Köln u.a. 2005.

Beate Neuss: Geburtshelfer Europas? Die Rolle der Vereinigten Staaten im europäischen Integrationsprozess 1945-1958, Baden-Baden 2000.

Karlheinz Niclauß: Der Weg zum Grundgesetz – Demokratiegründung in Westdeutschland 1945-1949, Paderborn 1998.

Jürgen Nitz: Unterhändler zwischen Berlin und Bonn, Berlin 2001.

Heinrich Oberreuter/Jürgen Weber (Hrsg.): Freundliche Feinde? Die Alliierten und die Demokratiegründung in Deutschland, München/Landsberg am Lech 1996.

Kurt Oesterle: Stammheim. Die Geschichte des Vollzugsbeamten Horst Bubeck, Tübingen 2003.

Torsten Oppelland (Hrsg.): Deutsche Politiker 1949-1969, 2 Bände, Darmstadt 1999.

Wilfriede Otto: Erich Mielke – Biographie. Aufstieg und Fall eines Tschekisten, Berlin 2000.

Saul K. Padover: Lügendetektor. Vernehmungen im besiegten Deutschland 1944/45, Frankfurt am Main 1999.

Ulrich Pfeil (Hrsg.): Die DDR und der Westen. Transnationale

Beziehungen 1949-1989, Berlin 2001.

Ulrich Pfeil: Die „anderen" deutsch-französischen Beziehungen. Die DDR und Frankreich 1949-1990, Köln/Weimar 2004.

Friedbert Pflüger: Ehrenwort. Das System Kohl und der Neubeginn, Stuttgart/München 2000.

Sandra Pingel-Schliemann: Zersetzen. Strategie einer Diktatur, 3. Auflage, Berlin 2004.

Alexander von Plato: Die Vereinigung Deutschlands – ein weltpolitisches Machtspiel: Bush, Kohl, Gorbatschow und die geheimen Moskauer Protokolle, Berlin 2002.

Alexander von Plato/Almut Leh: „Ein unglaublicher Frühling". Erfahrene Geschichte im Nachkriegsdeutschland 1945-1948, Bonn 1997.

Michael Ploetz: Wie die Sowjetunion den Kalten Krieg verlor. Von der Nachrüstung zum Mauerfall, Berlin/München 2000.

Horst Pötzsch: Deutsche Geschichte von 1945 bis zur Gegenwart. Die Entwicklung der beiden deutschen Staaten, München 1998.

Heinrich Potthoff: Die „Koalition der Vernunft". Deutschlandpolitik in den 80er Jahren, München 1995.

Heinrich Potthoff: Bonn und Ost-Berlin 1969-1982. Dialog auf höchster Ebene und vertrauliche Kanäle. Darstellung und Dokumente, Bonn 1997.

Heinrich Potthoff: Im Schatten der Mauer. Deutschlandpolitik 1961 bis 1990, Berlin 1999.

Peter Przybylski: Tatort Politbüro. Die Akte Honecker, Berlin 1991.

Peter Przybylski: Tatort Politbüro. Band 2: Honecker, Mittag und Schalck-Golodkowski, Berlin 1992.

Johannes Raschka: Justizpolitik im SED-Staat. Anpassung und Wandel des Strafrechts während der Amtszeit Honeckers, Köln u.a. 2000.

Marie-Luise Recker: Geschichte der Bundesrepublik Deutschland, München 2002.

Redaktion „Neue Justiz" (Hrsg.): Der Politbüro-Prozeß. Eine Dokumentation, Baden-Baden 2001.

Peter Reichel: Vergangenheitsbewältigung in Deutschland. Die Auseinandersetzung mit der NS-Diktatur von 1945 bis heute,

München 2001.

Gerhard A. Ritter: Über Deutschland. Die Bundesrepublik in der deutschen Geschichte, München 1998.

Andreas Rödder: Die Bundesrepublik Deutschland 1969-1990, München 2004.

Heidi Roth: Der 17. Juni 1953 in Sachsen. Mit einem einleitenden Kapitel von Karl Wilhelm Fricke, Köln 1999.

Karsten Rudolph: Wirtschaftsdiplomatie im Kalten Krieg. Die Ostpolitik der westdeutschen Großindustrie 1945-1991, Frankfurt/New York 2004.

Bernd Rüthers: Geschönte Geschichten – Geschonte Biographien, Tübingen 2001.

Martin Rupps: Troika wider Willen. Wie Brandt, Wehner und Schmidt die Republik regierten, Berlin 2004.

Thilo Schabert: Wie Weltgeschichte gemacht wird. Frankreich und die deutsche Einheit Stuttgart 2002.

Günter Schabowski: Der Absturz, Berlin 1991.

Wolfgang Schäuble: Der Vertrag. Wie ich über die deutsche Einheit verhandelte, München 1993.

Wolfgang Schäuble: Mitten im Leben, München 2000.

Udo Scheer (Hrsg.): Vision und Wirklichkeit. Die Opposition in Jena in den siebziger und achtziger Jahren, 2. Auflage, Berlin 1999.

Axel Schildt: Ankunft im Westen. Ein Essay zur Erfolgsgeschichte der Bundesrepublik, Frankfurt am Main 1999.

Axel Schildt u.a. (Hrsg.): Dynamische Zeiten. Die 60er Jahre in den beiden deutschen Gesellschaften, Hamburg 2000.

Friedrich W. Schlomann: Die Maulwürfe. Noch sind sie unter uns, die Helfer der Stasi im Westen, München 1993.

Helmut Schmidt: Auf dem Weg zur deutschen Einheit. Bilanz und Ausblick, Reinbek 2005.

Gregor Schöllgen: Der Auftritt. Deutschlands Rückkehr auf die Weltbühne, München 2003.

Gregor Schöllgen: Die Außenpolitik der Bundesrepublik Deutschland. Von den Anfängen bis zur Gegenwart, Bonn 1999.

Gregor Schöllgen: Willy Brandt. Die Biographie, Stuttgart 2001.

Klaus Schönhoven: Wendejahre. Die Sozialdemokratie in der Zeit der Großen Koalition 1966-169, Bonn 2004.

Joachim Scholtyseck: Die Außenpolitik der DDR, München 2003.

Hermann Schreiber: Kanzlersturz. Warum Willy Brandt zurücktrat, Düsseldorf 2003.

Klaus Schroeder: Der SED-Staat. Geschichte und Strukturen der DDR, München 1998.

Klaus Schroeder: Der Preis der Einheit. Eine Bilanz, München 2000.

Heribert Schwan: Erich Mielke. Der Mann, der die Stasi war, München 1997.

Hans-Peter Schwarz: Die Zentralmacht Europas. Deutschlands Rückkehr auf die Weltbühne, Berlin 1994.

Hans-Peter Schwarz: Anmerkungen zu Adenauer, München 2004.

Hans-Peter Schwarz: Adenauer. Der Aufstieg: 1876-1952, 3. Auflage, Stuttgart 1991.

Hans-Peter Schwarz: Adenauer. Der Staatsmann: 1952-1967, Stuttgart 1991.

Hans-Peter Schwarz: Das Gesicht des Jahrhunderts. Monster, Retter und Mediokritäten, Berlin 1998.

Michael Schwelien: Helmut Schmidt. Ein Leben für den Frieden, Hamburg 2003.

Wolfgang Seibel: Verwaltete Illusionen. Die Privatisierung der DDR-Wirtschaft durch die Treuhandanstalt und ihre Nachfolger 1990-2000, Frankfurt/New York 2005.

Claudia Seifert: Wenn du lächelst, bist du schöner ! Kindheit in den 50er und 60er Jahren, München 2004.

Benno-Eide Siebs: Die Außenpolitik der DDR 1976-1989. Strategien und Grenzen, Paderborn 1999.

Gerlinde Sinn/Hans-Werner Sinn: Kaltstart Volkswirtschaftliche Aspekte der deutschen Vereinigung, München 2003.

Peter Skyba: Vom Hoffnungsträger zum Sicherheitsrisiko. Jugend in der DDR und Jugendpolitik der SED 1949-1961, Köln u.a. 2000.

William R. Smyser: From Yalta to Berlin. The Cold War Struggle over Germany,New York 1999.

Hartmut Soell: Helmut Schmidt. Vernunft und Leidenschaft, Stuttgart/München 2003.

Theo Sommer: 1945 – Die Biographie eines Jahres, Reinbek 2005.

Kurt Sontheimer: Die Adenauer-Ära, München 2003.

Kurt Sontheimer: So war Deutschland nie. Anmerkungen zur politischen Kultur der Bundesrepublik, München 1999.

Mark Spoerer: Zwangsarbeit unter dem Hakenkreuz, Stuttgart 2001.

Dietrich Staritz: Geschichte der DDR 1949-1990, Frankfurt am Main 1996.

Rolf Steininger/Jürgen Weber u.a. (Hrsg.): Die doppelte Eindämmung. Europäische Sicherheit und die deutsche Frage in den Fünfzigern, Mainz 1993.

Rolf Steininger: Deutsche Geschichte. Darstellung und Dokumente in vier Bänden, Frankfurt am Main 2002 (mit ausführlichen Literaturangaben):
Band 1: 1945-1947;
Band 2: 1948-1955;
Band 3: 1955-1974;
Band 4: 1974 bis zur Gegenwart.

Rolf Steininger: Der Mauerbau. Die Westmächte und Adenauer in der Berlinkrise 1958-1963, München 2001.

Rolf Steininger: 17. Juni 1953. Der Anfang vom langen Ende der DDR, München 2003.

Rolf Steininger: Der kalte Krieg, Frankfurt am Main 2003.

Angela Stent: Rivalen des Jahrhunderts. Deutschland und Rußland im neuen Europa, Berlin/München 2000.

Carola Stern: Willy Brandt, Reinbek 2002.

Stiftung Haus der Geschichte der Bundesrepublik Deutschland. Zeitgeschichtliches Forum Leipzig (Hrsg.): Einsichten. Diktatur und Widerstand in der DDR, Leipzig 2001.

Gerhard Stoltenberg: Wendepunkte. Stationen deutscher Politik 1947 bis 1990, Berlin 1997.

Bernd Stöver: Die Bundesrepublik Deutschland, Darmstadt 2002.

Bernd Stöver: Der Kalte Krieg, München 2003.

Alexander Straßner: Die dritte Generation der „Roten Armee Fraktion". Entstehung, Struktur, Funktionslogik und Zerfall einer terroristischen Organisation, Opladen 2003.

Siegfried Suckut/Walter Süß (Hrsg.): Staatspartei und Staatssicherheit. Zum Verhältnis von SED und MfS, Berlin 1997.

Siegfried Suckut: Parteien in der SBZ/DDR 1945-1952, Bonn 2000.

Siegfried Suckut/Jürgen Weber (Hrsg.): Stasi-Akten zwischen Politik und Zeitgeschichte. Eine Zwischenbilanz, München 2003.

Werner Süß (Hrsg.): Deutschland in den neunziger Jahren: Politik und Gesellschaft zwischen Wiedervereinigung und Globalisierung, Opladen 2002.

Klaus Stüwe (Hrsg.): Die großen Regierungserklärungen der deutschen Bundeskanzler von Adenauer bis Schröder, Opladen 2002.

Telford Taylor: Die Nürnberger Prozesse. Hintergründe, Analysen und Erkenntnisse aus heutiger Sicht, München 1995.

Horst Teltschik: 329 Tage. Innenansichten der Einigung, Berlin 1991.

Wolfgang Thierse u.a. (Hrsg.): Zehn Jahre Deutsche Einheit. Eine Bilanz, Opladen 2000.

Bruno Thoß/Wolfgang Schmidt (Hrsg.): Vom Kalten Krieg zur deutschen Einheit. Analysen und Zeitzeugenberichte zur deutschen Militärgeschichte 1945 bis 1995, München 1995.

Dietrich Thränhardt: Geschichte der Bundesrepublik Deutschland, Frankfurt am Main 1996.

Ulrike Thimme: Eine Bombe für die RAF, München 2004.

Alexander Thumfort: Die politische Integration Ostdeutschlands, Frankfurt am Main 2002.

Karsten Timmer: Vom Aufbruch zum Umbruch. Die Bürgerbewegung in der DDR 1989, Göttingen 2000.

Heiner Timmermann (Hrsg.): Die DDR in Deutschland. Ein Rückblick auf 50 Jahre, Berlin 2001.

Heiner Timmermann (Hrsg.): Die DDR – Analysen eines aufgegebenen Staates, Berlin 2001.

Heiner Timmermann (Hrsg.): Das war die DDR. DDR-Forschung im Fadenkreuz von Herrschaft, Außenbeziehungen, Kultur und Souveränität, Münster 2004.

Heiner Timmermann (Hrsg.): Deutsche Fragen. Von der Teilung zur Einheit, Berlin 2002.

Gerd R. Ueberschär (Hrsg.): Der Nationalsozialismus vor Gericht. Die alliierten Prozesse gegen Kriegsverbrecher und Soldaten 1943-1952, Frankfurt am Main 1999.

Gösta von Uexküll: Konrad Adenauer, Reinbek 2004.

Matthias Uhl/Armin Wagner (Hrsg.): Ulbricht, Chruschtschow und die Mauer. Eine Dokumentation, München 2003.

Karin Urich: Die Bürgerbewegung in Dresden 1989/90, Köln u.a. 2001.

Hans-Joachim Veen u.a. (Hrsg.): Lexikon. Opposition und Widerstand in der SED-Diktatur, Berlin/München 2000.

Andres Veiel: Black Box BRD. Alfred Herrhausen, die Deutsche Bank, die RAF und Wolfgang Grams, Stuttgart/München 2002.

Jutta Vergau: Aufarbeitung von Vergangenheit vor und nach 1989. Eine Analyse des Umgangs mit den historischen Hypotheken totalitärer Diktaturen in Deutschland, Marburg 2000.

Hans-Jochen Vogel: Meine Bonner und Berliner Jahre, München/Zürich 1996.

Clemens Vollnhals (Hrsg.): Der Fall Havemann. Ein Lehrstück politischer Justiz, Berlin 1998.

Clemens Vollnhals/Jürgen Weber (Hrsg.): Der Schein der Normalität. Alltag und Herrschaft in der SED-Diktatur, München 2002.

Armin Wagner: Walter Ulbricht und die geheime Sicherheitspolitik der SED: Der Nationale Verteidigungsrat der DDR und seine Vorgeschichte (1953 bis 1971), Berlin 2002.

Franz Walter: Die SPD. Vom Proletariat zur neuen Mitte, Berlin 2002.

Hermann Weber: Aufbau und Fall einer Diktatur. Kritische Beiträge zur Geschichte der DDR, Köln 1991.

Hermann Weber: Die DDR 1945-1990, 3. Auflage, München 1999.

Hermann Weber: Geschichte der DDR, 5. Auflage, München 2000.

Jürgen Weber/Peter Steinbach (Hrsg.): Vergangenheitsbewältigung durch Strafverfahren? NS-Prozesse in der Bundesrepublik Deutschland, München 1984.

Jürgen Weber (Hrsg.): Die Republik der fünfziger Jahre. Adenauers Deutschlandpolitik auf dem Prüfstand, München 1989.

Jürgen Weber (Hrsg.): Geschichte der Bundesrepublik Deutschland 1945/49-1963, 5 Bände (Neuauflagen), München 1993/98.

Jürgen Weber (Hrsg.): Der SED-Staat. Neues über eine vergangene Diktatur, München 1994

Jürgen Weber/Michael Piazolo (Hrsg.): Eine Diktatur vor Gericht. Aufarbeitung von SED-Unrecht durch die Justiz, München/Landsberg am Lech 1995.

Jürgen Weber (Hrsg.): Der Bauplan für die Republik. Das Jahr 1948 in der deutschen Nachkriegsgeschichte, München/Landsberg am Lech 1996.

Jürgen Weber (Hrsg.): Das Jahr 1949 in der deutschen Geschichte. Die doppelte Staatsgründung, Landsberg am Lech 1997.

Jürgen Weber (Hrsg.): Aufbau und Neuorientierung. Die Geschichte der Bundesrepublik 1950-1955, Landsberg 1998.

Jürgen Weber/Michael Piazolo (Hrsg.): Justiz im Zwielicht. Ihre Rolle in Diktaturen und die Antwort des Rechtsstaates, München 1998.

Hans-Ulrich Wehler: Deutsche Gesellschaftsgeschichte 1914-1949, München 2003.

Werner Weidenfeld/Karl-Rudolf Korte (Hrsg.): Handbuch zur deutschen Einheit, 3. Auflage, Bonn 1999.

Annette Weinke: Die Verfolgung von NS-Tätern im geteilten Deutschland: Vergangenheitsbewältigung im geteilten Deutschland 1949-1969 oder: eine deutsch-deutsche Beziehungsgeschichte im Kalten Krieg, Paderborn u.a. 2002.

Richard von Weizsäcker: Drei Mal Stunde Null? 1949-1969-1989, Berlin 2001.

Wolfgang Welsch: Ich war Staatsfeind Nr. 1. Als Fluchthelfer auf der Todesliste der Stasi, 2. Auflage, München/Zürich 2003.

Falco Werkentin: Politische Strafjustiz in der Ära Ulbricht, Berlin 1995.

Falco Werkentin: Recht und Justiz im SED-Staat, Bonn 1998.

Uwe Wesel: Die verspielte Revolution. 1968 und die Folgen, München 2002.

Gerhard Wettig: Bereitschaft zu Einheit und Freiheit? Die sowjetische Deutschlandpolitik 1945-1955, München 1999.

Göttrik Wewer (Hrsg.): Bilanz der Ära Kohl, Opladen 1998.

Klaus Wiegrefe: Das Zerwürfnis. Helmut Schmidt, Jimmy Carter und die Krise der deutsch-amerikanischen Beziehungen, Berlin 2005.

Charles Williams: Adenauer. Der Staatsmann, der das demokratische Deutschland formte, Bergisch Gladbach 2001.

Heinrich August Winkler: Der lange Weg nach Westen. Zweiter Band: Deutsche Geschichte vom „Dritten Reich" bis zur Wiedervereinigung, München 2000.

Stefan Wolle: Die heile Welt der Diktatur. Alltag und Herrschaft in der DDR 1971-1989, Bonn 1998.

Stefan Wolle: DDR, Frankfurt am Main 2004.

Tobias Wunschik: Baader-Meinhofs Kinder. Die zweite Generation der RAF, Opladen 1997.

Jürgen Zarusky (Hrsg.): Die Stalin-Note vom 10. März 1952. Neue Quellen und Analysen. Mit Beiträgen von Wilfried Loth, Hermann Graml und Gerhard Wettig, München 2002.

Philip Zelikow/Condoleezza Rice: Sternstunden der Diplomatie. Die deutsche Einheit und das Ende der Spaltung Europas, 2. Auflage, Berlin 1997.

Geschichte des 20. Jahrhunderts

Bitte besuchen Sie uns im Internet: www.dtv.de

Geschichte des 20. Jahrhunderts

Bitte besuchen Sie uns im Internet: www.dtv.de

Geschichte des 20. Jahrhunderts

Geschichte des 20. Jahrhunderts

Karin Orth
Die Konzentrationslager-SS
Sozialstrukturelle Analysen
und biographische Studien
ISBN 3-423-34085-1

Andrew Roberts
Churchill
und seine Zeit
Übers. v. F. Griese
ISBN 3-423-24132-2

Hagen Schulze
Der Weg zum Nationalstaat
Die deutsche Nationalbewe-
gung vom 18. Jahrhundert bis
zur Reichsgründung
ISBN 3-423-04503-5

Kleine deutsche Geschichte
ISBN 3-423-30703-7

Kurt Sontheimer
Die Adenauer-Ära
Grundlegung der Bundes-
republik
ISBN 3-423-34024-X

Eckart D. Stratenschulte
Kleine Geschichte Berlins
ISBN 3-423-30167-8

Das Urteil von Nürnberg
Mit einem Vorwort von
Jörg Friedrich
ISBN 3-423-34203-X

Ulrich Völklein
Der Judenacker
Eine Erbschaft
ISBN 3-423-34110-6

Jürgen Weber
**Kleine Geschichte
Deutschlands seit 1945**
ISBN 3-423-30830-3

Eric J. Hobsbawm im dtv

Das Zeitalter der Extreme
Weltgeschichte des 20. Jahrhunderts
Übers. v. Y. Badal
ISBN 3-423-30657-2

Das »kurze 20. Jahrhundert« aus globaler Perspektive – auf der Basis ungeheuren Kenntnisreichtums wie auch persönlicher Erfahrung präzise analysiert und meisterhaft geschildert von einem der bedeutendsten Historiker unserer Zeit.

»Weit und breit ist kein Rivale von überlegener Kompetenz zu erkennen.«
Der Spiegel

Das Gesicht des 21. Jahrhunderts
Ein Gespräch mit Antonio Polito
Übers. v. U. Rennert
ISBN 3-423-30844-3

Einer der bedeutendsten Historiker unserer Zeit erklärt die Gegenwart aus der Vergangenheit und gibt nachdenkenswerte und weitblickende Antworten auf die wesentlichen Fragen der Zukunft.

»Die Dichte des Gesprächs lohnt jede Leseminute.«
Süddeutsche Zeitung

Ungewöhnliche Menschen
Über Widerstand, Rebellion und Jazz
Übers. v. T. Schmidt
ISBN 3-423-30873-7

Auch unter den »kleinen« Leuten ungewöhnliche Menschen auszumachen, die durchaus etwas in der Geschichte bewegt haben, ist das Anliegen des Autors.

»So macht der Historiker Lust auf Geschichte.«
Der Spiegel

Bitte besuchen Sie uns im Internet: www.dtv.de

Hagen Schulze

Kleine deutsche Geschichte

ISBN 3-423-30703-X

Wer die Gegenwart verstehen will, muß die Vergangenheit kennen.
Nach den turbulenten Entwicklungen der letzten Jahre mit der
Entstehung eines neuen deutschen Nationalstaats und auch im
Hinblick auf die Zukunft in der EU ist das wichtiger denn je.
Dem Autor ist es gelungen, 2000 Jahre deutscher Geschichte von
den Anfängen bis zur Vereinigung des geteilten Deutschland im
Jahre 1990 zusammenzufassen, in ihren Grundzügen darzustellen
und alle wesentlichen Aspekte prägnant und anschaulich zu
schildern. Gebündelte Information führt so zu solidem Wissen.

»Eine deutsche Geschichte, wie sie das Publikum lange nicht
hatte: knapp, temperamentvoll, modern ...«
Frankfurter Allgemeine Zeitung

»Schulze zeigt einmal mehr, daß große Geschichtsschreibung
nicht unverständlich sein muß.«
Die Welt

»... die großen Linien, die oft zupackende, pointierte und
überdies flüssige Darstellung machen die anregende Lektüre
des Buches für jeden Leser zu einem Gewinn.«
Rheinischer Merkur

Bitte besuchen Sie uns im Internet: www.dtv.de

Joseph Rovan im dtv

Geschichte der Deutschen
Von ihren Ursprüngen bis heute
Übers. v. E. Heinemann, R. Pfleiderer und R. Tiffert

ISBN 3-423-30638-6

»Ein ungewöhnlich kühnes und souveränes Buch, durch das der Verfasser seinen Anspruch auf Mitbesitz an der deutschen Geschichte, die, wie er sagt, ihm einst entrissen und verboten wurde, zum Ausdruck bringt.« *Michael Stürmer*

Im Zentrum Europas
Deutschland und Frankreich im 20. und 21. Jahrhundert
Übers. v. R. Fenzl

ISBN 3-423-24205-1

Aus französischer und deutscher Sicht betrachtet Joseph Rovan die europäische Geschichte der vergangenen hundert Jahre. Für die Zukunft entwirft er das Bild eines geeinten Europa, das im Konzert der Weltmächte eine wichtige Rollen spielen kann, wenn es gelingt, die Lehren aus der bewegten Vergangenheit zu ziehen.

Geschichten aus Dachau
Übers. v. T. Dobberkau und F. Griese

ISBN 3-423-30766-8

Wie war ein Überleben unter den extremen Bedingungen des Konzentrationslagers möglich? Der bekannte Historiker Joseph Rovan beschreibt die Organisation des Überlebens, der gegenseitigen Hilfe und des Widerstands gegen die brutale Unterdrückung. Seine Geschichten beeindrucken vor allem durch die große menschliche Wärme und Versöhnlichkeit, die aus ihnen spricht.

Erinnerungen eines Franzosen, der einmal Deutscher war
Übers. v. B. Wilczek

ISBN 3-423-34009-6

»Am schönsten sind diese Erinnerungen, wenn der Autor von den Menschen spricht, denen er im Laufe seines Lebens begegnet ist.« *Frankfurter Allgemeine Zeitung*

Bitte besuchen Sie uns im Internet: www.dtv.de

»Ein Muss für jeden Geschichtsfan!«
Leserstimme bei Amazon

›P. M. History‹ ist die erfolgreichste Publikumszeitschrift für historisch interessierte Leser. Die besten Artikel aus der Zeitschrift werden in den <u>dtv</u>-Ausgaben versammelt. Die Autoren der Beiträge verstehen es hervorragend, auf der Basis seriösen Faktenwissens Geschichten zur Geschichte zu erzählen.

Historische Ereignisse, Biografie und Lebenswerk einer historischen Persönlichkeit werden nicht mit akademischem Abstand, sondern aus einer menschlichen Perspektive dargestellt. Auf der Basis aktueller historischer Erkenntnisse wird die Vergangenheit mit Leben erfüllt.

Als Pharao Ramses gegen die Hethiter zog
Geschichten zur Geschichte
Ein P. M. History-Buch
Herausgegeben von
Ernst Deissinger und Sascha Priester
ISBN 3-423-34147-5

Auf der Suche nach dem heiligen Gral
und andere Geschichten zur Geschichte
Ein P. M. History-Buch
ISBN 3-423-34240-4

»Und alles im schönen Gleichgewicht von griffiger Information und eingängiger Leseunterhaltung.«
Hannoversche Allgemeine

Bitte besuchen Sie uns im Internet: www.dtv.de

Lebendiges Mittelalter

Wolfgang Behringer (Hg.)
Hexen und Hexenprozesse in Deutschland
ISBN 3-423-30781-1

Joachim Bumke
Höfische Kultur
Literatur und Gesellschaft im hohen Mittelalter
ISBN 3-423-30170-8

Dante
von Fritz R. Glunk
dtv portrait
ISBN 3-423-31073-1

Michaela Diers
Hildegard von Bingen
ISBN 3-423-31008-1

Umberto Eco
Kunst und Schönheit im Mittelalter
Übers. v. G. Memmert
ISBN 3-423-30128-7

Franz Irsigler, Arnold Lassotta
Bettler und Gaukler, Dirnen und Henker
Außenseiter in einer mittelalterlichen Stadt
Köln 1300–1600
ISBN 3-423-30075-2

Régine Pernoud
Königin der Troubadoure
Eleonore von Aquitanien
Übers. v. R. Heyd
ISBN 3-423-30042-6

Régine Pernoud
Herrscherin in bewegter Zeit
Blanca von Kastilien, Königin von Frankreich
Übers. v. S. Rott-Illfeld
ISBN 3-423-30359-X

Steven Runciman
Geschichte der Kreuzzüge
ISBN 3-423-30175-9

Barbara Tuchman
Der ferne Spiegel
Das dramatische 14. Jahrhundert
Übers. v. U. Leschak und M. Friedrich
ISBN 3-423-30081-7

Christa Tuczay
Magie und Magier im Mittelalter
ISBN 3-423-34017-7

Karl-Ferdinand Werner
Die Ursprünge Frankreichs bis zum Jahr 1000
Übers. v. C. und U. Dirlmeier
ISBN 3-423-04653-8

Lexikon des Mittelalters
9 Bände in Kassette
ISBN 3-423-59057-2

24 000 biographische, geographische Sach- und Überblicksartikel zu Geschichte, Wirtschaft, Gesellschaft, Alltag, Wissenschaft, Kunst und Kultur.

Bitte besuchen Sie uns im Internet: www.dtv.de